MOBA

Lesley Pearse
Bojovnice

Originální název: Survivor
Vydáno u Penguin Books, Londýn 2014
Překlad Lenka Faltejsková

Odpovědná redaktorka Martina Kloudová
Grafická úprava Ivana Náplavová
Obálka Marcel Bursák/PT MOBA
Tisk Finidr, s. r. o., Český Těšín

Vydala Moravská Bastei MOBA, s. r. o., Brno 2018
www.mobaknihy.cz

Vydání první

ISBN 978-80-243-7645-5

LESLEY PEARSE

Bojovnice

MOBA

Kapitola první
Russell, Nový Zéland, 1931

„Marietta je tak…" Paní Quiglcyová sc odmlčela, tenké rty semknuté, jako by nemohla přijít na vhodné adjektivum, jímž by vystihla roztěkanou žákyni. „Tak vzpurná!"

Belle odolala pokušení usmát se, učitelka si nad její jedenáctiletou dcerou zjevně zoufala. Když byla Belle malá, říkali o ní totéž.

Paní Quigleyová ji navštívila poté, co skončilo vyučování a žáci odešli domů, bylo kolem půl páté.

Belle ji v rámci slušnosti uvedla do obývacího pokoje, neměla však v úmyslu nabídnout jí čaj, protože si nepřála, aby se učitelka zdržela dlouho. „Myslím, že je zkrátka jen výrazná. Čím přesně vás tak rozčílila?"

„Nemám po ruce konkrétní incident, který by to vystihoval, ale odporuje všemu, co řeknu. Například včera jsem třídě vyprávěla, kolik vojáků padlo ve světové válce, a ona tvrdila, že Francie přišla o pětadvacet procent mužů."

„Ale to je pravda," podivila se Belle. „Nepovažovala bych za vzdor, když na něco takového poukáže – její otec je přece jen Francouz a za svou zemi bojoval."

Byla v pokušení dodat, že Etienne získal za odvahu válečný kříž, ale on by se tím chlubit nechtěl.

Paní Quigleyová si založila paže. „Jenže ona musí mít názor úplně na všechno! Navíc se mi nelíbí, že učí ostatní děti pochybné francouzské věty."

„Asi byste zjistila, že na nich nic pochybného není, jí se zkrátka jen líbí ten jazyk. Pochybuji, že by je učila víc než ‚podej mi, prosím tě, tužku' nebo ‚dnes je opravdu horko'. My si přejeme, aby mluvila oběma jazyky, a těší nás, jak jí to jde."

Nesouhlasné odfrknutí paní Quigleyové jasně vypovídalo o tom, že učit dítě francouzsky je podle ní podvratná činnost. „Je příliš sebevědomá," vyštěkla, jako by šlo o urážku. „Vždycky mluví jako první ze třídy, ve všem stojí v čele."

„Mrzí mě, jestli vás to znepokojuje." Belle si pomyslela, že by se tahle stará zkostnatělá učitelka měla spíš soustředit na to, aby pomohla slabším žákům, a být vděčná, že se alespoň někdo ze třídy učí rád. „Učitel by snad měl takové nadšení vítat – je to přece kompliment vašim metodám."

„Pýcha předchází pád," opáčila učitelka zachmuřeně. „Možná je Marietta moc velká ryba na tenhle rybník, ale co až vyroste? To bude ještě horší."

„Sebejisté dítě se přizpůsobí." Belle ztrácela trpělivost. „Chcete probrat její prospěch? Proto jste přece přišla, ne?"

„Čte a píše velmi dobře," připustila paní Quigleyová neochotně. „Je také rychlá počtářka. Ale jakmile je hotová, rozptyluje ostatní děti a tím jim brání dokončit práci."

„Mluví na ně?" Konečně se někam dostáváme, pomyslela si Belle.

„Ano."

„V tom případě jí domluvím. Nebylo by nejlepší dát jí například úkol navíc, aby se zaměstnala?"

Belle již před časem pochopila, že si paní Quigleyová na Mariettu zasedla. Nebylo to ani tak tím, že je děvče rychlejší nebo bystřejší než jeho vrstevníci, spíš proto, že Marietta ani Belle učitelku neuctívaly tak jako ostatní děti a matky z Russellu.

Tato nevýrazná, hubená a odtažitá žena, jíž táhlo na padesátku, do Russellu dorazila ve stejné době, kdy se Belle provdala za Etienna. Šuškalo se, že se přistěhovala, aby byla nablízku Silasi Waldronovi, vdovci z Kerikeri, s nímž se seznámila v Aucklandu. Snad doufala, že jejich vztah přeroste v lásku a manželství, což se však očividně nestalo.

Pro samotnou ženu daleko od příbuzných a přátel to nemohlo být v tak izolované komunitě lehké, zvlášť když byla zvyklá na velké město. Paní Quigleyová neměla s matkami svých žáků mnoho společného, jejich život se točil kolem manželů a rodiny a pravděpodobně jí připadaly značně zpátečnické.

Vše navíc ovlivňovala její škrobenost a upjatost – s nikým neztratila slůvko, usmívala se jen zřídka, natož aby se zasmála –, a pokud doufala, že si najde manžela mezi zámožnými muži, kteří sem v létě přijížděli rybařit, neuspěla. Těžko by někdo z nich stál o nezajímavou ženu středního věku, která se věčně tváří kysele jako citron.

„Odpusťte mi mou upřímnost, paní Carrerová, ale myslím, že byste Mariettinu divokou povahu měla zkrotit například tím, že ji budete podporovat v kratochvílích, které jsou pro ženy vhodnější než mořeplavba. Když jsem k vám přicházela, zahlédla jsem ji tlačit člun z přístavu, šaty měla vykasané naprosto neslušným způsobem.“

Belle zpozorněla. „Viděla jste Mari vytahovat člun? Otec s ní nebyl?“

„Ne, byla sama, pokřikovala na někoho na břehu jako stará rybářka."

„Proč jste mi to neřekla hned?" Belle si strhla zástěru a zamířila ke dveřím. „Copak si myslíte, že bychom jedenáctiletému děcku dovolili vyplout samotnému na moře?"

„Ale o tom právě mluvím, je vzpurná," zdůraznila paní Quigleyová. Její námitka však vyzněla naprázdno, protože Belle již vybíhala z domu.

Hnala se rovnou do přístavu a srdce se jí svíralo strachy. Etienne slíbil, že dnes po škole vezme Mariettu na loď, pokud v práci skončí brzy. Jenže podle toho, co říkala paní Quigleyová, Marietta zřejmě usoudila, že toho umí dost, aby si poradila sama.

Byl krásný slunečný říjnový den, vítr foukal právě tolik, aby byly ideální podmínky k plavbě, jenže Marietta nebyla dost silná ani dost zkušená. Otec jí to opakoval stále dokola. Stačil by náhlý poryv větru, který by zacloumal lodí, nebo by ji mohlo do hlavy uhodit ráhno. Ačkoli uměla dobře plavat, voda v zátoce byla touto roční dobou ještě studená, navíc v některých místech byly silné spodní proudy.

Cestou Belle zahlédla Charleyho Lomaxe. Zavolala na něj: „Mari vyrazila sama na moře. Nemohl bys mi najít Etienna? A kdybys viděl Mog, řekni to i jí."

Padesátník Charley Lomax patřil ke koloritu Russellu, za střízliva byl velký dříč, mnohdy však byl i několik dnů opilý. Žil ve zchátralém domku na konci města, ale Etienne ho měl rád, často spolu pracovali na stavbě.

Charley zamával na znamení, že porozuměl, a okamžitě odběhl, naštěstí dnes očividně nepil.

Belle se na okamžik zastavila, protože ji začalo píchat v boku. Zaclonila si oči a rozhlédla se po zátoce. Jejich loďka měla červenou plachtu, a když ji Etienne koupil, Belle často ráda sledovala, jak vyplouvá na moře. Když s sebou začal brát Mariettu, aby ji naučil zacházet s lodí, Belle si trochu dělala starosti. Alexe ani Noela mu zatím brát s sebou nedovolovala, protože chlapcům bylo teprve osm a sedm a ještě neuměli tak dobře plavat. Ale u Marietty svolila, protože dcerka moře a lodě milovala a ráda trávila čas o samotě s otcem.

Belle zahlédla loďku, která plula poměrně slušnou rychlostí daleko od břehu. Marietta byla jen tečkou naklánějící se na stranu, snažila se plavidlo udržet v rovnováze. Belle se obávala, že dívka nemá dost silné paže, aby si poradila, zvlášť když míří na otevřené moře, kde mohou být prudké vlny.

„*Belle!*"

To už se k ní řítila Mog, za ruce držela Alexe a Noela. Většinu dnů vyzvedávala chlapce ze školy, protože končili o půl hodiny dříve než Marietta, a brávala je na procházku, aby trochu upustili páru.

Kdykoli jindy by Belle žasla nad tím, jak dokáže jednapadesátiletá žena, která trochu kulhá, běžet tak rychle. Dnes však dokázala myslet jedinč na dceru v ohrožení.

„Mari je sama na moři," křikla na Mog a ukázala na loďku v dálce. „Nevíš, kde je Etienne?"

Mog k ní doběhla a lapala po dechu. „Charley pro něj běžel. Je u Baxterů," vypravila ze sebe. „Chce okamžitě vyrazit na jiné lodi a doplout pro ni. Asi bys měla s ním."

„Jestli se tam na moři převrátí, utopí se," strachovala se Belle cestou. „Milionkrát jsem jí opakovala, jak je moře nebezpečné. Proč musí mít vždycky svou hlavu?"

„Uklidni se, Belle," domlouvala jí Mog. „Je to zlobivá holka a neposlouchá. Ale dokud vidíš, že se loď nepřevrátila, je zbytečné panikařit. Etienne tu bude, než bys řekla švec."

V tom se Mog nemýlila. Jen co došly k vodě, oblak prachu ohlásil, že Etienne právě přijel ve starém trucku.

Ačkoli už oslavil jednapadesáté narozeniny, léta k němu byla laskavá, zůstal štíhlý a silný jako ve svatební den. Kolem modrých očí mu přibyly vrásky a vlasy měl víc bílé než blond, ale stále dokázal rozechvět ženské srdce, zejména Bellino.

Přesně jak čekala, nezdržoval se vysvětlováním, výčitkami nebo zbytečnými nářky, poslal Alexe domů pro teplou deku a požádal Mog, aby pohlídala Noela, popadl Belle za ruku a už utíkali k malému rybářskému člunu. Etienne naskočil a nastartoval motor, Belle člun odstrčila od břehu a naskočila za ním. Za chvíli už vyplouvali k loďce.

Etienne sledoval malé plavidlo v dálce. „Zvládá to dobře," konstatoval s jistou dávkou hrdosti, vzápětí si však všiml Bellina zděšeného výrazu. „Belle, přece jsi snad nečekala, že budeme mít krotké a poslušné děti! Mari zdědila to nejhorší i to nejlepší z nás obou."

Belle měla sto chutí říct, že loďku neměl nikdy kupovat – a jestli se Marietta utopí nebo se jí něco stane, nikdy mu neodpustí –, ale neudělala to, věděla, že kdyby se něco přihodilo, neodpustil by si ani on sám. Navíc souhlasila, děti, které žijí u moře, by měly umět plavat a zacházet s lodí.

Pak už mlčeli a v duchu pobízeli člun k větší rychlosti. Když se přiblížili, bylo zřejmé, že Marietta zápolí se silou větru opírajícího se do plachty.

„Svírá lano jak o život a zapomíná používat kormidlo," poznamenal Etienne. Zatínal zuby ze strachu, protože jestli bude dcera takhle pokračovat, brzy se ocitne na otevřeném moři.

Náhle se ozvalo zaskřípění a loďka se k jejich hrůze převrátila. Marietta byla vržena do moře jako hadrová panenka. Viděli ji padat, slyšeli šplíchnutí, vzápětí jim zmizela z očí.

„Kde je? Nevidím ji!" děsila se Belle.

Vody kolem Russellu byly klidné, ale tady, dál od břehu, už se zvedaly velké vlny a v šoku z náhlého potopení do studené vody by měl problémy plavat každý, natož malé děvče.

„*Mari!*" vykřikl Etienne z plných plic. „Slyšíš mě?"

K převrácené loďce jim zbývalo nějakých padesát metrů a Belle strachy bez sebe prohledávala očima vodu. Nakrátko pohlédla na Etienna, viděla, jak zatíná zuby. Zpomalil a chystal se skočit do vody.

„Přeber kormidlo a kruž pomalu dokola," nařídil Belle. Zul si boty. „Kdybys ji zahlédla, křič a mávej tímhle," dodal a podal jí červený hadr.

Vzápětí skočil do vody a vynořil se zhruba po deseti metrech.

Belle dělala, co jí řekl, pomalu obeplouvala převrácenou loďku, volala Mariettu a rozhlížela se. Etienne zůstával vesměs pod vodou, pokaždé se vynořil jen ke krátkému nádechu.

Belle svírala hrůza, v duchu už viděla, jak se Etienne objeví s bezvládným tělíčkem jejich dcery v náručí. Pokoušela se ovládnout paniku, připomínala si, že Mariettu neudeřilo ráhno, tím pádem nebyla v bezvědomí, a plavat umí jako ryba. Jenže s každou míjející vteřinou se zvyšovala pravděpodobnost, že se holčička utopila.

„Bože, prosím tě, ať se jí nic nestane," šeptala zoufale, zatímco se Etienne znovu potopil do hlubin.

A náhle byla její modlitba vyslyšena – Belle dcerku spatřila. Bledý, drobný a vyděšený obličejík se vynořil z vln, dívenka se natahovala k převrácené loďce.

„Zůstaň tam, Mari," křikla Belle a mávala přitom červeným hadrem, „tatínek pro tebe doplave. Hlavně se drž!"

Etienne se vynořil na druhé straně loďky.

„Je tady! Na téhle straně," zavolala na něj Belle a ukázala.

Etienne zvedl ruku na znamení, že ji slyšel. Zatímco obeplavával loďku, Belle navedla rybářský člun blíž.

Etienne se k Mariettě dostal za pár minut, chytil ji, doplaval k Belle a zmáčenou dcerku jí podal.

„Vrátím se loďku obrátit. Můžeme ji do Russellu dotáhnout," zavolal z vody a plaval nazpátek.

„Ach, Mari, ty jsi tak zlobivá holka," lamentovala Belle, svlékla dítě z promáčených šatů a zabalila do Etiennova starého pláště. „Mohla ses utopit!"

„Táta mi říkal, že kdybych se někdy převrátila, mám se držet u lodi," vzlykala holčička a vykašlávala mořskou vodu. „Ale já ji přes ty vlny neviděla, hrozně jsem se bála. Plavala jsem na špatnou stranu. Pak jsem se ale otočila a uviděla jsem ji."

Belle se tolik ulevilo, že je dcerka v bezpečí, že si přednášku o zlobení nechala pro sebe. Pevně k sobě dítě přitiskla a sledovala, jak Etienne obrací loďku a připevňuje k ní lano. O lodích věděl všechno – naučil se to už jako chlapec v Marseille, kde vyrůstal, a majitelé lodí z Russellu si často žádali jeho pomoc nebo opravu. Zato o dětech toho tolik nevěděl a Belle rozčilovalo, že kvůli jeho povzbuzování si jedenáctileté děvče myslelo, že se může samo vydat na otevřené moře.

Kdyby si paní Quigleyová nevšimla, jak Marietta tlačí loďku do vody, trvalo by minimálně hodinu, než by se po ní Belle začala shánět. A jakmile by dítě opustilo zátoku, spláchl by je proud a malé tělíčko by se možná už nikdy nenašlo.

Nechala si to však pro sebe, Marietta byla i tak vyděšená víc než dost. Prozatím ji chtěla jen zahřát a pevně obejmout.

Etienne měl pravdu, když říkal, že dívka po rodičích zdědila to nejlepší i to nejhorší. Po otci byla nebojácná, po matce odhodlaná. Ale také zlobivá, svéhlavá a neposlušná. I vzhledově měla od každého něco: rusé vlasy, vlnité jako Belliny, Etiennovy výrazné lícní kosti a Belliny tmavě modré oči a plné rty. Nebyla vysloveně krásná, přesto na ní bylo cosi fascinujícího, stejně jako na Etiennovi.

„Zlobíš se na mě?" pípla Marietta, jakmile se otec vrátil do člunu a svlékl si mokré šaty.

„Ano, zlobím," ujistil ji a zatvářil se velmi přísně. „Mockrát jsem ti opakoval, že nikdy nesmíš do loďky sama. A tys mě neposlechla. Mělas štěstí, že jsme tě našli včas. Nestačí umět plavat, moře je studené a i dospělý člověk jako já ve vodě za chvíli prochladne a ztuhne. Umíš si představit, jak bys nám všem ublížila, kdyby ses utopila?"

„Byli byste všichni moc smutní," pronesla Marietta, svěsila hlavu a pokoušela se zachumlat hlouběji do starého kabátu.

„Nejen smutní, byli bychom zdrcení," zdůraznil Etienne a skrčil se k ní. „Jsi jenom malá holčička. Možná už s loďkou umíš dobře zacházet v klidném počasí, ale nejsi dost silná, aby sis poradila v silném větru. Musíš mě a maminku poslouchat, Marietto. Nezakazujeme ti některé věci proto, že bychom byli zlí, ale abychom tě ochránili."

„Mrzzzí mě to," zajektala Marietta ztrápeně zuby. „Chtěla jsem, abyste na mě byli pyšní, že už to umím."

„Byli bychom mnohem pyšnější, kdybys poslouchala," podotkla Belle a nastartovala motor. „Kdyby tě nezahlédla paní Quigleyová, nenašli bychom tě včas. Doufám, že si to vezmeš k srdci a víckrát se nikam nezatoulás – na lodi, v autě ani pěšky –, aniž by ses napřed zeptala."

„Už to neudělám," vzlykalo dítě. „Hlavně se na mě nezlobte."

Belle se na dcerku zadívala. Holčička se přitulila k Etiennovi, jak to dělávala jako malá. Vlasy měla tehdy čistě blond, ale v posledních letech nabraly měděný odstín a zvlnily se. Belle jí je musela pevně zaplétat, jinak byly věčně rozcuchané. Marietta vykulila oči a nasadila nevinný výraz, který měla v malíku. Belle i Etiennovi připadal roztomilý, ale zároveň je znepokojovalo, že dcerka obratně manipuluje jimi i všemi ostatními. Momentálně byla skutečně zkroušená, přesto bylo zřejmé, že krotká ani poslušná nikdy nebude. Jen co si příště vezme do hlavy nějakou neplechu, na dnešní lekci si ani nevzpomene.

Když jí s Etiennem vybírali jméno, rozhodli se pro Mariettu, protože se tak jmenovala Etiennova matka, a on se smíchem vysvětlil, že to znamená „rebelka". Ovlivnilo snad jméno svou nositelku?

Žádné dítě nebylo tak vymodlené jako Marietta. Poté, co Belle ještě v Anglii potratila, když byla těhotná se svým s prvním manželem, Jimmym Reillym, řekli jí, že už mít děti velmi pravděpodobně nikdy nebude. Jimmy byl ve válce těžce zraněn a doma zavládla tíživá a komplikovaná situace, Belle tehdy myšlenky na děti pustila z hlavy. Ale nikdy nezapomněla docela. To místečko zůstávalo bolavé, zdroj neustálé lítosti.

Na konci války se po světě šířila španělská chřipka. K desetitisícům obětí patřili i Jimmy a Mogin manžel Garth – oba zemřeli.

Belle s Mog se vypravily na Zéland, potřebovaly nový začátek, avšak Belle i přes své mládí nečekala, že by se ještě někdy mohla zamilovat. V Russellu jim s Mog přezdívali „anglické vdovy". Belle čekala, že spolu zestárnou, budou provozovat krejčovství a kloboučnictví a děti leda tak sem tam pohlídají sousedům.

Jenže pak ji přijel hledat Etienne, muž, jehož milovala a o němž si myslela, že ve Francii padl. Dodnes to považovala za zázrak.

Tehdy obyvatele Russellu šokovala, nedokázala předstírat zdrženlivost, ale bylo jí to jedno. Jeho návrat pokládala za zásah shůry, který jí má vynahradit uplynulé strasti. Když se brali, byla již ve čtvrtém měsíci těhotenství, a snad nikdy žádná nevěsta nekráčela k oltáři tak šťastně nebo hrdě.

Od té doby se hodně semlelo – dolehlo na ně strádání, prožili nejedno zklamání i krušná období. Přesto s Etiennem po boku a ve světle radosti, již jim dělaly tři krásné zdravé děti, se vše ostatní zdálo bezvýznamné.

Když se však nyní Belle dívala na Mariettu, uvědomila si, že děti jí mohou způsobit daleko větší žal než všechno, co má za sebou. Marietta je až příliš odvážná a neopatrná a je umíněná zrovna jako její rodiče. V patnácti se vůči klidnému tichému životu zde v Russellu nepochybně začne bouřit, bude hledat zábavu jinde. A Belle až moc dobře věděla, jaká nebezpečí na mladá děvčata číhají. Stačilo jen pomyslet, že by Mariettu mohlo potkat něco z toho, co sama zažila, a krev jí tuhla v žilách.

Mog vzala chlapce domů a nechala v přístavu dvě deky. Do jedné Etienne zabalil dceru, druhou si hodil přes holá ramena, uvázal člun, poté vzal Mariettu do náruče a zamířili k domovu.

Mog s chlapci na ně čekali na verandě domku na Robertson Street. Dalekohledy na stole svědčily o tom, že celou záchrannou akci úzkostlivě sledovali ze břehu a vrátili se domů, teprve když byla Marietta v bezpečí.

Mog si nikdy na dramatické výstupy nepotrpěla, zkrátka jen sevřela třesoucí se dítě v náruči a oznámila, že je připravena teplá koupel.

„A dostane na zadek?" vyzvídal sedmiletý Noel.

Oba chlapci měli Belliny tmavé vlasy, kobaltově modré oči, tmavší než ona, ale v obličeji otcovy rysy – podezíravé, ostražité. Přesto nebyli takoví dobrodruhové jako jejich starší sestra. Když o tom mluvili, Etienne se pokaždé smál a říkal: „Jen dočkej času!"

„Nebuď pitomej, Noeli," opáčil Alex, „už je vyděšená dost, když se málem utopila."

Belle se musela jeho nadřazenému tónu usmát. Používal jej často, kdykoli chtěl zdůraznit, že je o rok starší než bratr. Připomínal Belle její zesnulou matku Annie, byl velmi rázný a někdy se choval chladně, ale naštěstí byl také citlivý a vždycky se na něj dalo spolehnout.

Později večer, když se děti navečeřely a odešly na kutě, přinesla Mog ze spižírny láhev brandy a nalila do tří sklenic.

Seděli v kuchyni. Nádobí bylo umyté a uklizené, venku už padla tma, ale zlatavé světlo petrolejky vytvářelo uvnitř útulnou rodinnou atmosféru.

„Vím, že jste oba měli o Mari strach," pronesla Mog a podala Belle i Etiennovi jednu sklenici. Oba během večeře zachmuřeně mlčeli. Dětem to neuniklo a po jídle se šly uložit bez obvyklého otálení. „Ale možná je dobře, že ji něco pořádně vyděsilo. Příště si to určitě rozmyslí."

Malý dřevěný domek Mog koupila, když s Belle kdysi přišly do Russellu, ovšem Etienne jej od svatby výrazně zrekonstruoval. Stále čekali, až bude v Russellu zavedena elektřina, ale kuchyně dnes byla mnohem větší a měli i oddělenou prádelnu s měděným kotlem, v němž se ohřívala voda na praní a na koupání. Etienne nechal pro Mog přistavět další dvě místnosti, do nichž byl přístup jak z chodby, tak samostatný z verandy. Nad nimi měli společný pokoj chlapci a jeden Marietta sama pro sebe.

Mog všude představovali jako Bellinu tetu, což bylo snadnější než vysvětlovat, jak se věci mají doopravdy. Mog totiž ve skutečnosti pracovala jako služebná u Belliny matky, Annie Cooperové, a v podstatě Belle vychovala. O mnoho let později se vdala za Gartha Franklina a Belle za jeho synovce Jimmyho Reillyho. Vyjma několika let, kdy byla Belle v Americe a v Paříži a posléze pracovala jako řidička sanitky na frontě ve Francii, žily s Mog vždycky spolu. Pro Belliny děti se Mog stala milovanou babičkou. A jejích názorů, pokud šlo o děti nebo rodinné záležitosti, si všichni cenili.

„Souhlasím, Mog," přikývl Etienne. „Když se dítě vyděsí, příště si dá pozor. Naštěstí se dnes nikomu nic nestalo, jen my, dospělí, jsme se pořádně vylekali. Snad ani u Yper to nebylo tak děsivé, jako když jsem dnes hledal Mari v moři. Ty ses o ni určitě bála stejně, Mog, a chudák Belle to ještě nerozdýchala."

„Měli bychom se té loďky zbavit," vylétlo z Belle. „Mari to možná víckrát nezkusí, ale máme ještě dva syny."

Etienne ji vzal za ruce a chápavě se usmál. „Žijeme u moře a bez lodí se neobejdeme. V Marseille, kde jsem vyrůstal, to bylo stejné. Je mnohem lepší poučit je, jaká nebezpečí na moři číhají, a naučit je dobře zacházet s lodí, než se je snažit držet stranou."

„Přesně tak. Na děti číhá nebezpečí všude," přikývla Mog. „Lezou na stromy, můžou potkat zlýho člověka, sníst nějakou jedovatou bobuli, nakazit se nějakou nemocí, ani to nespočítáš. Nemůžeme je před vším uchránit. Sama to víš líp než kdo jinej, Belle."

Belle vzdychla. „Ano, ale myslela jsem, že když budu děti vychovávat tady, na tak krásném místě, budou víc v bezpečí. Víte, co mi Mari řekla, když jsem ji dnes večer ukládala do postele? Že by chtěla být hrdinkou jako Grace Darlingová nebo Johanka z Arku. Ne pracovat v pekárně nebo šít šaty.

Jestli sní o takových věcech, není marné doufat, že se vdá za dobrého poctivého chlapa a bude mít kupu dětí?"

Etienne se rozesmál. „Je jí teprve jedenáct, Belle. Určitě jsi v jejím věku měla podobné sny."

„Jen že budu šít krásné klobouky," opáčila Belle. „Nepředstavovala jsem si, že budu zachraňovat lidi z potápějící se lodi nebo povedu zemi do války."

„Já snila o tom, že se setkám s královnou Viktorií," nadhodila Mog. „A co ty, Etienne?"

„Že budu mít spoustu jídla," odpověděl. „V té době jsem měl věčně hlad."

„Takže vám dvěma se sny splnily," zasmála se Mog. „Já se nedostala ani mezi ten dav, když procházel Viktoriin pohřební průvod. Nedělejte si starosti s tím, že Mari sní o hrdinství, neuškodí jí toužit po něčem statečným a dobrým. Navíc jen počkejte, až budou hoši starší, budou vyvádět lotroviny, že zešedivíte. Nemůžete je zabalit do bavlnky. Člověk je musí naučit, co je důležitý, správně je nasměrovat a pak už se může jenom modlit! Jednou budete sedět na verandě s vnoučatama a budete náramně spokojení, že to všechno dobře dopadlo."

Mog byla vždycky rozumná a Belle s Etiennem ji za to milovali. Ať se stalo cokoli – když Etienne přišel o peníze při nezdařeném pokusu o založení vlastní vinice, když v kuchyni vypukl požár a museli přestavět dům nebo když se do zahrady zatoulala kráva, a než se vrátili domů a vyhnali ji, spořádala většinu úrody –, Mog dokázala na všem najít světlejší stránku. Například po požáru prohlásila, že je to jen dobře, protože prý stejně chtěla dům rozšířit. Dokonce vtipkovala i o tom, že kdyby byl Etienne s vinicí úspěšný, nakonec by všichni příliš pili.

Byla to dobrá duše s prostou životní filozofií, a pokud kolem sebe měla své milované, dost jídla a střechu nad hlavou, nic ji nerozházelo. I ve svých jednapadesáti měla páru ženy dobře o deset let mladší. Sice už nosila brýle, vlasy měla sněhobílé a tvář vrásčitou, přesto s ní bylo třeba počítat. Dokonce i nyní, když banky krachovaly a svět zachvátila hospodářská krize, zůstávala Mog optimistkou v přesvědčení, že jim se nic zlého stát nemůže.

„Jenže mně dělají starosti ty roky předtím, než se děti usadí," namítla Belle. Ale s úsměvem, protože když měla u sebe Mog a Etienna, připadala si téměř nedotknutelná.

Mog upíjela brandy a zkoumavě si Belle prohlížela. Belle byla i v šestatřiceti krásná, tmavé vlnité vlasy měla stejně bohaté jako ve dvaceti a těch pár vrásek od smíchu kolem očí a pár kilo, co za poslední roky přibrala, její přitažlivost jen zvýšily. Byla to žena, po níž muži touží, proto ji některé matróny z Russellu sledovaly jako jestřáby. Jenže zbytečně, Bellino srdce patřilo Etiennovi, za jiným se ani neohlédla. Ani Etienne se o jiné ženy nezajímal a jedině blázen by riskoval jeho hněv – stačil jediný pohled do jeho chladných modrých očí, na tenkou jizvu na tváři, a bylo zřejmé, že s tímto mužem si není radno zahrávat.

Mog si dobře pamatovala, jaké měla výhrady, když se tu tenkrát objevil. Možná se stal válečným hrdinou, jeho předchozí život však bylo lépe nezkoumat. Přesto jí neuniklo, jak Etiennovi při pohledu na Belle jiskří oči, okamžitě poznala, že si ti dva byli souzeni. Nakonec jí nezbylo než se s tím smířit.

Dnes Etienna milovala jako vlastního syna. Opakovaně ji přesvědčoval o svých kvalitách. Byl silný, spolehlivý, milující a věrný, s báječným smyslem pro humor, jenž jej neopouštěl ani v nejtěžších situacích. Ať již rybařil, aby měli co jíst, stavěl, mýtil pozemky nebo kolébal některé ze svých dětí ke spánku, dával do toho všechno. Jeho plán s vinařstvím možná selhal – čemuž se někteří škodolibější obyvatelé Russellu pošklebovali –, ale rodinu dovedl zabezpečit a v městečku si získal oblibu.

„Na co myslíš?" zeptal se Etienne a upřel na Mog tázavý pohled.

„Jak jsem ráda, že to vám dvěma vyšlo," usmála se. „Udělali jsme vážně dobře, když jsme odešli na Zéland, nemám pravdu?"

„To rozhodně," přitakala Belle. „Vždycky když jsem zoufalá, že tu není elektřina, pořádná kanalizace a slušné silnice, připomenu si, jak chladno a mokro by bylo v Anglii."

„Čekají nás ještě těžké časy," upozornil Etienne. „Od krachu na Wall Street uplynuly dva roky, v Americe je sedm milionů lidí bez práce a i tady přituhuje. Farmáři dostávají za úrodu almužnu a továrny v Aucklandu zavírají, brzy to pocítíme."

„Ale boháčům to nezabrání jezdit sem na ryby a k moři, ne?" nadhodila Belle. Za posledních deset let se počet těch, kteří sem přijížděli trávit léto, zvyšoval, zejména díky americkému spisovateli a sportovci Zaneu Greyovi, který přijel do Russellu v roce 1926 chytat ryby. Následujícího roku strávili několik nocí v přístavu na jachtě *Renown* vévoda a vévodkyně z Yorku a od té doby se to tu bohatými a významnými lidmi jen hemžilo. Pro Mog s Belle to bylo výhodné, vesměs upravovaly šaty, které si hosté přivezli, ale Belle také prodala hezkých pár klobouků, Mog zase šila jejich manželkám šortky, sukně a halenky, protože obvykle zjistily, že na Russell mají příliš formální úbory.

Etienne bral platící zákazníky na ryby, celé rodinky na pikniky na pláži a dělal rekreantům převozníka. Na začátku roku byla dokončena silnice z Russellu do Whangarei, tím pádem budou letos hosté moci poprvé přijet po souši, byť po silnici klikaté jako vývrtka.

„Boháči sem možná budou jezdit dál, ale malá tábořiště tady v okolí už krizi pocítila, když teď lidé z měst přicházejí o práci," poukázal Etienne. „Zanedlouho si budeme muset utáhnout opasky."

„Poradíme si," prohlásila Mog. „Sice nemáme peníze v bance, ale taky nemáme dluhy a nikdo z nás se práce neštítí. Teď se hlavně musíme rozhodnout, co s Mari. Do rána zapomene, že měla namále, měla by dostat trest, aby pochopila, jak to bylo vážný. Přece jenom to někdy dost přehání. Paní Quigleyová si stěžuje, že je Mari vzpurná, a má pravdu. U jedenáctiletýho děcka to není dobrá vizitka."

Belle se naježila. „Je jenom sebevědomá. Nebudu ji vychovávat, jako jste s Annie vychovaly mě, v podstatě jako vězně."

„Teď jsi nespravedlivá, Belle," ozval se Etienne. „Mog tě musela držet zkrátka, protože Londýn je nebezpečné místo. Tak to s Mari jistě v plánu nemá."

„Samozřejmě že ne," přikývla Mog. „Prostě by potřebovala trochu srazit hřebínek. Chodí si domů, jak se jí zachce. Měla by víc pomáhat, naučit se vařit a šít, ne lézt po stromech a věčně hrát s kluky kopanou. Za čtyři roky už z ní bude mladá žena a určitě ti nemusím vykládat, Belle, co to obnáší."

Belle semkla rty.

„Ale no tak, netvař se jako světice," napomenula ji Mog netrpělivě. „Koukněte, my tři dobře víme, do jakých patálií se mladej člověk může dostat. Tady není tolik pokušení jako v Londýně nebo v Marseille, ale naši mladý se tu možná trochu nudí. Tím pádem začnou vymejšlet alotrie."

Etienne se zazubil. „Máš pravdu, Mog, jako vždycky. Byl bych radši, kdyby Mari snila o kloboučnictví nebo že se stane baletkou. Ale to je dost nepravděpodobné, tím pádem ji budeme muset nasměrovat k něčemu bezpečnějšímu, než je dráha novodobé Johanky z Arku."

„Kdo jí vůbec o Johance vyprávěl?" Belle vrhla na Etienna obviňující pohled.

Pokrčil rameny. „Klukům vyprávím o králi Artušovi, Mari jsem vyprávěl o chudém děvčeti, které své krajany vedlo do války. Myslel jsem, že jsi pro rovnoprávnost."

„Ano, to jsem. Jenže jakmile má člověk dceru, přeje si, aby se vdala za dobrého a hodného mužského a žila šťastně až do smrti."

„To bych si taky přál," přisvědčil Etienne, „ale zároveň chci, aby měla Mari větší ambice. Je chytrá, třeba se z ní stane lékařka, právnička nebo uspěje tam, kde já selhal, a založí si vlastní vinařství. My jen musíme udělat, co bude v našich silách, abychom její energii nasměrovali správným směrem."

Kapitola druhá
1938

Mog ve své krejčovské dílně přišívala perly na svatební závoj. Náhle dovnitř vešla vyšňořená Marietta. Vzala si zeleno-bíle pruhované šaty, které jí Mog před nedávnem ušila, a vypadala jako obrázek.

Mog vždycky prohlašovala, že jen co Marietta dospěje, bude krásná, a měla pravdu. V osmnácti letech měřila dívka sto šedesát pět centimetrů, postavu měla ve tvaru přesýpacích hodin, nádherné dlouhé vlnité vlasy světle rusé barvy. Kamarádky jí záviděly a nejeden muž o ní tajně snil. Dnes si vlasy připevnila po stranách zelenými stužkami.

„Neměla by ses v neděli odpoledne potulovat venku," namítla Mog. „Já aspoň jako holka nikdy nesměla."

Marietta se zasmála. „Ale no tak, Moggy! To je tak viktoriánské. Co je špatného na procházce, když je venku tak hezky? Vsadím se, že ani Ježíš netrávil neděle s nosem v knihách."

„Tenkrát knihy nebyly," opáčila Mog. „Navíc jsem si myslela, že mi pomůžeš. Už mám ten závoj skoro hotový, ale ještě je třeba přišít stovky perliček na šaty."

„Až se vrátím, pomůžu ti. Chci se jen trochu projít a nadýchat čerstvého vzduchu."

„Ale rodičům jsi navykládala, že s nimi dnes nepojedeš do Paihie, abys mi pomohla." Mog se zatvářila podezíravě. „Nechystáš se náhodou na schůzku s nějakým mladíkem?"

„Ne! Proč mě s mámou věčně podezíráte, že se scházím s kluky?"

Mog si však všimla, jak dívce zčervenaly tváře, a neunikl jí ani náznak falše v jejím hlase. Byla si jistá, že se nemýlí. „Protože s tvou mámou víme o mladých holkách všechno," odsekla.

Mariettu milovala, ale nebyla slepá vůči jejím nedostatkům. Dívka byla sebestředná, nevyzpytatelná a manipulativní, zato však, jak se alespoň zdálo, neměla ani špetku Bellina soucitu – nebo otcovy píle.

Mohli na ni být pyšní, jak je chytrá, a její půvabná tvářička by obměkčila i srdce z kamene, Mog se však silně obávala, že se dívka jednou dostane do vážných potíží.

Pomáhala doktoru Crowleymu, když Belle rodila, a od první chvíle, kdy holčičku vzala do náruče, k ní cítila příval bezmezné lásky. Belle milovala zrovna tak, v podstatě ji sama vychovala. Jenže tehdy byla jen služebná, a protože ji Bellina matka mohla kdykoli vyhodit, naučila se potlačovat své city a držet ústa zavřená, pokud se Annie nezeptala na její názor.

Zato Belle s Etiennem ji považovali za skutečnou babičku svých dětí a jako taková si pro sebe nemusela nechávat nic – ani pomoc, ani své názory nebo city. Jenže milovat dítě není jen tak. Mog sice těšilo, že je pro Mariettu stejně důležitá jako její rodiče, zároveň se však mučila obavami o ni.

Belle v pouhých patnácti unesl velmi zlý člověk a během těch dvou let, než ji našli, přišla Mog málem žalem o rozum.

Sice nebylo příliš pravděpodobné, že by Mariettu potkal stejný osud, ale na dívky číhá řada jiných nebezpečí. Mog brala jako svou povinnost starat se o její bezpečí, a kdyby selhala, protože byla příliš shovívavá, nikdy by si to neodpustila.

Kdysi to především znamenalo postarat se, aby si Marietta nehrála na nebezpečných místech, správně jedla a dokázala rozeznat dobré od špatného. Jenže pak – a jako by se to stalo přes noc – dospěla v mladou ženu a s tím vyvstávala nová rizika. Není možné zamknout osmnáctiletou dívku doma, zamaskovat její ženské křivky nebo uhasit oslnivý úsměv.

Stejně tak jí nemohla povědět, čeho všeho jsou někteří muži schopni – přinejmenším aniž by přiznala, odkud to ví. Belle se domnívala, že Marietta je v Russellu v bezpečí, že by si žádný muž ze strachu z Etienna k jejich dceři nic nedovolil. Snad měla pravdu, přesto byla Marietta dost sveřepá na to, aby nějakou ošemetnou situaci vyprovokovala.

„No dobře, jestli musíš ven, do čtyř se vrať," rozhodla nakonec neochotně. „Musíme ty perličky přišít za světla, ale když se do toho dáme obě, měly bysme to stačit."

Marietta slíbila, že se vrátí, a spěšně Mog objala. A pak rychle, než přijde další přednáška, popadla svetr a vyběhla ze dveří.

Marietta se skutečně měla s někým sejít. Kráčela mu naproti a cítila sílící obavy. Ne protože Mog zalhala – za posledních pár měsíců už jí i rodičům lhala tolikrát, že se přestala trápit výčitkami –, ale protože se dnes chystala se Samem skončit a bála se, jak zareaguje.

Seznámila se s ním před rokem, když nákladní loď, na níž pracoval, kotvila kvůli menším opravám v zátoce. Posádka vzala Russell útokem a vyvolala velký rozruch, námořníci se opíjeli a chovali hrubě. Sam, mladý, vysoký a pohledný blonďák, mezi nimi vynikal. Zbytek posádky tvořili malí, hrubě vyhlížející muži se zkaženými zuby, vesměs všichni přes třicet.

Marietta s ním tehdy mluvila jen jednou. Zeptal se jí, co se dá dělat v Paihii a jestli stojí za to se tam vypravit. Řekla na to, že tam není tak pěkně jako v Russellu, a on se smíchem opáčil, že se zajímá jen o hezká děvčata, ne o přírodní krásy.

Když loď opustila zátoku, slyšela Mari rodiče rozebírat nevhodné chování posádky. Nejen že U Vévody z Marlborough došlo k rvačce doprovázené rozbíjením židlí a oken, bylo také napadeno několik žen a děvčat a celé město se bouřilo.

Její otec měl pro ty muže trochu pochopení. Zřejmě slyšeli, že je Russell Ďáblovo doupě, jak se mu kdysi přezdívalo, a zklamalo je, jak je dnes město poklidné, nikde žádné prostitutky, dokonce ani tancovačka.

Marietta si uchovala vzpomínku na onoho hezkého námořníka. Tehdy ještě ani nevěděla, jak se jmenuje. Myslela na to, jak se na ni díval, jako by jí viděl pod šaty, zmocňovala se jí z toho sladká závrať.

Po zbytek léta vůbec hodně myslela na chlapce. Neměla o obdivovatele nouzi – koneckonců ji považovali za nejkrásnější děvče z Russellu –, ale to byli jen kluci, s nimiž vyrůstala, a žádný z nich na ni nepůsobil tak jako ten vysoký námořník. S několika z nich si něco začala, nechala se políbit, po žádném z těch polibků se však nedostavil žár jako v románech.

Marietta přečetla každou knihu, která se jí dostala do ruky, a právě protože hodně četla o velkých městech a cizích zemích, připadal jí Russell velmi nudný. Podle jejího názoru neměl kromě přírodní krásy co nabídnout. Jednou za čas tu byla tancovačka, promítal se film nebo pořádal piknik, jinak nebylo co dělat. Kdyby mohla s otcem každý den na moře a rybařit, byla by spokojená. Jenže ten ji s sebou většinou vzít nemohl a majitelé jachet, kteří se sháněli po posádce, by o dívce odmítli třeba jen uvažovat.

Pokud šlo o kamarádky ze školy, měla pocit, že jim odrostla. Spokojeně pomáhaly svým matkám s domácími pracemi, sedávaly venku, klevetily a smály se, ani jedna nesnila o cestování po světě nebo o něčem dobrodružném a nebezpečném jako ona.

Ten mladý námořník, kterého potkala, byl Australan, tím pádem nečekala, že o něm ještě někdy uslyší. K jejímu překvapení a radosti se však přede dvěma měsíci do Russellu vrátil. Už nepracoval jako námořník, dělal řidiče dřevařskému podniku, převážel dříví z lesů Severního ostrova, které se pak lodí dopravovalo dál.

Marietta na něj narazila na poště a z jeho širokého úsměvu bylo zřejmé, že si na ni pamatuje a že se mu líbí. Chvíli si povídali, Marietta s ním flirtovala, bylo jí ale jasné, že by ji rodiče nikdy nepustili ven s pětadvacetiletým mužem, který jen projíždí, proto se neodvažovala souhlasit s večerní schůzkou.

Vydržela to tři dny, pokaždé se za ním jen zastavit a trochu koketovat, když se však dozvěděla, že se má Sam následujícího dne přesunout jinam, pochopila, že je to teď, nebo nikdy.

Kolem šesté postávali u hostince U Vévody z Marlboroug muži, jako obvykle čekali, až otevřou. Marietta tedy záměrně zamířila tam, oblečená do svých nejhezčích šatů. Když ji Sam spatřil, oči se mu rozzářily a onen chvějivý pocit, který okusila při jejich prvním setkání před několika měsíci, se vrátil s ještě větší silou. Během předchozích krátkých rozhovorů byla zklamaná, že se Sam chová poněkud hrubě, používá sprostá slova a dělá neomalené narážky na její postavu a nohy. I jeho obnošená kostkovaná košile a semišové kalhoty vypadaly poněkud ošuměle, měl však krásné modré oči s dlouhými řasami a Marietta nedokázala odolat nádechu nebezpečí, jenž sálalo z jeho opálené kůže.

Toho dne pro jistotu namluvila rodičům, že jde navštívit kamarádku, proto jí nic nebránilo nechat se pozvat na procházku. Byla přesvědčená, že jej okouzlila, protože mu vůbec nevadilo zmeškat otevření hostince, a to by si nechalo ujít jen málo mužů.

Jakmile opustili město a vzdálili se zvědavým pohledům, políbil ji. A bylo to právě takové, jak si představovala, ba ještě lepší. V jeho náruči ztratila pojem o čase, srdce se jí rozbušilo, podlamovala se jí kolena, ve svém nitru cítila silný, a přece slastný tlak, díky němuž zahodila veškerou opatrnost.

Přesto se Sam zastavil. „Tohle s tebou nemůžu dělat. Jsi ještě moc mladá, nebylo by to správný."

Druhý den časně z rána z Russellu odjel, aniž jí řekl, jestli se vrátí. Jeho poslední slova ji však přesvědčila, že je v hloubi duše džentlmen a chová se hrubě jen proto, že není uvyklý dámské společnosti.

Uplynulo čtrnáct dnů, než se vrátil, a každičký den dokázala Marietta myslet jedině na něj a jeho polibky. Musela si to však nechat pro sebe, neodvažovala se nic prozradit ani kamarádkám.

Když se vrátil, prozradil jí, že na ni nedokázal zapomenout, protože se do ní zamiloval. Jaká dívka by takovému vyznání nechtěla věřit? A jak by mu mohla upřít milování, když si myslela, že je do něj zamilovaná?

Poprvé k tomu došlo na Flag Staff Hillu za křovím, ale jakmile Mariettu nekompromisně a bez ohledu na její pohodlí zatlačil na zem, poznala, že udělala chybu. Toužila po něčem romantickém a krásném, místo toho se popíchala o trní a domů si odnesla modřiny na stehnech a zklamání. Když bylo po všem, oznámil jí, že se musí vrátit do hospody, kde se má setkat s přítelem. Připadala si podvedená a ponížená.

Ale jako hloupá husa si myslela, že se to zlepší. V několika knihách, které přečetla, se hrdinky cítily po prvním milování podobně jako ona, ale nakonec se jim zalíbilo. Když Sam odjel z Russellu a opět jí neřekl, kdy – nebo jestli – se vrátí, podařilo se jí dokonce přesvědčit sebe samu, že má jen strach z lásky.

Protože se neměla komu svěřit a bála se, aby všechno nezjistili rodiče, žila v neustálé úzkosti. Někdy dokonce doufala, že už se Sam nevrátí a ona na něj bude moct zapomenout. Když jej však o týden později zahlédla oknem ze svého pokoje, jak se opírá o strom na konci Robertson Street a dívá se na jejich dům, neodolala nutkání vyběhnout za ním.

Hloupě si myslela, že ho dokáže přimět, aby si povídali, líbali se a mazlili, ale nic víc.

„Moc se mi nelíbilo, jak ses ke mně choval," oznámila mu. „Chci si s tebou povídat, poznat tě. Můžeme se prostě jen projít a pobavit se, bez…" Zaváhala, vlastně ani nevěděla, jak to nazvat. „Však víš, bez toho?"

Pohladil ji po tváři, zdálo se jí, že se skutečnou něhou. „Poslyš, pusinko, myslel jsem na tebe v jednom kuse," pronesl upřímně. „Moc tě chci. Přece mi tohle neuděláš?"

Když se nyní ohlédla, bylo jí jasné, že mu na ní vůbec nezáleželo, šlo mu jen o sex. Jenže tehdy to vidět nechtěla, vnímala jen jeho prosebný pohled, proto udělala, co po ní chtěl.

Když spolu byli počtvrté, zacházel s ní ještě hruběji, hodil ji na zem a skočil na ni. Jakmile byl hotov, pokořil ji ještě víc, protože jí řekl, ať upaluje domů, že má ještě obchodní jednání.

Mog s oblibou používala rčení, že někomu „spadly růžové brýle". Marietta se tomu často smála, protože růžové brýle ještě neviděla. Při Samově poslední návštěvě Russellu před deseti dny však konečně pochopila, co přesně tento obrat znamená.

Choval se k ní opravdu surově. Zatlačil ji na kolena za křovím a pronikl do ní zezadu jako pes. Ani jednou ji nepolíbil. Když si pak zapínal kalhoty, nařídil jí, aby se tu s ním znovu setkala za týden, v neděli – a ať se neopozdí.

Bylo to jako studená sprcha, ale Mariettě ta zkušenost konečně otevřela oči.

Od té doby se dusila hanbou, že mu dovoluje, aby se k ní choval tak podle. Upřímně doufala, že už se Sam do Russellu nikdy nevrátí a tím to skončí.

Jenže marně. Když se včera procházela po Strandu, zahlédla ho čekat na otevření před hostincem U Vévody z Marlborough.

Byl špinavý, páchl potem a nevěnoval jí úsměv, spíš úšklebek, který jasně vypovídal o tom, co k ní cítí.

„Nezapomeň, co jsme si na zejtra domluvili," nechal se slyšet a výmluvně si přitom třel rozkrok. Marietta se ani nezastavila.

Viděla to tak, že má dvě možnosti. Buďto se nazítří neukáže, jenže pak riskuje, že za ní přijde domů a rodiče zjistí, co se stalo. Nebo se s ním setká a předvede mu, že si nenechá všechno líbit. Ta druhá možnost se jí zamlouvala víc, doufala také, že se pak bude cítit o něco lépe.

Jenže když jej nyní spatřila sedět v trávě a kouřit cigaretu, žaludek se jí sevřel strachy. Jak se blížila, vzhlédl, ale ani se neusmál, natož aby se zvedl a přivítal ji.

„Nezůstanu tady," oznámila mu, jakmile se přiblížila na doslech. „Přišla jsem ti říct, že už se s tebou nechci scházet."

„Vážně?" opáčil a ušklíbl se. „Tos mohla říct včera a ušetřit mi cestu sem do kopce, ale počítám, že to bude jenom nějaká holčičí habaďůra, abys mě přinutila říct něco slaďouč-kýho. Na to zapomeň, pusinko, k tomu sis vybrala špatnýho chlapa."

Marietta došla k němu a zpražila jej pohledem. „To je prav-da, vybrala jsem si špatně," odsekla. „Choval ses ke mně ohav-ně, je konec."

Vyskočil. „Přece jsem ti dal, cos chtěla, ne?"

„Copak si vážně myslíš, že by nějaká holka chtěla tohle?" Nemohla uvěřit jeho aroganci.

„Říkala sis o to," pokračoval. „Mávalas řasama a vrhala na mě vyzývavý pohledy. Holek jako ty jsou mraky. Nalákaj tě, abys jim to udělal, a pak chtěj, aby sis je vzal."

„Vzal si mě!" vybuchla. „Ty si dost fandíš, co? Já bych si tě nevzala ani za milion liber. Jsi neotesaný, hrubý a zlý. Vůbec nechápu, co se mi na tobě mohlo líbit. Ale už jsem ti řekla svoje, teď jdu domů."

„Ne tak rychle," prskl a popadl ji za ruku. „Žádná děvka mě nebude beztrestně urážet."

„Tobě nijak nevadilo urážet mě svým zvířeckým chová-ním," odsekla a pokusila se mu vytrhnout.

Zaryl jí prsty do paže, až to zabolelo. „Myslíš si o sobě, kdovíjak nejseš nóbl," zavrčel jí do obličeje. „Na co seš vůbec tak nafrněná? O tvým fotrovi se vykládá, že je válečnej hrdina, přitom je to jenom obyčejnej žabožrout a Francouzům dávaj medajle i za to, že si uměj sami utřít prdel. A podle toho, co jsem slyšel, se tvoje máti vrhla na prvního svobodnýho chlapa, kterej se tu objevil, a vdávala se už zbouchnutá."

Marietta si náhle uvědomila, jak hloupé bylo jít sama sem nahoru, kde ji nikdo neuslyší.

„Pusť mě," naléhala.

„Jen se neboj, pustím, ale teprve až mi ho vykouříš."

Marietta nechápala, co tím myslí, dokud si nerozepnul poklopec, nevytáhl penis a nezačal ji tlačit dolů.

„Na kolena," nařídil. „A koukej to udělat dobře."

Jen při tom pomyšlení se jí zvedal žaludek, neměla v úmyslu dělat něco tak odporného. Zároveň si však uvědomovala, že je Sam mnohem silnější a že na něj může vyzrát jedině léčkou.

Zhluboka se nadechla a přinutila se k úsměvu. „Asi bych mohla... na památku," vydechla a uchopila jeho penis. Byl dosud splasklý, na dotek jí připadal zpocený a odporný, ale jakmile jej sevřela v dlani a pokrčila kolena, jako by si chtěla kleknout, Sam ji naštěstí pustil.

Pod jejím dotekem penis zbytněl. Marietta zvedla hlavu a zjistila, že Sam zvrátil hlavu a zavřel oči. Přišla její chvíle.

Jediným prudkým pohybem jej kolenem nakopla přímo do genitálií, pak se otočila a utíkala tak rychle, jak svedla.

Ještě se ohlédla a viděla, jak se Sam ohýbá bolestí. Klesl na kolena, držel se za rozkrok a vyl.

Pro ni to byl takový šok, že se rozplakala. Matka s Mog ji mnohokrát varovaly, aby nedůvěřovala cizím lidem a nedopustila, aby si na ni někdo dovoloval. Brala jejich varování na lehkou váhu, protože až do seznámení se Samem se k ní všichni chovali slušně.

Přesto si vybavila, jak se její matka před pár lety, když nastaly kvůli krizi krušné časy, bála všech těch zbědovaně vyhlížejících mužů, kteří k nim chodili žebrat o jídlo.

„Když nejsem doma, nikomu neotvírej," nabádala ji. „V těžkých dobách dělají lidé zoufalé věci."

Mariettě připadalo divné, že i přesto daly matka s Mog takovým lidem najíst a napít, často jim dokonce připravily koupel a ošetřily boláky na nohách.

„Nemůžou za to, jak vypadaj, maj hlad a jsou unavení," vysvětlovala Mog. „Takovejch je teď všude plno, hledají práci. Ty si moc nedovedeš představit, jak tvrdě na většinu lidí krize dopadla. My si naštěstí pěstujeme zeleninu, máme krávu a slepice a tvůj táta domů nosí ryby. Jinak bysme možná taky měli hlad."

Marietta si tehdy začala všímat věcí kolem. Nikdo si nemohl dovolit nechat ušít nové šaty nebo klobouk, tím pádem matka a Mog nevydělávaly. Začala si uvědomovat, že obě jedí velmi skrovně, aby na ni a na bratry zbylo víc. V noci nechávaly hořet jen jednu lucernu, páraly staré šaty a přešívaly je, ona i bratři museli každý den chodit sbírat naplavené dřevo na zátop.

Otec znechuceně vyprávěl o zvláštních pracovních táborech, které měly mužům pomoci nasytit rodiny. Jenže aby měl člověk nárok na žalostně malou částku finanční pomoci, musel docházet do táborů kilometry vzdálených. Stavěli silnice jen s krumpáčem a lopatou, mýtili buš, vykopávali příkopy a vykonávali další tvrdé, zničující a často zbytečné práce. Žili ve stanech na blátě a jíst dostávali porce tak malé, že by sotva stačily psu.

Mnohé děti z měst chodily v odraných hadrech a bosé, nemluvňata umírala, protože nebylo mléko.

Desetitisíce lidí přišly o práci, obchody a továrny se zavíraly a zemědělci byli na mizině. Mnohé dělily od smrti hladem jen vývařovny pro chudé.

Mariettina rodina sedávala po večerech u rozhlasu a poslouchala relace Colina Scrimgeoura jako lidé po celém Novém Zélandu. Hodně se při nich nasmáli, ale vyslechli také zprávy o hladových pochodech v Anglii a dokonce nepokojích ve Wellingtonu a dalších novozélandských městech.

Naštěstí se situace za poslední rok zlepšila. Muži se vraceli z pracovních táborů domů, továrny se znovu otevíraly a banky začaly být k farmářům shovívavější. Pro děti se dokonce do škol distribuovalo mléko zdarma. Přesto však Marietta nesehnala žádnou práci a musela pomáhat matce a Mog s šitím a kloboučnictvím. Ráda by si našla něco svého, jenže v Russellu nebylo nic.

Jakmile se přiblížila k několika chatrčím u paty kopce, osušila si oči. V okolí žili samí Maoři a Marietta rozhodně nechtěla, aby ji někdo viděl uplakanou. Když míjela domek Komekesových, zamávala jí Anahera, mladší sestra její kamarádky Matui. Ve svých patnácti už byla v pokročilém stupni těhotenství. Mog nedávno utrousila, že další hladový krk je přesně to, co tahle rodina nepotřebuje.

Při pohledu na Anaheřino vypouklé břicho se Marietta zarazila. Co jestli otěhotněla?

Vůbec nechápala, že na to až dosud nepomyslela – už ve dvanácti jí důkladně vysvětlili, jak se zplodí dítě, takže se na rozdíl od Anahery nemůže vymlouvat na nevědomost.

Strachy se jí sevřelo srdce, udělalo se jí zle. Stačilo, že se nechala Samem zneužívat, nedovedla si vůbec představit, že by s ním mohla být těhotná.

Její rodiče i Mog byli v podstatě velmi liberální a chápaví lidé. Mnohokrát se v minulosti zastali těch, kdo něčím šokovali úzkoprsé sousedy. Nikoho neodsuzovali, a když bylo třeba, nabídli pomoc mezi prvními.

Přesto nemohla počítat s jejich pochopením, kdyby jim oznámila, že otěhotněla s mužem, kterého dokonce ani nemiluje.

Mog poznala, že se něco děje, hned, jakmile se Marietta vrátila. V očích, tolik podobných Belliným, měla strach. Zdála se nervózní, jako by čekala, že ji při něčem přistihnou. Když se jí zeptala, co se děje, pokrčila Marietta rameny, prý se jen bála, že přijde pozdě.

Vycvičený šestý smysl Mog napovídal, že jde o něco závažnějšího, přesto se nevyptávala. Už před lety s Belle se naučila, že když člověk naléhá a mermomocí se dožaduje vysvětlení, obvykle tím druhému jen nenávratně zamkne ústa. S Mariettou to bylo stejné.

Nyní seděly u pracovního stolu, na nějž si rozložily saténové svatební šaty Janet Applebyové. Přišívání perliček byla náročná práce, vyžadovala trpělivost a dobré oko, ale patřila k těm, které měly obě rády, a obvykle si u ní povídaly a hodně se nasmály.

Dnes však Marietta působila uštvaně. Od chvíle, kdy se posadila ke stolu a nasadila si náprstek, ze sebe stěží vypravila slovo. Jindy by vyprávěla, kde byla a co viděla, neodpustila by si vtipné komentáře o oblečení, jež jejich spoluobčané považovali za „sváteční". Ženy v Russellu neměly přílišné povědomí o módě – většina z nich nosila šaty připomínající pytel od brambor.

Mog upřímně překvapilo a potěšilo, když si Marietta v průběhu dospívání zamilovala šití. Dnes už uměla totéž co ona, svou matku dávno předčila. Její drobné úhledné stehy vypadaly téměř étericky.

Přes okraj brýlí pozorovala, jak Marietta navléká nit. Skutečně se v ní snoubily nejlepší rysy jejích rodičů, Belliny oči a Etiennovy vystouplé lícní kosti. Ale rusé vlasy, které děti s jedním tmavovlasým a jedním světlovlasým rodičem často mívají, jí dodávaly osobitost. Navíc měla záviděníhodnou pleť, čistou a bezchybnou jako porcelánová panenka.

„Jsi dneska nějak zamlklá," poznamenala nenuceně. „Něco tě trápí?"

„Ne," odtušila Marietta až příliš příkře. „Občas je ticho příjemné."

Po dalších promlčených dvaceti minutách to Mog nevydržela. „Jestli máš trable, svěř se mi. Třeba bych ti dovedla pomoct," nabídla se.

Marietta zvedla oči od šití, cosi se v nich mihlo – snad potřeba ulevit si?

„Nic mě netrápí," prohlásila však. „Kromě toho, že bych si ráda sehnala práci."

Lež, tím si byla Mog jistá. „A co to ošetřovatelství, jak napadlo tvou mámu?"

„Hm," ušklíbla se Marietta, „na to já asi nejsem stavěná. Samé zvratky a krev, vynášet mísy. Ale líbilo by se mi odjet do Aucklandu."

„Chceš odsud před někým utéct?"

Marietta vykulila oči a Mog okamžitě poznala, že uhodila hřebík na hlavičku. Dívka se zasmála, ale neznělo to ani trochu vesele.

„Samozřejmě že ne. Jenže tady nemám žádné možnosti."

„Nikdy nevíš, co čeká za dalším rohem," pronesla Mog vyrovnaně. „Blíží se léto, přijede sem na dovolenou spousta lidí ze všech koutů světa."

„To si všichni myslíte, že hledám manžela?"

„Většina děvčat ano."

„Já ale nehodlám trávit život vařením, uklízením a praním prádla," odsekla Marietta. „A o tom přesně manželství je, nebo ne? Janet Applebyová je možná tak hloupá a myslí si, že vdát se znamená mít krásné šaty a velkou hostinu, já ale ne."

Mog nesouhlasně zavrtěla hlavou. „Na takovej cynismus seš kapku mladá. A navíc se pleteš. Manželství znamená sdílet život s někým, koho miluješ, vychovávat děti a navzájem si pomáhat.

Já se vdala až v pozdějším věku a měli jsme jenom pár roků, než Gartha dostala španělská chřipka, ale byly to nejlepší roky mýho života. A koukni na svý rodiče, Mari – pořád se milujou, jako když se brali. Myslela bych, že už budeš dávno vědět, že manželství je mnohem víc než praní prádla, vaření a uklízení."

„Ale vzít se museli, ne?" opáčila Marietta. „Máma byla na svatbě těhotná."

Mog ta slova vyvedla z míry, zajímalo by ji, kdo to Mariettě pověděl. Ale nehodlala nic zapírat, přestože mohlo některým lidem připadat takové chování nečestné.

„Vzali se, protože bez sebe nemohli bejt," pronesla káravě. „A podle mýho je to jedinej správnej důvod."

„Kdybych otěhotněla já a nebyla vdaná, všichni byste byli navztekaní."

Mariettin tón probudil v Mog podezření. V mládí často poslouchala stížnosti jiných žen a naučila se rozpoznat, co se za jejich slovy skrývá, vnímat jemné náznaky, byť nevyřčené. Belle o ní prohlašovala, že ji není možné oklamat.

„Seš těhotná, Mari?" zeptala se jemně. „O to tu kráčí? Všechny ty tvoje vycházky a mlčení po návratu? Bojíš se?"

„Jistěže nejsem těhotná," ohradila se Marietta. „Jak tě to napadlo?"

„Z tvýho chování. Nebo si aspoň myslíš, že bys mohla bejt. Nejvíc mě trápí, že se podle všeho scházíš s někým, koho bysme ti neschválili. Měla bys mi hned teď vyklopit, kdo to je."

Marietta byla sice vzpurná, ale na přímou otázku obvykle odpověděla po pravdě. Nyní zaťala zuby, z čehož bylo Mog jasné, že se pokouší zatvrdit.

„Stejně na to přijdu," upozornila ji. „V Russellu se nic neutají. Bude lepší, když mi to řekneš hned, než když to někdo zákeřnej poví ze zášti tvý mámě."

„Je po všem, takže na tom nesejde," vyhrkla Marietta. „Už se s ním neuvidím."

„Jestli je to někdo, kdo za to nestál, v pořádku. Ale pokud to nebyl člověk, kterej Russellem jenom projížděl, bude dost těžký se mu vyhnout," podotkla Mog. „Počítám, že jde o někoho, koho znáš dýl. Carlo Belsito?"

Carlo byl převozník. Narodil se sice na Novém Zélandu, ale jeho vzhled prozrazoval italský původ. Měl tmavé vlnité vlasy, tmavé oči a postavu, jíž si jen málokterá žena z Russellu nevšimla. Byl to ovšem druhý Lotario a o jeho záletech kolovala po městě řada historek.

„Carlo!" zvolala Marietta překvapeně. „Zač mě máš, Mog? Nesnáším ho."

„Tak to je úleva," zasmála se Mog. „Nerada bych si myslela, žes s ním ztratila třeba jenom minutu. Tak počkej, koho tu ještě máme?"

„Nech to plavat, Mog," prosila Marietta. „Rozešla jsem se s ním. Chci na něj zapomenout."

Mog pochopila, že bude lepší nenaléhat a vrátit se k tématu později.

„Tak dobře," přikývla. „Máme tu ještě asi padesát perliček, tak se do toho dáme, ať jsme do tmy hotové."

Všimla si, jak se Mariettě ulevilo. Holubička si myslí, že tím to končí, pomyslela si pobaveně.

Kapitola třetí

Druhý den časně z rána odjel Etienne pro dřevo do Waitangi a vzal Mariettu s sebou. Mog měla podezření, že s ním dívka chtěla jet v naději, že se mezitím na včerejší rozhovor zapomene.

Poté co chlapci odešli do školy, Belle se rozhodla udělat v jejich pokoji jarní úklid. Mog se jako každé pondělí vypravila do pekárny k Reidovým. Belle se spřátelila s dcerou majitelů, Verou Reidovou, když spolu pracovaly jako řidičky sanitky ve Francii, a právě Vera ji a Mog přesvědčila, aby po válce emigrovaly na Nový Zéland.

Vera se v roce 1924 odstěhovala do Wellingtonu, kde se vdala a povila tři děti, Mog se ovšem spřátelila s její matkou Peggy.

Když Mog vešla, v pekárně obsluhoval Peggyin manžel Don. Vesele se na ni usmál. Už mu bylo přes sedmdesát a jako by se za tu dobu, co se znali, z podsaditého energického chlapíka zmenšil na polovinu. Nyní byl hlavním pekařem jeho nejmladší syn Tony – Don už neměl sílu zvedat těžké tály s bochníky nebo hníst těsto.

„Peggy je vzadu v prádelně. Jen za ní běž, bude ráda, že si má komu postěžovat," řekl jí Don.

Mog mu poděkovala a prošla dveřmi do domu. Prádelna se nacházela venku za kuchyní. Mog cestou zasáhla vlna horka z kotle na prádlo, vůně jádrového mýdla a páry.

Pokud se Don zmenšil, Peggy se naopak rozrostla. Vždycky byla kyprá, ale postupem času přímo ztloustla, vlasy už měla bílé jako sníh. Stála u kotle, míchala prádlo měděnou tyčí a červené tváře měla celé zpocené. Ale jakmile spatřila svou přítelkyni, vesele se usmála.

„Přišla ses koukat na otrocký práce?" zavtipkovala.

„Vsadím se, že se nemůžeš dočkat, až do Russellu konečně dorazí elektřina," poznamenala Mog. „Mně rozhodně zatápění pod kotlem, zastřihování knotů a dolívání petrolejek chybět nebude."

Peggy si utřela tvář zástěrou. „To teda ne. Už jsem na takovou dřinu stará. Naše Vera má jeden z těch novejch elektrickejch bojlerů, je to zázrak, kterej se sám zapne. Co bych za něj dala! Dojdu pro něco k pití, sedneme si ven, co ty na to?" Peggy přinesla dvě sklenice citronády, usadily se s nimi na dvoře ve stínu fíkovníku.

Probraly všechno možné, Peggy zmínila, že se chystá zajet na čas k Veře. „Nechcete jet s Belle taky?" navrhla. „Vera má doma spoustu místa a moc ráda vás uvidí."

„Já bych mohla, ale Belle tu nenechá kluky samotný," vzdychla Mog. „Víš sama, jak to s nima je – jak je člověk spustí z očí, hned vymyslej nějakou čertovinu."

Peggy přikývla. „Jo, ještě si pamatuju, když byli malí ti naši – uličníci jedni – a Vera nebyla o nic lepší. Ale pak odjeli do války a já bych dala všecko, abych je měla zpátky. Proto jsem teď asi tak nakynula. Už nemám žádný starosti!" Zasmála se, až se jí rozhoupala druhá brada.

„Jen tak mezi náma, nezaslechlas nějaký drby o Mariettě?" zeptala se Mog. „S někým se scházela, ale nechce říct, kdo to byl. To je vždycky špatný znamení."

Peggy se zamyslela. „Mluvilo se o tom Australanovi. Z posádky lodi, co tu loni zakotvila kvůli opravám, pamatuješ? Teď vozí dřevo, ale jednou za čas se objeví ve městě. Avril Averyová tvrdila, že je spolu viděla na procházce, prej se drželi za ruce. Jenomže to je stejná ženská, co obvinila papeže, že dal Shirley Templový otrávený lízátka!"

Mog se rozesmála. Avril byla největší drbna ve městě. Na druhé straně ale obvykle nelhala, bylo tedy dost pravděpodobné, že ty dva skutečně viděla spolu. „Počítám, že nám Mari všechno poví sama, až na to bude připravená. No nic, budu muset vyzvednout chleba a vyrazit domů. Díky za citronádu, dám ti vědět, jestli se za Verou vypravím s tebou."

Mog nezamířila rovnou domů, byla příliš rozrušená tím, co se dozvěděla od Peggy. Došla tedy na Strand, kde se posadila a dívala se na hladinu moře. Zmiňovaného muže několikrát potkala, potloukal se kolem jejich domu, ani jednou ji ovšem nenapadlo, že by se zajímal o Mari, zdál se výrazně starší. Hodně se o něm po městě mluvilo – o opíjení, rvačkách, laškování s dvojicí maorských dívek –, a protože během pobytu ve městě spal ve stanu, nikoli v hotelu, kdoví co dalšího vyváděl.

Co když s ním Mari otěhotněla, a proto se tak trápí?

Mog při tom pomyšlení vyhrkly slzy.

„Copak je, Mog?" zeptala se jí odpoledne Belle. Celé dopoledne nahoře uklízela. Jakmile byla hotová, šla za Mog do dílny dokončit lemování na klobouku. Mog měla na pracovním stole rozloženou kostkovanou látku, ale ještě se jí ani nedotkla. „Co se děje, už nějakou dobu tu stojíš a hledíš do prázdna."

Mog sebou trhla. „Cos říkala?"

Belle to zopakovala. „Jestli tě něco trápí, pověz mi to," dodala.

Mog se zadívala do její ustarané tváře. Ne poprvé si pomyslela, jak je možné vypadat i v třiačtyřiceti tak mladistvě a udržet si dokonalou postavu. V Belliných tmavých vlasech už se našlo pár šedivých a nějaké ty jemné vrásky kolem očí, přesto zůstávala velmi krásná.

„Myslela jsem na poslední dopis od Noaha, jak v něm navrhoval, že by Mari mohla prospět návštěva Anglie."

„Když jsi ho četla, řeklas, že musí být padlý na hlavu, když navrhuje takovou věc v době, kdy je válka na spadnutí."

„Já vím, ale všichni – včetně Noaha – říkají, že k ní nakonec nedojde, tak mě napadlo, že má možná pravdu. Koneckonců je Mariettin kmotr, má krásný dům a dobré styky. Mari potřebuje práci a tady žádná není. A říká se, že zahálčivé ruce nakonec zaměstná Satanáš."

Belle přimhouřila oči. „Co tě k tomu přivedlo? Něco jsi snad zjistila?"

„Ne, jen mám dojem, že tu vede dost prázdný život. Chtěla by prý do Aucklandu, ale ošetřovatelství ji neláká. Navíc v Aucklandu nemáme nikoho, kdo by na ni dohlédl. Proto myslím, že Londýn a Noah by jí prospěli."

„Opravdu by potřebovala něco víc než šití a hlídání sourozenců," souhlasila Belle a posadila se naproti Mog. „Ale poslat ji na druhou polokouli!"

„Já vím, je to trochu extrémní řešení, na druhé straně se můžeme spolehnout, že se o ni Noah s Lisette dobře postarají, navíc by měla přítelkyni v jejich dceři. Jen si přestav, jaké by ji tam čekaly možnosti."

„Ano, spousta možností dostat se do maléru," podotkla Belle ironicky. „A teď už přiznej, co tě k tomu přivedlo. Ty bys nikdy nenavrhovala poslat Mari pryč, kdyby ses nebála, že se jí tu něco stane. O co jde?"

Mog semkla rty. Věděla, že Belle umí v lidech číst zrovna tak dobře jako ona. Teď ji zahnala do úzkých, když už jednou začala, nemůže jen tak změnit téma. Jenže to znamená vyzradit Mariettino tajemství.

„Tak povídej!" naléhala Belle. „Jestli je Mari v maléru, mám právo to vědět."

„Ach, Belle," povzdechla si Mog. „Tohle je přesně ta situace, kdy budu za špatnou, ať ti to řeknu, nebo ne. Jestli mám pravdu, vy dva s Etiennem vybuchnete jako sopka a všechno jen zhoršíte. A jestli se pletu, Mari se mnou víckrát nepromluví. Ani si nejsem jistá, jestli se opravdu něco děje."

Belle chvíli mlčela. Vzala do ruky jehelníček a začala upravovat špendlíky do úpravných řad.

„Tak poslyš," řekla konečně, „máš moc dobrou intuici a je dost pravděpodobné, že se nepleteš. Můžeme to spolu v klidu probrat a pak se domluvit, co s tím. Mari nemusí vůbec zjistit, žes mi něco řekla."

Mog se zhluboka nadechla a vychrlila ze sebe, jak se bojí, že se Mari tajně scházela se světlovlasým námořníkem.

Belle zbledla. „Bůh nám pomoz," zvolala. „Tohle mě vůbec nenapadlo! Samozřejmě jsem si všimla, že se ten člověk do Russellu vrací – těžko ho přehlédnout –, ale Mari se o něm nikdy nezmínila."

„Nejlepší způsob, jak na sebe neupozorňovat," popotáhla Mog. „Jenže nezapomínej, že nemám žádný důkaz, že se scházela právě s ním. Navíc je podle ní po všem. Ale podle toho, jak se včera chovala, si myslím, že ji něco trápí."

„Možná se jenom bojí, aby nepřišel sem. Etienne by ho rozcupoval, kdyby si jen myslel, že si ten chlap něco dovolil k jeho dceři. Myslíš, že spolu…?" Belle nedokázala dopovědět.

„Jo, myslím, že to spolu dělali," prohlásila Mog bez obalu. „Mužskej v jeho věku většinou neztrácí čas s holkou, která mu nedá. Navíc byla Mari už nějakou dobu roztržitá, věčně zasněná."

„Etienne ho zabije!" zvolala Belle, když si plně uvědomila situaci.

„Už chápeš, proč mě napadlo poslat ji do Londýna?" dodala Mog. „Jestli Avril řekla Peggy, že je viděla spolu, určitě to vyzvonila i dalším. Navíc se ten floutek možná sám naparoval, že si s ní užil. Víš, jak to tu chodí. Jestli se to provalí – a na to se můžeš spolehnout –, stane se z ní kazový zboží a příště možná skončí s někým ještě horším."

Belle se opřela o pracovní stůl, složila hlavu do dlaní. „Já vím moc dobře, jaké je, když o tobě všichni mluví. Pamatuješ na ty jedovaté řeči, když sem přijel Etienne? Dodneška si některé ženské myslí, že si přede mnou svoje mužíčky musí chránit. Některé věci nevyšumí ani po letech." Ustrašeně pohlédla na Mog. „Co ji to jenom napadlo?"

„Zrovna ty bys mohla vědět nejlíp, že holka v takový chvíli moc nepřemejšlí," poukázala Mog prostořece.

Belle zčervenala, byla to narážka na její poměr s Etiennem ve Francii v době, kdy byla ještě manželka Jimmyho Reillyho. „Myslela jsem, že dělám dobře, když jsem jí pověděla, jak to v životě chodí a že se děvče musí chránit tím, že počká na svatbu. Ale možná jsem měla být jako ostatní matky a tvrdit jí, že sex je něco, co musí žena přetrpět."

„Pochybuju, že by to něco změnilo," namítla Mog. „Mari je stejně horkokrevná jako ty s Etiennem, nikdy neposlechla dobrou radu a dělá si, co chce. Podle mýho prostě nemá co na práci. Nuda je nejlepší živná půda pro nepravosti."

„Co budeme dělat, Mog?" zoufala si Belle.

„Pro začátek se budeme modlit, aby nebyla těhotná. Ale před Etiennem to těžko utajíme. Navíc kdybysme to zkusily, Mari si bude myslet, že ji kryjeme. Bude si muset sníst, co sama navařila."

Belle zamžikala. „Ach, Mog," vzdychla, „žijeme si tu tak spokojeně, myslela jsem, že všechno zlé už je za námi. A teď tohle!"

Mog se natáhla a vzala ji konejšivě za ruku. „Možná to nebude tak zlý, ale každopádně musíme něco podniknout. Jestli ji budeme držet pod zámkem, prostě se vzepře. Třeba by mohla v Aucklandu sehnat práci v kanceláři nebo v obchodě, ale je moc mladá na to, aby zůstala bez dozoru."

„To máš pravdu," souhlasila Belle. „Jenže Anglie je tak strašně daleko. Noah s Lisette jsou ideální v mnoha ohledech, sami mají dceru, navíc jsou dostatečně protřelí, aby věděli, jaké nástrahy na děvčata číhají. Určitě by na Mari měli dobrý vliv. Jenže copak ji můžeme nechat odjet?"

„Ty sis poradila v Americe za hrozných podmínek, a bylas mnohem mladší než ona. Ale než o tom budeme pořádně přemejšlet, musíme z ní vyrazit pravdu, a nejspíš k tomu přibrat i Etienna."

„Co když jsme si všechno vyložily špatně?" nadhodila Belle s nadějí.

„Jo, a já jsem královna ze Sáby!" opáčila Mog. „Podívej, víme toho o životě dost na to, abysme mohly doufat v nevinný vysvětlení. Nejlepší bude vyřídit všechno ještě dneska, až půjdou kluci spát."

Když se vrátil domů zbytek rodiny, Belle s Mog nechaly starosti o Mariettu plavat. Všichni společně povečeřeli, před sedmou Belle chlapce uložila. Když přišla dolů, Etienne seděl u kuchyňského stolu a četl si noviny, Mog s Mari umývaly nádobí.

Nakonec Marietta pověsila utěrku a chtěla odejít do svého pokoje.

„Vrať se sem a zavři za sebou," nařídila jí příkře Belle.

„Proč?" chtěla vědět Marietta. „Šla jsem si číst."

„Musíme si o něčem promluvit," oznámila Belle. „Posaď se k tatínkovi."

„Co se děje?" Etienne odložil noviny a překvapeně se na Belle zadíval.

„Mari ti musí něco říct," prohlásila Belle. „Vlastně nám všem. Tak ven s tím, Mari, chceme slyšet jméno toho, s kým ses scházela!"

Etienne se na dceru pozorně zadíval. „Dnes jsi mi nezvykle pomohla – souvisí to s tím nějak?"

Marietta zčervenala. „Byl to prostě jenom kluk, nic zvláštního. A už jsem s ním skončila," dodala rychle.

„Jméno?" zahřměla Belle. „Já už vím, o koho jde, ale chci to slyšet od tebe."

Marietta se viditelně roztřásla. „Sam," pípla. „Nemohla jsem vám nic říct, protože byste nesouhlasili."

Etienne se tvářil ohromeně, ale spíš Belliným rozčilením než nějakým Samem. Vlastně si žádného nevybavoval.

„Těžko bys mohla čekat, že budeme souhlasit s tvým muchlováním s jakýmkoli klukem. Ale s tímhle chlapem!" vybuchla Belle. „Je mu minimálně pětadvacet, grázl, věčně vyvolává rvačky a myslí jenom na sebe. Tys nám v posledních týdnech opakovaně lhala, aby ses s ním mohla scházet. Proč, Mari?"

„Protože jsem věděla, že budete přesně takoví jako teď," odsekla Marietta.

„Mluvíme o tom blonďatém australském námořníkovi?" zeptal se Etienne ohromeně.

Belle přikývla.

„V tom případě plně souhlasím s tvou matkou. Je to zvíře, každý večer se ožere do němoty a říká se, že se před ním musejí mít všechny holky na pozoru."

„Mrzí mě to, tati," dušovala se Marietta. „Máš pravdu, já na to přišla taky, jenže pozdě."

„Scházela ses s ním tajně, tys moc dobře věděla, že to je mizera. Jak daleko to zašlo?"

Marietta si založila paže a vzdorně se odvrátila. Neřekla ani slovo.

„Odpověz mi, Mari!" zavelel Etienne. „Byli jste milenci?"

Její mlčení bylo dostatečně výmluvné. Etienne zrudl zlostí. „Je ti teprve osmnáct. Máš celý život před sebou, a ty bys ho zahodila kvůli válení na seně s někým tak bezcenným. Jsi těhotná?"

Otočil se na Belle s Mog, čekal, až to buď potvrdí, nebo popřou.

Belle pokrčila rameny. „Já nevím. Samotnou mě nenapadlo, že to zašlo tak daleko."

„Marietto! Okamžitě nám řekni, jestli jsi těhotná!" zahřměl Etienne.

Dívka uhýbala pohledem. „Asi bych mohla být," odpověděla a neuniklo jí, jak otec sykl. „Ale nevyskakujte tu na mě. Vím moc dobře, že když jste se brali, máma už mě čekala."

Belle žasla nad dceřinou bezostyšností a neuctivostí, nejraději by jí uštědřila políček, ale ovládla se. „Radši se modli, abys těhotná nebyla. Protože jinak brzy zjistíš, co obnáší skutečný život," prskla. „Teď se seber a běž nahoru do svého pokoje. Nemůžu se na tebe ani podívat."

Marietta uprchla z kuchyně tak rychle, jak mohla. Matčina rozčilená reakce a to, jak všichni rovnou došli k závěru, že je těhotná, tu hrozbu učinila ještě skutečnější.

Co by s ní bylo? Svatba se Samem nepřipadala v úvahu. I kdyby souhlasil – což se nedalo očekávat –, měla by s ním mizerný život a byla by k němu připoutaná děckem, které ani nechce.

K svobodným matkám se lidé chovají ošklivě a soudě podle reakce Mog a rodičů by to začalo tady doma.

Marietta se vrhla na postel a rozplakala se. Zespoda slyšela jejich hlasy, otcův notně zvýšený. To bylo snad vůbec nejhorší. Dokázala by se smířit s matčiným a Moginým zatracením, ale nedokázala přenést před srdce, že zklamala otce.

Dole v kuchyni Etienne rozčileně přecházel sem a tam. Očividně by se nejraději vyřítil ze dveří a pořádně si Sama podal. Belle byla odhodlaná zabránit tomu.

„Je mladý a silný," naléhala. Postavila se přede dveře, aby Etiennovi zatarasila cestu. „Jestli se tam přiřítíš a pustíš se do něj, nenechá si to líbit a ty pravděpodobně dopadneš hůř než on. Navíc se to dozví celé město – a jakmile bude zajíc venku z pytle, zpátky ho nikdo nedostane."

Mog se k ní připojila. „Nezapomeň, že to Mari dělala dobrovolně. Chtěla trochu vzrušení a dostala ho. Teď se musí poučit, nést následky. Uvědom si, že jestli Sama zbiješ, jenom ji přesvědčíš, že to byla čistě jeho chyba."

„To ode mě vážně chcete, abych neudělal vůbec nic?" Etienne žasl, že neprahnou po krvi toho bídáka.

„Jistěže ne," domlouvala mu Belle, „ale Mog má pravdu, Mari za to může zrovna tak. Pochopila bych, kdyby aspoň řekla, že ho miluje. Někdy mi připadá tak chladná, jako by ani nebyla moje dítě. Vyspi se na to, prosím tě, než se vyřítíš ven jako bůh pomsty. Takhle jen zaděláš na drby."

Etienne byl dotčený, že je podle své ženy i Mog moc starý na to, aby se vypořádal s tím darebákem. Počkat alespoň do rána bylo ale přece jen nejrozumnější.

V noci špatně spal, převracel se a vrtěl, hlavou se mu honily nehezké obrázky Mari s tím špinavým námořníkem.

Za svítání vstal, oblékl se a tiše vyklouzl z domu. Belle ještě spala. Zlost, která jím večer zmítala, vyprchala. Teď už cítil jen potřebu promluvit s tím chlapem a alespoň se pokusit pochopit, co na něm Mari viděla.

Slyšel, že bývalý námořník táboří na volném pozemku u úpatí Flag Staff Hillu. Cestou tam si vzpomněl, jak s ním jednou mluvil. Ten chlap se opilecky vypotácel z hostince, právě když kolem Etienne procházel, a vrazil do něj.

„Vzpamatuj se a dávej pozor, kam šlapeš," doporučil mu tehdy.

Chlap se napřímil a úkosem na něj pohlédl. „Takovej přízvuk, ty budeš určitě ten žabožroutskej hrdina," ušklíbl se.

„A ty budeš podle přízvuku ten ochlasta z Austrálie," opáčil Etienne a šel dál, ignoroval jeho posměšné otázky, jestli se živí šneky.

Ono krátké setkání mu bohatě stačilo, aby poznal, že je ten člověk primitivní kašpar, a tím mu možnost, že Mari nosí jeho dítě, připadala děsivější.

Jeho stan našel skrytý za křovím a vybavil si, jak si na přítomnost toho muže několik lidí ve městě stěžovalo.

Stan byl malý a ošuntělý, uprostřed prověšený. Etienne se na něj chvíli díval, poté vykopl kolíky s lany, načež se celta zbortila. Zevnitř se ozvalo klení.

Etienne vyčkával – chvíli to vypadalo, že je ten chlap tak zlitý, že ani nevyleze, přestože je pohřbený pod mokrou celtovinou –, ale po chvíli se přece vyplazil jen ve špinavých spodkách a protíral si oči.

Během čekání si Etienne stačil povšimnout odpadků kolem stanu – láhví od piva a prázdných plechovek. Napadlo ho, jestli se ten člověk vůbec někdy myje a jak mohla Mari, vychovaná v čistotné domácnosti, tolerovat takový nedostatek hygieny.

„Zbořil jsi mi stan?" obořil se na něj muž a pozoroval jej přimhouřenýma očima. Na bradě měl husté strniště, blond vlasy mastné. Zato měl působivé opálené svalnaté tělo, ženám se musel líbit.

„Přesně tak," přikývl Etienne. „A buď rád, že jsem se do toho nepustil sekerou a rovnou ti neusekl hlavu. Vstaň! Jsi sice odporný a nízký darebák, ale rád se dívám člověku do očí, když s ním mluvím."

„Co po mně chceš?" opáčil Sam a zvedl se.

„Jako bys nevěděl!" prskl Etienne. „Moc dobře víš, že jsem Mariettin otec. Kdybys měl jen kouska slušnosti, byl bys mě požádal o svolení scházet se s ní."

„To už dneska nikdo nedělá," zavrčel Sam. „Vrať se domů, dědo, a jestli se chceš prát, najdi si někoho ve svým věku. Mari se na mě vrhla. Asi to neslyšíš rád, ale tak to bylo. A teď odsud vypadni."

„Doufal jsem, že na tobě objevím aspoň něco dobrého," prohlásil Etienne, „ale jak vidím, žiješ jako prase a páchneš ještě hůř. Mari se musela dočasně pomátnout, že si s někým tak nechutným začala. Opustíš Russell první lodí, která dnes odplouvá, a víckrát se tu neobjevíš. Jinak budeš litovat."

Sam se pohrdavě zachechtal. „A kdo mě k tomu přinutí, to jako ty, dědo? Jak to chceš udělat?"

„Takhle nějak," pravil Etienne a zasadil mu takovou ránu do brady, že Sam málem skončil na zemi.

Nakrátko ho to vyvedlo z míry. Zamnul si bradu, zkoumavě se na Etienna zadíval. „Nechci se s tebou prát, protože bys to už nerozchodil. Tak koukej mazat, než ti něco udělám."

„Třeba tohle?" Etienne mu bez zaváhání zasadil ránu pravačkou do břicha a vzápětí levačkou do čelisti. „No tak, neboj se, jsem přece děda."

Sam se zapotácel, ze rtu mu tekl pramínek krve. Zvedl zaťaté pěsti, ale Etienne se hbitě vyhnul a uštědřil mu další dvě rány do obličeje dřív, než mladík stačil jen mrknout.

Z nosu mu tekla krev. Etienne se zasmál. „Chtěl jsi mě přece vyřídit, ne? Ale jsi moc pomalý. Musíš na to takhle," prohodil a vzápětí Sama uhodil znovu do brady, až se mu hlava zvrátila dozadu, potom následovala pořádná rána na solar plexus. Sam přistál na zemi.

Etienne popošel k němu a šlápl mu botou na prsa. „Jen pro tvou informaci, já se učil rvát v temných uličkách Marseille," ucedil. „Umím slušně zacházet i s nožem – chceš to vidět?"

Vytáhl z pouzdra na opasku nůž s úzkou patnácticentimetrovou čepelí, sklonil se k Samovi a přidržel mu hrot u nosní dírky. „Když mě někdo rozčílil, prostě jsem mu rozřízl nos. Potom člověk vypadá opravdu šeredně a žádná holka už se za ním neotočí, když si chce zapíchat, musí se spokojit se starou děvkou," zavrčel výhrůžně.

Sam zděšeně vyjekl a Etienne se usmál, protože si všiml mokré skvrny, která se mladšímu muži šířila v rozkroku. „Většinou se hned na začátku podělají strachy. Kam se najednou poděl ten chlapák, co? Těším se, až Mari povím, že ses nezmohl na jedinou ránu. Takže co, zmizíš z Russellu ještě dnes? Nebo tě mám přesvědčit něčím pádnějším?"

„Ne, odjedu," vypravil ze sebe Sam. „Hlavně mě nepořež."

„Bojíš se, že už nebudeš hezounek? Asi by bylo nejlepší postarat se, abys žádné další holce neublížil," pokračoval Etienne. „Skutečný chlap se k ženským chová slušně. Kdykoli tě napadne něco jiného, vzpomeň si na můj nůž ve svém nose." Přejel mu ostřím po nosní dírce, vychutnával si zděšení, které se tomu mizerovi zrcadlilo v očích, jak se mu všechny svaly napjaly v očekávání bolesti.

Etienne se napřímil a vrátil nůž do pouzdra. Zatlačil nohou, jíž stál Samovi na prsou.

„Už půjdu, ale počkám si v přístavu, jestli se nalodíš na loď, co odjíždí v devět. Jestli ne, vrátím se pro tebe. Pro případ, že by tě napadlo neposlechnout, ti dám menší závdavek."

Etienne zaťal pěst a zasáhl Sama do úst. Poodešel o pár kroků. „Sedni si, nebo se zalkneš vlastní krví," doporučil mu.

Sam se zvedl a vyplivl krev a s ní i dva přední zuby.

Etienne se ušklíbl. „Vyražené přední zuby by měly mladé holky odradit," prohlásil. „Nezapomeň, loď odplouvá v devět. Jinak se ještě uvidíme. Teď se jde děda domů nasnídat."

Etienne se pustil k domovu, ale asi po padesáti metrech se ještě otočil na Sama, který se pokoušel zvednout ze země, jednou rukou se držel za břicho a druhou měl před ústy. Pokud je Mari těhotná, nijak jí nepomůže, že dostal Sam za vyučenou, ovšem Etiennovi se notně ulevilo.

Když se Belle probudila a zjistila, že je v posteli sama, bylo jí jasné, kam se Etienne poděl. Pospíchala dolů, rozdmýchala uhlíky v kuchyňském sporáku, přiložila a dala vařit konvici vody. Bála se, aby Etienne někde neležel zbitý a zraněný. Nakonec se rozhodla obléknout a jít ho hledat.

Přesně v tu chvíli se objevil ve dveřích. Stačil jediný pohled do jeho tváře, aby poznala, že mise dopadla úspěšně, nezdál se nijak poraněný, jen klouby na ruce měl od krve.

„Co se stalo?" zeptala se.

„Nic, kvůli čemu by ses měla strachovat," prohlásil a v očích mu jiskřilo.

„Ukaž, omyju ti to," ukázala na jeho ruku.

„Není třeba – to je jeho krev, ne moje," odvětil klidně a šel si umýt ruce.

Víc se Belle nevyptávala, místo toho šla připravit krmení slepicím a prostřít ke snídani. Když probudila chlapce, našla Etienna sedět u stolu a hledět do prázdna.

„Vážně ti Mari připadá chladná?" zeptal se nečekaně, když postavila na stůl konvici s čajem.

„Někdy," připustila. „Nezdá se mi, že by měla moc soucitu. Nerada to říkám, ale někdy mi připomíná Annie."

O své matce mluvila Belle jen zřídka. Annie zemřela před pěti lety. Od té doby, co se Belle odstěhovala na Nový Zéland, si nanejvýš jednou ročně vyměnily vánoční blahopřání. O matčině smrti se dozvěděla až od Anniina právníka. Matka jí přenechala vše – částku něco přes tisíc liber –, a ačkoli byla Belle v době krize za peníze vděčná, byla by je bez váhání vyměnila za jediný dopis, v němž by jí matka napsala, že ji má ráda a omlouvá se za to, jak ji celé roky zanedbávala.

Etienne chytil Belle kolem pasu a položil jí hlavu na prsa. „Jak zrovna my můžeme mít dítě, které nemá soucit?" zašeptal.

„Ne že by ho nebyla schopná. Jen ještě nezažila nic zlého, co by ji naučilo vžít se do kůže někoho jiného," odpověděla mu. „Sam ti snad něco říkal?"

Etienne zavrtěl hlavou. „Tvrdil, že se na něj sama vrhla. Ale myslel jsem na to, jak se Mari chovala včera večer – podle mě ji vyděsil. Navíc se stydí. Zřejmě to v sobě uzavřela tak pevně, že na ní není nic znát. To ale neznamená, že nic necítí. Ten sígr mě nazval starým dědkem a přesně tak si teď připadám," připustil. „Co budeme dělat, jestli je těhotná?"

„Pro mě žádný starý dědek nejsi," konejšila jej. „Počkáme, až Mog odvede kluky do školy, pak půjdeme nahoru do ložnice a promluvíme si o tom."

„Musím dodělat střechu u Apsleyových," povzdechl si.

„To počká. Běž se natáhnout, za chvíli ti přinesu čaj."

O deset minut později přišla za Etiennem. Ležel na posteli, vypadal nešťastně. Postavila čaj na noční stolek, lehla si k němu a objala jej. „Uhodil tě?"

„Ne, nedostal příležitost, zato já mu dost pošramotil tu pěknou fasádu. Nařídil jsem mu nalodit se v devět hodin a víckrát se tu neukázat."

„Vypadá to, že jsi stejně nebezpečný jako zamlada," usmála se Belle.

„Trochu se stydím, že jsem si to tak užil," připustil. „Dokonce jsem vytáhl nůž, kterým kuchám ryby, a pohrozil, že mu rozříznu nos. Neuvěřitelné. Ale vidělas ho sama, Belle! Špinavý, otrhaný, žije jako zvíře a já dokázal myslet jedině na to, že měl v pazourech naši holčičku."

Belle jej pevně objímala, neříkala nic. Chápala jeho pocity.

„Pomočil se strachy. Ale copak jsem o tolik lepší než on? Udělal jsem mnohem horší věci, jaké si nedovede ani představit. A nikdy jsem dvakrát nepřemýšlel o tom, že by se mnou nějaká mohla otěhotnět."

„Nevěřím, že by ses k mladé holce choval ošklivě," domlouvala mu. „A chápu, připadáš si trochu jako pokrytec, to i já – taky nejsem čistá jako padlý sníh. Ale právě protože máme za sebou tolik zlého, chtěli jsme pro Mari něco lepšího. Já opravdu věřila, že se zamiluje do hodného pracovitého chlapa, se kterým půjde v bílém závoji k oltáři. Nikdy by mě nenapadlo, že bude prostopášná."

Etienne se zasmál. „Prostopášná, to je výborné slovo. Pokud si vzpomínám, taky jsi byla prostopášná."

„S tebou ano," připustila. „A občas pořád jsem!"

„Ne dost často," usmál se, vklouzl rukou pod noční košili a polaskal jí ňadra.

„Přišli jsme si sem promluvit," napomenula jej, ale ruku mu neodstrčila. „Myslíme si s Mog, že se Mari prostě nudila. Hledala vzrušení a našla je v něm. I kdyby těhotná nebyla, tohle se bude opakovat, pokud ji nějak nezaměstnáme."

„Upřímně doufám, že těhotná není, protože jinak se připraví o všechno hezké," vzdychl Etienne. „Znám rodiny, které vydávaly vnoučata za své vlastní děti, ale tady by nám to neprošlo, lidi si tu vidí do talíře."

„Leda bychom odjeli do Anglie a pak se vrátili s miminem," zasmála se Belle.

To rozesmálo i Etienna. „Anglie, to je dost drastické! Stačilo by odjet na Jižní ostrov."

Belle se zatvářila zamyšleně. „Jenom jsem žertovala, ale zas tak špatný nápad to není. Nikdo kromě nás by nevěděl, že to dítě není naše. Ženské rodí i ve třiačtyřiceti."

„Co navrhovala Mog?" zajímal se Etienne. „Většinou má dobré nápady."

„Inu, právě proto jsem se zmínila o Anglii. Ještě než nás napadlo, že by Mari mohla být těhotná, Mog navrhovala poslat ji k Noahovi. Je to koneckonců její kmotr a měla by tam lepší vyhlídky než tady."

„A ještě větší možnosti dostat se do maléru," podotkl.

„Přesně to jsem říkala i já. Jenže když jsi teď navrhoval, abychom to dítě vydávali za naše, možná není tak špatný nápad odjet tam společně. Máme ty peníze od Annie, dokonce můžeme napsat lidem sem: Hádejte, co se stalo? Narodilo se nám další miminko! A až bychom se vrátili, Mari by mohla žít podle svých představ a její dítě by bylo v bezpečí tady u nás."

Když Etienne neodpověděl, Belle si myslela, že nesouhlasí.

„Ale vroucně se modlím, aby těhotná nebyla," dodala. „Na rodičovství už jsme staří."

Etienne ztěžka vzdychl. „Pamatuješ, jakou jsme měli radost, když jsme zjistili, že čekáš Mariettu? Všechny děti by měly začínat život jako chtěné."

„To máš pravdu," přikývla, „ale mě Annie nechtěla a svěřila mě do opatrování Mog. A povedla jsem se docela dobře, ne?"

„V každém případě, ať už je Mari těhotná nebo ne, musí nést za své chování odpovědnost," prohlásil neochvějně Etienne. „My budeme její dítě milovat – i když je jeho otcem ničema a my už jsme na to staří. Ale nepovíme jí to, ani o plánech odjet do Anglie, o ničem. Musí se trochu zapotit. Potřebuje pořádně vystrašit, aby se vzpamatovala."

Kapitola čtvrtá

Dny se pomalu vlekly. Marietta stále nedostala měsíčky a Belle byla čím dál úzkostnější. Jindy usměvavá Mog se mračila, Etienne působil zachmuřeně a Alex s Noelem se neustále vyptávali, co se děje.

Poté co Etienne Sama vyhnal, Belle Mariettě pořádně vyčinila, měla k ní hořký, rozčilený proslov o tom, jak zklamala rodinu a ohrozila celou svou budoucnost. Když dcera odsekla, že Belle nebyla o nic lepší – nebyla snad v den svatby těhotná? –, vyťala jí Belle políček.

Marietta jako by vůbec nechápala závažnost situace. Neomluvila se, dokonce se ani nepokusila vysvětlit, proč se tak zachovala, tvářila se jako kakabus. Nenabídla se, že bude doma víc pomáhat – což by udělal každý, kdo je v maléru –, a když se po ní něco chtělo, promenovala se po domě, jako by byla na podobné práce příliš dobrá.

„Já už to nevydržím," svěřila se Belle Etiennovi jednou v noci v posteli. „Jsem s rozumem v koncích. Nedokážu ji ani přimět, aby mi pověděla, jak se ohledně mateřství cítí."

Etienne ji pevně objal. „Navrhl bych, že ji vezmu s sebou na moře – třeba bych dokázal proniknout skrz tu její tvrdou slupku –, ale to by vypadalo spíš jako odměna, jako bych její chování schvaloval."

„Chci zpátky svou veselou holčičku," naříkala Belle. „Tuhle Mari už ani nepoznávám, je jako někdo cizí."

„Nejspíš je stejně vyděšená jako my," podotkl Etienne. „Musí mít pocit, jako by nesla na bedrech tíhu celého světa. Zrovna my dva přece dobře víme, jaké je nechat se unést."

„Ty jsi vždycky tak zatraceně chápavý," zlobila se.

„Protože jsem sám dělal chyby," zdůraznil. „Jen si představ, jaké to je, když máš pocit, že je celá rodina proti tobě."

„Zaslouží si to."

„Vážně? Já nevím. Možná si myslí, že ji pošleme do nějakého ústavu pro svobodné matky."

„Něco takového si o nás přece nemůže myslet!" zděsila se Belle.

Etienne ji láskyplně políbil na nos. „Nezapomínej, že ona neví o temných kapitolách naší minulosti. A dá-li Bůh, nikdy se o nich nedozví. Jenže přesně ty nás formovaly, myslím, že jsme díky nim lepší a soucitnější než předtím. Tohle je Mariettina první tvrdá životní lekce. Doufejme, že si ji vezme k srdci."

Dva týdny od Samova odjezdu vpadla Marietta do dílny, kde Mog a Belle šily.

„Nejsem těhotná, dostala jsem měsíčky," ohlašovala vítězoslavně.

„Krindapána, to je úleva!" zvolala Mog.

Belle chvíli nedokázala nic říct, byla si Mariettiným těhotenstvím tak jistá, že jí chvíli trvalo, než to oznámení vstřebala.

Nakonec vstala a dceru objala.

„Jsem tak ráda, žes byla ušetřena," vydechla. „Ale musíš mi slíbit, že ses poučila. Tentokrát jsi měla opravdu štěstí, nechci už víckrát procházet takovou mizérií, jaká tu panovala posledních čtrnáct dnů. Už nikdy."

„Ani já," dušovala se rozzářená Marietta. „Slibuju, že počkám do svatby. A ještě pár let žádná rozhodně nebude."

Jakmile odešla, Mog s Belle si vyměnily pohled a vyprskly smíchy.

„Nechápu, proč se smějeme," namítla Belle. „Není na tom vůbec nic legračního."

„Její slib, že počká do svatby, legrační je," culila se Mog. „Měla bys ji nějak naučit pár triků z řemesla, Belle, protože jako že po jaru přijde léto, jakmile se jí zalíbí nějaký další, rozhodně to neskončí líbáním."

Mari podle všeho skutečně obrátila. Ten týden poté, co zjistila, že těhotná není, byla jako vyměněná: krotká, pomáhala, hrála si s bratry, nepokoušela se vyklouznout z domu. Belle si byla poměrně jistá, že nejde o trvalou změnu, přesto pustila Mogin návrh poslat Mariettu do Anglie z hlavy.

Jednou pozdě v neděli večer, kdy už šly děti i Mog spát, seděli Belle s Etiennem na houpačce na verandě, protože uvnitř bylo dusno. Kupodivu načal tentokrát téma Anglie Etienne.

„Asi bychom ji měli poslat," vypadlo z něj. „Mluví se o ní po celém Russellu."

„Kdo o ní mluví?" zeptala se poplašeně, protože Etienne byl obvykle ten poslední, koho by zajímaly drby.

„Nevím, kdo s tím začal, ale Angus mi radil poslat ji k nějakým příbuzným, než se řeči usadí. A víš sama, Belle, že zrovna on na řeči moc nedá a Mari má rád."

Angus byl starý Skot, který s Etiennem často vyrážel na ryby. Před pár lety mu zemřela žena a oba synové se odstěhovali do Christchurche. Považoval Etienna za svého dobrého přítele, proto se rozhodl varovat jej.

„Mně nikdo nic neříkal," namítla.

„To je přece pochopitelné. Lidi rádi přetřásají cizí neštěstí, ale zřídka jsou tak odvážní, aby to řekli do očí člověku, kterého pomlouvají."

„Kolik toho podle tebe prosáklo?" zeptala se Belle úzkostně. Jistě nešlo jen o to, že se ti dva drželi za ruce.

„Podle mě si musel Sam pustit na lodi pusu na špacír. Každopádně se rozneslo, že jsem ho zbil, a není tak těžké dovtípit se proč. Jestli tu Mari zůstane, bude nad ní kdekdo ohrnovat nos a začnou se kolem ní rojit chlapi, kterým bude připadat snadno k mání."

„A nemůžeme ji prostě poslat k Veře?" navrhla Belle.

„To bychom mohli, pokud by Vera souhlasila, ale i tam žije spousta příbuzných lidí odsud, ty pomluvy se potáhnou s ní. U Noaha a Lisette by mohla začít s čistým štítem. Noah jí pomůže najít vhodnou práci a Rose je jen o pár let starší, takže by v ní Mari měla kamarádku. Můžeme za cestu zaplatit z peněz, které ti přenechala Annie. Podle mě to Mari prospěje. Nebo ty bys v osmnácti chtěla trčet v takovém zapadákově jako tady?"

Belle si vybavila své osmnácté narozeniny, v té době už byla oficiální prostitutkou. Takzvaný džentlmen, jehož měla bavit, byl tlustý a odporně mu páchlo z úst. Tu noc by dala cokoli, aby mohla být na tak nádherném a klidném místě, jako je Russell. Předpokládala však, že člověk nejprve musí poznat temné stránky života, než pozná, kdy je skutečně v ráji.

O těch dnech nikdy nemluvila – s Etiennem ani s Mog, ačkoli o všem věděli. To byl minulý život, tehdy byli i oni jiní. Belle se rozhodla udělat za vším tlustou čáru.

„Máš pravdu – v osmnácti chce člověk víc než jen moře a krávy na prašné cestě. Chce vidět obchody, elektrické osvětlení, chodit na tancovačky a nosit oblečení, které se sem nehodí. Jenže co když vypukne válka? Jak se pak Mari dostane domů?"

„Slyšeli jsme přece, že se Chamberlain vrátil ze schůzky s Hitlerem s mírovou smlouvou. Nikdo v Anglii ani ve Francii válku nechce a Noah psal, že podle něj není nevyhnutelná. Kdo by to měl vědět lépe, Belle? Byl přece válečný korespondent. Navíc kdybych měl někomu svěřit bezpečí naší dcery, tak jemu."

„S tím souhlasím, Noah je dobrý a ohleduplný člověk. Ale nežádali bychom od něj příliš? Oba víme, jak je Mari tvrdohlavá."

Vzhledem k tomu, jak silné pouto mezi sebou Etienne s Mariettou měli, ji překvapovalo, že o tom vůbec přemýšlí. Očividně se o její budoucnost v Russellu skutečně obával.

„Děti se chovají jinak, když nejsou doma," řekl a přitáhl si ji k sobě. „Teď Mari seká dobrotu, ale jak dlouho jí to vydrží? Stačí pár měsíců, a bude zase vymýšlet čertoviny a mrzet se, že tu nemá co dělat. Jestli ji pošleme do Anglie, třeba si sama uvědomí, co má tady u nás, a pak se ráda vrátí."

„Jak to mohlo dojít až sem?" zajíkla se Belle. „Když se narodila, mysleli jsme, že bude mít všechno, co my nikdy neměli: lásku, bezpečí, šťastný domov na místě, kde se nemůže stát nic zlého. A teď se tu bavíme o tom, že ji pošleme pryč."

„Všichni rodiče mají sklony myslet si, že své děti vlastní," podotkl Etienne. „Jenže to tak není, máme je jen nakrátko.

Když dospějí, musejí si najít vlastní cestu. V Anglii najde Mari zajímavou a naplňující práci. Prostřednictvím Noaha a Lisette se seznámí se slušnými mladíky, udělá si kamarádky, prospěje jí to tam ve všech směrech."

Měl pravdu, přesto se Belle o dceru bála.

„Co když se jí tam nebude líbit? Nebo se jí tam naopak zalíbí natolik, že zůstane navždycky?"

„Ta první možnost se dá snadno napravit," opáčil Etienne klidně. „Pokud jde o tu druhou, víme oba, že dívky většinou skončí tam, kam je vezme jejich manžel. Nemáme žádnou záruku, že bude žít navždycky blízko nás. Radši bych o ni přišel ve prospěch spokojeného a dobrého života v Anglii, než aby se vdala za prvního, kdo se tu objeví, a pak se díval, jak stárne a je čím dál zahořklejší, protože nepoznala lásku, jaká je mezi námi."

Belle se k němu přivinula. „Ty to vždycky umíš podat tak rozumně," vzdychla. „Pokusím se na to dívat stejně. Co tedy uděláme?"

„Zítra Noahovi zavolám," rozhodl Etienne. „Ale dokud nebudeme mít jistotu, že ji k sobě vezmou, Mari nic neřekneme."

Belle mu zavrtala obličej do ramene. Nebylo co víc rozebírat. Poznala, že Etienne želí ztráty své holčičky stejně jako ona.

Kapitola pátá

Marietta si plně uvědomovala, že ostatním připadá chladná. Neměla ve zvyku projevovat emoce. Rozčilovalo ji to. Nepláče a nenaříká, to ale přece neznamená, že nic necítí!

Celá ta záležitost se Samem byla nejošklivější a nejbolestnější věc, jakou zažila. Nejenže si díky němu připadala pošpiněná, zahanbená a hloupá, ještě navíc zklamala své rodiče i Mog. Tak ráda by jim nějak pověděla, jak je jí mizerně, jak ji to všechno mrzí, ale nedovedla to. Mohla jen mlčet a držet se jim z cesty.

Když se pak těhotenství vyvrátilo, doufala, že to tím končí a všichni zapomenou. Ačkoli však pomáhala v domácnosti a snažila se jim ukázat, jak je má ráda a jak lituje, ta pachuť nezmizela. Přetrvávala v ovzduší jako slabý nepříjemný zápach, ať Marietta dělala, co dělala.

Venku to bylo ještě horší. Přišla do řečí. Starší lidé se k ní chovali pohrdavě, mladí se pošklebovali. Kamarádky se s ní přestaly stýkat, nikdo k ní nezašel, nikdo ji nikam nepozval.

Jiné dívky by na jejím místě nejspíš plakaly a tropily scény, ne však Marietta. Zvedla bradu a předstírala, že je jí to jedno.

Když jí otec pověděl, že ji kmotr z Anglie pozval na návštěvu, v první chvíli pocítila čirou radost. Představa, že uteče před ponížením a pohrdáním veřejnosti, stačila. A kdo by se netěšil na dobrodružnou cestu do Londýna, kdo by nechtěl vidět všechna ta nádherná místa z knih a časopisů? Těšila se na šestitýdenní plavbu na lodi, šanci najít si skutečnou práci a seznámit se s lidmi, kteří budou mít širší přehled než ti z Russellu.

Avšak radost a nadšení opadly, jakmile jí došlo, že je to trest, protože zostudila rodinu.

Nic takového jí neřekli. Vychvalovali nové příležitosti a šanci podívat se do světa. Přesto se toho dojmu nemohla zbavit.

Strýčka Noaha a tetu Lisette neznala. Pro ni představovali jen jména na vánočních pohlednicích a dárky k narozeninám. Jistě, ty dárky byly pokaždé skvělé – k osmnáctinám od nich dostala nádherný stříbrný náramek. Věděla, že mají krásný dům, strýček Noah je uznávaný novinář a spisovatel a dobrý přítel rodičů. Pro ni však zůstával cizím člověkem, jemuž ji pověsili na krk.

Poučila se. Sam byl strašný a bezcenný člověk a ona litovala, že o něj kdy jen zavadila pohledem. Rozhodně neměla v úmyslu opakovat stejnou chybu. Přesto nechápala, proč si sousedé myslí, že mají právo ji soudit. Nikomu neublížila a vsadila by se, že nějakou ostudnou chybu má na kontě každý z nich.

Když v minulosti snila o tom, jak z Russellu odjede, představovala si, jak její přátelé a rodina prolévají slzy při loučení v přístavu. A myslela si, že pokud se vrátí, tak vítězoslavně a radostně. Zato nyní měla obavy, že se jí všichni rádi zbaví a budou doufat, že se víckrát neobjeví.

Paní Quigleyová si vždycky stěžovala na její vzpurnost a právě k té se nyní Marietta uchýlila. Bude se chovat, jako by se nemohla dočkat, až z Russellu zmizí. A možná, pokud bude dostatečně přesvědčivá, nakonec tomu i sama uvěří a přestane se bát.

Po nocích však ve svém pokoji prolévala slzy. Bude se jí stýskat po Noelovi a Alexovi, kteří jí sice lezli občas na nervy, ale měla je upřímně ráda. A nedovedla si představit život, v němž nebude vídat matku, otce a Mog každý den. Na koho se obrátí, až jí bude úzko nebo bude trpět osamělostí? Všichni vyzdvihovali její sebevědomí, jenže co když ji opustí, jakmile vstoupí na anglickou půdu?

„Podle mě jsi moc statečná," pronesl jednou ráno otec, jako by jí četl myšlenky. „Určitě se trochu bojíš odjet bez nás na druhý konec zeměkoule, ale bude se ti tam líbit, Mari. Kromě toho, že uvidíš Londýn, tě Noah určitě vezme do Francie. Má blízko Marseille statek, který kdysi patřil mně. Jen si představ, že se podíváš na všechna ta místa, o kterých jsme ti s maminkou vyprávěli."

Marietta si vždycky přála, aby na ni byl otec pyšný, a pokud je k tomu zapotřebí působit statečně, nedá se nic dělat. Nevrhla se mu do náruče a neřekla mu, jak moc jí bude chybět plavba a rybaření v jeho společnosti. Místo toho nasadila úsměv a vyprávěla, jak se těší na Buckinghamský palác, Tower, Seinu a Eifellovu věž a jak je za tu příležitost vděčná.

Mog odněkud vylovila teplý hnědý vlňák, který si sem přivezla z Anglie, a začala jej párat s úmyslem přešít jej pro Mariettu. Její matka našla hnědý filc, z nějž se ke kabátu chystala vyrobit klobouček, a ukázala Mariettě půvabná peříčka, jimiž jej chtěla ozdobit.

Zamluvili jí palubní lístek na loď, která měla z Aucklandu vyplout osmnáctého prosince, uprostřed léta, do Anglie však Mari připluje uprostřed zimy.

Nikdy moc nechápala, proč přistěhovalci z Anglie bědují, že je na Zélandu všechno vzhůru nohama a jak jim schází oheň v krbu, sníh a led, s nimiž se Vánoce pojí na kontinentu. Jejím rodičům to nevadilo – vlastně se vždycky spíš smáli lidem, kteří se zoufale pokoušeli dodržovat i na Zélandu evropské tradice včetně pečené a švestkového pudinku, přitom venku bylo třicet stupňů.

Jejich rodina vždycky slavila speciálním vánočním piknikem na pláži, kde se koupali a hráli kriket. A ačkoli jim Mog často vyprávěla o hornické vesnici ve Walesu, kde vyrůstala, nepřipomínalo to výjevy z vánočních pohlednic, které jim přicházely z Anglie. Na těch byl čistě bílý sníh, saně tažené koňmi a stoly obtěžkané pokrmy. Zato Mog popisovala hubenou večeři sestávající z dušeného králíka, město pokryté uhelným prachem a muže a ženy, kteří byli už v pětatřiceti staří kvůli chudobě a těžké dřině.

Mog vždycky říkávala, že má větší smysl oslavovat příchod Páně na teplém místě, protože teplo bylo i v Betlémě. Ráda zdobila domácnost polním kvítím a zelenými větvemi, na verandě pokaždé rozvěsila barevné čínské papírové lucerny. Když se setmělo, otec v nich zapálil svíčky a všichni pak sedávali v jejich magickém světle na verandě spolu se sousedy, kteří se zastavili na kus řeči. Matka tvrdila, že to anglické Vánoce předčí ve všech směrech.

Marietta nelitovala, že přijde o Vánoce v Russellu – na lodi budou pravděpodobně stejně zábavné –, ale trochu se bála studené anglické zimy. Mog i matka často vyprávěly o husté studené mlze, námraze na oknech, a ačkoli ji ujišťovaly, že u strýčka Noaha bude teplo a krásně, měla obavy.

Aby na to nemyslela, vrhla se Marietta do prací spojených se šitím nového ošacení, které bude potřebovat.

Bylo zábavné šít svršky, jaké by v Russellu nikdy nemohla nosit. Noah poslal před časem Mog nějaké anglické časopisy zaměřené na módu a ona byla nyní ve svém živlu, rozhodovala, které šaty a kostýmky podle nich ušije. V truhle našla nádhernou krémovou krajku. Z té budou večerní šaty, k nim přehoz z fialového krepu. Marietta však měla pochybnosti o kostkované vlněné látce, z níž chtěla Mog ušít kostýmek. Podle ní by se hodil spíš pro učitelku Quigleyovou.

„O módě já náhodou něco vím," ohradila se Mog káravě, když si všimla Mariettina nesouhlasného výrazu. „Paní Simpsonová měla přesně takový kostýmek těsně předtím, než abdikoval král. A nikdo nebyl tak elegantní jako ona, třebaže jsme ji tu moc nemuseli. Uvidíš, že ženy v Anglii daleko víc dbají na svůj vzhled než ty zdejší a mají ohledně oblíkání určitá pravidla. K šatům musí přijít klobouk a punčochy, s holýma nohama nechodí dokonce ani v létě. Až tě pojedeme do Aucklandu vyprovodit, musíme ti tam nakoupit punčochy a taky rukavice. Až budeš v Anglii, se vším ostatním ti pomůže Lisette. Ona je náramně šik, přesně jak by člověk od Francouzky čekal."

Dvanáctého prosince ráno, dva dny před Mariettiným odjezdem z Russellu, se Belle probudila plná pochybností.

Dohodli se, že do Aucklandu ji parníkem doprovodí Mog a Etienne, Belle zůstane s chlapci. V Aucklandu se Mog postará o nákup věcí, které Marietta potřebuje na cestu do Anglie. Etienne měl přece jen lepší předpoklady zajistit, že se Marietta i její zavazadla nalodí na tu správnou loď ve správnou hodinu. Navíc Belle považovala za lepší rozloučit se s dcerou zde, než jí mávat v Aucklandu.

„Mám stejný pocit jako tehdy ve Francii, když mě strčili do kočáru, který mě měl odvézt k lodi do New Yorku," přiznala Etiennovi. „Jestli je mi takhle, jak se musí cítit Mari?"

Etienne vylezl z postele, chtěl se obléknout, když ale slyšel úzkost zaznívající z Bellina hlasu, vrátil se k ní a objal ji. „Pro Mari je to úplně jiné. Tys předtím prošla peklem, navíc jsi vůbec nevěděla, kam tě vezou. Bylas mnohem mladší než ona. Já a Mog naši dceru vyprovodíme, jede k lidem, kteří ji budou mít rádi jako vlastní. O Anglii toho hodně ví. Je připravená odjet, Belle. Russellu už odrostla, potřebuje nový začátek. Musíš ji pustit. Můžeme jí občas zatelefonovat z pekárny. Nikdo ji neprodává jako tebe, je volná a může vést vzrušující a naplňující život."

„Jenže co když vypukne válka? Mohla by tam uvíznout," strachovala se Belle.

Etiennovou tváří přelétl stín, který vypovídal o tom, že je kvůli dceřině odjezdu stejně ustaraný a smutný jako ona. Nikdy by to ovšem nepřiznal.

„Noah by nevtipkoval o tom, jak vláda hloubí zákopy v Hyde Parku a připravuje pytle s pískem," prohlásil. „Hitler s Anglií bojovat nechce, aspoň podle něj. Navíc i kdyby se Noah pletl nebo kdyby se situace změnila, okamžitě by Mari poslal první lodí zpátky k nám."

„Víš to jistě?"

„Jak se na něco takového můžeš vůbec ptát, Belle?" žasl. „Copak jsi zapomněla, co pro nás všechno udělal? Nebýt jeho, víckrát bych tě neviděl. Není to snad dostatečný důkaz, že dceru svěřujeme do dobrých rukou?"

„Já vím," vzdychla Belle. „Přesto mám starosti."

„Tak je hlavně nedávej najevo před Mari," doporučil jí. „Je celá natěšená, musíme ji vyprovodit radostně, jinak propadne úzkosti i ona. A teď se pokusíme užít si ty poslední dva společné dny co nejlépe. Připravíme piknik a vyjedeme si na moře, aby měla na co vzpomínat."

O pár hodin později Etienne od kormidla své rybářské lodi pohlédl na Mariettu. Jako pokaždé stála na palubě hned vedle něj a dychtivě čekala, až jí předá kormidlo. Alex s Noelem seděli na boku s Belle a Mog. Prozatím se v nich sestřina vášeň pro mořeplavbu neprobudila. Seděli mlčky, spíše se těšili na piknik na pláži, než že by byli nadšení plavbou.

Etienne si pomyslel, že až bude Marietta pryč, právě takové dny mu budou chybět nejvíc. Jako jediná z rodiny milovala rybaření, plavání a plavbu na lodi tak jako on. Prožili spolu zde v zátoce ty nejhezčí chvíle, když se hnali na člunu s větrem ve vlasech, promáčení slanou sprškou.

Pukalo mu srdce, že dceru posílá pryč. Tolik tou svou odhodlaností, zarputilostí a často až nemilosrdností připomínala jeho zamlada. Jemu tyto povahové rysy dobře posloužily, u ženy však nebyly právě žádoucí. Etienne upřímně doufal, že jí Noah s Lisette pomohou najít využití pro bystrou mysl a dívka pod jejich vlivem zkrotí svou přirozenou vzdornost a umíněnost.

Belle byla v Mariettině věku překrásná, měla černé vlnité vlasy, měkké plné rty a oči barvy letní oblohy, rámované hustými řasami, každý se za ní musel otočit.

Mari nebyla oslnivě krásná, ale stále velmi hezká, její vlasy měly barvu nových pencí, měla vystouplé lícní kosti a ostrou drobnou bradu. Její oči tvarem a barvou připomínaly Belliny, častovala však lidi ledovými pohledy zrovna jako on. Přesto Etienne cítil, že ještě pár let, a bude z ní skutečná krasavice. Pevně doufal, že se do té doby naučí vyrovnanosti a uvědomí si vlastní cenu. Při představě, jak ji nějaký muž nutí, aby se mu podvolila, mu naskakovala husí kůže.

„Byl to báječný den," vzdychla Belle, když jí Etienne odpoledne pomáhal vystoupit z lodi. Po ní Mog, která si vykasala sukně, aby se nenamočily.

Rozdělali na pláži oheň a opekli si klobásy a slaninu. Chlapci s Mariettou řádili ve vlnách, Mog podřimovala na dece. Belle s Etiennem postavili velký hrad z písku, který děti ozdobily mušlemi.

Chlapcům kolem patnácti let pochopitelně schází empatie. Už se oba bez obalu ptali, jestli by mohli zabavit Mariettin pokoj, až sestra odjede. Alex před pár dny prohlašoval, že mu rozhodně nebude scházet, jak se na něj Marietta věčně utrhuje, Noela pro změnu pohltily ragby a kriket natolik, že se vůbec nezaobíral myšlenkami, jestli mu sestra bude chybět.

Ale dnes byli oba zamlklejší než obvykle a méně se hádali, zřejmě na sestřin odjezd nebyli tak natěšení, jak by se z jízlivých poznámek zdálo.

„Tohle mi bude chybět – kromě vás všech, samozřejmě," prohlásila Marietta a mávla rukou k tyrkysovému moři a zeleným stromům přímo na břehu. Malá písčitá pláž představovala skryté útočiště, zřejmě sem kromě nich nikdo nechodil.

„Kolem Anglie je taky moře," ozvala se Mog, „ale jen málokdy modrý, většinou je spíš šedý a strašně studený. Proto jsem se nikdy nenaučila plavat."

„Ale jsou tam jiné krásné věci, které tady nemáme," dodala Belle. „Hrady, zámky, malé vesničky, které jsou hezčí než cokoli na Zélandu. Uvidíš londýnské obchody tak velkolepé, že si budeš připadat důležitá už jen, když do nich vejdeš. Jezdí tam vlaky v podzemí. Když jsme s Mog z Londýna odjížděly, bylo tam víc koní než aut a jen pár lidí mělo doma elektřinu, ale to se všechno dávno změnilo. Budeš z toho celá pryč, až si jen tak jednoduše zmáčkneš vypínač a rozsvítíš nebo otočíš kohoutkem a začne téct horká voda. Když jsme na konci války bydlely u Noaha v bytě, v každém pokoji bylo teplo, protože ve sklepě měli velký bojler, který vyhříval radiátory v celém domě. Počítám, že v tom domě, který koupil později, to bude stejné. A žádné chození na toaletu ven."

Etienne nastartoval motor a člun vplul do hlubších vod. Marietta se vyptávala, jestli mají všichni v Anglii domy jako strýček Noah.

„Bohužel ne," zavrtěla hlavou Belle. „Spousta lidí pořád žije v barabiznách, kde mají jeden společný vodovodní kohoutek a záchod na dvoře, ale ty nic takového nepoznáš. Strýček bydlí v krásné čtvrti."

„Chtěla bych vidět celý Londýn, ne jen ty části, kde žijí bohatí," namítla Marietta. „Taky se chci podívat tam, kdes vyrůstala."

„Noah tě jistě vezme do hospody U Beraní hlavy, která patřila mýmu Garthovi," přikývla Mog. „Dům, kde jsme žily, když byla tvoje máma malá, vyhořel, ale je tam velká tržnice, kde se prodává ovoce, zelenina a kytky, Covent Garden. Tam se to asi moc nezměnilo. Ty kytky tak voní, že z toho jde člověku hlava kolem. Tvoje máma to tam měla moc ráda."

Už jen z toho, že se Marietta podívá do čtvrti Seven Dials, bylo Belle úzko. Bála se, aby dcera neodhalila temné skutečnosti ohledně jejího a Mogina starého života. Noah pochopitelně všechno věděl a jistě by nic neprozradil záměrně. Jenže co když se bude Marietta vyptávat a jemu něco uklouzne?

Mog zachytila její pohled. Vždycky dovedla vycítit napětí a jako nikdo jiný je uměla rozptýlit. „Tahle část Londýna tě moc nenadchne, je tam jen špína a starý baráky. Ale určitě budeš chtít vidět Trafalgarský náměstí a St. James's Park, to je kousek od sebe. Pak taky Temži, to je pastva pro oko, tak široká a je na ní tolik lodí. A Tower, kam zavírali šlechtice za vlastizradu, ten stojí o kus dál."

Belle si oddechla, protože Marietta vstala a připojila se k otci u kormidla. Snad se Noahovi podaří udržovat konverzaci mimo nebezpečné území.

Pozdě večer, když už byli Belle s Etiennem v posteli, zeptala se ho, jestli se nebojí, že bude Marietta pátrat v jejich minulosti.

„Proč by měla?" podivil se Etienne. „V osmnácti ti všichni přes čtyřicet připadají staří a nudní. A i kdyby se Noaha zeptala, stejně by jí neřekl víc, než že ses se mnou seznámil v Paříži, kde ses učila šít klobouky. Je chytrý, poradí si."

„To doufám," vzdychla Belle.

Etienne se na ni chápavě usmál. „Až bude Mari starší a zkušenější, můžeme jí celý ten příběh vyprávět, pokud si ho bude přát slyšet."

Belle se upokojila a uvelebila se mu v náručí.

„Dnešek se moc povedl. Líbilo se mi, jak si Mari hrála s Alexem a Noelem. Zdála se tak bezstarostná."

„A proč by ne?" opáčil. „Čeká ji dobrodružství. Nám nezbývá než věřit, že se o sebe dovede postarat."

„Kéž bych měla jistotu, že se k nám vrátí," zašeptala. „Vezmi si, kolika lidem odsud odešly děti do Austrálie, Ameriky nebo Evropy a už se nevrátily."

„Jestli bude v Anglii šťastná a zůstane tam, tak ať," pokrčil rameny. „Radši ať je daleko a šťastná, než aby zůstala tady a trápila se. V tom se určitě shodneme, ne?"

„Asi ano," povzdechla si. „Ale dnes na tu už nebudu myslet, je mi pak smutno."

Kapitola šestá

Marietta byla ráda, když požádali všechny, kdo se na zaoceánské lodi *Rimutaka* plavit nebudou, aby neprodleně opustili palubu. Trápilo ji, jak jsou Mog a otec smutní. Sama by se nejraději skrčila někde v koutku a vyplakala se, ale tím by jim to jen ztížila.

Když se dnes ráno oblékla do žlutých šatů a kabátku ze stejné látky, Mogina výtvoru, a posadila si rozpustilý žluto-bíle pruhovaný klobouček na stranu, připadala si jako filmová hvězda z Hollywoodu. Dokonce měla i boty na podpatku a lodní kufr plný nového ošacení. Ale ani nový šatník nemohl utišit smutek, že opouští rodinu.

„A koukej se tam chovat slušně," varovala ji Mog snad podvacáté a osušila si oči kapesníčkem, který už byl notně promáčený. „Nebo tam přijedu a pořádně tě srovnám."

Sevřela ji v pevném objetí. Jako obvykle voněla levandulovou kolínskou – vůní, již si Mari spojovala s domovem. Dnes si poprvé uvědomila, že Mog stárne, v horkém dnu se zadýchávala a měla co dělat, aby jim stačila. Když ji Marietta objala, napadlo ji, že by Mog mohla i zemřít, než se ona vrátí domů. Oči se jí zalily slzami.

„Hlavně tolik nepracuj, Moggy," vypravila ze sebe. „Je čas, aby sis trochu odpočinula."

Mog ji chytila za ramena, po tvářích se jí kutálely slzy jako hrachy. „Tak se mi ještě naposledy ukaž, ty moje holubičko," požádala rozechvěle. „Budu na tebe myslet a modlit se za tebe. Viď, že nám budeš psát?"

Marietta dokázala jen přikývnout, poté se otočila k otci. K jejímu zděšení se i v jeho očích leskly slzy. Přitiskla mu tvář na prsa, protože byl o hodně vyšší, a on ji sevřel v náruči.

„Nedokážu ani vypovědět, co pro mě znamenáš, Mari," zašeptal. „Je to něco jako vítr v zátoce, když se ženeme na člunu vpřed, nebo jako když chytíš obrovského marlína, nebo jako první letní jahody. Využij tenhle výlet do Londýna a měj se tam báječně. Ale hlavně nic nedělej bez rozmyslu a poslouchej své svědomí. A až budeš připravená, v pořádku se k nám vrať."

Políbil ji na tváře a stiskl jí dlaně, Mari přes slzy téměř neviděla.

Když se vraceli po lodní lávce na břeh, Mog se zdála tak malá a bezbranná. Dokonce i otec, který jí připadal nepřemožitelný, působil sklesle. Náhle dostala sto chutí rozběhnout se za nimi a volat, že je nedokáže opustit, protože je má moc ráda, na to už však bylo pozdě. Lodní motor nastartoval, námořníci sundali lávku, loď se chystala vyplout.

A tak se Mari křečovitě tiskla k zábradlí a mávala stejně jako šest stovek dalších pasažérů na lodi, jež byla obsazená jen ze tří čtvrtin. Mnozí plakali, jiní vypadali nadšeně a dychtivě, bylo zde i několik rodin, které působily chudě a zasmušile a neměly komu mávat. Zřejmě šlo o ty, kdo na Novém Zélandu neuspěli a vraceli se do vlasti. Kupodivu se Marietta cítila nejblíže právě těmto lidem. Snad protože věděla, že o ní v Russellu kolují klevety, lidé vzpomínají, jak její otec přišel o peníze při pokusu o založení vinice a jak byla jeho žena těhotná ještě před svatbou.

Rozloučení s matkou a bratry bylo srdceryvné. Jinak ji přišli vyprovodit do russellského přístavu jedině Peggy s Donem. Obvykle se při takové příležitosti shromáždilo celé město, tentokrát se však nikdo neobjevil a Marietta teprve nyní plně pochopila, jak v očích veřejnosti zneuctila sebe i rodinu. Na matce viděla úzkost a smutek, a ačkoli se Belle snažila chovat vesele, bylo jasné, že doma bude plakat. A nebude se moci obrátit pro útěchu ani k manželovi nebo k Mog, protože ti s ní pluli do Aucklandu. Dokonce i bratři vypadali smutně, objali ji a políbili bez obvyklého popichování a prosili, aby jim posílala pohlednice ze všech míst, která navštíví.

Teprve nyní, když se loď pomalu vzdalovala od přístavu, jí to plně došlo: skutečně opouští Nový Zéland! Celou dobu jako by napůl čekala, že k tomu nedojde. Vzdálenost k pevnině se s každou vteřinou zvětšovala. Marietta mávala ještě urputněji, ačkoli již mezi lidmi v přístavu nedokázala rozeznat otcovu nebo Moginu tvář. Viděla jen jejich klobouky – Mogin tmavě modrý, lemovaný bílou stužkou, a otcův panamský, jímž jí mával, v druhé ruce kapesník. Za pár dnů budou Vánoce. Mariettě vytryskly slzy nanovo, když si představila, jak bratři vybírají dárky z punčochy v její nepřítomnosti.

„Vrátím se," přísahala si. „A ne se staženým ohonem, vrátím se s velkou parádou. Však uvidíte."

Loď nabírala rychlost a přístav již téměř nebylo vidět. Přišel čas zabydlet se v kajutě, již bude sdílet s jakousi dívkou.

Marietta se vydala do podpalubí a pokoušela se trochu vzchopit. Nebude plakat jako děcko, léta snila o tom, že pozná svět, a ten sen se nyní má naplnit. Vždyť právě cestuje na opačnou polokouli, do města, o němž rodiče a Mog tolik vyprávěli.

Pochopitelně si vždycky představovala, že bude mít při takovém dobrodružství nějakého společníka, ne že pojede sama. Sice měla nové oblečení, peníze na útratu a v Southamptonu na ni bude čekat kmotr, přesto to všechno působilo trochu děsivě.

Kajutu našla bez obtíží, protože než se rozloučili, otec ji zavedl ke dveřím. Když zjistila, jak je místnost maličká – jen jedna pryčna a sotva dva metry mezi ní a stěnou – pochopila, proč bylo třeba sbalit věci na cestu jen do malého kufříku a zbytek nechat v truhle, která cestuje v nákladovém prostoru.

Zato její spolubydlící to očividně nečekala. Podlahu kajuty pokrývalo šatstvo. Na spodním lůžku pryčny ležela tmavovlasá dívka s tváří zabořenou do polštáře a plakala.

„Dobrý den,“ pozdravila Marietta. „Budeme spolu bydlet.“

„Je tu místa asi jako v rakvi,“ zamumlala dívka do polštáře. „Kéž bych byla mrtvá.“

Její žal měl na Mariettu ozdravný účinek. Původně měla sto chutí udělat totéž, vrhnout se na lůžko a plakat, že opouští domov a rodinu, ale když viděla tu nešťastnici, rázem ji sebelítost přešla.

„To je dost hloupé říkat, když jsme sotva dva kilometry od břehu,“ podotkla. „Taky je mi líto, že opouštím rodinu, ale nemá smysl se v tom utápět.“

Dívka otočila hlavu a upřela na Mariettu opuchlé červené oči. Vypadala zhruba na pětadvacet.

„Jak se opovažujete tvrdit, že se v něčem utápím?“ obořila se na ni.

„Všude jsou poházené vaše věci, měla jste si je uklidit, než jste se začala litovat. Nejste tu ubytovaná sama."

„Tady není ani dost místa pro jednoho, natož pro dva. Na něco takového nejsem zvyklá."

„To je pochopitelné, pokud jste netrávila život na lodi." Marietta začínala být rozčilená. „Musíte si část těch věcí sbalit a nechat je odnést do nákladového prostoru, jako jsem to udělala já."

„Ale já je všechny potřebuji," vyplašila se dívka. „Nikam nic nosit nebudu."

Marietta se zarazila. Nezamlouval se jí vzhled ani nadřazený tón té dívky. Byla velká a obličej měla žilkovaný jako hovězí z konzervy. Přesto nemělo smysl zahajovat plavbu hádkou.

„Jak se jmenujete?" zeptala se.

„Stella Murgatroydová."

„Já jsem Marietta Carrerová, říkají mi Mari. Takže, Stello, budeme tuhle kajutu obývat společně několik týdnů. Jak jste sama řekla, je tu málo místa. Tím pádem musíme udržovat pořádek. Pod postelí je úložný prostor a je tu taky úzká skříň s ramínky a dvěma policemi. Radši si věci ukliďte, jinak vám je pošlapu, až začnu vybalovat."

„Co si o sobě myslíte?" Stella se zvedla. Jak se ukázalo, byla o dobrých pár centimetrů vyšší než Marietta. Postavila se těsně před ni. „Žádné dítě mi nebude vykládat, co mám dělat."

„Nezlobte se, ale to vy se chováte jako dítě," ohradila se Marietta. „Navíc nevychované. Dejte si kufr na postel, poskládejte si oblečení a vraťte je dovnitř." Sehnula se, nabrala náruč šatstva a hodila je na postel. „Začaly jsme špatně. Pokliďte si a můžeme si třeba zajít na čaj a spřátelit se."

Dívce však povadly rysy a rozplakala se nanovo. „Vy to nechápete," vypravila ze sebe přes slzy. „Já do Anglie nechci. Přinutili mě."

Marietta začínala mít v omezeném prostoru klaustrofobii, cítila nutkání utéct a nechat tuhle trosku, ať se o sebe postará sama. Ale matka jí věčně vštěpovala, že má člověk pomáhat těm, kdo jsou méně zdatní a odolní. A zdálo se, že tato dívka nezvládne sama vůbec nic.

„Dobře, nechme to všechno prozatím být," rozhodla. „Opláchněte se a půjdeme na čaj, u něj mi můžete všechno povědět. Co vy na to?"

Stella ani nebyla schopná poradit si se skládacím umývadlem, tupě na ně civěla, dokud jí Marietta nepředvedla, jak se s ním zachází. Stejně tak nedovedla najít žínku, Marietta tedy namočila cíp ručníku a otřela dívce tvář, jako to dělávala bratrům.

„No prosím, to je lepší," prohlásila. „Třeba tu budou nějací hezcí námořníci, přece byste nechtěla, aby vás viděli celou červenou a uplakanou."

O dvě hodiny a dva šálky čaje v salonu později již Mari znala důvod Stelliny sklíčenosti. Dívce bylo čtyřiadvacet, oba rodiče jí v roce 1919 zemřeli na španělskou chřipku. Tehdy jí bylo pět let. Spolu se starším bratrem a sestrou připadli do péče svých prarodičů ve Wellingtonu. Když dědeček zemřel, zanechal všem třem nějaké peníze. Bratr a sestra se odstěhovali do Anglie a patnáctiletou Stellu nechali u babičky.

„Chtěla jsem vzít své peníze, a až mi bude jednadvacet, vydat se za nimi," vyprávěla Stella. „Jenže babička těsně předtím onemocněla, nemohla jsem ji opustit. Skoro tři roky jsem se o ni starala a byla to hrůza, jakou ani nedokážu popsat. Před několika měsíci zemřela, a místo abych mohla zůstat v jejím domě a konečně mít nějaký život, zjistila jsem, že dům i peníze odkázala mému strýci, a ten mě vyhodil. Nikdy pro ni nic neudělal, sotva ji navštěvoval a ani za mák mu nezáleželo na tom, co bude se mnou."

Marietta to poslouchala s jistou skepsí. Podle toho, co Stella vyprávěla, šlo o velkou domácnost s několika sloužícími, tím pádem bylo velmi nepravděpodobné, že by se Stella starala o nemocnou babičku sama. Vše nasvědčovalo tomu, že dívka vedla poměrně přepychový život. Možná měla babička pocit, že Stelle odkázal peníze dědeček a přišel čas, aby se o sebe postarala sama, stejně jako její sourozenci.

„Takže budete bydlet u bratra a u sestry?" zeptala se.

„To jsem měla v úmyslu," vzdychla Stella, „jenže před pár dny mi od bratra přišel dopis. Prý u něj smím zůstat pár týdnů, ale musím si najít práci a vlastní bydlení. Vůbec nevím, co si počnu, nikdy jsem nepracovala."

Marietta měla co dělat, aby se neušklíbla. „Můžete si najít práci hospodyně, když máte zkušenosti v péči o babičku," navrhla.

„To ne, nebudu nikomu dělat služku," zděsila se Stella. „K tomu mě nevychovali."

Marietta přesměrovala konverzaci k lodi a spolucestujícím, přitom si Stellu po očku prohlížela. Nebyla to žádná krasavice, měla ladnost tažného koně a její světle modré šaty, byť očividně kvalitní, působily fádně – hodily by se spíš pro někoho Mogina věku než pro čtyřiadvacetiletou dívku. Tmavé vlasy měla učesané do neupraveného drdolu, ale pěkně se lesky, navíc měla Stella hezké hnědé oči. Když teď červené skvrny od pláče vybledly, ukázalo se, že má navíc pěknou čistou pleť.

Její šaty zdobila brož se safíry a diamanty, které Mariettě připadaly pravé, na prstě měla prsten s opálem a diamanty, dost možná zděděný po babičce.

Mog často říkávala, jak ji těší zdůraznit potenciál každé ženy šaty, které jí ušije, a Mariettu napadlo, že by si mohla dlouhou plavbu ukrátit tím, že z tohoto ošklivého káčátka udělá, pokud ne labuť, tak alespoň přitažlivější ženu.

„Stello," oslovila ji, „budeme tu spolu šest týdnů. Měly bychom ten čas trávit sebezdokonalováním, učit se nové věci nebo poznávat nové lidi, ale nejprve musíme dát do pořádku kajutu a roztřídit oblečení. A já to s oblečením umím. Pomůžu vám vybrat, co nechat a co uložit."

Kdyby si Marietta představovala, že bude kajutu sdílet s podobně naladěnou dívkou, která se ráda baví, byla by Stellou zklamaná. Naštěstí očekávala spíš nabručenou starou pannu, která si bude od rána do večera stěžovat, tím pádem jí skutečnost nepřipadala tak zlá.

Stella byla lenivá, pomalá a velmi nezkušená, Marietta však záhy zjistila, že je poměrně snadné k něčemu ji přimět.

Začalo to ošacením. Marietta jí probrala svršky a vylovila ty vhodné do horkého počasí, ostatní sbalila. Během dvou dnů Stellu přesvědčila, že jí víc sluší rozpuštěné vlasy, a když zjistila, že je mezi cestujícími kadeřník, přiměla ji nechat si vlasy zkrátit po ramena. Dopadlo to výborně: Stella náhle vypadala na svá léta, ne jako ve středním věku.

„Babička říkala, že žena může nosit vlasy rozpuštěné jedině v ložnici před manželem," poznamenala Stella a pochybovačně se prohlížela v zrcadle.

„To skončilo s potopením Titaniku," opáčila Marietta. „Všechny šaty máš taky moc dlouhé, měly by sahat jen do půli lýtek. Zkrátíme je."

Starat se o Stellu bylo poměrně uspokojivé, přesto se Mariettě stýskalo. Stesk přicházel ve vlnách, když zahlédla, jak někdo z pasažérů objímá své dítě nebo se podávalo jídlo, které jí připomnělo domov. Jeden z námořníků vypadal zezadu přesně jako její otec, a kdykoli jej viděla kráčet po palubě, sevřelo se jí srdce. A v noci jí chybělo, že ji nikdo neukládá ke spánku.

Když šly na Boží hod na večeři, Mariettu potěšilo, že se jeden z číšníků na Stellu koketně usmál a setrval u ní během obsluhování déle, než bylo nutné. Nebyl to velký krasavec, pětatřicátník s řídnoucími vlasy, přesto šlo o důkaz, že zkrácená sukně červených sametových šatů a nový účes zabírají.

Když se Marietta toho rána probudila, bylo jí smutno, představovala si, jak Alex s Noelem nadšeně nahlížejí do vánoční punčochy – dokonce si chvíli poplakala. Ale ačkoli představovala Stella chabou náhražku rodiny, bylo hezké vidět ji s úsměvem na rtech a jiskrou v oku, protože se jí konečně dostalo mužské pozornosti.

Prvních deset dnů cesty bylo příjemných a uvolněných. Mariettě se zamlouvalo, že jí nikdo neukládá domácí práce. V Stelle našla společnici, a přestože neměly mnoho společného a dívka byla nevyrovnaná a snobská, dala se přesvědčit v podstatě k čemukoli. Opalovaly se na palubě, hrály deskové a karetní hry, rozmlouvaly s pasažéry. Když měla Marietta lidí dost, trávila čas četbou nebo pozorováním nekonečného oceánu.

Ačkoli moře milovala, brzy ji přestalo bavit den za dnem sledovat stejný výhled na modrou hladinu a oblohu. Občas se mohla pokochat pohledem na delfíny a sem tam zahlédla v dálce nějakou loď, přesto už ji posléze ani podobné maličkosti netěšily. Nudila se, čas ubíhal jen pomalu. Potřebovala pohyb – plavání, procházky. Mohla však nanejvýš udělat pár kroků po palubě, což ji pomalu dohánělo k šílenství.

Navíc ji začínali dopalovat pasažéři, kteří neustále spílali Novému Zélandu. Na palubě bylo jen málo těch, kdo se vypravili do Anglie navštívit příbuzné, většina se vracela domů, protože na Zélandu se jim nedařilo. Někteří přišli během krize o práci a o peníze, jiným připadalo farmaření příliš drsné, a byli zde i tací, kteří emigrovali natěšení na otevřená prostranství, záhy však zjistili, že se jim stýská po britských městech. Mariettu zklamalo, kolik je mezi nimi nudných a nezajímavých patronů, představovala si samé odvážné a dobrodružné cestovatele.

Přeplutí rovníku doprovázel obřad, o němž jí matka vyprávěla. Námořník oblečený jako Neptun byl postříkán vodou, ostatní členové posádky jej teatrálně oholili obrovskou holicí štětkou a břitvou. Cestující, kteří obřad absolvovali poprvé, včetně Marietty a Stelly, byli namočeni do vody a dostali certifikát, že překonali rovník.

Krátce poté se mezi cestujícími rozmohla mořská nemoc. Trpěla jí i Stella, zatímco Mariettě nic nebylo a měla s ostatními pramálo trpělivosti. Opakovala Stelle, že na vzduchu venku na palubě jí bude lépe, dívka však neposlouchala, ležela na pryčně a její stav se zhoršoval. Kajutu neopouštěl zápach zvratek a Marietta jej nemohla vystát. Mog ji nabádala, aby o postižené pečovala, proto se o Stellu neochotně starala, omývala jí obličej a ruce, česala vlasy a vyprazdňovala kbelík se zvratky.

Stella se zotavila, když dopluli do Panamského průplavu. Marietta trávila co nejvíce času na palubě, konečně bylo nač se dívat. Nemohla se dočkat, až dorazí do Venezuely, kde měli na dva dny kotvit v Curaçau a cestující směli po tu dobu vycházet na pevninu.

Kapitola sedmá

Den předtím, než měli doplout do Curaçaa, Marietta one-
mocněla. Ještě do oběda jí nebylo vůbec nic, a náhle celá ho-
řela, jazyk se jí lepil na patro a po celém těle jí vyskočila vy-
rážka. Bylo jí tak zle, že Stella doběhla pro doktora Haslema,
a ten ji nechal přenést na marodku. Zaslechla, jak Stelle říká,
že má podezření na spalničky a že bude muset zůstat v izolaci.

Marietta byla vděčná za chladnou místnost, kde může od-
počívat a spát. V podstatě ani nevnímala, když druhý den ráno
utichly lodní motory a shora z paluby se ozývaly nedočkavé
kroky a vzrušené hlasy vystupujících cestujících. Prospala
zřejmě celý den, protože když se probrala, byla venku tma.
Oknem dovnitř doléhal slabý zvuk hudby z přístavu. Matně si
uvědomovala, že se u ní čas od času zastavil mladý muž s brit-
ským přízvukem, dával jí pít, podával léky a chladivé obklady
na čelo. Jinak nic moc nevnímala.

Když znovu otevřela oči, dopadalo dovnitř oknem sluneční
světlo. Chvíli jí trvalo, než si uvědomila, proč je v té malé bílé
místnůstce a kde se nachází. Váhavě se posadila, nalila si ze

džbánu na nočním stolku vodu do sklenice. Jazyk jí splaskl, už nehořela a vyrážka se rovněž ztratila.

Marietta netušila, jak dlouho na marodce ležela, ale protože loď dosud kotvila, nemohly uplynout víc než dva dny. Vstala z postele, použila nočník a posléze vykoukla z okna. Bohužel z něj byl výhled na moře, zahlédla tedy jen malé loďky, vesměs kánoe, v nichž pádlovali muži s tmavě hnědou nebo černou kůží.

Tolik se těšila na pevninu, zlobilo ji, že o tuto příležitost přišla. Sklopila oči k bavlněné košili, již měla na sobě, a uvědomila si, že jí odnesli šaty. Chtěla někoho vyhledat, dveře však byly zamčené.

Uvědomovala si, že je zavřená, aby nebloumala po lodi a nebyl nakažen nikdo další, přesto si připadala zanedbávaná a uvězněná.

Vrátila se do postele, nezbývalo než vyčkat, až někdo přijde. V břiše jí zakručelo hlady. Po zhruba půlhodině, kdy toužila alespoň po šálku čaje, znovu vstala a začala bušit do dveří a křičet.

„Vydržte, dojdu pro klíč," odpověděl jí mužský hlas.

„Mám hlad," křikla. „Už mi nic není. Chci ven."

„Dobře, hlavně přestaňte vyvádět," opáčil. „Vraťte se do postele, seženu doktora, aby se na vás podíval."

Měl britský přízvuk, ačkoli jinak byli všichni členové posádky Novozélanďané nebo Italové, nepochybně šlo tedy o člověka, který se o Mariettu na marodce staral.

Po dalším nekonečném čekání odemkl dveře doktor Haslem, drobný mužík s velkým nosem a brýlemi s kostěnými obroučkami. „Tak copak je to tu za povyk?" zeptal se podrážděně.

„Už je mi dobře," oznámila Marietta a posadila se. „A mám hlad. Chci se vrátit do své kajuty."

Lékař zavřel dveře, prohlédl jí nejprve obličej, pak ruce. „Vyrážka zmizela," konstatoval a zasunul jí do úst teploměr. Zatímco čekal na výsledek, zkontroloval jí nohy a záda. Když teploměr vytáhl, ukázalo se, že i teplota je v normě.

„Je vidět, že spalničky to nebyly," rozhodl. „Zřejmě reakce na něco, co jste snědla. Ale nemohu vás pustit, dokud něco nesníte a neuvidíme, co to s vámi udělá."

„Když už víte, že nejsem nakažlivá, přece bych se mohla vrátit do kajuty nebo aspoň na palubu," naléhala. „A mohu dostat své oblečení?"

Poněkud neochotně souhlasil, že pošle stevarda s jejími věcmi a jídlem. Doporučil jí však příštích několik dnů lehkou stravu a nechodit na pevninu. „Kdyby se vám znovu přitížilo, musíte okamžitě sem," dodal.

Chvíli poté, co lékař odešel, přinesl stevard podnos s jídlem. Marietta myslela jen na jídlo, ale jakmile Angličana spatřila, docela na hlad zapomněla.

Až neuvěřitelně se podobal hollywoodskému herci Errolu Flynnovi, tmavé vlasy měl sčesané z působivě pohledné tváře, k tomu tmavé jiskrné oči a dokonalé bílé zuby. Když se na ni usmál, udělal se mu na bradě dolíček.

„Není to zrovna hostina," pronesl omluvně a podal jí tác. „Ale nařídili mi vzít něco lehkého. Hlavně že už je vám líp, byla jste na tom opravdu špatně. Dělal jsem si o vás starosti."

Nezapůsobil na ni jen vzhledem. Jeho hlas v ní probouzel stesk po domově, protože měl stejný přízvuk jako Mog a její matka a tón hluboký jako otec. Marietta sklopila oči k bledé omeletě a misce rýžového pudinku. Kdyby jí to předložil kdokoli jiný, neodpustila by si sarkastickou poznámku, od něj však jako by šlo o božskou manu.

„To je v pořádku, děkuji," řekla a zčervenala, protože si uvědomila, že ji viděl v tom nejhorším stavu. Mohla jen doufat, že neřekla nic hloupého. „Půjdete dnes na pevninu?"

„Ne, musím tu zůstat pro případ, že by někdo onemocněl."

„To je smůla. Já se na Curaçao opravdu těšila a vy jistě také."

„Už jsem tam byl. Není to zas taková sláva. Stejně bych se jen opil a pak by bylo dost těžké pečovat o nemocné."

„Máte tu v péči ještě někoho dalšího?"

„Ne, jen vás. Všichni ostatní se před zakotvením zázračně uzdravili. Ale o vás jsme se strachovali, byla jste na tom zle. Cítíte se dobře?"

„Výborně," odpověděla. „Mohl byste mi donést oblečení? Ráda bych se vrátila do kajuty."

„Přinesu, vy se mezitím najezte. Za chvíli jsem zpátky."

Na celé lodi zavládlo ticho a klid. Žádný hukot motorů, hlasy pasažérů. Většina posádky se zřejmě rovněž vylodila. Marietta se osprchovala, upravila si vlasy a převlékla se do modro-bíle pruhovaných letních šatů, které zdůrazňovaly její útlý pas. Byly také dostatečně krátké a odhalovaly lýtka, jež patřila k jejím největším přednostem. Poté se vrátila na oddělení pro nemocné.

Zatímco obědvala, pohledný steward zůstal s ní. Představil se jako Morgan Griffiths. Bylo mu pětadvacet a u obchodního námořnictva sloužil již šest let. Zmínil, že když losovali, kdo bude pracovat na ošetřovně, vytáhl si krátké stéblo právě on. Ale smál se tomu, zřejmě mu ta práce nevadila.

Nadhodil také, že se mu den bude nepříjemně vléci, protože dokud se v podvečer nevrátí cestující, nemá co dělat. Marietta to pochopila jako nevyřčený návrh, aby se vrátila.

Zjevně se nemýlila, protože jakmile vešla, rozzářil se. „Doufám, že se vám neudělalo znovu špatně?" nadhodil.

„Ne, jen mě napadlo, že byste uvítal společnost."

„Právě jsem chtěl jít nahoru, posedět na slunci a zakouřit si," ukázal na úzké schodiště vedoucí na palubu. „Kdyby mě někdo potřeboval, odtamtud ho uslyším."

Marietta zjistila, že se s ním opravdu báječně povídá. Probírali všechno možné. Vyprávěl jí, jak chce od námořnictva odejít, protože už ho nebaví věčně skákat, jak někdo píská.

„Jen počkejte, až vyplujeme z přístavu a Atlantik začne být neklidný," vzdychl. „Všichni pak trpí mořskou nemocí. Návrat do Anglie sice nebývá tak zlý jako cesta odtamtud na Zéland, protože cestující už většinou vědí, co přijde, ale i tak je tu dost nováčků. Všichni si pak myslí, že umírají, a je to opravdu peklo."

O svém původu příliš nemluvil, zmínil jen, že část dětství strávil v Londýně. „Měl jsem se stát mechanikem, to mi jde dobře, ale z nějakého důvodu mi připadalo lepší vyplout na moře. Byl bych šťastnější ve strojovně, oni ze mě udělali stevarda. Jestli na lodi brzy neskončím, zblázním se. Potřebuju chlapskou práci."

„Pokud vypukne válka, budete ji mít," podotkla Marietta. „Mohl byste se dát ke královskému námořnictvu."

„Jen to ne," zasmál se. „Stačí obsluhovat několik týdnů na moři cestující. Být k tomu navíc v podpalubí a bez šance na únik, to musí být ještě horší. Mně by nevadilo dát se k armádě, ale radši bych řídil náklaďák nebo tank."

Marietta si jej nedovedla představit při práci, u které by se umazal. Vypadal tak čistě v bílém saku a s vlasy dokonale upravenými, jako by se právě vrátil od holiče. Vlastně jí celý připadal dokonalý – okouzlující a pohledný – a líbilo se jí, jak se s nelíčeným zájmem vyptává na její rodinu a život na Zélandu. On z této země navštívil jen Auckland, ale slyšel, že v Zátoce ostrovů je nádherně, a chtěl se tam jednou podívat. Také se zajímal, co bude Marietta dělat v Anglii, a popisoval jí místa, která by podle něj měla navštívit.

„Váš otec a váš strýc by mě za takový návrh nejspíš zaškrtili, ale kromě památek, Buckinghamského paláce a Toweru byste se měla podívat i do East Endu," pronesl s tím svým okouzlujícím úsměvem. „Získáte pak vyrovnanější názor na Anglii a její obyvatele. Je to sice pochmurná a zchátralá čtvrť, ale zároveň je opravdová a pulzuje životem. My tam jednu dobu žili, když jsem vyrůstal, a naučilo mě to víc než jakákoli škola. V St. John's Wood se nenaučíte nic, tam je všechno jen o penězích a o postavení."

Morgan jí v jistém ohledu připomínal otce. I on byl vždycky na straně smolařů a neuznával lidi jen pro jejich bohatství nebo vliv, upřímně se zajímal o člověka jako takového, stejně jako Morgan.

Navíc měla Marietta podobně jako u otce pocit, že si na Morgana jen tak někdo nepřijde. Celý život slýchávala obyvatele Russellu říkat totéž o Etiennovi. Naznačovali, že je nebezpečný – Peggy dokonce často vtipkovala, že za starých časů by byl nepochybně pirátem. Mariettu takové poznámky mátly, jí otec připadal naprosto dokonalý. Byl silný, laskavý, měl pochopení a chránil své blízké. Když však slyšela, jak ošklivě zbil Sama a přinutil jej opustit Russell, uvědomila si, že tuto jeho stránku vůbec nezná.

Všichni hoši se chvástali, jak jsou drsní, ale když měli projít zkouškou, obvykle selhali. Morgan nevedl silácké řeči – když mluvil o ošetřování nemocných, člověk by ho snadno mohl považovat za jemného –, přesto Marietta vycítila, že má tvrdé jádro. A podle toho mála, co zmínil, bylo jeho dětství zřejmě stejně drsné jako otcovo.

Neměla by myslet na žádného muže tak krátce poté, co se spálila se Samem. Přesto, když seděli na rozpálené palubě a povídali si, připadalo jí to jako ta nejpřirozenější a nejneškodnější věc na světě. Navíc se ji nepokoušel svádět.

Jejich rozhovor však náhle přerušilo volání zespoda: „*Griffithsi!*"

Morgan vyskočil a hodil cigaretu přes zábradlí. „To je poručík Hoyle. Musím jít," šeptl. „Nechoďte po těch schodech, co vedou dolů na ošetřovnu. Obejděte to po palubě, jinak budu mít malér, že se stýkám s pasažéry. Doufám, že se brzy uvidíme."

Políbil si ukazovák, dotkl se jím její tváře, vzápětí zmizel v podpalubí.

Kapitola osmá

Když se Stella odpoledne vrátila na loď, tváře měla do-
červena spálené sluncem. Zatímco se převlékala k večeři, ne-
ustále švitořila o tom, co viděla na pevnině. Strávila den ve
společnosti tří dvojic, jež Marietta považovala za nejnudněj-
ší osoby na palubě. Podle toho, co Stella říkala, byli všichni
pohoršeni špínou v přístavu, množstvím opilých námořníků
a domorodých dívek, které se zřejmě prodávaly.

„Nic takového jsem ještě neviděla," opakovala Stella.
„Lidé na nás naléhali, abychom si kupovali jejich zboží, muži
mi říkali tak opovážlivé věci, že bych měla opravdu strach,
kdybych tam byla sama."

Marietta jí musela závidět, nabyla trýznivého dojmu, že jde
o barvité a živé místo. Na druhé straně, kdyby směla na pevni-
nu, nikdy by se neseznámila s Morganem.

Stella mlela v jednom kuse snad hodinu, teprve když jí do-
šla pára, napadlo ji zeptat se přítelkyně, jak jí je.

„Propána, co si o mně musíš myslet," vyjekla. „Já se tu roz-
plývám o přístavu, přitom tobě bylo tak špatně."

„Už je mi líp," odsekla Marietta. Stella jí občas připadala skutečně otravná. „Doktor si myslí, že to byla jen reakce na něco, co jsem snědla."

„To říkala včera i paní Jagová," přikývla Stella. „Její sestře se udělá zle, kdykoli sní něco, v čem jsou mandle."

Marietta spolkla příkrou odpověď. Stella se nedokázala ubránit vlivu lidí jako paní Jagová, která si myslela, že ví všechno. Nechtěla ale nic říkat, aby se Stelly nedotkla.

„Asi to bude tím pikantním jídlem, co jsem měla k obědu," soudila. „Bůh ví, co v něm bylo. Chutnalo trochu divně a do hodiny se mi udělalo zle."

„Něco jsem ti dnes koupila," zvolala Stella a vytáhla z kabelky barevný šátek. „Myslela jsem, že budeš ještě na marodce, chtěla jsem tě nějak rozveselit."

Šátek byl v několika odstínech modré barvy a vypadal překrásně. Stella dovedla být otravná, ale také skutečně velkorysá. Marietta ji objala a řekla, že jí šátek bude navždy připomínat tuto plavbu, jak přišla o příležitost vidět Curaçao a jak dobrou našla na palubě kamarádku.

„Na začátku jsem se bála, že spolu nebudeme vycházet," přiznala Stella a celá zářila po tom komplimentu. „Připadala jsi mi trochu tvrdá, ale to ty ve skutečnosti nejsi. Jsi stejně dobrosrdečná jako já."

Později po večeři se šla Marietta projít na palubu a zatoulala se k místu, kde prve seděla s Morganem, v naději, že jej potká. Loď měla podle plánu odplout z přístavu hned za rozbřesku.

Byl krásný a velmi teplý večer, měsíc téměř v úplňku zaléval tmavou hladinu moře stříbřitou září. Ze salonu se nesly tóny klavíru, někdo hrál „Puttin' on the Ritz", zato oknem do kajuty doléhal zvuk mnohem syrovější hudby, nespoutané, z níž se Mariettě chtělo tančit.

Za pár dnů vyplují do mnohem chladnějšího a bouřlivějšího počasí, ale zde, kde teplý vánek hladil její holé paže, se zdálo téměř nepředstavitelné, že bude brzy muset najít v lodním kufru svetr, kabát, který jí Mog přešila, a teplé punčochy.

„Hledáte mě?" ozval se za ní Morganův hlas. Marietta se otočila od zábradlí, o něž se opírala.

„Měla bych říct, že ne, jen procházím," zasmála se, „ale poznal byste, že to není pravda."

„Abych se přiznal, vyběhl jsem tyhle schody za dnešní večer už nejmíň desetkrát pro případ, že byste tu byla," usmál se. „Za pár dnů už bude venku chladno, pak se asi moc neuvidíme."

Chvíli si povídali. Na ošetřovně bylo stále liduprázdno, ale Morgan a dvě ošetřovatelky už se připravovali na náročné dny, které mají před sebou. Marietta mu pověděla, jak se Stella vrátila spálená od slunce a jak ji šokoval hlučný špinavý přístav.

„V tom případě by v Káhiře omdlela," zasmál se. „Byl jsem tam s lodí před pár lety. V porovnání s ní Curaçao vypadá a voní jako ráj. Nic pro vybíravé, ale mně se tam líbilo."

„A co to hrají za muziku?" chtěla vědět Marietta. „Líbí se mi, je taková nespoutaná, člověk by hned tancoval."

„Jazz. To neznáte?"

„Ne. V Russellu máme na tancovačkách jednoho pianistu a jednoho houslistu a občas přijede někdo s kytarou nebo akordeonem. Lidi pochopitelně mají gramofony, ale k sehnání jsou většinou desky s vážnou hudbou. V rozhlase sice populární hudbu posloucháme, přesto jsem nic podobného neslyšela."

„Jazz je v zásadě černošská muzika," vysvětloval Morgan. „Mám ho rád a slyšel jsem, že v Harlemu v New Yorku jsou skvělé noční kluby, kde hrají ti nejlepší muzikanti. I v Londýně sem tam hrají jazz, ale nejvíc tam teď letí swing – velké kapely se spoustou dechových nástrojů a zpěváky. Vychází z jazzu a snáz se na něj tančí. Ten jste ale určitě slyšela."

Marietta přikývla. „Ano, v rozhlase asi ano. Ale tohle je tak jiné."

„Muzikanti improvizují, částečně si skladbu při hraní vymýšlejí. Rozhodně se to od původní anglické a americké hudby liší."

„Vy asi máte hudbu hodně rád. Umíte na něco hrát?"

„Na klavír, ale ne moc dobře. Když jsme ještě bydleli v londýnském East Endu, sousedka pod námi měla piáno a učila mě. Možná si jednou, až se někde usadím, taky jedno koupím a budu pokračovat."

„A kde byste se chtěl usadit?" zeptala se.

Zasmál se. „Na to vám těžko odpovím, Marietto. Kdo ví, co se stane. Věčně přejíždím z jednoho přístavu do druhého, někde se mi líbí, jinde se nemůžu dočkat, až budeme pryč. To místo, odkud pocházíte vy, se zdá pěkné, ale zase bych tam těžko našel práci. Navíc jestli skutečně vstoupíme do války, budu muset narukovat. A těžko říct, kam mě to zavane. Možná ani nepřežiju."

„To neříkejte!" napomenula ho. „Opravdu myslíte, že k válce dojde?"

„Vůbec o tom nepochybuju. Všichni důstojníci jsou si jistí. Někteří sloužili v minulé válce a jasně rozeznávají všechny příznaky."

„Ale můj strýc Noah byl v minulé válce válečný korespondent a říkal, že se to zase přežene."

Morgan si ji vážně přeměřil. „V tom případě spíš strká hlavu do písku. Protože podle těch, kdo se vyznají, je to jen otázka času."

„Proboha," zvolala Marietta. „U nás doma se všichni nechali uchlácholit."

„Nemračte se tak," řekl a vzal ji za bradu. „Udělejte to jako já. Myslete na dobrodružství. Válka vytváří příležitosti, a jak jsem řekl, stát se může cokoli."

Když Marietta pohlédla do jeho tmavých očí, zmocnil se jí ten známý opojný pocit zvláštního neklidu.

„Jste tak krásná, že byste každému zamotala hlavu, Marietto," vydechl Morgan s úsměvem. „Myslíte, že by jeden polibek nadobro zpečetil můj osud?"

Marietta si nervózně olízla rty, nevěděla, jestli má přistoupit blíž, nebo jestli si ji jen dobírá. „Já nevím," zašeptala.

„Tak to zjistíme." Položil jí dlaně na tváře a přitiskl rty k jejím.

Marietta v duchu slyšela jeho slova, „stát se může cokoli", když jí jazykem pronikl mezi rty, celá se zachvěla. Objala jej a ztratila se v tom slastném blahu.

Polibek se táhl, oběma se zrychlil dech, Morganovy ruce sklouzly k jejím bokům a přitáhly si ji ještě blíž. Cítila, že má erekci. A ačkoli jí tenký hlásek v hlavě připomínal, jak tohle končívá, nedokázala se odtáhnout.

„Nejradši bych si tě vzal dolů na marodku, ale mohli by nás přistihnout," zašeptal jí do ucha mezi vášnivými polibky.

„Na to si netroufám. Nechci otěhotnět," odpověděla tiše.

Poodtáhl se, tvářil se dotčeně. „No samozřejmě, mám gumy," ohradil se.

Marietta mohla jen předpokládat, že mluví o tom, co matka zmiňovala těsně před jejím odjezdem do Aucklandu. „Na to je ještě brzy," namítla a snažila se, aby to znělo přesvědčivě. „Vždyť se sotva známe."

Morgan se posadil a stáhl si ji do klína. „V tom případě si cestou do Anglie musíme najít čas víc se poznat," řekl a políbil ji na krk. „Opravdu se mi líbíš, Marietto. Možná budu v pokušení na lodi skončit, až doplujeme do Anglie, abych mohl být s tebou."

„To nedělej," vydechla. „Navíc si nemyslím, že by mě strýc spustil z dohledu. Klidně bych se vsadila, že ho rodiče nabádali, aby na mě dohlédl."

„Vždycky se najde způsob." Morgan se usmál. „Chvíli sekáš latinu, aby sis získala důvěru, a pak…" Odmlčel se, nechal na ní, aby si představila, jak unikne. „Ale máš pravdu, ještě z téhle lodi nemůžu odejít. Nejdřív stejně musíš zjistit, jestli se ti zamlouvám natolik, abys se mnou riskovala."

Marietta byla již nyní přesvědčená, že by riskovala cokoli, aby mohla být s ním, přesto se jí líbilo, že nenaléhá, jen aby si mohl užít.

Začali se znovu líbat, v tu chvíli však na Morgana zavolal někdo zdola z ošetřovny.

„Musím jít," řekl zklamaně. „Pokus se sem přijít zítra v poledne."

Marietta se cestou do své kajuty přímo vznášela. Stella už ležela a obličej měla pomazaný hustým bílým krémem.

„Ten mi dala paní Jagová," vysvětlovala. „Prý bude spálení do rána pryč. Kdes byla? Všude jsem tě hledala."

„Jen na palubě, dívala jsem se na moře." Marietta by se jí ráda s Morganem svěřila, obávala se však, aby to Stella neprozradila někomu dalšímu. „Až zítra vyplujeme z Curaçaa, asi bychom si měly připravit teplejší oblečení," dodala, aby odvedla řeč jinam. „Radši nebudeme čekat, až se ochladí, to už by ti zase mohlo být špatně."

Během dvou dnů se začala obloha zatahovat a na hladině se tvořily velké vlny. Zpočátku stačilo vzít si na palubu svetr, ale brzy už lidé oblékali kabáty a přestali hrát deskové hry na palubě.

Marietta se chtěla do Anglie těšit, dokázala však myslet jen na to, že až tam doplují, bude se muset s Morganem rozloučit. Ukradli si pouhé dvě hodiny na slunci u schodiště na ošetřovnu den po odplutí z Curaçaa, Morgan ji však připravil na to, že to je možná naposledy, co se mu podařilo vyšetřit víc než pár minut.

Jak předpokládal, jakmile se zhoršilo počasí, marodka se zaplnila. Ne všichni trpěli mořskou nemocí, došlo i k pádům na mokré palubě, někteří cestující popadali z pryčen. Teď už se Marietta s Morganem nemuseli bát, že je spolu venku někdo zahlédne, ale v chladném a vlhkém počasí se stejně nikdy nezdrželi dlouho.

Ovšem společné okamžiky byly sladké. Morgan byl pravým opakem Sama, vklouzl jí rukama pod kabát, objímal ji a líbal, ale nikdy nebyl hrubý a vždycky myslel především na její pocity a pověst, nepokoušel se ji zatáhnout do tmavého kouta, aby dostal, po čem touží. Rád si s ní povídal a hodně se nasmáli. Litoval jen, že si nemohou zajít na skleničku do salonu, kde by bylo útulněji. Lodní důstojníci směli a byli dokonce podporováni v seznamování s cestujícími, posádka nikoli.

A kdykoli se setkali, vzplála mezi nimi vášeň. Marietta na něj myslela tolik, že nemohla spát ani jíst. V noci ležela v posteli a představovala si, jaké by asi bylo, kdyby dal Morgan skutečně výpověď. Byl to jen sen a ona si to uvědomovala. Tvrdil, že musí absolvovat přinejmenším ještě jednu zpáteční plavbu na Zéland, což znamenalo, že se neuvidí minimálně tři měsíce.

Navíc jí neříkal věci, které by ráda slyšela – že jí bude psát, že se bude těšit, až ji znovu uvidí. Ještě nezapomněla na Sama a bála se, aby pro něj nebyla jen rozptýlením na dlouhé cestě, než si místo ní při další plavbě najde jinou dívku.

Jak se dalo očekávat, Stelle se znovu udělalo zle, ale tentokrát to bylo vážnější: v obličeji byla zelená jako sedma a bez přestání zvracela. Mariettě připadla péče o ni, protože stevardi měli plné ruce práce. Jídelna zela v době obědů a večeří prázdnotou, stejný osud postihl většinu cestujících.

„Ty musíš mít v žilách slanou vodu," vtipkoval Morgan, protože Mariettě nebylo vůbec nic. „Dokonce i několika lidem z posádky už je zle."

„Dětství jsem v podstatě trávila na moři," vysvětlila mu. „Ale už mě péče o Stellu začíná unavovat, skáču kolem ní skoro celou noc, převlékám postel, omývám ji. A v kajutě to děsivě páchne."

„Na marodce taky," přitakal Morgan. „Tam se udělá špatně i tomu, komu nic není."

Druhý den byla Stella stěží při vědomí a Marietta o ni měla vážné obavy. Požádala stevarda, aby přivedl doktora Haslema. Ten byl zděšen mírou Stelliny dehydratace a rozhodl, že je nutné přemístit ji ihned na ošetřovnu a napojit na nitrožilní výživu.

„A vy byste se mezitím měla trochu vyspat, děvče, nebo taky onemocníte," doporučil Mariettě, než Stellu odnesli na nosítkách.

Jakmile Marietta svlékla Stellinu potřísněnou postel, ustlala a uklidila, vděčně si zalezla pod deku.

Probudilo ji zaklepání. Byla tma, musela spát dobře několik hodin.

„Kdo je tam?" zeptala se.

„Já, Morgan."

Marietta rozsvítila a šla otevřít. „Jde o Stellu?"

„Ne, už je na tom líp. Ale skončila mi směna, doufal jsem, že mě ráda uvidíš."

„To ano, ale nechci, abys měl potíže," namítla Marietta. Vyvedlo ji z míry, že Morgan tak riskuje – dva stevardi, kteří se starali o pasažéry na tomto podlaží, byli postarší muži a jen sotva by přivřeli oko, kdyby ho přistihli.

„Ty za to stojíš," pronesl, sklonil se k ní a políbil ji. „Jestli odejdu dřív, než se rozední, nikdo nic nepozná. Smím zůstat?"

Marietta krátce zaváhala. Ale protože už tolik nocí nemohla spát a musela na něj myslet, jak by mohla odmítnout?

„Nemusíme nic dělat, jestli nechceš," ujistil ji a svlékal se přitom z bílého saka, košile a kalhot. „Chci tě jen obejmout."

Jenže jakmile vklouzl do postele a sevřel ji v náručí a ona se dotkla jeho holé hrudi, věděla, že poruší slib, který dala na Zélandu, a nepočká do svatby.

Políbil ji tak něžně, a když jí svlékl noční košili a začal jí sát bradavky, chtěla ho až moc na to, aby mu bránila pokračovat.

Když ji hladil, laskal a líbal, poznala, že takhle má milování vypadat. Ničím nepřipomínalo Samovo zvířecké rajtování. Zcela podlehla jeho slastným dotekům, prstům zkoumajícím všechna její tajná zákoutí a vysílajícím jí do těla záchvěvy rozkoše.

Pryčna byla tak úzká, že se na ní příliš pohybovat nedalo, přesto se Morganovi dařilo posouvat ji do poloh, v nichž jí mohl lépe dělat dobře. Marietta nemohla uvěřit, že by se nějaký muž dotýkal jejího pohlaví jazykem nebo že by to mohlo být tak vzrušující.

„Chutnáš úžasně," zašeptal. „A budu ti to dělat pořád dokola, chci tě slyšet sténat."

„Už musím jít," zašeptal Morgan o hodně později. „Venku se začíná rozednívat."

Marietta se zadívala na okno. Kruh už skutečně nevyplňovala černá, ale šedá. Vůbec nespali, mezi milováním se k sobě tulili a šeptem si povídali. Bylo to nádherné a Marietta vycítila, že se mu od ní nechce, stejně jako ona o něj nechce přijít.

„Určitě ještě najdeme příležitost," řekl, vyklouzl jí z náruče, skočil na zem a začal se oblékat. „Musíme si dávat pozor, aby na nás nikdo nepřišel. Nebojím se ani tak o sebe a o práci, ale kdyby se to doslechl někdo z důstojníků, mohli by uvědomit tvého strýce."

Marietta se zachvěla. „To by snad proboha neudělali?"

Morgan se zatvářil omluvně. „Je to běžné, když nějaká dívka cestuje bez doprovodu. Myslí si, že za ni mají mravní zodpovědnost."

„A uvidíme se ještě v Anglii?" zeptala se nervózně, nahnula se přes zábradlí a pocuchala mu vlasy. Obávala se, aby to neznamenalo konec.

„Budu upřímný, Mari," řekl, vzal ji za ruku a políbil do dlaně. „V tuhle chvíli ti nemůžu nic slíbit kvůli práci. Ale počkej na mě, prosím tě. Nesmíš si myslet, že jsem nadobro zmizel, ani když se ti nějakou chvíli neozvu. Budu psát, kdykoli to půjde. A až se pak vrátím zpátky do Anglie, setkáme se."

Morgan si zapnul sako, naposledy ji políbil a zmizel, vyklouzl tak tiše, že ani neslyšela cvaknutí dveří.

Kapitola devátá

Marietta byla příliš vyčerpaná, aby v duchu rozebírala, co jí Morgan řekl, a příliš ospalá, že nebyla s to ani narovnat zmuchlané prostěradlo. Probudil ji až stevard Alfred, když zabušil na dveře kajuty.

„Jste v pořádku, slečno Carrerová?" zavolal.

Marietta vstala, oblékla si dlouhou noční košili a župan a otevřela.

„Už jsem se bál, že se vám udělalo špatně, když jste se neukázala u snídaně," vysvětloval Alfred. Byl to podsaditý muž středního věku, trochu drbna, ale také velmi laskavý a ochotný.

„Nic mi není, byla jsem jen unavená," řekla rychle. „Dnes tu uklízet nemusíte."

„Stejně bych na to neměl čas," opáčil poněkud nedůtklivě. „Je po jedné. Jestli se chcete naobědvat, měla byste pospíšit do jídelny."

Marietta mu poděkovala a řekla, že hlad nemá. Měla, jenže se potřebovala nejprve osprchovat a neměla sílu spěchat. „Neslyšel jste, jak se dnes vede slečně Murgatroydové?" zeptala se ještě.

Zavrtěl hlavou. „Téměř všem cestujícím je zle, nemám čas běhat ještě dolů na ošetřovnu."

Marietta zavřela dveře a opřela se o ně. Byla po milování celá rozbolavělá. Když zavřela oči a vzpomněla si, co dělali s Morganem, projelo jí příjemné vzrušení.

Jakmile se Marietta osprchovala a oblékla, vydala se na ošetřovnu zjistit, jak se vede přítelkyni. Jedna z ošetřovatelek jí pověděla, že je na tom Stella mnohem lépe, a povolila jí návštěvu. Pokud byl Morgan někde na oddělení, nezahlédla jej.

Když ji Stella spatřila, rozzářila se. Vypadala sice ztrhaně, ale do tváří se jí vrátila barva, dokázala už sedět a povídat si.

„Myslela jsem, že umřu," líčila dramaticky. „Upřímně řečeno bych smrt uvítala, tak mi bylo zle."

„Znamená to, že se vrátíš do kajuty?" zeptala se Marietta, ačkoli doufala v opak.

„Musím počkat, co řekne doktor," odpověděla Stella. Vzdychla. „Vidělas toho stevarda, který tady pracuje? Je vážně úžasný a hrozně hodný. Vyplatí se být nemocná, už kvůli němu."

„Myslíš toho tmavovlasého, který vypadá trochu jako Errol Flynn?" ujišťovala se Marietta.

Stella se zatvářila zasněně. „Ano, toho. Myslela jsem, že blouzním, když mi oplachuje čelo někdo tak nádherný. Ale ráno přišel znovu, takže se mi to nezdálo. Vážně je božský."

Marietta si nevěřila natolik, aby v tomto rozhovoru dokázala pokračovat. „Inu, jestli je ti natolik dobře, že sníš o stevardovi, očividně se zotavuješ," pronesla přiškrceně. „Mám se pro tebe odpoledne zastavit a doprovodit tě do kajuty?"

Ráda by věděla, kde je Morgan, ale těžko se mohla zeptat. Kdyby se sem vracela pro Stellu, byla by to výborná výmluva.

„Ne, to nemusíš, mně se tady líbí, když je mi teď líp."

Marietta odešla z ošetřovny a zamířila do salonu. Moře už bylo klidnější a v salonu bylo plno těch, které posledních pár dnů nepotkávala. Dala si šálek čaje a záhy ji zatáhlo do konverzace několik lidí, kteří se poptávali na Stellino zdraví, šlo však jen o záminku, aby mohli vyprávět, jak špatně bylo jim a jak je to na Novém Zélandu hrozné.

Marietta by jim nejraději připomněla, že ona z Nového Zélandu pochází a jejich neúspěchy dost možná pramení z jejich hloupých předpokladů, že to na Zélandu bude stejné jako v Anglii. Doma často slyšela, jak se lidé vysmívají přistěhovalcům, kteří se nijak nenamáhali přizpůsobit a věčně jen lamentovali, co jim na Zélandu chybí. Ale ovládla se, soucitně se usmívala a v duchu doufala, že jim bude zima v Anglii připadat výrazně horší, než si pamatují.

Zhruba po hodině už neměla chuť být dál zdvořilá. Omluvila se a odešla ven na palubu v naději, že potká Morgana.

Bylo chladno, obloha zatažená, ocelově šedá. Marietta chvíli pozorovala vlny valící se od trupu lodi, ale brzy byla promrzlá na kost a musela se vrátit do teplé kajuty.

Lehla si na Stellinu dolní postel a pokoušela se číst, myšlenky se jí však neustále stáčely k Morganovi. Je tohle konec? Možná to tak chodí, že jakmile si muž s dívkou užije, ztratí zájem. Ale proč by ji tedy žádal, aby na něj počkala, kdyby to tak nemyslel?

V jeho náruči si dovolila uvěřit, že ji chce navždy, a jen co absolvuje další plavbu tam a zpět, budou spolu. Jenže i kdyby to myslel upřímně, když teď osaměla, začínala chápat, že to nebude tak jednoduché. Strýček Noah bude dost pravděpodobně vědět o Samovi, otec jej jistě varoval, aby ji v Anglii držel zkrátka. A i kdyby ne, strýček těžko uvítá návštěvu muže, s nímž se seznámila na lodi. Kdyby byl Morgan lodní důstojník, snad by měli šanci – Mog jí říkala, že Britové jsou snobové.

Zaklepání na dveře ji vytrhlo z rozjímání. Pospíchala otevřít. Kupodivu stál za dveřmi Morgan. Rychle vešel do kajuty a zavřel za sebou.

„Je přece nebezpečné, abys za mnou chodil ve dne," zajíkla se Marietta.

„Kvůli tobě to risknu," opáčil, přitáhl ji do náruče a políbil. „Další příležitost už se nám na lodi možná nenaskytne a nechci se s tebou rozloučit dřív, než ti povím, co k tobě cítím."

„Co ke mně cítíš?" opáčila.

„Není to jasné? Jsem do tebe blázen. Jinak bych tu teď nebyl."

Jeho slova zaplašila veškerou úzkost. Marietta jej vášnivě políbila.

Morgan se odtáhl jako první. „Musím vědět, že mi věříš. Nedokážu ti říct datum nebo ani měsíc, kdy se vrátím do Anglie. Taky nejsem moc na psaní dopisů, a než poštu doručí, trvá to hodně dlouho. Slib mi, že nepřestaneš doufat a nezapomeneš na mě. Jakmile se vrátím, vzkážu ti. Určitě už jsi slyšela, že mají námořníci v každém přístavu jinou milenku, ale já nosím v srdci jedině tebe."

„A já tebe," vydechla šťastně. „Dám ti hned teď strýčkovu adresu, kdybychom k tomu už neměli příležitost."

Napsala mu adresu a on si lístek strčil do kapsy. Pak ji položil dolů na Stellinu postel.

Svlékl jí svetr, rozepnul halenku a políbil ji. Rukou vklouzl pod košilku, začal jí laskat ňadra.

Marietta se prohnula v zádech a Morgan se sklonil a začal jí olizovat bradavky. Zabořila mu prsty do vlasů, vtažená do jiného světa, kde nezáleží na ničem, jen na tom, co s ní dělají jeho ústa.

Byli tak pohrouženi do sebe, že vůbec neslyšeli, jak se otevírají dveře kajuty. Vzápětí se však ozvalo výmluvné vyjeknutí.

„Jak můžete?" zvolala Stella rozhořčeně.

Morgan vyskočil, praštil se při tom do hlavy a odhalil Mariettu, která ležela pod ním do pasu nahá.

Byli tak zaražení, že na Stellu dokázali jen zírat.

„Jak můžete?" opakovala konsternovaná dívka tak nahlas, že to mohl slyšet každý, kdo by šel náhodou kolem. „Na mé posteli! To je nechutné! Nemůžu tomu uvěřit, Marietto."

„No tak, uklidněte se, Stello," domlouval jí Morgan. Vstal a vzal ji za ramena. Marietta si rychle natáhla košilku přes ňadra a oblékla svetr. „Máme se doopravdy rádi, jen jsme spolu chtěli být chvíli sami."

„Je to ostudné," durdila se Stella. Vytrhla se mu a zahrozila na Mariettu prstem. „Jak můžeš dělat takové věci, a ještě se stevardem!"

„Takže kdyby byl kapitán, je to v pořádku?" odsekla Marietta. „Ale no tak, nedělej z toho vědu, Stello. Není přece zločin políbit muže, i když je stevard. Dnes dopoledne jsi mi vykládala, jak je hodný a krásný. Žárlíš snad, že si vybral mě?"

„Mám snad žárlit na to, že se chováte tak skandálně? To tedy rozhodně ne!"

„Stello," uklidňoval ji Morgan, „mrzí mě, že jsme vás takhle zaskočili, oba jsme z toho na rozpacích, stejně jako jistě i vy. Je skvělé, že jste se zotavila a mohla opustit ošetřovnu, ale nezapomínejte, že to Mari se o vás většinu doby starala. Nezaslouží si, abyste ji zavrhla jen proto, že jsme se do sebe zamilovali."

Po těchto slovech už bylo Mariettě jedno, co si o ní myslí Stella nebo třeba i celá loď.

„Chtěla jsem ti to říct, ale kdyby se něco dozvěděli důstojníci, měl by Morgan potíže. Navíc ti bylo tak zle, nechtěla jsem tě zbytečně rozrušovat."

Stella se na ně mračila. „Nemysli si, že se z toho vymluvíš," durdila se. „Dojdu pro někoho z důstojníků."

„Nedělej to, Stello, prosím tě," naléhala Marietta a chytila ji za ruku, aby jí zabránila vyběhnout ven. „Morgan by přišel o práci, živí ovdovělou matku. Jestli potřebuješ, vylij si to na mně, ne na něm."

Stella se jí vytrhla a zatlačila Morgana ke dveřím. „Zmizte odsud a neopovažujte se sem víckrát vkročit." Prudce dveře otevřela. „A to jsem vás považovala za džentlmena!"

Vystrčila ho ven a zabouchla za ním. Marietta se ji pokoušela obměkčit. „Já ho miluju, Stello. Staral se o mě, když jsem byla nemocná, za to odpoledne, kdy jste byli všichni pryč, jsme se sblížili. Dnes sem přišel jen proto, že na schůzku na palubě byla moc zima. Chtěli jsme být spolu a povídat si, je to tak špatné?"

„Nepovídali jste si," opáčila Stella, tváře brunátné rozčilením. „Kdybych sem nepřišla, už by si to s tebou rozdával. Jak odporné, že jsi něčeho takového schopná."

Marietta se dál omlouvala, téměř se před Stellou plazila po kolenou, ale ničím ji neobměkčila. Stella zachovávala kamenný výraz a neustále opakovala, jak je znechucená.

Nepochybně tak reagovala ze žárlivosti, ale Marietta se ji neodvažovala znovu obvinit, aby Stella neběžela žalovat důstojníkovi. Marietta sice neměla ve zvyku někomu podlézat, tentokrát však nebylo zbytí. Nejen aby Morgan nepřišel o místo, ale také protože jí ještě nebylo jednadvacet a kapitán by považoval za svou povinnost nahlásit vše jejímu strýci. To nemohla dopustit.

„Nechtěla jsem tě tak rozrušit," dušovala se. „Jsme přece přítelkyně, nezazlívej mi to. Vím, vypadalo to asi hůř, ale jen jsme se nechali trochu unést."

„Nechci už s tebou nic mít," prohlásila Stella a zpražila ji pohledem. „Nenahlásím to, tentokrát ještě ne, ale do konce cesty se ode mě drž dál."

Poté co Morgan Stelle řekl, že se do sebe zamilovali, byla Marietta tak šťastná, že jí bylo docela jedno, jestli s ní Stella nechce nic mít. Ale stačil jeden den, během nějž ji její spolubydlící zcela ignorovala, aby zjistila, že na tom přece jen sejde. Stella na ni promluvila, jedině když nebylo vyhnutí, u jídla si pokaždé sedla k jiným lidem.

Venku se citelně ochladilo a Marietta si pomalu přála, aby se Stelle znovu udělalo zle a ona si péčí o ni vysloužila její odpuštění. Moře však zůstávalo klidné a Stellino chování mrazivé jako počasí.

Kvůli velké zimě nemohla Marietta otálet na palubě v naději, že Morgana alespoň zahlédne. Zvažovala předstírat nemoc, aby se dostala na ošetřovnu, ale tím by si jen koledovala o další potíže.

Dvě noci před očekávaným doplutím do Southamptonu se zabalila do teplých svršků a rozhodla se zimu vydržet. Ke své radosti spatřila Morgana u schodiště dolů na ošetřovnu.

Jakmile ji uviděl, rozzářil se. „Chodím sem v jednom kuse," přiznal. „Už jsem si myslel, že ti mě Stella rozmluvila."

„To těžko, ale chová se ke mně hrozně," svěřovala se mu Marietta. „Jsem teď úplně sama. Ona se mnou nemluví, jen po mně vrhá zlé pohledy. Určitě žárlí."

„Však má taky nač. Jsi krásná, skvělá společnice a máš mě. Mimochodem, jak tě vůbec napadlo, že živím ovdovělou matku?"

Marietta se zasmála. „Ze zoufalství. Říkala jsem si, že není tak bezcitná, aby poslala vdovu o žebrotě."

Morgan se usmál. „Líbí se mi tvá pohotovost."

„Byl to pud sebezáchovy. Nechtěla jsem, aby si pouštěla pusu na špacír."

„Až připluju příště do Anglie, radši to uděláme, jak se patří. Ty povíš strýci, že jsem se o tebe staral, když jsi byla nemocná, a že bych tě rád navštívil. Proč by mu to mělo vadit?"

Marietta pokrčila rameny. „Snad nebude, je rozumný. Jen si musím dát pozor, aby to nevypadalo, že se na tebe nějak moc těším."

„Ale budeš?" ujišťoval se.

Pohlédla do jeho krásné opálené tváře s jiskrnýma tmavýma očima a cítila se zesláblá touhou.

„Víš přece, že budu," přiznala. „Nikdo jiný než zamilovaný člověk by tu v tomhle mraze nestál."

To bylo naposledy, co Marietta Morgana viděla. Následujícího večera se vypravila na palubu, ale nebyl tam. A druhý den ráno vplula loď do přístavu a všichni členové posádky měli tolik práce, že nemělo smysl ho hledat.

Marietta stála na palubě zabalená v hnědém kabátu a držela se zábradlí jako o život. Na první pohled se Anglie zdála pochmurná. Všechno bylo šedé – obloha, moře, domy – a byla zima. Mog jí vyprávěla, jak se v březnu zazelenají stromy, v parcích rozkvetou narcisy a bude svítit slunce. Únor v Anglii však očividně nebyl nejhezčí měsíc.

Její lodní kufr už čekal spolu s ostatními na dolní palubě na vyložení. Když Stella opouštěla kajutu, panikařila, protože se jí nedařilo nacpat do svého kufru všechny věci. Marietta by jí sice mohla pomoct, ale poté, co ji Stella tak dlouho ignorovala, se jí nechtělo.

Měla u sebe fotografii strýčka Noaha a tety Lisette. Noah byl podsaditý, s řídnoucími vlasy, Lisette vypadala jako paní Simpsonová, kvůli níž abdikoval král. Matka jí říkala, že Lisette bývala velmi krásná, měla tmavé vlasy a tmavé oči. Dnes jí bylo přes padesát, zvlněné vlasy zešedly, přesto si uchovala půvab. Domluvili se, že si oblékne hnědý kožich a klobouk a na kožich si připíchne rudý květ, aby ji Marietta snáze poznala.

Lidé v přístavu začínali být zřetelní, ale jednotlivé obličeje ještě Marietta nerozeznala. V duchu měla před očima jedině Morganovu tvář a ostatní nebyla schopna příliš vnímat. Vybavila si dolíček na bradě, když se usmíval, jak povytáhl levý koutek úst, když se na něco ptal, i jeho dokonale klenutá tmavá obočí. Jeho první polibek si pamatovala zcela jasně, ne však ten poslední. Proč?

Marietta se rozhlížela v naději, že ji odněkud pozoruje. Ale neobjevila jej. Skutečně ji miluje? Ráda by měla nějakou jistotu.

K zakotvení zbývalo zdolat jen nějakých sto metrů. Posádka čekala, připravená, v přístavu se shromáždili námořníci. Marietta se rozhlédla po řadě lidí čekajících za zátarasy. Prozatím mohli jen mávat. Všichni pasažéři si museli nejprve nechat zkontrolovat pas, než se budou moci přivítat s rodinou nebo přáteli.

Marietta zatím neviděla nikoho, kdo by se podobal strýčku Noahovi a tetě Lisette, a nakrátko podlehla zděšení, že na ni zapomněli.

Konečně lodní motory utichly a námořníci přistavili lávku.

Marietta se znovu ohlédla po Morganovi, ani tentokrát však neměla štěstí, přestože se mnozí členové z posádky shromáždili na horní palubě a mávali na rozloučenou.

Marietta se nechala unášet davem nedočkavých lidí k pasové kontrole. Nohy a ruce měla zmrzlé jako led, punčochy, které jí Mog koupila v Aucklandu, nijak nechránily před nápory mrazivého větru.

V přístavu bylo tolik lidí, všichni se strkali, křičeli, všude vládl zmatek. Marietta ani netušila, kam odnesou její lodní kufr. Co si počne, jestli tu strýček nečeká? Ale jen co jí vyhrkly první vyděšené slzy, zaslechla, jak někdo volá její jméno.

„Tady, Mari! Jsme tady!“

Skrze dav zahlédla muže v tmavém svrchníku, jak mává plstěným kloboukem. Prodrala se k němu a on ji okamžitě objal.

„Chuděrko, určitě ti z toho jde hlava kolem a je ti zima,“ řekl jí. „Vítej v Anglii. Sice mrzne, ale my jsme šťastní, že tě tu máme.“

Marietta si přítomnost Lisette neuvědomila, dokud se neozval jemný hlas s francouzským přízvukem: „Neplač, holčičko, nemohli jsme se tě dočkat a už se těšíme, až tě odvezeme k nám.“

Kapitola desátá

Teprve po desáté večer, když už byla Marietta uložena v nejkrásnějším pokoji, jaký kdy viděla, dokázala trochu přemýšlet o všem, co za ten den prožila, a utřídit si myšlenky.

Věděla sice, že strýček Noah se stal uznávaným novinářem a spisovatelem, ani na okamžik ji ale nenapadlo, že žije jako milionář nebo že bude tak milý a okouzlující. Od první chvíle si u něj připadala jako doma.

Z přístavu ji přivezli černým Daimlerem, jejž řídil uniformovaný šofér Andrews. Marietta se do té doby svezla nanejvýš ve staré rachotině nebo v náklaďáku a nepřestávala žasnout nad pohodlím kožených sedadel, velkým prostorem pro nohy a celkově přepychovou jízdou. Strýček seděl vepředu vedle šoféra, ale většinu cesty byl otočený dozadu a mluvil s ní a s Lisette. Vyptával se na její rodiče, na bratry i na Mog. Stačil také zmínit všemožná místa v Anglii, která by jí rád ukázal.

Nebyl vůbec takový, jaký se na první pohled mohl zdát. Jeho kyprost, řídnoucí vlasy, na zakázku šitý oblek a překrásný kabát byly přesně tím, co se očekávalo od zámožného muže středního věku, avšak povahu měl mladistvou a překypoval nadšením. Během pár minut připadal Mariettě mnohem mladší.

Lisette vypadala jako baletka, částečně protože měla vlasy stažené dozadu do hladkého drdolu, byla také štíhlá, elegantně oblečená, tichá a ladně se pohybovala. Kožich, zřejmě norkový, měl světle béžovou barvu a nadýchaný límec podtrhoval Lisettiny vysoko posazené lícní kosti a krásnou pleť. Přesto nepůsobila jako někdo, kdo tráví hodiny před zrcadlem. Byla velmi pozorná a zajímala se, ale většinu mluvení nechala na manželovi. Její hlas zněl hebce a tiše, se slabým francouzským přízvukem, který Mariettě připomínal otce.

Jeli dlouho mezi poli, lesy a malými vesničkami tak starými a malebnými, že připomínaly ilustrace z dětské pohádkové knížky. Zimní krajina byla strohá a holá, ale stromy bez listí měly zvláštní krásu, přes potoky vedly půvabné kamenné mostky a kopce porůstala tráva mnohem zelenější než na Zélandu.

Zastavili se na oběd v zájezdním hostinci v Godalmingu, velmi pěkné vesnici. Uvnitř byly masivní dřevěné trámy a v krbu plál oheň. Kupodivu tam posedávaly i ženy.

„Na Novém Zélandu nesmí ženy do hostinců?" zvolala Lisette. „Jak podivné! Angličanky samozřejmě nechodí do hospody samy, ale dnes už je poměrně běžné, že si spolu přítelkyně zajdou na oběd nebo večer na skleničku. Hospody jsou v Anglii středem venkovského života."

Když vjeli do Londýna, Mariettě málem vypadly oči z důlků. Noah požádal Andrewse, aby jel po Westminsterském mostě, a Marietta tak měla výhled na budovu parlamentu i Big Ben. Objeli Trafalgarské náměstí, pak se pustili po Mallu k Buckinghamskému paláci. Ačkoli Marietta viděla budovy na fotografiích, ve skutečnosti se zdály mnohem větší a přepychovější, než čekala.

„V Londýně je toho mnohem víc, než jsme ti dnes ukázali,“ usmíval se Noah, protože nevycházela z úžasu. „Ale počkáme, než si zvykneš na tu zimu, teprve pak ti ukážeme zbytek.“

Konečně dorazili k Noahovu domu a Marietta dokázala jen zírat, jak je ohromný. Dům pocházel z roku 1795, tím pádem byl mnohem starší než jakákoli stavba na Novém Zélandu. Budova byla sice stará, ale elegantní, s dokonalými proporcemi, sloupořadím před vchodem a třemi vysokými klenutými okny po obou stranách.

Mog s Belle popisovaly bývalý byt Noaha a Lisette jako „útulný“ a „domácký“, zato jejich dům byl velkolepý, připomínal spíš palác.

Marietta se snažila nežasnout příliš okatě, když jim paní Andrewsová, hospodyně a šoférova manželka, otevřela dveře a uvítala je v prostorné hale s naleštěnou podlahou a velkolepým točitým schodištěm, jaká Marietta do té doby vídala jen ve filmech.

„Je tu dost prázdno od té doby, co se Jean-Pierre přede dvěma lety oženil,“ poznamenal Noah, zatímco od ní paní Andrewsová přebírala kabát a klobouk. Kufr už jí odnesl do pokoje pan Andrews. „Vůbec nám nedocházelo, kolik místa zabíral, než se odstěhoval. Teď už jsme tu jen my a Rose. Dnes je někde u přátel, ale zítra se vrátí.“

Obývací pokoj po pravé straně byl ohromný, zařízený v jemných pastelových tónech, okna zdobily závěsy až na zem. Před roztopeným krbem stály velké pohovky, které přímo prosily, aby se na nich člověk schoulil, u okna pak stolek z leštěného dřeva, plný fotografií ve stříbrných rámečcích.

Ke své radosti mezi nimi Marietta objevila i sebe. Byla na ní ještě jako miminko v Noahově náručí. Přijel tehdy na Zéland ke křtu. A měli tu ještě jednu její fotografii, tentokrát z plavby na loďce, tehdy jí bylo patnáct. Na jiné viděla rodiče, když se brali, a na další Mog a Belle, zřejmě někdy z konce války, když odplouvaly na Zéland, protože byly obě náramně vyšňořené.

„Tohle je Jean-Pierre," ukázala Lisette na mladíka s tmavými vlasy a velmi vážným výrazem. „Už je mu jednatřicet, ale ta fotografie je z nějakých šestadvaceti." Pak se dotkla jeho svatební fotografie. „A tady je jeho žena Alice."

Marietta věděla, že je Jean-Pierre Noahův nevlastní syn. Byla na něj docela zvědavá.

„Rose?" zeptala se, když zvedla další fotografii, tentokrát zhruba dvacetileté dívky. Pomyslela si, že se podobá Noahovi zamlada, měla kulatý obličej, kudrnaté vlasy a zářivý úsměv.

„Ano, to je naše Rose – anglická růže, protože ona je skutečně mnohem víc Angličanka než Francouzka," usmála se Lisette. „Je jí čtyřiadvacet, ale myslím, že si budete rozumět."

„To je milé, že tu máte i mámu, tátu a Mog," podotkla Marietta.

Lisette ji vzala za ramena a pohlédla jí do očí. „Tví rodiče pro nás s Noahem hodně znamenají. Mezi námi je pouto silnější než jen rodinné. Jistěže máme vystavené jejich fotografie. Jen čekám, až pošlou snímek Alexe s Noelem, pak tu budou i oni."

„Jeden mám v kufru, máma ho posílá."

„Bude se ti stýskat, tak daleko od rodičů," vzdychla Lisette a objala ji. „Ale my s Noahem je rádi dočasně zastoupíme. Vůbec se nám neboj se vším svěřit. Nejsme – jak se to tady v Anglii říká? – lidožrouti."

Marietta si obvykle na objímání nepotrpěla, nyní se však ráda nechala vtáhnout do Lisettiny náruče. Teta se jí moc zamlouvala a nepřekvapovalo ji, že byly s matkou tak dobré přítelkyně. Čišelo z nich cosi podobného, nešlo o vzhled, spíš něco těžko popsatelného a uchopitelného.

Marietta se natáhla, zhasla lampičku na nočním stolku a vzpomněla si, jak jí Mog prorokovala, že jakmile pozná slasti elektřiny, bude z ní celá pryč. Používala ji už na lodi, ale tady, v tomhle půvabném krémově růžovém pokoji, inspirovaném bývalým Belliným kloboučnictvím, se do elektřiny skutečně zamilovala a upřímně si přála nemuset víckrát používat petrolejku.

Bylo dojemné, že Lisette při zařizování pokoje myslela na Belle, zároveň však působil velmi francouzsky. Pozlacené ornamenty na toaletním stolku a stoličce k němu jí připomněly fotografie nábytku z Versailles. Na stěně nad postelí visely dva obrázky a každý zachycoval výstřední klobouk. Lisette je našla na bleším trhu v Paříži a jí i Noahovi připadaly pro tento pokoj ideální.

Výzdoba a vybavení Mariettina rodného domu v Russellu byly velmi prosté, v porovnání s ním působil Noahův dům ještě velkolepěji a dekadentněji. Marietta však nežasla jen nad přepychovými koberci a leštěným nábytkem, ale i nad tím, jak dobře je o ni postaráno a jaké má pohodlí. Zatímco obědvali, paní Andrewsová jí vybalila kufr a odnesla vše, co potřebovalo vyprat. V celém domě se nacházely radiátory a v každé místnosti bylo teplo. Postel měla dost velkou pro dva, povlečení hladké a jemné jako hedvábí.

K pokoji přináležela koupelna jen pro ni, a to i s vanou. Na vyhřívaném stojanu čekaly nadýchané ručníky, z venkovní toalety se stala jen vzdálená vzpomínka. Zkrátka všechno jako z pohádky.

Ale dvě věci Mariettě scházely. Jednak zvuk moře, který byla odmalička zvyklá slýchat a který ji obklopoval i během plavby do Anglie. Tady bylo slyšet jen automobily. Večer se zvuky z ulice ztlumily a ten šum také uklidňoval, ale moře to nebylo.

A pak Morgan. Většinu dne se myšlenkám na něj dokázala vyhýbat, když však nyní osaměla, stýskalo se jí. Myslí na ni právě teď? Nebo už zapomněl a šel do Southamptonu tancovat, opít se a najít si děvče na špásování?

První dva týdny v Londýně uběhly ve víru tolika událostí, že se Mariettě nestýskalo po Morganovi tolik, jak by čekala. Teprve večer se vkrádal do jejích myšlenek, a ačkoli po něm toužila celou svou bytostí, nebylo to tak zlé.

Londýn si okamžitě zamilovala. Nešlo jen o známé památky – Tower, Katedrálu svatého Pavla a Londýnskou zoologickou zahradu – ale i o prosté věci jako jízda autobusem, smažená ryba s hranolkami a sáňkování na Primrose Hillu, když sněžilo. Sníh Marietta viděla poprvé – na Jižním ostrově býval, ale v Russellu nikdy – a ohromovalo ji, s jakým nadšením se muž jako Noah spolu s ní vrhá na saních z kopce.

Když psala domů, překypovala nadšením, dělila se s rodinou o všechny zážitky. Cítila se povinovaná psát, jak jí scházejí, po pravdě byla ale novým životem tak okouzlena, že si na ně vzpomněla jen tu a tam.

Milovala život v tak rušné ulici. Když se ráno podívala z okna, viděla džentlmeny v buřinkách se složenými deštníky, jak míří do centra. Mezi nimi procházely také elegantně oblečené úřednice, matky vedoucí děti do školy a starší děti, které už doprovod nepotřebovaly.

Později se objevili obchodníci: pekař rozvážející chléb koňským povozem, uhlíř, brusič nožů. Chůvy tlačily o slunných dnech kočárky, služky zametaly na prahu a leštily mosazné kliky.

Srovnávala to s ulicemi v Russellu, kde se libovolně pohybovaly krávy a po deštích se na zemi tvořilo bahno jako v močálu. Poté, co okusila Londýn, si nedovedla představit, že by se vrátila k tak primitivnímu životu.

Strachovala se, aby jí Noah s Lisette nezačali mít dost a neposlali ji domů, proto se chovala, jak nejlépe dovedla. S Lisette rozmlouvala francouzsky, protože to tetu těšilo, nabízela se, že pomůže v domácnosti. Všechny práce však zastávala paní Andrewsová, tím pádem nebylo s čím. Marietta si sama stlala postel, ve svém pokoji udržovala pořádek a snažila se Lisette dělat všemožně radost.

Ráda vyřizovala pochůzky. Obchůdky v okolí připomínaly Aladinovu jeskyni plnou pokladů a velké obchody dál na Oxford Street a Regent Street byly tak úchvatné, že by se jimi dokázala toulat celý den a nenudila by se.

Rose se vrátila domů druhý den po Mariettině příjezdu do Londýna. Na první pohled působila jako jedna z těch aristokratických mladých žen, jež Marietta vídala v britských filmech.

„Vsadím se, že to mamá a papá budou s chozením po památkách přehánět," utrousila s nakažlivým úsměvem. „Takže já tě budu brát na zábavnější místa. Už jsi někdy stála na kolečkových bruslích? Já to miluju. Na Finchley Road, nedaleko odsud, je k tomu vyhrazená plocha. Co kdybychom tam zítra večer zašly?"

Marietta viděla bruslení jen ve filmu, ale vypadalo zábavně, proto nadšeně souhlasila.

Bylo to přesně, jak vyprávěla Rose, a ještě lepší. Marietta se zpočátku držela při kraji, bála se pustit, ale pak ji Rose a její kamarádka vzaly za ruce a jezdila s nimi.

Poměrně rychle získala jistotu a ke konci už zvládla dokonce jízdu pozadu. Všichni ji obdivovali, že se naučila bruslit tak rychle.

Rose a její přítelkyně byly docela jiné než dívky ve stejném věku z Russellu. Několik z nich pracovalo, ale všechny měly očividně kvalitní vzdělání. Navzájem se navštěvovaly, chodily spolu na oběd, vypomáhaly při dobročinných akcích. Rose jí vyprávěla, že u žen z lepší třídy není vhodné pracovat a že ona je výjimka, vystudovaná účetní. Do práce ale nechodila každý den, zřejmě jen vedla účetnictví známým svého otce, což se jí dařilo vměstnat mezi společenské aktivity.

Přestože však Rosiny kamarádky nepracovaly, nejevily nejmenší zájem o vdavky a zakládání rodiny. Cestovaly, zajímaly se o dění ve světě, chodily na koncerty a do nočních klubů, sportovaly. Vedle nich si Marietta připadala jako venkovská nanynka, která neví vůbec nic.

„Rodiče očekávají, že si tu najdu práci," svěřila se jednou Rose. „Jenže já nic neumím, tak co bych mohla dělat?"

„Co tě baví?" zeptala se Rose.

„Plavba a rybaření," zažertovala Marietta. „Ale počítám, že v Londýně s takovými zájmy velké uplatnění nenajdu. A ráda šiju."

Rose se usmála. „Tady se dá plavit leda v létě po Serpentine, ale šití, to je velká přednost. Vsadím se, že by matka mohla zatahat za pár nitek. Zná většinu krejčovských salonů v Londýně."

Zřejmě posléze promluvila s rodiči, protože následujícího večera Noah při večeři načal toto téma.

„Belle s Etiennem chtějí, abys tu chodila do práce, ale my budeme s Lisette rádi, když si s tím ještě chvíli nebudeš dělat starosti a užiješ si Londýn. Nicméně Rose se zmínila, že bys chtěla šít."

„Je to jedna z mála věcí, ve kterých jsem dobrá," odpověděla. „Koneckonců jsem měla ty nejlepší učitelky, mámu a Mog."

Noah se zamračil. „Možná tě šití baví, Mari, ale práce v módním salonu by tě mohla zklamat. Plat je mizerný, pracovní doba dlouhá a pravděpodobně budeš pracovat vždycky jen na jedné části, nikdy neušiješ celé šaty. Nechtěla by sis udělat kurz pro sekretářky? Jakmile se naučíš psát na stroji, seženeš práci kdekoli na světě, dokonce i na Novém Zélandu, až se tam vrátíš. Sám lituju, že jsem se zamlada nenaučil psát pořádně. Takhle si musím celé ty roky vystačit se třemi prsty."

Marietta jej slyšela psát v pracovně. Doma měli v knihovničce jeho velice úspěšnou knihu o válce. Rodiče ji ukazovali návštěvám a chlubili se, že je Noah jejich přítel. Marietta se nyní poněkud zastyděla, že si ji nikdy nepřečetla, zvlášť protože ke knize velkým dílem přispěl i její otec, který Noahovi líčil historky o tom, jaké to skutečně bylo na frontě, i o tragických chybách generálů. Noah od té doby začal psát fikce, vydal sérii populárních napínavých detektivek. Marietta dvě z nich přečetla na lodi a opravdu se jí líbily.

„To bych asi ráda, strýčku," souhlasila. Sice šití milovala, ale nechtěla zůstat uvězněna ve výhradně ženském světě. „A naši by to určitě schvalovali."

Noah se rozzářil. „Hned zítra obvolám pár lidí. Lisette jistě souhlasí, že šít šaty je bohulibý koníček, ale kariéra švadleny velké možnosti neskýtá."

Později večer odešel Noah do pracovny a Lisette s Mariettou seděly u krbu a rozmlouvaly francouzsky. Navykly si procvičovat francouzskou konverzaci každý den alespoň pár minut, zatímco dělaly něco společně – když spolu ale osaměly, dokázaly rozmlouvat francouzsky hodinu i více.

Tak to s Mariettou dělával i její otec, měla to ráda. Při rozhovorech s Lisette získávala novou slovní zásobu a pařížský přízvuk oproti otcovu marseilleskému.

Chvíli se bavily o módě, náhle však Lisette přešla zpět do angličtiny.

„Doufám, žes nesouhlasila s tím kurzem, jen aby ses Noahovi zavděčila. On má někdy ohledně práce pro ženy dost divné nápady. Od té doby, co je úspěšný, se z něj stal tak trochu snob."

„Myslíš, že mu krejčovství připadá jako práce v továrně?" zeptala se Marietta.

Mog často vtipkovala o britském třídním systému, na Novém Zélandu se nic podobného nenosilo. Také Morgan si neodpustil několik kousavých poznámek o rozdílech mezi důstojníky a obyčejnými námořníky. A Marietta si po pár dnech v Londýně začala sama všímat některých věcí, zejména mluvy.

Všechny Rosiny kamarádky měly velmi snobský přízvuk jako lidé v rozhlase. Jedna z nich utrousila kousavou poznámku o jakési „prodavačce", z níž jasně vyplynulo, že ty, kdo mají podřadnější zaměstnání nebo mluví s jiným přízvukem, považuje za jiný druh.

Právě tehdy si Marietta uvědomila, že Rosiny kamarádky by Morgana neschvalovaly. Mluvil jako obyvatelé East Endu, podobně jako veselý mlékař, který jí říkal „slečinko" a Lisette „paninko". Paní a pan Andrewsovi mluvili velmi podobně, byť ne tak výrazně.

Lisette mlaskla, zřejmě přemítala, proč její manžel považuje krejčovství za stejně podřadné jako práci v továrně. „Je dost těžké vysvětlit, jak lidé v Anglii o podobných věcech uvažují, má milá. Noah má dnes spoustu přátel na vysokých postech a trochu to změnilo jeho pohled na svět."

„A nerad by jim vykládal, že jeho kmotřenka dělá švadlenu?" nadhodila Marietta.

Lisette zčervenala. „Jsi po mamince, Mari. Belle taky vždycky říkala věci tak, jak jsou, ne jak je lidé chtějí slyšet."

Podle Marietty vyžadovalo ušití krásných šatů stejné dovednosti jako práce chirurga a nechápala, proč někdo považuje tu první za podřadnou. „Ale sekretářka je v pořádku?"

„To je zaměstnání pro dívky z dobrých rodin," potvrdila Lisette a rozhodila rukama, jako by to nedávalo smysl ani jí.

„Pokud nejsou tak chytré, aby dělaly účetní nebo lékařku?"

„Teď mluvíš pro změnu jako Etienne," usmála se Lisette. „Vždycky se zastával dělnické třídy. I Belle a Mog bojovaly s třídními předsudky. Vzpomínám, jak se přestěhovaly do Blackheathu a usilovně se snažily působit vybraně, aby zapadly. Dokonce si pořídily knihu s názvem *Správná angličtina*, a když jsem k nim přišla na návštěvu, zkoušely jsme si repliky z ní. Hodně jsme se nasmály, napodobovaly jsme namyšlené hlasy."

Marietta se rozesmála. Než odjela z Nového Zélandu, Belle s Mog jí předváděly, jak mluví někteří lidé v Anglii. Jejich londýnský přízvuk po téměř dvaceti letech na Zélandu v podstatě vymizel – mluvily, jako by se tu narodily –, ale když se bavily spolu, zejména o Anglii, sklouzly často ke starým způsobům.

„Já mám výhodu, že jsem Francouzka, můj přízvuk jim z nějakého důvodu připadá ‚vytříbený'," zasmála se Lisette. „Ale trvalo mi pár let, než jsem pochopila, co tím myslí. Dodneška, když vidím paní Andrewsovou, která je o deset let starší než já, jak zvedá těžký uhlák, mám nutkání pomoct jí. Jenže ji by to vyděsilo. Bere to tak, že mně takové práce nepřísluší."

„Já vlastně nevím, na jaké místo patřím," přiznala Marietta. „Můj otec rybaří a staví, matka vyrábí klobouky. Tím pádem patřím k dělnické třídě, ne?"

„Celý tenhle třídní systém je absurdní." Lisette ji pohladila po koleni. „My oba s Noahem pocházíme ze skromných poměrů, ale protože se Noah vypracoval a stal se uznávaným novinářem a spisovatelem, vyšvihlo nás to do vyšších vrstev. Přesně proto si tví rodiče myslí, že jsme ti praví, abychom nasměrovali tvou budoucnost."

„Táta přece třídní systém neuznává," podotkla Marietta poněkud rozhořčeně. „Nemyslím, že by chtěl, abych nosila nos nahoru."

„O to nejde, spíš aby ses naučila, jak se chovat ve společnosti, a mohla snadno zapadnout mezi různé druhy lidí, Mari. My s Noahem jsme se to taky museli učit, zrovna tak Belle, když otevřela kloboučnictví. Tohle by si rodiče přáli. Pochopitelně z tebe nechtějí mít snoba, ale byli by rádi, kdybys měla všechny dveře otevřené. Třeba se za půl roku vrátíš domů a vdáš se za tesaře nebo rybáře a budeš šťastná jako tví rodiče. Ale vždycky je lepší mít na vybranou, poznat víc možností, vědět, co život nabízí. A přesně v tom ti chceme s Noahem pomoct. Rozumíš mi?"

„Ano," přikývla Marietta. Lisette to vysvětlila výborně. „Ale Noahovi by se asi moc nelíbilo, kdybych si chtěla vyjít třeba s řidičem autobusu, vlaku nebo s lodním stevardem, že?"

„Poznala jsi na lodi nějakého milého stevarda?"

Marietta sebou trhla. Slůvko „stevard" jí vyklouzlo nechtíc a Lisette očividně neuniklo, že má význam.

Nemělo smysl pokoušet se z toho vylhat. „Ano," přiznala. „Jmenuje se Morgan Griffiths, staral se o mě, když jsem ležela na marodce. Byl moc milý."

„Chápu," přikývla Lisette. „A proč ses o něm ještě nezmínila?"

„U nás doma mi někdo popletl hlavu," odpověděla Marietta opatrně. „Naši vás určitě varovali, abyste mě hlídali jako ostříž."

„Možná tě to překvapí, ale nic takového nám neřekli. I když nás něco podobného pochopitelně napadlo," usmála se Lisette. „Nejsi jediná, kdo se zachoval pošetile. Od mladých lidí se to v podstatě očekává. Rose měla taky své momenty a Jean-Pierre v tvém věku jakbysmet. I my s Noahem jsme dělali věci, na které nejsme pyšní. Největší chybou děvčat je, že se často nechají okouzlit pěknou tváří a nevidí, co se skrývá pod ní. Považuješ Morgana za dobrého člověka?"

„Ano, ale těžko si můžu být jistá, byli jsme spolu tak krátce."

„Na té lodi jste se viděli vždycky jen na chvilku, viď?"

Marietta přikývla.

Lisette ji vzala za ruku. „Když se s mužem scházíš tajně, vidíš jen to, co vidět chceš. Často se necháme pohltit tím vzrušením a svými pocity, nic nezpochybňujeme, nic nezkoumáme. Zjistila jsem, že muže nejlépe poznáš, když ho pozoruješ ve společnosti svých známých. Pak jsou jeho klady a zápory mnohem zřetelnější."

„Ale i ostatní o něm mluvili nadšeně." Marietta měla pocit, že Lisette nad Morganem jen mávla rukou. „Taky by se ti líbil, kdybys ho poznala."

„To doufám, *ma chérie*," usmála se Lisette. „Tak až se vrátí do Anglie, pozveme ho k nám, ano?"

První březnový týden byl studený, pršelo, vál prudký vítr, ale těsně před Mariettinými narozeninami, které měla osmého března, se vyčasilo. V parcích rozkvetla záplava narcisů, na stromech vyrašily zelené pupeny a Londýn náhle vypadal nádherně, přesně jak vyprávěla Mog.

Lisette s Noahem jí dali k narozeninám nádherný stříbrný medailonek s věnováním uvnitř. Od Rose dostala nadýchanou štólu, z domova přišel balík s tyrkysovými šaty z krepdešínu, jež ušila Mog, bílým kloboučkem s tyrkysovou stužkou od matky a otec přidal repliku své rybářské loďky, kterou vlastnoručně vyřezal a namaloval. Nazval ji *Malá rebelka*, z čehož Mariettě vyhrkly slzy.

Odpoledne přišla řada na posezení a dort. Když Marietta sfoukla všech devatenáct svíček, Rose jí oznámila, že je později vyzvedne Peter Hayes a vezme je na taneční zábavu v Soho.

„Hoď se do gala, Mari," doporučila jí. „Vím, že se celou dobu těšíš, až si budeš moct obléknout ty nádherné šaty z krémové krajky. Teď máš příležitost."

Peter Hayes se s Rose scházel poměrně často. Svěřila se Mariettě, že by se za něj chtěla provdat, ale hraje nedostupnou a často chodí ven i s jinými chlapci.

Lisette a Noahovi se Peter zamlouval, stejně tak Mariettě. Tento vysoký osmadvacetiletý mladík s hnědýma očima nebyl vyloženě hezký, působil však solidním dojmem, navíc byl k Rosině radosti právník. Pocházel z výborné rodiny, což dívce rovněž imponovalo, často vyprávěla o jejich obrovském domě v Berkshiru. Sice se tvářila, že si ho vybrala jen kvůli rodině a postavení, ale Marietta věděla, že to není jeho jediná kladná stránka. Peter byl zábavný, inteligentní, laskavý a velkorysý, navíc velmi přitažlivý.

Rose hodlala se sexem počkat až do svatby. Avšak podle toho, jak se v jeho společnosti pokaždé rozzářila, bylo zřejmé, že se nemůže dočkat.

„S nimi se pobavíš," ujišťovala ji Lisette. „Peterovi plně důvěřujeme, postará se o vás. Tak se běž připravit."

Cestou nahoru jí Rose pošeptala: „Peter s sebou vezme kamaráda, určitě se ti bude líbit. Jmenuje se Gerald Allsop. Je mladší než Peter, ale chodili do stejné školy."

„Taky právník?" zeptala se Marietta.

„Ještě ne, pořád studuje. Našim jsem o něm neřekla, protože by ho chtěli napřed poznat a vyzpovídat. To je pro všechny tak trochu utrpení, oni jsou někdy hrozně staromódní. Sejde se s námi až tam. Ale kdybys ho pak ještě někdy chtěla vidět, prostě jim zítra povím, že jsme ho na plese potkali a Peter vás představil, což bude v podstatě pravda."

„Opravdu mě chcete s sebou?" ujišťovala se Marietta. Trochu se bála, že se z Geralda vyklube nafoukaný protiva a berou ji, jen aby jim Gerald nedělal křena.

„No samozřejmě," přisvědčila Rose a vzala ji kolem pasu. „Je ti devatenáct, jsi zralá do společnosti, navíc jsem zvědavá, jestli si pamatuješ ty taneční kroky, které jsem tě naučila."

„Vypadáš jako obrázek!" zvolal Noah, když se Marietta s Rose o hodinu později vrátily do společenského pokoje.

Marietta zčervenala. Krajkové šaty byly překrásné, s hedvábnou spodničkou na špagetová ramínka a s hlubokým výstřihem, svrchní šaty měly po lokty dlouhé rukávy a stojáček, což mělo dráždivý efekt, protože pod krajkou byla vidět kůže, ale ne tak, aby to vypadalo lacině. Sukně obepínala boky a poté se rozšiřovala do cípů končících v půli lýtek.

„Dokonalé!" zatleskala Lisette. „Vždycky jsem Belle záviděla, že jí šaty šije Mog. Ona je vážně skvělá švadlena." Vzala Mariettě z rukou novou nadýchanou štólu a naaranžovala jí ji kolem ramen. „Ty šaty jsou šik a překrásné."

„Neměla bych si vyčesat vlasy?" zeptala se Marietta. Původně si je chtěla smotat do rafinovaného účesu, jaký nosily Rosiny kamarádky, ale vlasy měla příliš kudrnaté a nedržely, tak si je nakonec jen po stranách připnula sponkami, aby jí nepadaly do obličeje.

„Byl by zločin tak krásné vlasy ukrývat," prohlásil Noah. „Podle mě by měly všechny ženy nosit vlasy rozpuštěné minimálně do třiceti."

Lisette se zasmála. „Kdyby bylo po jeho, nosila bych rozpuštěné i ty své šedivé. Ale něco na tom je, Mari, máš opravdu překrásné vlasy, škoda je schovávat v drdolu."

„A ty vypadáš taky překrásně," usmál se Noah na svou dceru. „V těchhle šatech ses mi vždycky líbila."

Rose si vzala šaty s úzkým živůtkem končícím na bocích, ze světle růžového krepdešínu s růžovou výšivkou o odstín tmavší. Mariettě připadaly poněkud staromódní, ale Rose slušely, měla poměrně plochý hrudník. K nim obula saténové střevíčky stejné barvy jako šaty a do vlasů si vetkla růžový květ.

Ozval se zvonek.

„To bude Peter," řekla Rose. „Jdeme, Mari, čas na tanec."

„Užijte si večer," popřála jim Lisette. „A vraťte se domů rozumně."

Rose o Soho hodně mluvila a pokaždé se při tom rozzářila. Prý je to místo, kam lidé chodí, pokud si chtějí užít večer. Podnik Bag O'Nails, kde měli oslavit Mariettiny narozeniny, se nacházel v samotném středu čtvrti.

Klub byl tmavý a zakouřený, nacpaný k prasknutí. Pětičlenná kapela černých muzikantů vyhrávala jazz, tu nespoutanou hudbu, kterou Marietta slyšela v Curaçau. Protlačili se davem k rezervovanému stolu. Z rozzářených tváří ostatních hostů bylo patrné, že jsou hudbou nadšeni všichni.

Taneční parket zaplnili bujaří tanečníci a celý ten výjev vypadal docela jinak, než si Marietta představovala. Angličané jí až dosud připadali velmi umírnění, proto čekala, že je uvidí tančit waltz nebo quickstep, ne poletovat po parketu jako tady. Dělala to ta hudba, probouzela i v ní chuť zahodit všechny zábrany a pustit se do divokého tance.

Gerald na ně čekal u stolu. Jen co je Peter představil, Mariettě bylo jasné, že z něj se jí srdce nikdy nerozbuší, přestože jde o „vhodného" nápadníka.

Gerald byl vysoký, štíhlý a smoking nosil se sebejistotou muže, který se v něm narodil. Svým způsobem byl velmi přitažlivý, měl dobře ostříhané světle hnědé vlasy, štěněčí hnědé oči a zářivý úsměv. Avšak dlaň, která uchopila její, byla příliš hladká a měkká, zuby měl křivé a žluté.

Přesto se tvářil, jako by mu právě dali nečekaně báječný dárek, snad si představoval, že všechny dívky z Nového Zélandu budou ošklivé.

Láhev šampaňského se již chladila v kbelíku s ledem na stole. Gerald všem nalil a pronesl narozeninový přípitek Mariettě. „Slyšel jsem, že Nový Zéland je nádherná země," usmál se na ni. „Ale nikdo mi neřekl, že jsou nádherné i tamní dívky."

Marietta alkohol téměř nepila. Při vzácných příležitostech jí otec tu a tam nalil sklenku vína, ale vždy je zředil vodou. Párkrát usrkla brandy nebo whisky u svých kamarádek, když byli rodiče pryč, ale ačkoli si při pití alkoholu připadala dospěle, nikdy jí nechutnal. Zato nyní jí šampaňské zachutnalo, navíc se po něm uvolnila.

„Máti mi nikdy neodpustí, jestli tě domů přivedu opilou," varovala ji Rose. „Pij pomalu a ne moc."

Marietta musela uznat, že je Gerald dokonalý džentlmen. Navíc byl zábavný, často se smál a dychtil po tanci s ní.

Hudba hrála příliš hlasitě na to, aby mohli vést konverzaci, a Marietta stejně neměla chuť mluvit – ne když může tančit a nechat se unášet melodií. Než tempo zpomalilo, už byla po šampaňském notně vláčná a během pomalejších tanců se ráda nechala svírat v Geraldově náruči.

„Mohl bych tě zase někam vzít?" zeptal se. „Například do divadla nebo na večeři."

„To by bylo milé," odpověděla a opřela se mu o rameno. „Budu moc ráda."

Náhle Rose oznámila, že je čas jít. Cestou domů si Marietta pomyslela, že pokud je noční život v Londýně takový, domů se nejspíš nikdy nevrátí.

Kapitola jedenáctá

Březen přešel v duben a Marietta si všimla, že se v novinách hodně píše o španělské občanské válce, zato minimum o válce s Německem. Lidé o ní mluvili tak lehkovážně, že bylo těžké vnímat ji jako skutečnou hrozbu. Přesto v lednu rozdali ve školách dětem plynové masky a před veřejnými budovami se objevovaly pytle s pískem. Obecně se doporučovalo přelepit si okna křížem lepicí páskou, aby se v případě náletu nevysypalo sklo, a v mnoha parcích se hloubily zákopy, z nichž měly vzniknout provizorní protiletecké kryty.

Od Morgana stále nepřišla ani řádka.

Marietta se chvílemi utěšovala, že trvá dlouho, než doputuje dopis psaný na moři do Anglie, chvílemi byla přesvědčená, že na ni Morgan zapomněl, jakmile vystoupila z lodi. Dopisům z domova trvalo doručení osm týdnů, navíc si říkala, proč by jí vyznával lásku a žádal ji, aby na něj počkala, kdyby to nemyslel upřímně.

Na konci března nastoupila do kurzu pro sekretářky na vysoké škole Marshalls ve Swiss Cottage, to jí pomáhalo na

Morgana tolik nemyslet. První den ve škole se hodně mluvilo o připojení Rakouska k Německu. A téměř každý večer, když se vracela domů, Noah buď s někým telefonoval, nebo byl na cestě na nějakou schůzku, kde se diskutovalo o možných následcích.

Na konci dubna Noah oznámil, že potřebuje odcestovat do Německa, aby se sám přesvědčil, jaká nálada mezi lidmi vládne. Prý byl slepý, když tvrdil, že se dá válce zabránit, nyní naopak došel k závěru, že je nevyhnutelná.

Do Německa odjel o týden později, ale když během jeho nepřítomnosti telefonovali Belle s Etiennem, Marietta jim neprozradila, kam se Noah vypravil, ani jak vidí pravděpodobnost války. Rodiče mohli pokaždé mluvit jen tři minuty, protože dálkové hovory byly drahé. Marietta ten čas vyplňovala vyprávěním o všem, co viděla a dělala, ptala se na bratry a na Mog, zkrátka cokoli, jen aby se otec nevyptával. Kdyby zjistil, že Noah změnil názor, trval by na jejím návratu hned příští lodí. Což si nepřála.

Rodina jí scházela víc, než by čekala, ale v Anglii se jí líbilo. Připadala si tu svobodná, nebyla pod drobnohledem sousedů, nikdo ji neodsuzoval. Rose se k ní chovala jako starší sestra a přítelkyně. Některé večery pouštěla na gramofonu u sebe v pokoji nejnovější desky, učila Mariettu tančit. Jindy spolu šly do kina nebo bruslit. Rose byla poněkud panovačná a často se chovala snobsky, Mariettě to však připadalo spíš zábavné než urážející.

Některé večery chodila Rose pryč sama, za svými přáteli, ale Mariettě to nevadilo. Poslouchala rozhlas, konverzovala francouzsky s Lisette, četla knihy.

Ve škole dobře zapadla. Pro spolužačky byla první Novozélanďankou, kterou poznaly, a všechny se s ní chtěly přátelit.

Těsnopis jí připadal velmi těžký, ale bavilo ji psaní na stroji, patřila v něm k nejrychlejším ze třídy. O přestávce si s ostatními povídaly. Její spolužačky nebyly tak úzkoprsé jako kamarádky z domova. Mluvily o tom, kde byly, o svých rodinách a o mladých mužích, s nimiž měly známost, a Marietta měla pocit, že se tu za jediný týden dozví víc než v Russellu za rok.

Ale nejvíce se zamilovala do Londýna, proto nechtěla odjet. Město bylo krásné a vzrušující, snad i trochu nebezpečné, připadala si, jako že sem patří.

Dalším důvodem byl Morgan. Už jen při vzpomínce na milování s ním ji polévalo horko. Nezbývalo než věřit, že napíše a nakonec se k ní vrátí. Kdyby musela odplout domů, mohla by si navěky už jen pokládat otázku, jestli to byl ten pravý.

Pokud získá diplom z těsnopisu a psaní na stroji, napomůže to její věci. Rodiče na ni budou hrdí. A jestli si pak najde práci, která ji bude bavit, jistě nebudou naléhat, aby se vrátila.

Ten večer, kdy se Noah vrátil z desetidenní cesty do Německa, se Mariettě vryl do paměti. Dozvěděla se, že je válka nevyhnutelná.

Už jen jeho vážný výraz prozrazoval velké obavy, ale z toho, jak každou z nich objal, bylo jasné, že má strach.

„Vůbec se mi to nechce líbit," vyprávěl u večeře. „Všichni jsou z Hitlera paf. On sice Německo vyvedl z krize a obnovil zaměstnanost, ale moc získává likvidací nebo vězněním všech, kdo nesouhlasí s jeho idejemi a metodami."

„Takže válka skutečně bude?" zeptala se napjatě Lisette.

„Už o tom nepochybuji." Noah smutně zavrtěl hlavou. „Chamberlain se možná snaží o mírovou politiku, ale Hitlerova nacistická strana je všemocná a rozdrtí každého, kdo se jí postaví. Mají Rakousko a Československo – kdo ví, co chystají dál? Navíc útočí na Židy. Mluvil jsem se skupinkou, která byla na cestě do Hamburku, odkud chtěli do Ameriky. Narodili se v Německu, v předchozí válce bojovali za svou vlast, přesto tvrdili, že kdyby zůstali, museli by se bát o život."

„Ale proč to Hitler dělá?" nechápala Marietta.

Noah vzdychl. „Hitler a jeho nacisté udělali z Židů obětní beránky. Svádí na ně děsivou inflaci, která začala v roce 1929, a v podstatě i všechno ostatní. V Berlíně jsem viděl několik židovských starců, které donutili na kolenou drhnout silnici. Neuvěřitelné."

„To je hrůza, tati," děsila se Rose. „Nemohl jsi tomu zabránit?"

Noah se na ni s povzdechem podíval. „Jak bych mohl, když se těm nebožákům všichni kolem mě smáli a poškleboval? Zlynčovali by mě. Byl jsem na jednom shromáždění, kde Hitler promlouval k tisícům lidí. Zas tak dobře jsem mu nerozuměl, ale viděl jsem ten děsivý fanatismus v očích jeho stoupenců. Oni ho mají za boha, vůdce, který jim vrátí všechno, oč po válce přišli."

„Dnes už o tom nemluvme," požádala Lisette. „Děsí mě to."

Několik dnů po Noahově návratu přišel Mariettě první dopis od Morgana, odeslaný z Nového Zélandu. Byla nadšením bez sebe. Ale když se do dopisu začetla, poklesla na duchu, nechtělo se jí věřit, že to skutečně psal on. Úroveň byla tristní – dětský rukopis, pravopisné chyby, žádná interpunkční znaménka – a nikde žádná zmínka o čemkoli, co spolu probírali nebo sdíleli.

Napsal, že ji miluje a nemůže se dočkat, až se znovu setkají. Loď prý prodělává nějaké opravy a není jasné, jak dlouho to potrvá. Dopis nedatoval a razítko bylo rozmazané, takže nebylo možné určit, před jakou dobou byl odeslán.

Další dva nebo tři dny nad tím Marietta rozjímala. Pochopila, že Morgan postrádá vzdělání. O svém dětství moc nemluvil, zmínil jen, že žili v East Endu. Přesto byl chytrý a výmluvný, nechápala, jak může psát tak mizerně.

Psaní dopisů jistě není pro život nijak zásadní, přesto Mariettu vychovali v úctě k psanému slovu a bylo jí skutečně nepříjemné, že Morgan neovládá takovou základní dovednost.

Na začátku května už se Marietta vyšplhala do čela třídy coby nejrychlejší písařka. Sice ještě měla co dělat, aby zvládla osmdesát slov za minutu, požadovaných k získání certifikátu, a těsnopis jí pořád tak docela nešel, přesto ji učitelka ubezpečovala, že to nebude trvat dlouho.

Jen o pár dnů později, zatímco se Marietta ještě stále vznášela na obláčku učitelčiny chvály a představovala si zářnou budoucnost, přišel další dopis od Morgana. Vůbec nečekala, že se ozve tak brzy.

Morgan už přicestoval do Londýna, ubytoval se ve Whitechapelu a žádal ji, jestli by se s ním v sobotu odpoledne nesešla na Trafalgarském náměstí.

Srdce jí poskočilo při představě, že jej znovu uvidí, nebyla si však jistá, jestli je to dobrý nápad. Nebylo by nijak složité dostat se v sobotu odpoledne z domu – mohla by tvrdit, že jde nakupovat s kamarádkou ze školy a pak do kina –, ale nechtěla Noaha s Lisette klamat.

Zjistila, že je mnohem jednodušší žít, jak se od ní čeká, líbilo se jí chodit do školy a přátelit se s dívkami stejně dobře vychovanými jako Rose. Večer v Soho jí ukázal, že se může skvěle bavit, aniž by podváděla nebo se na požádání s každým vyspala.

Schůzka s Morganem se týkala obojího.

Jen den předtím mluvila Rose o jedné ze svých kamarádek, která se zamilovala do muže „ze špatného podhoubí", jak to Rose formulovala.

„Chápu, je v tom určitá romantika," přemítala, „ale ona rozhodně nebude žít v dvoupokojovém bytě v drsné čtvrti. Já mám pohodlí moc ráda na to, abych byla spokojená v nějakém krcálku, i kdybych toho muže milovala."

Sice to bylo poněkud povrchní, přesto ne zcela od věci. I Marietta si zvykla na přepych strýcova domova a ráda by tak žila napořád. A byla si poměrně jistá, že s Morganem ji nic podobného nečeká.

Stačí najít muže, z něhož se jí rozbuší srdce? Nebylo by lepší napsat mu, vymyslet nějakou výmluvu a pokusit se na něj zapomenout?

A přece mířila v sobotu odpoledne na Trafalgarské náměstí ve svých nejpěknějších květovaných šatech a bílém klobouč-ku. Byl krásný den a tenký hlásek, který jí našeptával, že by měla mít rozum a myslet na svou budoucnost, přehlušila touha ocitnout se opět v Morganově náruči.

Chvíli pozorovala ženu krmící holuby. Ptáci jí sedali na ra-mena, dokonce i na hlavu. Vtom jí někdo položil zezadu ruku na rameno, až sebou trhla.

„Ahoj, krásko," usmál se Morgan. „Nechtěl jsem tě polekat."

Stačil jediný pohled na něj a podlamovala se jí kolena. Ko-likrát si říkala, jestli není tak pohledný jen v jejích předsta-vách, ale nyní stál před ní a slušelo mu to ještě víc, než si pamatovala. Měl bílou košili s rozepnutým límečkem, šedé flanelové kalhoty a tvídové sako. Jeho tmavé oči jiskřily, na bradě neodolatelný dolíček a opálenou tváří vynikal mezi ble-dými Londýňany.

„Ráda tě zase vidím," pípla Marietta, náhle ostýchavá. „Za jak dlouho se vracíš na loď?"

„Nevracím se, chystám se vstoupit do armády. V pondělí mě čeká lékařská prohlídka."

Nedal jí šanci dál se vyptávat, popadl ji do náruče a políbil. V tu ránu věděla, že se její city k němu nezměnily, srdce jí bušilo, po zádech jí běhal mráz. Toužila po něm.

„Nezajdeme do St. James's Parku?" navrhl, když ji konečně pustil. „O sobotách tam hraje kapela."

Hřejivé slunce vylákalo ven stovky lidí, zamilované dvojice se procházely ruku v ruce, rodiny si dopřávaly piknik na trávníku, starší lidé se vyhřívali na sluníčku.

Před pódiem stála lehátka v úpravných řadách, vesměs obsazená lidmi čekajícími na příchod kapely. Dospělí s dětmi krmili u jezírka kachny.

Morgan položil své sako na trávu, aby se na ně mohli posadit. Vysvětloval, proč se rozhodl narukovat hned a nečekat na povolávací rozkaz.

„Takhle si budu moct vybrat, co budu dělat. Zažádal jsem o zařazení k transportní divizi nebo k sanitkám. Kdybych zůstal na lodi do vyhlášení války, strčí mě někam do strojovny nebo tak. Přeprava cestujících stejně skončí. Jestli se chceš vrátit na Zéland, Mari, měla bys to udělat teď, dokud můžeš."

„Nechci domů," přiznala. „Jen doufám, že to táta nebude vyžadovat." Vyprávěla mu o kurzu pro sekretářky, o životě u tety a strýce. „Po našich se mi stýská, ale v Russellu mě nic nečeká. Ráda bych tu nějak pomáhala. Máma za války řídila ve Francii sanitku. To bych nesvedla, ale určitě se najde jiná příležitost."

„Mluvíš francouzsky, mohla by ses ucházet o místo u vlády, sekretářky se znalostí cizího jazyka se jim budou hodit," podotkl. Poté jí vyprávěl o některých cestujících z lodi a o tom, proč se navzdory nebezpečí války chtějí vrátit. „Lidi si uvědomí vlastenecké pocity, teprve když je jejich země v ohrožení. Jeden chlapík, kterému bylo přes šedesát, mi vykládal, že prostě nemůže zůstat na Zélandu, zatímco mladší členové jeho rodiny budou čelit útrapám a nebezpečí. Říkal jsem si, že je trochu šílené takhle dobrovolně strkat hlavu do lvího chřtánu, na druhé straně mu rozumím, i já chci něčím přispět.“

Ten výmluvný a vášnivý proslov jí připomněl, jak ji znepokojily jeho mizerně napsané dopisy. Nenápadně zavedla téma na školu a zeptala se ho, kam chodil.

„Ptáš se kvůli těm mizerným dopisům?“ Zahanbeně se na ni zadíval. „Chtěl jsem, aby ti napsal někdo jiný, ale připadalo mi to trochu přitažené za vlasy, navíc bych se ti stejně musel jednou přiznat. Asi si myslíš, že jsem trouba, viď?“

„Ne, vím, že nejsi. Ale trochu mě to zaskočilo,“ přiznala. „Napadlo mě, žes možná neměl pořádné vzdělání. Tak mi o tom pověz a můžeme na to zapomenout.“

Zaváhal, sklopil oči. „Rodiče byli cikáni,“ vypadlo z něj nakonec. „Věčně kočovali. Říkal jsem ti, že jsem část dětství prožil v East Endu, tam jsem taky chodil do školy. A sotva jsem se začal učit číst, už jsme vandrovali někam jinam. Nestrávili jsme na jednom místě víc než půl roku. Žijí tak všichni cikáni, vzdělání našim nepřipadalo důležité.“

Marietta cikána v životě neviděla. Četla o nich jen v knihách, kde působil jejich životní styl poměrně romanticky. „Žili jste v maringotce?“

„Ano. Nebo aspoň dokud táta pracoval na poutích a u cirkusu. Máma měla taky svůj výstup. Ale v zimě jsme si vždycky pronajali malý byt. Jenom v East Endu jsme se zdrželi o něco déle, protože táta dostal práci v docích. Ale tenhle život se jim nelíbil, tak jsme nakonec zase práskli do koní.“

„Jsou ještě naživu?"

„Ne, před pár lety zemřeli při nehodě. Táta řídil karavanu cirkusových náklaďáků někde na pobřeží v severovýchodní Anglii a strhla se hrozná bouřka. První náklaďák se srazil s někým z protisměru, přepadl přes útes a rozsekal se na maděru. Dohromady zemřelo tu noc sedm lidí a několik dalších bylo zraněných."

„To je hrozné," zajíkla se Marietta.

„Jo, byla to hrůza. Ale já se to dozvěděl teprve po pohřbu, protože jsem byl v té době na moři. Naposledy jsem naše viděl asi rok předtím a to jsem se s tátou pohádal kvůli mámě. Pokoušel jsem se mu vysvětlit, že by se někde chtěla usadit natrvalo, a on začal vyvádět jako vždycky. Byl to vztekloun, surovec a kašlal na ostatní. Jednu mi vrazil a zařval na mě, ať vypadnu. A já na to, že už mě v životě neuvidí."

Podle toho, jak ze sebe vyprávění vychrlil, poznala, že to ještě nepřebolelo. „To je mi líto," řekla.

Zachmuřeně se usmál. „Nemusí – nebo aspoň táty litovat nemusíš, vykoledoval si to. Ale mrzí mě, jak mizerný život s ním máma měla. Kdyby tam tu noc nebyla, stala by se z ní vdova. Mohl bych jí najít bydlení a postarat se o ni. Zasloužila si něco lepšího."

„A co tví bratři?"

„Dva starší jsou zrovna jako táta," vzdychl. „Nestýkáme se. Mladší brácha Caleb je víc jako já, a kdybych věděl, kde je, podíval bych se za ním. Jenomže nevím."

„Dal ses k námořnictvu, abys vedl jiný život?"

Natáhl se a pocuchal jí vlasy. „Ano, to jsem měl v plánu, ale zjistil jsem, že je to v podstatě totéž, jenom na vodě. Takže se mi nepovedlo zbavit se toho cikána ve mně ani doplnit si vzdělání."

„Ale přece ses musel hodně naučit?"

Pokrčil rameny. „O lidech a o zeměpisu snad. Ale pořád nedokážu ani napsat pořádný dopis."

„Když budeš číst, naučíš se to. Čteš?"

„Zvládnu dětskou knížku, to je tak všechno."

Zůstali v parku do pěti, pak se ochladilo, proto se přemístili do Lyons' na Strandu na čaj.

Uvnitř bylo hlučno, plno lidí, přesto se jim podařilo najít volný stůl v rohu, kde se aspoň slyšeli. Morgan ještě chvíli mluvil o lodi a místech, která navštívil, pak náhle změnil téma.

„Půjdeš se mnou tam, kde bydlím?" zeptal se.

Cosi se mu mihlo v očích – bylo to téměř jako výzva – a Marietta zostražitěla.

„To asi není nejlepší nápad."

„Proč?"

Zaváhala. Jak by mohla přiznat, že nechce do nějakého špinavého pokoje v East Endu?

„Myslel jsem, že mě miluješ," vyčetl jí. „Změnilas názor, protože jsem ignorantský cikán?"

„Nebuď takový," zašeptala, Morgan zvýšil hlas a lidé u vedlejšího stolu se po nich otáčeli. „Tak to vůbec není."

„Ne? Dokaž to a pojď se mnou." Vstal, položil na stůl peníze za útratu a napřáhl k ní ruku.

Cestou dolů po schodech a ven byla Marietta velmi nervózní. „Nebuď tak zarputilý, děsíš mě," prosila ho.

Chytil ji za předloktí a nahnul se těsně k ní. „Povím ti, co děsí mě. Najdu holku, která tvrdí, že mě miluje, a začnu si myslet, že s ní začnu nový život, ale jakmile jí řeknu, odkud jsem a proč neumím dobře číst a psát, okamžitě ochladne."

„Tak to není," bránila se. „Jen se mi nechce chodit tam, kde ses ubytoval."

„Proč ne?"

„Připadá mi to brzy. Ty si asi myslíš, že je to v pořádku kvůli tomu, co jsme spolu měli na lodi, ale i když to bylo krásné, bylo to taky riskantní a já teď nechci riskovat znovu."

Zavrtěl nevěřícně hlavou. „Myslel jsem, že nemáš předsudky jako ostatní. Všichni ohrnují nos nad Židy, černochy, Číňany, Indy, dokonce i Iry, ale cikáni jsou vždycky na prvním místě. A teď vidím, že jsi stejná."

„Nevadí mi, že jsi cikán," ohradila se rozhořčeně. „To je nesmysl. Ale nelíbí se mi, že mě tlačíš do kouta. Nechci otěhotnět, než se vdám, zvlášť když je na spadnutí válka."

„Dal bych si pozor."

Marietta zoufale zavrtěla hlavou. „Jestli budeš takhle pokračovat, možná si vůči tobě předsudek udělám. Ale když už to musíš vědět, nebojím se jen otěhotnění. Prostě nechci do nějakého ošklivého kumbálu ve Whitechapelu a pak z toho mít kocovinu."

Pustil ji a o krok ucouvl, tvářil se poněkud nechápavě. „Tak kam bys chtěla jít?"

Poznala, že doufá, že řekne do hotelu, ale to neměla v úmyslu.

„Moje máma žila někde kousek odsud. Čtvrť Seven Dials. Nemohli bychom tam zajít? Moc ráda bych to viděla. Bydlela v hostinci U Beraní hlavy."

Morgan pokrčil rameny, netvářil se příliš nadšeně. „Jestli to vážně chceš. Je to skoro stejně špinavá čtvrť jako Whitechapel, kousek odsud."

Kráčeli po Strandu, širokém velkolepém bulváru lemovaném půvabnými obchody, a Morgan už byl zase takový jako na začátku. Ukázal jí hotel Savoy s tím, že měl jako první v Londýně elektrické osvětlení, a dodal, že než se dal k námořnictvu, chvíli tu pracoval v kuchyni.

Marietta zůstávala poněkud ostražitá, chtěla, aby to mezi nimi bylo jako předtím, proto se vyptávala na jeho budoucnost u armády a za jak dlouho oblékne uniformu.

„Jakmile má člověk zdravotní prověrku, pokračuje podle mě rovnou do výcvikového tábora," zazubil se. „Určitě mi nedají čas na rozmyšlenou. Předpokládám, že tak v úterý nebo ve středu už budu dělat kliky."

Když zatočili ze Strandu k tržnici Covent Garden, ulice byly čím dál užší a špinavější, potkávali jen málo lidí.

„Tady je klid jedině v sobotu večer a v neděli," konstatoval Morgan. „Během týdne je tu rušno, stánkaři, co prodávají ovoce, zeleninu a kytky, otvírají brzy ráno. V devět, kdy se začíná pracovat v kancelářích, už za sebou mají půlden práce."

Mariettu dost šokovalo, když spatřila skupinu ošuntělých ženských, jak se prohrabují odpadky za stánky a loví z nich ovoce a zeleninu, které nejsou úplně shnilé.

„Nás tohle máma posílala dělat v sobotu večer," poznamenal Morgan. „Ve Whitechapelu toho ale člověk nenajde tolik jako tady. Ona pak zeleninu uvařila s nějakým odřezkem skopového. Jedli jsme to vždycky ještě tři dny."

Marietta se při té představě otřásla. Vzápětí si všimla vybraně oděných lidí, kteří vystupovali z taxi mezi nepořádkem kolem tržnice. „Co tu dělají tihle?" nechápala.

„Jsou z divadel," odpověděl Morgan. „Sice to tu vypadá nepořádně, než se všechno uklidí, ale mají tu řadu prvotřídních divadel a restaurací. Navíc jedině tady si můžeš zajít na skleničku i v ranních hodinách, protože otevírají pro chlapy z tržnice. Často tu potkáš snobské hejsky, jak si dávají ještě pár drinků, než se odpotácejí domů."

Jakmile minuli tržnici, prostředí se proměnilo ve velmi zchátralé. Úzké špinavé uličky připomínaly místa, jaká ve svých knihách popisoval Charles Dickens. Mog často mluvila o době, kdy tu bydlela, ale Marietta si čtvrť vždycky představovala utěšeněji. Nečekala domy černé od sazí a se špinavými okny ani zápach plísně a odpadu.

„A jsme tady, U Beraní hlavy," oznámil Morgan a ukázal na hostinec na protější straně jedné z těch nepatrně lepších ulic. „Nezajdeme dovnitř na skleničku?"

Marietta neodpověděla hned, vybavila si, jak se sem Mog nastěhovala. Dům, kde dělala hospodyni pro Bellinu matku Annie, shořel na popel. Obě je zachránili Garth Franklin a jeho synovec Jimmy a nastěhovali je k sobě do hostince. Když se Belle o pár let později vrátila z Paříže, za Jimmyho se provdala a Mog si vzala Gartha. Přestěhovali se na druhou stranu Londýna.

U Beraní hlavy byla podle všeho typickou anglickou hospodou. Měla vystouplá okna a dveře tak nízké, že každý, kdo šel dovnitř, se musel shýbnout. Zoufale potřebovala novou fasádu a obecně nějakou péči.

Mog líčila, že když se nastěhovala, vypadalo to v obytné části nahoře jako na smetišti. A pokud se dalo usuzovat podle otrhaných závěsů v horních oknech, věci se vrátily do původního stavu.

„Tak co, jdeme dovnitř? Nebo ne?" zeptal se Morgan.

Mariettě se vůbec nechtělo, bála se však, aby ji Morgan nenařkl ze snobství. „No jistě," prohlásila a snažila se tvářit dychtivě. „Těším se, až napíšu domů, že jsem tu byla."

V hostinci z kraje večera nebylo příliš plno. U stolů posedávalo zhruba dvacet hostů, vesměs muži v pracovních oděvech. K Mariettině úlevě tu bylo čisto, kamenná podlaha vydrhnutá, stoly se leskly a zrcadla za výčepním pultem blyštěla. Usoudila, že podsaditý muž v pruhované vestě a s mrožím knírem, který stál za pultem, je majitel a starší ze servírek musí být jeho manželka. Ta mladší měla blond vlasy, červené šaty s hlubokým výstřihem a stejně rudou rtěnku. Chovala se koketně, mávala řasami a načechrávala si vlasy.

Morgan si objednal pivo a Mariettě portské a citronádu, posadili se ke krbu.

Už na lodi mu vyprávěla o matce a o Mog. Teď dodala, že se provdaly za synovce a strýce, kteří podlehli na konci války španělské chřipce.

„Mog říkala, že dokud Garth pracoval tady, lidi se ho trochu báli. Ale stejně je zvláštní ocitnout se na místě, kde kdysi uklízela a zamilovala se do budoucího manžela.“

„Tenkrát se tu scházela divoká sebranka,“ poznamenal Morgan. „A v okolí bylo několik nevěstinců. Musel budit hrůzu, aby na něj nikdo nic nezkoušel. Neříkalas, že pak hospodu prodal a přestěhoval se do Blackheathu?“

Marietta přikývla.

„O srpnových svátcích jsme každý rok chodili na pouť do Blackheathu,“ usmál se. „Máma to tam milovala. Vzala nás do Greenwich Parku, kde byla obora se zvířaty, a taky jsme se chodili dívat, jak děcka boháčů pouštějí lodičky po rybníce. Vždycky si vzpomenu, jak tam bylo krásně teplo.“

„Máma s Mog se naučily být za dámy. K mámě chodily do kloboučnictví samé snobské paničky. Moc o tom ale nevyprávěly, asi protože Jimmy přišel ve válce o nohu a o ruku a asi jim to místo zhořklo.“

„Bylo od nich odvážné, že se nakonec odhodlaly přestěhovat na Zéland,“ pronesl Morgan uznale. „A kde se tvá matka seznámila s otcem?“

„V Paříži, ještě před válkou. Byl tam tehdy i Noah a všichni tři se spřátelili, ale máma se vrátila sem a vzala si Jimmyho. Když pak táta po letech od Noaha zjistil, co se stalo a kde máma je, přijel ji na Zéland hledat. A od té doby jsou spolu a šťastní."

Morgan se usmál. „To zní romanticky. Chudák moje máma, jí se nikdo neptal, koho si chce vzít, sňatek domluvila rodina. Já tak do čtrnácti vůbec nechápal, co všechno musí podstupovat."

Zůstali v hostinci pár hodin a povídali si, ale Morgan se zdál jiný než na lodi. Kdykoli Marietta zmínila, co dělala s Rose nebo kde byli se strýcem a s tetou, vytasil se s historkou o chudobě a útrapách svého dětství.

Jako by na ni žárlil, což se ovšem zdálo směšné. Pokud ji skutečně miluje, měl by být přece rád, že je o ni v Londýně tak dobře postaráno.

Když se lokál zaplnil, odešli a pustili se podél West Endu. Morgan jí ukázal kabaret Windmill Theatre s odvážnými tanečnicemi, uličku Tin Pan, kam si hudebníci chodili kupovat noty, a mnoho divadel, kde hráli známí herci. Byl znovu zábavný a zajímavý.

Mnohokrát se s ní zastavil v tmavé uličce, aby ji políbil, pevně se k ní tiskl, což ji vzrušovalo, ale taky trochu děsilo, bála se, aby se ji nepokusil někam zatáhnout.

Když mu však v deset řekla, že už musí domů, neprotestoval.

„Dojdeme na stanici Green Park, odtamtud se můžeš svézt metrem na St. John's Wood a já pojedu do Bethnal Green. Leda bys chtěla, abych tě doprovodil až domů."

Potěšilo ji, že se nabídl, přesto odmítla. Rozhodně nechtěla, aby je spolu Noah s Lisette viděli dřív, než bude mít příležitost přiznat, kde dnes byla.

„Ještě pár polibků," naléhal Morgan, když se dostali ke Green Parku, a místo na stanici ji táhl do parku.

Držel ji za ruku a vedl ji za keři k zadní straně hotelu Ritz. Hotelovou jídelnu za velkými okny osvětlovaly masivní lustry. Uvnitř visela zrcadla, na stolech se leskly křišťálové sklenice a stříbrné příbory, celá místnost se koupala v lesku.

„Koukni na všechny ty snoby," ukázal Morgan na hosty ve večerních úborech. „Jednou, Mari, se ubytujeme tady. Vsadím se, že tu mají pokoje jako v ráji."

Stáli, drželi se kolem pasu a chvíli pozorovali strávníky, dámy v elegantních večerních šatech s krásnými šperky, distingované pány ve smokingu a motýlku.

„Tobě by smoking moc slušel," usmála se Marietta. „Ale myslím, že tolik peněz, abychom tu mohli přespat a najíst se, mít nikdy nebudeme."

Morgan se otočil, vzal ji do náruče. Začal ji líbat a při tom ji tlačil k velkému stromu u oken hotelové jídelny. Jeho polibky byly vzrušující, Mariettu však náhle přepadl nepříjemný pocit. Morgan ji zavedl na místo, kam nemohl vidět nikdo z kolemjdoucích, zato hotelovým hostům byli plně na očích.

Nikdo se ven nedíval – všichni byli pohroužení do jídla a konverzace –, přesto měla Marietta dojem, že to Morgan dělá záměrně. Možná si nemůže dovolit večeřet nebo bydlet v Ritzu, ale může si to rozdat s holkou přímo za okny.

Pokusila se od něj odtrhnout, říct, že by chtěla jít jinam, on ji však sevřel ještě pevněji. Jednou rukou jí vklouzl pod šaty a do kalhotek a ona okamžitě pochopila, že je skutečně odhodlaný vzít si ji za každou cenu.

Ohromeně ho vzala za ramena a odstrčila. „Už musím jít, Morgane," řekla a doufala, že se v jeho záměrech přece jen spletla.

„Ještě ne, nejdřív si zašoustáme."

Zděšená tím odporným slovem se jej znovu pokusila odstrčit. „Nechci, takhle ne."

„Ale, přitom na lodi to bylo v pořádku. Péro mám pořád stejný," prohlásil a rozepnul si poklopec.

Marietta si vybavila, jak ji ponižoval Sam. „Řekla jsem ne," vykřikla a vší silou do něj strčila. „Přestaň."

„Nemyslíš to vážně. Ty to miluješ," zafuněl a prudce ji narazil ke kmeni stolu.

Mariettě se zatmělo před očima. Takhle se k ní chovat nebude. Pohnula hlavou, jako by jej chtěla políbit, a když se jeho ústa přiblížila, surově ho kousla do rtu. Ve stejné chvíli ho zasáhla kolenem do podbřišku.

Morgan ji pustil, zapotácel se. Na rtech měl krev.

„Jak můžeš být takový!" vybuchla. „Tomu říkáš láska?"

S tím se dala na útěk. Slyšela, jak za ní volá a omlouvá se, ale nezastavila. Vchod do metra se nacházel hned před branou do parku a Marietta seběhla po schodech dolů na zastávku a pospíchala koupit si lístek. Právě když procházela vstupem k eskalátoru a potlačovala slzy, uslyšela Morganův hlas: „Marietto, počkej!"

Ohlédla se, spatřila, jak bere schody po dvou, žene se za ní. „Nechtěl jsem, vysvětlím ti to!" křičel.

Marietta vzdorně pohodila hlavou a nastoupila na eskalátor.

A přece, když se za ní nerozběhl, kajícný a milující, připravený doprovodit ji bez dalších postranních úmyslů domů, vyhrkly jí slzy. Jak jen byla hloupá, když věřila, že ji miluje. Chtěl si jen trochu užít, než narukuje. Připadala si nekonečně ponížená.

Když se Marietta vrátila domů, Lisette s Noahem byli v kuchyni. Lisette na ni zavolala, že připravuje kakao. Marietta by nejraději šla nahoru k sobě a vyplakala se ze zklamání nad Morganovým chováním, ale Lisette a Noahovi by to připadalo divné.

Lisette se jí pochopitelně začala vyptávat, co dělala a jestli se dobře bavila.

„Nebyla jsem k vám upřímná," přiznala Marietta. „Nešla jsem s kamarádkou. Setkala jsem se s Morganem z lodi." Pohlédla na Noaha a vysvětlila mu, že byl Morgan stevard, který se o ni staral na marodce během plavby.

„A proč sis vymýšlela?" divil se Noah.

„Myslela jsem, že byste to neschvalovali," svěsila hlavu. „Na lodi skončil, nastupuje do armády."

„A zamlouval se ti dnes stejně jako na lodi?" zeptala se Lisette. Upírala na Mariettu pronikavý pohled, jako by něco tušila.

„Ne, vlastně ani ne." Marietta zavrtěla hlavou. „Je hezký a dobrý společník, ale nehodíme se k sobě."

„Hezké děvče ve tvém věku by mělo mít spousty obdivovatelů a nebrat žádného z nich příliš vážně," usmál se Noah. „Když už mluvíme o obdivovatelích, dnes telefonoval Gerald. Rád by tě vzal příští týden do divadla, zavolá zítra."

„To je milé," pronesla chabě.

Momentálně měla pocit, že už nikdy nebude žádnému muži věřit. Ale nahlas to neřekla, aby se Lisette nezačala vyptávat.

Později toho večera, zatímco Marietta seděla u svého toaletního stolku a rozčesávala si vlasy, aby byly lesklé, se Morgan choulil na prahu ubytovny ve Whitechapelu.

Nemohl prve za Mariettou běžet do metra, protože by si nejprve musel koupit jízdenku, a než by se dostal na nástupiště, stejně už by byla pryč. Všechno pokazil, měl předvídat, že ji pár měsíců u zazobaných příbuzných v Londýně změní. Co ho to jenom popadlo, že ji začal osahávat jako nějaký divoch?

Už jen z toho, jak vyprávěla o svém životě v Londýně, pochopil, že se nikdy nespokojí s někým jako on. Viděl, jak se dívala na ty lidi v Ritzu, jak jí zářily oči. Bolelo to, protože stejně rozzářeně se na lodi dívala na něj. Sice to neospravedlňovalo, proč se na ni vrhl, ale lepší vysvětlení neměl. Snad si myslel, že když ji znovu vzruší, vrátí se jí do očí ten výraz, s nímž k němu vzhlížela.

Opřel si lokty o kolena, zabořil hlavu do dlaní. Ulice byla i nyní, kolem půlnoci, stejně rušná jako přes den. Opilci se potáceli z hospod a pokřikovali na kolemjdoucí, opodál seděla na chodníku celá rodina a popíjela. Odněkud zněly tóny klavíru, pod lampou na rohu hráli kluci kopanou a každou chvíli někdo vystrčil hlavu z okna a na někoho křikl.

Morgan měl tuhle část Londýna vždycky rád – rozuměl zdejším lidem –, ale jak by se tu mohlo líbit Mariettě?

Viděla by jen bídu, ignoranci, přelidněnost a nedostatky. Neocenila by ducha místních obyvatel, nesmála se jejich humoru a nechtěla by se tu s nikým přátelit.

Marietta se zkrátka rozhodla pro život, jaký jí on nebude moct nikdy zajistit. Ještě horší ovšem bylo, že její poslední vzpomínka na něj bude, jak se ji pokusil znásilnit.

Styděl se do morku kostí.

Kapitola dvanáctá

Když se Marietta na začátku června vracela z posledního školního dne s diplomem, byla celá schlíplá. Závěrečné zkoušky zvládla výborně, ale radost z úspěchu mařilo vědomí, že se bude muset vrátit domů na Zéland.

Válka představovala bezprostřední nebezpečí. Noah se už několik týdnů tvářil ustaraně. V poslední době si s Lisette často šeptali, ale jakmile vešla do pokoje, zmlkli. Pochopila, že probírají její cestu domů. Nemělo smysl prosit, aby ji u sebe nechali, protože rodiče na jejím návratu trvali. Vyšli jí vstříc už jen tím, že jí dovolili dokončit sekretářský kurz a získat diplom. Nyní jej má a není vyhnutí.

Nechtělo se jí odjet. Anglii si zamilovala, a ačkoli působily vrcholící válečné přípravy děsivě – na obloze se objevovaly protiletadlové balony, před budovami se vršily pytle s pískem, okna byla přelepená a stavěly se nové a nové kryty –, chtěla zůstat.

Nepomohlo ani, že bylo teplo a slunečno a Rose s kamarádkami mluvily o letních bálech, piknicích a koncertech pod širým nebem. Všude vládla nálada „udělej to hned, zítra může být pozdě". Dvacetileté a jednadvacetileté muže už povolávali do zbraně, Londýn se hemžil vojáky.

Marietta se snažila hledat na návratu domů pozitivní věci, ale kromě shledání s rodinou, plavání v moři a plachtění ji nic nenapadalo. Bude trčet se založenýma rukama na druhém konci světa, zatímco všichni zdraví muži odtáhnou do války. To nebyla nijak lákavá vyhlídka.

Po incidentu s Morganem byla tak zkroušená, že by možná návrat domů uvítala, ale stačila se s tím vyrovnat. Napsal jí omluvný dopis, byl však stručný a neobratný, nijak jí své chování nevysvětlil, spíše ji jen utvrdil v dojmu, že se k sobě nehodí.

Přesto na něj stále myslela a přemítala, proč se tak zachoval. Ráda by si to s ním vyříkala z očí do očí.

Mezitím chodila ven s Geraldem. Sice k němu necítila víc než přátelství, byl však zábavný, hodný a navíc pravý džentlmen, nežádal po ní víc než polibek na rozloučenou.

Marietta obešla dům, chtěla vejít kuchyní, náhle se však překvapeně zarazila. Na trávníku byl umístěn dlouhý stůl k zahradní party. Byl překrásně prostřený, zdobily jej květiny a svíčky. V tu chvíli jí došlo, že to je pro ni, překvapení, oslava na rozloučenou, o tom si Noah s Lisette v poslední době šeptali.

Sice se jí domů nechtělo, ale od Noaha a Lisette bylo velmi laskavé, že se chtějí rozloučit ve velkém stylu.

Z kuchyně vyšla Lisette, zastavila se, pak ji rozesmál Mariettin omráčený výraz. „Ano, to je pro tebe, chtěli jsme oslavit, žes udělala zkoušky. Modlila jsem se celé týdny za teplé počasí, abychom mohli uspořádat party na zahradě, a mé modlitby byly vyslyšeny."

„Vypadá to překrásně." Mariettě vyhrkly slzy, tak byla dojatá. „A vy jste to všechno dokázali utajit!"

„Máme tě rádi." Lisette jí otřela slzy cípem zástěry. „Ukaž mi ten diplom, musíme ho vystavit někam, kde na něj všichni uvidí."

Marietta vytáhla diplom z obálky.

„Absolvovala s vyznamenáním!" zvolala Lisette. „Noah na tebe bude moc pyšný. Teď se utíkej převléknout. Musíš vypadat co nejlépe, brzy začneme vítat hosty. Rose už je nahoře."

O půl sedmé byla Marietta připravená, na sobě měla šaty z krémové krajky. Rose jí upravila vlasy a vetknula do nich několik růžových poupat.

„Papá chtěl, abychom přišly dolů dřív, než dorazí hosté, abychom si užili chvíli v rodinném kruhu," řekla a připevnila poslední pramínek. „Doufám, že to nebude zároveň oslava na rozloučenou a že tě neposadí do příští lodi. Nechci, abys odjela, Mari. Já vím, je to ode mě sobecké, určitě se těšíš domů, ale jsem moc ráda, že jsi tu."

„Ani já nechci domů," přiznala dojatě Marietta. „Jenže naši si to přejí. Tak si musíme dnešek pořádně užít, možná už nebudeme mít další příležitost."

Dole ve společenském salonu jim Noah podal sklenku šampaňského a všichni Mariettě připili. Lisette posléze požádala Rose, jestli by jí nepomohla v kuchyni. Marietta poznala, že jí chce Noah něco vážného povědět, a poklesla na duchu.

„Lisette si myslí, že bych měl počkat do zítřka," začal vážně. „Ale všichni tví přátelé si budou myslet, že jde o party na rozloučenou, proto jsem se rozhodl povědět ti to hned."

Odmlčel se, jako by nevěděl, jak dál. „Nechal jsem se trochu zaslepit," povzdechl si. „Myslel jsem, že nebude problém dostat tě domů, ale ukázalo se, že v podstatě všechny lodě, které teď odplouvají na Zéland, se využívají jako nákladní, a těch pár, které ještě přepravují cestující, je plně obsazených. Je mi to moc líto, má milá, ale pokud se něco nenaskytne na poslední chvíli, budeš u nás muset zůstat."

Marietta se nezmohla na slovo.

„Pokoušel jsem se zatáhat za nitky," dodal, protože si její mlčení vykládal jako sklíčenost. „Ale bohužel to nijak nepomohlo. Zklamal jsem tebe i tvé rodiče, moc mě to mrzí."

V Mariettě vytryskl gejzír radosti. Nejraději by Noaha objala, tančila s ním po pokoji, pověděla mu, že je to splněný sen. Ale odolala. Vhodnější bylo tvářit se úzkostně a zklamaně, že se s rodinou hned tak neshledá.

Položila mu ruku na rameno. „To nic, strýčku, nikdo nemohl vědět, co se stane. Snažil ses. Stejně mám matku Angličanku a otce Francouze, možná je správné zůstat a přispět nějak k válečnému úsilí."

Noah se přestal mračit. „To je od tebe statečné a ušlechtilé, Mari. Musím říct, že nikdo z nás se s tebou nechtěl rozloučit, zamilovali jsme si tě. Budu se snažit najít dům někde mimo Londýn, abyste byly v bezpečí před nálety."

„Dnes už o tom nemluvme," požádala Marietta. „Teta Lisette si dala s přípravami takovou práci, tak ať se oslava vyvede."

Party byla výtečná. Většinu ze zhruba dvaceti hostů tvořili lidé, s nimiž se Marietta spřátelila prostřednictvím Rose. Všichni k ní byli od začátku velmi vstřícní, brali ji s sebou na výlety a večírky, a když se dozvěděli, že zůstane, zaradovali se. Jídlo bylo vynikající, víno teklo proudem, a když padla tma, zahrada vypadala ve světle svíček a barevných lampionů na keřích kouzelně.

Mariettě připadalo jen poněkud zvláštní, že nepřišli Jean-
-Pierre a jeho žena Alice. Jistě je přece na rodinnou oslavu
pozvali? Byla to pro ni záhada. Setkala se s nimi dvakrát a jen
krátce, ale i v těch několika okamžicích vycítila napětí. Lisette
občas zašla k synovi na návštěvu – vesměs na oběd –, ale po
návratu o těch schůzkách nevyprávěla. Marietta se na to ze-
ptala Rose, ta však jen pokrčila rameny. „Jean-Pierre je divný
pavouk," řekla, jako by to něco vysvětlovalo.

Marietta na něj brzy zapomněla, přišlo tolik lidí, s nimiž si
chtěla popovídat, domlouvaly se příští akce.

Rose přinesla ven gramofon a pouštěla na něm desky. Marietta
se snažila příliš nepouštět do tance a veselí, chtěla Noaha s Lisette
přesvědčit, že je ještě trochu otřesená tím, co se dozvěděla.

Mog o ní často tvrdila, že je prohnaná, teprve nyní však
Mariettě došel plný význam jejích slov. Doma jí bylo vždycky
jedno, jestli se na ni rodiče zlobí, ale jakmile si uvědomila, že
by chtěla zůstat v Anglii, mohla se přetrhnout, aby si ji Noah
s Lisette zamilovali a nechtěli ji poslat domů.

Uvědomovala si, že chovat se vstřícně, uznale, přívětivě
a láskyplně, jen aby dosáhla svého cíle, je trochu zákeřné, ač-
koli to nebylo nijak těžké, protože Noah, Lisette i Rose byli
milí a rozumní lidé.

Možná Rose vyjadřovala poněkud větší obdiv, aby se jí za-
vděčila, dívka však na druhé straně naplánovala spoustu věcí,
z nichž byla Marietta upřímně nadšená. Snažila se také trávit
čas s Lisette, což Rose nedělala, a vyptávat se Noaha na psaní,
dějiny Anglie a cokoli dalšího, co jej zajímalo.

Nakonec už vlastně nešlo o to, aby si je naklonila, protože si
je upřímně zamilovala. Noah byl fascinující člověk a v Lisette
byla skrytá hloubka, do níž chtěla proniknout a odhalit její ta-
jemství. Musela uznat, že kdyby se s Rose seznámila doma na

Zélandu, byla by ji okamžitě pořádně zpražila – dívka měla předsudky, chovala se jako snob a občas byla trochu zlomyslná –, měla však jiné dobré vlastnosti, jimiž své nedostatky vyvažovala, například trpělivost, s jakou Mariettu učila tančit, smysl pro humor a loajalitu. Nikdy nepomlouvala, neponižovala Mariettu před svými kamarádkami a byla jí oporou.

Marietta se spíš styděla za to, jak podvádí Geralda. Tvářila se celá šťastná, kdykoli ho viděla, předstírala, že ji jeho polibky vzrušují, ve skutečnosti se jí spíš líbilo, jak ji vodí na večeře a chová se k ní jako k dámě.

Zahlédla jej bavit se u stolu s Rose, Peterem a pár dalšími, přesto se po ní toužebně ohlížel oddaným pohledem. Byl ovšem ohleduplný a zřejmě vycítil, že chce Marietta chvilku pro sebe. Počká, než k němu přijde sama. To se jí na něm líbilo – vlastně jej měla upřímně ráda, ale jako přítele, nic víc.

Zdokonalila se ve hře na ideálního hosta natolik, že se z ní stala i ideální dcera. Když telefonovala s rodiči, dala si záležet, aby jim pokaždé pověděla, jak moc jí oni, bratři i Mog chybí. Zajímala se o všechno, co dělají, chtěla je přesvědčit, že dospěla a naučila se zodpovědnosti. Vyprávěla jim jen novinky týkající se kultury nebo vzdělání, například jaké hry viděla v divadle, o baletu v Sadler's Wells a o přátelství se spolužačkami ze školy. Party a divočejší zábavu vynechávala.

Před několika týdny, když byla v Noahově pracovně, si potají přečetla nedopsaný dopis, adresovaný jejím rodičům. Noah jim psal s láskou a náklonností o tom, jak se Marietta chová dospěle, jak má plno přátel a pomáhá Lisette. Skončil v místě, kde zmiňoval, jak budou všichni litovat, až odjede. Napadlo ji, jestli je náhodou nechtěl poprosit, aby ji v Anglii ještě nechali.

Kdyby se jen mohla zbavit myšlenek na Morgana, považovala by se dnes večer za nejšťastnější dívku na světě. Nechápala, proč na něj musí stále myslet poté, co se k ní choval tak nemožně.

Snad to bylo jen dobře, že se předvedl ve skutečném světle, protože pobyt zde, v St. John's Wood, v ní probudil chuť na lepší život, který by ji po jeho boku nečekal. Možná je příliš vypočítavá, ale nedovedla si představit, jak žije v chátrajícím dvoupokojovém bytě a nosí každý den stejné šaty, ani kdyby se k ní Morgan choval jako ke královně.

„Já chci tohle," zašeptala sama pro sebe, když sledovala, jak spolu Noah a Lisette tančí v láskyplném objetí. Bylo zřejmé, že ti dva k sobě zkrátka patří. I když se tu a tam kvůli něčemu nepohodli, jeden z nich se vzápětí rozesmál a bylo po všem a už se objímali. Marietta si nedovedla představit, že by je někdo nebo něco dokázalo rozdělit. S jejími rodiči to bylo stejné, ačkoli matka nebyla tak krotká jako Lisette.

Napadlo ji, jestli člověk pozná, že potkal toho pravého, hned od prvního setkání. A pokud ne, jak dlouho trvá, než máte jistotu?

V týdnech po party se lidé z nenadání začínali více soustředit na to, co je důležité a co není. Každý chtěl žít naplno, protože nikdo nevěděl, co číhá za rohem, cítili v zádech mrazivý dech smrti. Počasí v červenci a srpnu se nádherně vydařilo, dny byly vesměs slunečné. Noah říkal, že ještě neviděl tolik lidí na pikniku na Hampstead Heath a plavat v tamních jezírkách.

Lidé byli ohledně blížící se války pozoruhodně klidní, ale nejspíš za to mohl nedostatek informací, všichni věřili, že se válku přece jen podaří odvrátit.

Marietta byla díky Noahovi informovaná. Když vpadla v březnu Hitlerova vojska do Československa, zuřil. A když

Německo s Itálií uzavřely v květnu ocelový pakt, nikdo už o přípravách na agresi nepochyboval.

Smysl pro povinnost a potřeba držet prst na tepu doby Noaha pobízely sbalit Lisette, Rose a Mariettu a poslat je na začátku srpna na chalupu blízko Arundelu, zatímco on zůstal doma v Londýně.

„Já teď stejně budu jen sýčkovat o válce," loučil se s nimi, když je vyprovázel k autu. „Užijte si to, možná si hezkou dovolenou hned tak nedopřejeme."

Auto se rozjelo. Marietta se zadním oknem dívala na svého kmotra, stojícího na prahu. Náhle vypadal starší a ustrašenější.

„Děsí ho věci, které viděl v minulé válce," ozvala se Lisette, která zřejmě myslela na totéž. „Byl si tak jistý, že ty miliony statečných mladíků na obou stranách padly, aby zajistily trvalý mír. Jenže se spletl a to je pro idealistu hořké sousto. Ráno mi povídal, že si najde nějakou válečnou práci, doufám, že mu to pomůže se sebrat."

Marietta pomyslela na svého otce. Nikdy dříve nemyslela na to, čím musel za války projít. Věděla, že je válečný hrdina a získal válečný kříž, nejvyšší francouzské vojenské vyznamenání. Cítí se nyní jako Noah? Myslí na to, že ani všechny oběti jeho krajanů nebyly k ničemu? Stárl a muselo pro něj být těžké sledovat, jak mladíci plní páry a vlastenectví rukují do války, v níž mnozí padnou.

Dělá si starosti o ni? Bojí se, aby ji nezranili nebo nezabili? Telefonovala s ním krátce poté, co Noah vysvětlil, proč se nemůže vrátit domů, a otec působil klidně. Ale řekl něco, co jí připadalo velmi nezvyklé.

„Ve válce se může projevit to nejlepší i to nejhorší v nás, Mari. Skutečná odvaha je držet se toho, co je správné, za každou cenu, i když se zdá, že není žádná naděje. Doufám, že se do podobné situace nikdy nedostaneš, ale kdyby ano, vzpomeň si na má slova."

Avšak pochmurné myšlenky na válku a na to, co přinese, vzaly za své, když Lisette s dívkami dorazily k malebné chalupě s doškovou střechou v Arundelu. Uvnitř se nacházely jen obývací pokoj s kuchyní a dvě ložnice, žádná koupelna, toaleta stála venku na zahradě, ale bylo tu nádherně, navíc krásná vyhlídka na louky a řeku. Rose říkala, že uvnitř je to jako v domečku pro panenky. Navrhla také, aby se střídaly ve vaření a uklízení, aby si Lisette skutečně odpočinula.

Zazubila se na Mariettu. „To samozřejmě znamená, že se pořádně najíme jen jednou za tři dny, až bude na řadě mamá. Ode mě můžete čekat leda salát, o moc víc toho neumím."

Bylo hezké vidět Lisette odpočívat. Doma měla věčně napilno, pracovala jako dobrovolnice, navíc se starala o zahradu a drobné činnosti v domě. Marietta často nechápala, proč to nepřenechá paní Andrewsové – přece jen ji platili jako hospodyni.

„Není to zvláštní, že když člověk odjede někam pryč, užívá si obyčejné věci mnohem víc?" poznamenala Rose druhý den ráno, když snídaly venku u stolku přede dveřmi do kuchyně. „Doma snídáme toasty každý den, ale tenhle, s tou vynikající marmeládou, chutná venku stokrát líp. Doma by mi připadalo hrozně otravné chodit do obchodu pro vajíčka, zato tady se na procházku a na nákup těším."

„Kdybys tu žila natrvalo, brzy by tě to přestalo bavit," zasmála se Lisette. „A když už mluvíme o nakupování, měly bychom pořídit zásobu cukru, čaje, mouky a dalších věcí. Jakmile začne válka, všechno bude na příděl."

„A není hromadění jídla nečestné?" zeptala se Rose.

„Možná, ale pamatuji si, jaké je být bez něj a jak to bylo za války strašné. Když byla Belle ve Francii, občas jsem zašla do Blackheathu. Mog se vždycky nějak podařilo sehnat maso a sýr, Garth je asi nosil z černého trhu. Tolik jsem jim záviděla. Než jsem odešla, vždycky mi napěchovala tašku malými balíčky. Taky jsme zavařovaly ovoce, což bychom měly udělat, jen co se vrátíme domů – mohly bychom tady nakoupit švestky a vzít je s sebou."

„Mog zavařuje pořád, dělá džemy a čatní," usmála se Marietta. Náhle měla před očima Mog, jak míchá ve velkém hrnci na sporáku, a na kuchyňském stole stojí vyrovnané řady lesklých sklenic s džemem. „Mohly bychom na zahradě pěstovat zeleninu, teto Lisette, a možná pořídit slepice. To nás doma zásobovalo, když byla před pár lety nouze – a taky tátovo rybaření. Vím o slepicích všechno, můžu se o ně starat."

Lisette se zasmála jejímu zanícení. „Nečekala bych od tebe, že budeš navrhovat pěstování zeleniny a chov slepic. Ale máš pravdu, přesně to bychom měli udělat. Když jsem byla malá, měli jsme slepice, prasata a zeleninovou zahradu. Já si místo ní přála nějakou okrasnou, plnou květin. Když Noah koupil ten dům, kde teď bydlíme, byla jsem šťastná, že mám konečně květiny. A teď po mně chcete, abych ji zryla a pěstovala jídlo?"

Bylo to vůbec poprvé, co Lisette zmínila své dětství, a Marietta chtěla vyzvědět víc.

„Mohla by sis nějaké květinové záhony nechat," navrhla. „Byla tvá rodina chudá?"

„Velice chudá," vzdychla Lisette. „Pocházím z pěti dětí, chodili jsme v děravých botách a hladověli. Jak já snila o jídle – pečeném hovězím, vepřovém a ovocných koláčích. Chtěla jsem mít hezké šaty a jemné prádlo, teplý kabát, boty, které by mi dobře padly. Ve čtrnácti jsem utekla do Paříže přesvědčená, že tam na mě všechno tohle čeká. Jenže jak jsem zjistila, k takovým věcem vede jen jediná cesta, a tou je tvrdá práce."

„Nebo sňatek s bohatým mužem," dodala Marietta.

„Bohatí pánové se nežení s chudými venkovankami v otrhaných šatech," opáčila zostra Lisette.

Marietta se začervenala, vycítila, že se dotkla citlivého místa.

„Nikdy jsi nemluvila o svých sourozencích. Jsou ještě naživu?" zeptala se Rose.

„Sestra zemřela v roce 1911 na zápal plic. Bratři možná padli za války, pokud ne, je jim teď mezi šedesátkou a sedmdesátkou, já byla nejmladší. Už dávno jsme se přestali stýkat. Byli zlí, nechci s nimi nic mít."

Marietta si byla jistá, že to není celý příběh, nechtěla však naléhat.

Jinak si užívaly tu nejlepší dovolenou. Bylo krásné počasí, chodily na dlouhé procházky krajinou, zajely si vlakem do Littlehamptonu, jindy sedávaly v zahradě a četly. Nakoupily zavařovací sklenice a zavařily angrešt a švestky, vyrobily také spoustu malinového džemu. Po večerech hrály karty nebo si povídaly.

Blížil se konec srpna a zdálo se, že všichni v Anglii tají dech, čekají, až bude v rozhlasu vyhlášena válka. Protože v chalupě neměly rozhlas, domluvily se s postaršími sousedy, že si k nim přijdou v neděli třetího září poslechnout proslov premiéra Nevilla Chamberlaina.

Byl horký a ospalý den. Všichni se sesedli kolem radiopřijímače, jakmile se však ozval Chamberlainův vážný hlas, pochopili, že nemá dobré zprávy.

„Dnes ráno předal britský velvyslanec v Berlíně německé vládě konečnou nótu, že pokud do jedenácti hodin neoznámí, že jsou připraveni stáhnout ihned svá vojska z Polska, ocitneme se ve válečném stavu. Nyní s lítostí oznamuji, že žádná taková opatření učiněna nebyla a tím pádem naše země vstoupila do války s Německem."

V tu chvíli jako by se všechno zpomalilo. Marietta sledovala, jak Lisette stéká po tváři slza, viděla zděšení obou sousedů, kteří přišli v předchozí válce o oba syny. Rose jako zkamenělá zírala do prázdna.

Marietta si všimla včely, která uvízla v krajkových záclonách na okně. Nejraději by ji šla vysvobodit, něco tak triviálního jí však v takové chvíli připadalo nepatřičné.

„Bůh vám všem žehnej," zakončil Chamberlain proslov. „Budeme bojovat proti zlu – násilí, pomýlené víře, bezpráví, útlaku a pronásledování – a spravedlnost nakonec nepochybně zvítězí."

Jako první promluvil starý soused: „Válka neválka, stejně musím zalít fazole."

Tím se ticho prolomilo. Lisette vstala a poděkovala sousedům, že u nich mohly vyslechnout vysílání. Poté se vrátily do chalupy.

Všechny tři mlčely, přesto bylo zřejmé, že prázdniny skončily. Lisette postavila na čaj, Marietta s Rose seděly u stolu a čekaly na její pokyny.

„Měla bych jít zavolat z budky Noahovi," pronesla Lisette. „Počítám, že pro nás poslal Andrewse. Než se vrátím, můžete začít balit."

„Za jak dlouho začne bombardování?" zeptala se úzkostně Rose.

Lisette ji chlácholivě pohladila po tváři. „Nevím, miláčku, ale dá se předpokládat, že Německo napadne nejprve Francii. Přesto začali v pátek evakuovat všechny děti z Londýna. A už několik týdnů nás pobízejí, abychom s sebou všude nosili plynové masky, možná se přece jen čeká bezprostřední útok."

„Je moudré vracet se do Londýna?" strachovala se Rose. „Nemohl by papá přijet sem za námi?"

„Já tu nechci zůstat. Chci dělat něco užitečného pro válku, což znamená být v Londýně," ozvala se dychtivě Marietta. Prázdniny v Arundelu se jí líbily, ale po pár měsících by se tu unudila k smrti. „Určitě chceš přece taky něco podniknout, Rose. A nebudou tě potřebovat tví klienti?"

„Většina jich stejně Londýn opustí," namítla Rose.

„Noah rozhodne, kde budeme po dobu války žít," prohlásila Lisette. „Já osobně bych raději riskovala ve svém vlastním domě. Koneckonců máme dobrý sklep. Mé místo je po manželově boku."

Pouhý den po návratu z Arundelu se Peter s Geraldem zastavili oznámit, že narukovali k RAF. Oba patřili k sboru leteckých kadetů už na škole a měli s létáním zkušenosti, proto se od nich čekalo, že hned následujícího dne nastoupí k pilotnímu výcviku, aby se naučili pilotovat spitfiry a hurricany.

Marietta jim oběma tleskala, zato Rose se s pláčem vrhla Peterovi do náruče. Bála se, že o něj přijde.

„Ale no tak, děvče," chlácholil ji poněkud rozpačitě. „Musím odvést svůj díl pro krále a vlast. Budeme dostávat dovolené. Jsme jen v Kentu, budu tě moct navštěvovat."

Mariettě náhle připadal Gerald mnohem přitažlivější. Když si později večer vyrazili do Hampstead Heath na skleničku, vášnivě jej políbila na parkovišti před hostincem a slíbila, že mu bude psát.

„Vědět, že jsi moje děvče a čekáš na mě, pro mě moc znamená," vydechl a zasypal ji polibky. „Jsi pro mě ze všech nejdůležitější." „I já tě mám moc ráda," řekla a náhle si uvědomila, že je to pravda. „Hlavně na sebe dej pozor, Gerry."

Ukázalo se, že pokud jde o veřejnost, prozatím není důvod k panice nebo unáhleným rozhodnutím. Nestalo se vůbec nic. Žádné bombardování, žádná hrozba bezprostřední invaze, zkrátka nic. V novinách psali, že Němci obsadili Polsko, v Anglii tomu říkali „podivná válka". Lidé si stěžovali na přídělové lístky a povinnost zatemňovat, jako by nevěřili, že Anglii může nějaká válka zasáhnout. Kolem Vánoc se většina evakuovaných dětí do Londýna vrátila.

Když přijely Marietta, Rose a Lisette z Arundelu, nechal se Noah nakonec i s ohledem na manželčiny prosby a omezené příděly benzínu přesvědčit, že se z Londýna stěhovat nebudou. Rozhodl se nechat auto po dobu války v garáži a poslal pana Andrewse uklidit a nabílit sklep, aby byl připraven posloužit v případě potřeby jako protiletecký kryt.

Mariettu zařizování sklepa bavilo. Noah koupil nejen postele, ale i parafinové ohřívače a petrolejky pro případ, že by vypadla elektřina, Marietta si vzala na starost lampy. Připadalo jí trochu ironické, že ještě před nedávnem měla doplňovat lampy a zastřihávat knoty doma na Zélandu. Lisette jí umožnila vstup na půdu, kde našla staré obrazy, knihovnu a různé drobnosti, jimiž sklep vybavila, knihovnu naplnila knihami a přinesla také několik deskových her a skládaček.

„Nechápu, jak můžeš být tak nadšená vyhlídkou, že tu budeme trčet," poznamenala Rose, když se zašla dolů podívat. Znechuceně nakrčila nos. „Smrdí to tu a je tu zima. Měly jsme zůstat na venkově, skoro všechny moje kamarádky už odjely."

Mnozí z jejich sousedů v St. John's Wood zatloukli okna svých domovů a z Londýna se vystěhovali. Pan a paní Andrewsovi se rozhodli odjet k příbuzným na farmu v Dorsetu. „Budou nás potřebovat víc než vy," soudila paní Andrewsová. „Všichni mladí museli narukovat, zůstali na farmu sami."

Ráno po jejich odjezdu přišel k Mariettině ohromení dopis od Morgana, stejně špatně a neobratně napsaný jako ty předchozí.

Vím že jsem se choval špatně. Ale miluju tě. A nechtěl jsem ti ublížit. Odepiš mi prosím tě žes mi odpustila. Odplouvám s plukem do Francie. A pošli mi prosím tě fotku.

Říkala si, že by měla být rozčilená, ale dokázala jen žasnout nad jeho troufalostí. Napsal jí, jen protože měl strach z války a chtěl se aspoň utěšovat, že má doma děvče. Jenže ona už tím děvčetem být nechtěla. Přesto o něj měla strach.

Druhý den ráno šla na pracovní pohovor do Baker Street. Cestou musela myslet na to, jak jsou Morgan a Gerald odlišní, přitom oba touží, aby jim napsala. Kdyby ji Gerald dokázal rozehřát jako Morgan, bez váhání by souhlasila, že se za něj provdá. Měl všechny kýžené kvality – dobrou rodinu, vzdělání, vyhlídky, byl vynikající společník, zkrátka muž, jakého si pro ni všichni přáli.

Sice neměla v úmyslu Morganovi odepisovat – po tom, co se stalo, by musela být na hlavu padlá –, přece jen však cítila jistou lítost, když si vzpomněla, jak byl hezký a jaký byl milenec.

Vzhledem k tomu, že právě začala válka a brzy se leccos změní, bude možná nejlepší ponechat si volnost.

Kapitola třináctá
Londýn, květen 1940

Pan Greville vyšel ze své kanceláře a hlasitě si odkašlal, aby si získal pozornost. Marietta, která právě sepisovala dopis dodavateli, zpozorněla a upřela oči na svého šéfa, stejně jako ostatní dívky v kanceláři.

„Pan Chamberlain rezignoval na post premiéra," oznámil s obvyklou pompézností.

„A kdo zaujme jeho místo, pane Greville?" chtěla vědět Doris, hlavní účetní, která se považovala za nadřazenou celému osazenstvu.

„Určitě Winston Churchill, je asi jediný, kdo by se na takový post hodil, i když je trochu hulvát," odpověděl Greville. „Počítám, že se to brzy dozvíme. Jedno je ale jisté, bude třeba více uniforem."

Zmizel ve své kanceláři. Marietta si pomyslela, že jeho očividná radost z válečného zisku je poněkud nechutná.

V době, kdy k němu před osmi měsíci – v září – přišla na pohovor, shledávala jedinou kladnou stránkou tohoto zaměstnání, že jí cesta z domova trvá pouhých deset minut pěšky.

Nijak ji nelákalo pracovat pro firmu, která šije uniformy, kancelář na Baker Street byla tmavá a pan Greville jí připadal slizký. Plně si však uvědomovala, že je mladá a nezkušená a lepší nabídku najde jen těžko.

Rose se za ní jednou zastavila a prohlásila o Grevillovi – čtyřicátníkovi s naolejovanými tmavými vlasy a schlíplým knírem –, že je to „šmelinář z East Endu, jen o fous lepší než pacholek ze stájí“. Přesto šlo o protřelého obchodníka. Před osmnácti měsíci se v jeho továrně v Shoreditchi šily dámské kabáty, pohotově však získal zakázku na uniformy pro vládu a obratem změnil výrobu.

Přes Mariettiny výhrady se nakonec ukázalo místo jako lepší, než čekala. Oblíbila si Polly, Dorisinu asistentku, i Susan, která doplňovala administrativu, navíc se zmýlila, když se domnívala, že se po ní Greville do týdne pokusí vyjet. Nikdy neřekl ani neudělal nic nepatřičného.

Dokonce se ani nenudila. Původně si myslela, že bude jen zapisovat diktáty a sestavovat dopisy pro textilní továrny v severní Anglii, ale nakonec toho bylo mnohem víc. Musela vyřizovat objednávky spon a knoflíků, získávat vzorky z továren a další věci, často také chodila do továrny v Shoreditchi a kontrolovala stav výroby. Zapisovala těsnopisné poznámky z Grevilleových schůzek s vojenskými důstojníky a čas od času ji požádal, aby jej doprovodila na pracovní oběd nebo večeři.

„Hezká tvářička a trocha vytříbenosti většinu mužů přesvědčí,“ prohlásil při její první návštěvě hotelu Savoy. Jeho uznání si získala, když se ukázalo, že jeden z hostů je Francouz, a ona byla schopna pro něj překládat.

Marietta věděla, že za onu vytříbenost vděčí Noahovi a Lisette. Vlastně mohla veškeré změny k lepšímu od chvíle, kdy před sedmnácti měsíci opustila Nový Zéland, přičítat jejich vlivu. Nešlo jen o to, že ji poslali do školy, brali do divadla, že jí Lisette radila, jak být šik a vypadat jako dáma, především jí otevřeli oči vůči vlastnímu potenciálu.

Doma v Russellu se zdálo, že má nadání jedině k plachtění, rybaření a šití. Kvůli tomu navíc neměla příliš o čem s lidmi konverzovat, protože jiné zájmy neměla. V Londýně se však nakazila Noahovým zápalem pro dějiny a události ve světě, Lisette ji zase naučila zajímat se o druhé. Dnes byla schopná uspořádat bez společenských přehmatů slavnostní večeři, naučila se pokládat správné otázky, jimiž umožní hostům zazářit, a tím pádem ji budou považovat za inteligentní a starostlivou.

Pamatovala si, jak se v Russellu kolikrát probudila a už před snídaní byla znuděná, každý den se odvíjel zcela předvídatelně. Stále stejná rutina, stejné tváře, stejné hovory o počasí opepřené klevety.

Zato nyní dokázala vést příjemnou konverzaci i s cizím člověkem v autobuse. Lidé měli potřebu ventilovat své zděšení nad ohavnostmi v Polsku a obdivovat odvahu, s níž Poláci brání Varšavu. Tito cizí lidé často zmiňovali, že se firma, pro kterou pracují, stěhuje na „bezpečné" místo na venkově, mladé ženy se svěřovaly, že se chystají přidat k pozemní armádě nebo k Ženským pomocným leteckým sborům. Ať už ale lidé mluvili o válce obecně, nebo o své malé úloze v ní, nepochybně viselo ve vzduchu vzrušení a očekávání.

V Londýně stále neměli žádný hmatatelný důkaz války – kromě toho, že téměř každý muž schopný služby narukoval –, přesto se s každým dnem blížila. V dubnu napadli Němci Dánsko a Norsko a podle Noaha bylo jen otázkou dnů, než se proženou Nizozemskem, Belgií a Lucemburskem. Dělal si vážné obavy o Francii, protože její vojska se shromáždila na Maginotově linii v pevnostech a u protitankových zátarasů na německé hranici se Švýcarskem a Lucemburskem a on nechápal, jak mohou být tak zaslepení a nevidět, že útok přijde z Belgie.

Ovšem v Anglii probíhal každodenní život v podstatě stejně jako před válkou. Příděly, zatemňování a povinnost nosit s sebou plynové masky byly nepříjemné, ale prozatím spočívalo největší nebezpečí v tom, že mohl člověk potmě do něčeho vrazit nebo zakopnout.

Marietta s Rose se strachovaly o Davida s Geraldem, kteří mezitím dokončili pilotní výcvik a mohli být každým okamžikem povoláni k náletům na nepřítele. Přesto kdykoli dostali volno a přijeli domů, měli dobrou náladu a byli připravení vyrazit si s děvčaty do města, a podle všeho, co vyprávěli, se i na základně docela dobře bavili.

Marietta k Geraldovi silně přilnula, a ačkoli nehořela vášní, milovala jej jako nejdražšího přítele. Těšila ji jeho společnost, byl zábavný, hodný a dobře se s ním povídalo. Mrzelo ji, že s ní jeho polibky nic nedělají. Z celého srdce si přála cítit se s ním jako na lodi s Morganem.

Morgan byl nyní někde v severní Francii. Nakonec se uvolila a odepsala mu, čistě protože mu potřebovala sdělit, jak ohavně se toho večera zachoval, a vysvětlil, že tím v ní zabil veškerou náklonnost, již k němu předtím cítila.

On však odepsal s tím, že její pocity chápe a že se za sebe stydí. Přesto prosil, aby mu čas od času napsala, protože od nikoho jiného čekat dopis nemůže.

A tak mu psala dál, z lítosti. Jenže jeho neschopnost napsat hezký dopis byla stejně k zešílení jako Geraldova neschopnost probudit v ní vášeň. Morgan nebyl schopen vyjádřit, co k ní cítí, co dělá nebo jak se mu daří v armádě.

Stále tvrdil, že ji miluje. Z dopisu se však nedalo poznat, jestli to myslí upřímně, nebo si jen uchovává její obraz jako útěchu daleko v cizí zemi.

Pokud šlo o její city k němu, byly smíšené. Stále se jí vracely vzpomínky na milování a na jeho pohlednou tvář, uvědomovala si však, že ho ve skutečnosti nezná.

Zato Geralda znala. Často jezdil domů a bral ji na večeře a tancovat, navíc jí psal nádherné dopisy. Upřímně se zajímal, jak se jí daří, často připojil úryvek z nějaké své oblíbené básně, psal o knihách, které četl, líčil žertovné historky s ostatními letci. Očividně se nemohl dočkat své první mise, ale tu a tam přiznal, že má strach. Právě díky jeho dopisům zjistila, jak dobrý je to člověk – statečný, upřímný a velmi otevřený.

Jak tvrdila Rose, žena má nejlepší vyhlídky na dlouholeté a šťastné manželství s mužem, který je „odpovídající" a zároveň přítel, a se zamilovaností se prý moc nadělá. Snad měla i pravdu, jenže Mariettě připadalo, že Rose ještě žádný muž „neprobudil". V opačném případě by možná změnila názor.

Pár hodin poté, co pan Greville oznámil Chamberlainovu rezignaci, krátce po polední pauze, si zavolal Mariettu do kanceláře.

„Pošlu vás do Shoreditche s nějakými instrukcemi," oznámil a vložil jakési listiny do velké hnědé obálky. „Právě jsem dostal velkou objednávku dalších uniforem, tím pádem budou muset děvčata v továrně pracovat usilovněji a déle, abychom vše stačili. Zašel bych za nimi sám, ale musím odjet do Yorkshiru a urychlit tam naši objednávku. Zastoupíte mě."

Marietta si nebyla jistá, co to přesně znamená, a z jejího výrazu to muselo být jasně patrné.

„Proboha, slečno Carrerová, je to tak těžké pochopit? Prostě si připravte nějaký vlastenecký proslov, aby pochopily, že jejich práce je pro válečné úsilí klíčová. Zvládnete to?"

Marietta polkla. Děvčata v továrně byla drsného ražení a nepochybně nebudou nadšená, že se po nich chce více práce a delší směny, zvlášť když to uslyší z úst dívky z kanceláře, která je mladší než většina z nich a o šití uniforem neví zhola nic. Zároveň jí však lichotilo, že si Greville vybral ji, a těšila se na odpoledne v East Endu.

Rose nechápala, proč tam Marietta tak ráda chodí – otřásla se už jen při pomyšlení na tolik lidí, nemoci a chudobu –, ale Marietta konečně pochopila, proč jí chtěl Morgan tuto čtvrť ukázat. Kdyby žila v St. John's Wood a stýkala se jen s bohatými a vlivnými, získala by na Londýn velmi omezený náhled.

Přesto se jí nejprve zmocnila čirá hrůza. Věděla předem, že zde kolikrát žije celá rodina v jediné místnosti, jediná venkovní toaleta a vodovodní kohoutek vycházejí na dvacet a více lidí a většina z místních obyvatel se stravuje skutečně uboze. Během své první návštěvy této čtvrti však viděla čirou beznaděj, špinavé šedivé domy s ještě šedivějším prádlem sušícím se na zapáchajících dvorcích, kam jen zřídka pronikne slunce. Viděla otrhané děti s bledými tvářemi a prázdnými pohledy sedět apaticky na schodech. Starostmi ztrhaná matka se pachtila domů se stařičkým kočárkem, v němž neměla jen kojence, ale i batole, pytel uhlí a tašku prádla.

Ten den se jí ze všech těch pachů zvedal žaludek, musela odvrátit oči od krutě zmrzačeného muže, jehož tlačila v bedně na kolečkách dívka ne starší než osmiletá. Tehdy měla Marietta sto chutí utéct zpátky do St. John's Wood, kde se cítila v bezpečí, a nechápala, proč si Morgan myslel, že by měla takové místo navštívit.

Přesto změnila názor jen o pár měsíců později, po mnoha dalších návštěvách a seznámení se zaměstnanci továrny, z nichž mnozí žili právě v těch domech, které jí připadaly tak odpudivé.

Možná mají velmi málo a často živoří v hrozných podmínkách, přesto nejsou odepsaní. Všemu navzdory se většině z nich dařilo udržovat sebe, své děti i domácnosti v překvapivé čistotě. Slyšela řeči o krysách a štěnicích a jak zná člověk při životě v tak těsném sousedství sousedovy tělesné funkce tak jako své vlastní, ale oni se tomu smáli. A smích, jak se zdálo, byl v East Endu stejně důležitý jako jídlo a pití.

Mariettě připadali lidé, které poznala, jako stateční malí teriéři, připravení pustit se do psa dvakrát tak velkého. Obdivovala dívky z továrny, které si při práci zpívaly, vtipkovaly a dělily se o všechno. Viděla, jak se sousedé starají o staré, nemocné a o děti druhých. Vládl zde nádech soudržnosti, jaký jinde neokusila. Někdy si téměř přála patřit mezi ně, protože jí připadali mnohem opravdovější a vřelejší než spousta lidí, které poznala prostřednictvím Rose a považovala za přátele.

„Vy to dokážete, slečno Carrerová," ujistil ji pan Grenville. „Umíte to s lidmi, a jak jsem slyšel, ženy z továrny vás obdivují. Tak mě nezklamte!"

„Pokusím se, pane Grenville," slíbila a vrátila se do společné kanceláře pro kabelku a kabát.

Marietta litovala, že neměla odvahu promluvit a říct, že by mu ženy vyšly vstříc daleko spíš, kdyby se choval vlídněji, bral ohledy na to, že má řada z nich malé děti a stárnoucí rodiče, o něž pečují. Jenže pan Greville byl tvrdý člověk – zrovna před týdnem vyhodil ženu za to, že si domů odnesla pár ústřižků vlny na zhotovení patchworkové deky. Odstřižky by se stejně vyhodily, nebyly k ničemu, přesto z ní udělal exemplární případ.

Marietta chytila podzemku na stanici Bethnal Green, odkud zamířila ke Grevillově továrně. Pro jednou si nevšímala zchátralých domků ani vlhkého zatuchlého zápachu vanoucího z otevřených dveří. Pokoušela se usilovně vymyslet, čím by tak mohla přesvědčit šičky k delším směnám.

Grevillova továrna ležela kolmo na konci krátké ulice mezi malými řadovými domky. Vysoká kovová brána dodávala ošklivé kamenné budově vzhled věznice nebo dickensovského chudobince. Ve skutečnosti byla postavena v devatenáctém století jako jatka. Přední část, kam kdysi naháněli zvířata na porážku, nyní sloužila jako nákladiště. Sazemi zčernalé kamenné zdi, rezavé háky a kladky, jež tu z těch dob zůstaly, si udržely zlověstný nádech.

Marietta vešla postranním vchodem a pustila se po schodech do dílny v prvním poschodí. Rachocení zhruba třiceti šicích strojů bylo ohlušující. Z žehlírny se valila oblaka páry, vzduch prosákl odérem strojního oleje, vlhké vlny, potu a laciné voňavky.

Když tu byla Marietta poprvé, říkala si, že v takovém prostředí se člověk snadno zblázní, zvlášť protože na sebe všechny ženy křičely, aby přehlušily hluk strojů.

Vedoucího Sollyho Freilicha našla v jeho kanceláři. Sollyho si oblíbila. Byl to zhruba pětapadesátiletý chlapík, malý a hubený, s výrazem zpráskaného psa, ale tmavé oči mu vesele jiskřily a od zaměstnankyň slyšela, že je spravedlivý. Předala mu listiny od pana Grevilla a vysvětlila, že má promluvit se zaměstnankyněmi.

„Tak to hodně štěstí," prohodil a v očích mu zajiskřilo. „To bude povyk! Ale nevšímejte si jich."

Vyšel z kanceláře spolu s ní, zapískal na píšťalku a požádal všechny, aby vypnuly stroje.

Mariettě se podlamovala kolena, velká místnost utichla a všechny oči se vyčkávavě upřely na ni. Bylo tu asi třicet švadlen od osmnácti do padesáti let. Všichni muži-střihači byli povoláni do armády a jejich místa zaujaly starší ženy, které pro Grevilla pracovaly už pár let a rychle se přeučily. Zůstali jen čtyři muži, z toho dvěma bylo přes padesát a na odvod do armády už byli staří, třetí byl patnáctiletý chlapec a čtvrtému mohlo být něco málo přes dvacet. Marietta si ho tu všimla poprvé. Měl tmavé kudrnaté vlasy a vrhal po ní uznalé pohledy.

„Pan Greville posílá slečnu Carrerovou, aby vám něco pověděla,“ oznámil Solly. „Dávejte, prosím, pozor a nepřerušujte ji.“

Všechny ženy měly stejné tmavě zelené montérky a na hlavě šátek zamotaný do turbanu. S každou z nich Marietta někdy mluvila a všechny byly přívětivé a zajímaly se o ni, protože pocházela z druhého konce světa. Nyní však zjevně odhadly, že jim nese špatné zprávy, založily ruce na prsou a měřily si ji nepřátelskými pohledy.

Marietta měla sto chutí otočit se na patě a utéct. Jenže by přišla o práci.

„Dnes jsme obdrželi velkou objednávku na další uniformy,“ začala.

„A chcete po nás, abysme kvůli tý vaší objednávce víc dřely?“ křikla jedna žena zezadu. To vyvolalo vlnu rozhořčení a v Mariettě se všechno sevřelo. Přesto byla odhodlaná necouvnout.

„Vám říkají Cikánka Rose Lee?“ zavolala na tu odbarvenou blondýnu se vzpurnou povahou. „Nejspíš ano, protože jste se očividně dívala do křišťálové koule.“

Mezi ženami se ozval tichý smích a Marietta poznala, že jsou připraveny poslouchat.

„Každopádně jste do ní nahlédla dobře," pokračovala. „Pan Greville vzkazuje, že je třeba, abyste pracovaly déle a usilovněji, aby se ta nová velká objednávka včas dokončila."

Přesně jak čekala, začaly protestovat. Jedna z nich křikla, že nebude v továrně trčet déle ani omylem, pokud jim to Greville nezaplatí. Několik šiček vstalo, jako by chtěly odejít, jiná volala, že je Greville zbabělec, když za sebe nechává dělat špinavou práci mladou holku.

„Posaďte se, prosím vás, a vyslechněte mě," překřičela Marietta zvýšené hlasy. „Neříkal mi nic o přídavcích a vím, že delší pracovní doba je pro vás všechny svízelná, protože máte doma děti. Je tu ale velmi dobrý důvod, proč byste se víc snažit měly. Zvedněte ruce vy, kterým narukoval manžel, milenec nebo bratr!"

Zvedly se téměř všechny ruce.

„Vsadím se, že jste na ně byly pyšné, když jste je viděly v uniformě."

Ženy vesměs přikyvovaly na souhlas.

„A každou takovou uniformu ušily ženy jako vy," zdůraznila Marietta a přejela po švadlenách pohledem. „Tady v Shoreditchi je těžké představit si, čemu naši muži čelí, a určitě máte strach, že se vám nevrátí. Jenže ti, kteří už narukovali a jsou právě teď ve Francii, tvoří jen malou část armády, kterou Británie k vítězství v této válce potřebuje. Každý den narukují tisíce dalších. Což znamená tisíce uniforem navíc. Žádám vás o rychlejší a vytrvalejší práci, aby každý z těch mužů mohl v nové uniformě vypadat dobře a cítil se sebejistě. Sebejistý muž je lepším vojákem. A čím lepší si budou naši vojáci připadat, tím pravděpodobněji tuto válku vyhrajeme."

Marietta se nakrátko odmlčela, aby měly čas její slova vstřebat.

„Ale to není všechno, co po vás žádám," pokračovala a zvýšila trochu hlas. „Chci po vás, abyste do každého stehu vložily lásku a modlitbu za bezpečí muže, který bude tuto uniformu nosit. Vy se jejich jména nikdy nedozvíte, ale mohl by to být některý z vašich manželů, bratrů nebo milých. Tady v továrně nebude muset žádná z vás čelit kulkám a tankům, zato ti muži v uniformách ano. Je tedy tolik chtít po vás pár hodin týdně navíc, aby ti naši stateční muži vypadali co nejlépe? Možná vám nebudou odměnou peníze, ale až válka skončí a vaši muži se vrátí, můžete být na sebe pyšné, že jste i vy přispěly svým dílem."

Zavládlo dlouhé ticho a náhle se strhl hlasitý potlesk. Několik švadlen si dokonce utíralo slzy. Ani jedna už se peněz nedožadovala.

V tu chvíli k nim přistoupil Solly. „Tak tedy do práce. Zítra probereme rozpis těch hodin navíc."

Stroje se znovu zapnuly. Solly vzal Mariettu za loket a vedl ji pryč.

„Vlastně jsem nevěděla, co jim řeknu," přiznala, jakmile se dostali z dosahu rachocení šicích strojů. „Protože ani elegantní uniforma naše hochy pochopitelně neochrání před kulkami a minami."

Solly ji poplácal po rameni. „To sice ne, ale ty ženy jste přiměla myslet na své muže, kteří budou uniformy nosit, a to je dostatečná motivace. Jste pro veřejné proslovy jako dělaná, slečno Carrerová! Když jste mi dnes řekla, co požaduje pan Greville, napůl jsem čekal vzpouru. Místo toho se jim vaše slova vryla do srdce. Jen doufejme, že je nenapadne zašívat do švů milostné dopisy."

Marietta se zasmála. Nesmírně se jí ulevilo, že je po všem. „Lidem je třeba občas připomenout, jak je jejich práce důležitá, pak mají pocit, že stojí za to."

„Můj otec a před ním i můj dědeček byli krejčí," vyprávěl Solly. „Učili mě, abych byl hrdý na to, jak dobře vypadají pánové v oblecích, které pro ně šijeme. V těžkých časech jsem se té hrdosti držel. Dnes jste našim šičkám řekla něco podobného. Ale musíte se pokusit pana Grevilla přesvědčit, aby zaměstnankyním nabídl nějaký bonus. Hrdost vás přece jen nenakrmí."

Marietta přikývla na souhlas. Nechápala, kde bere Greville tu drzost očekávat od žen, že budou pracovat víc a déle, aniž by jim víc platil, zatímco on si bude bohatnout.

„Navrhnu to, jakmile se vrátí z Yorkshiru," slíbila.

Když procházela tovární branou, přiběhl za ní tmavovlasý mladík, jehož prve zahlédla v továrně.

„Vy máte vážně řečnický talent," zazubil se. „Čekal jsem, že po vás začnou něčím házet, a vy jste si je získala."

Měl fascinující tvář, výrazně zelené oči a ostře řezané lícní kosti. Nevypadal jako idol společenských matiné, ale rozhodně byl ten typ, za kterým se každá ohlédne.

„Po pravdě jsem se bála, že narazím," přiznala Marietta. „Neměla jsem, čím tu hořkou pilulku osladit."

„Zvládla jste to skvěle. Všechny vědí, že je Greville škrt a že si na válce pořádně namastí kapsu."

Marietta si nemohla dovolit otevřeně s ním souhlasit, protože by se to Grevillovi mohlo donést. „Válka se blíží, každý musí něčím přispět a něco obětovat," řekla tedy. „A co tu vlastně děláte vy?"

„Kluka pro všechno," zazubil se. „Když se rozbije stroj, tak mechanika, jindy řidiče, baliče, zametače a vařím čaj."

„Jak to, že vás neodvedli?" podivila se.

„Výhoda mého povolání," odpověděl. Když viděl, jak překvapeně se Marietta tváří, rozesmál se. „Nemyslím poskoka pro všechno! Jsem členem hasičského sboru a hasiči budou v Londýně potřeba. Tady jenom vypomáhám, když mám volno. Mimochodem, já jsem John Abbott, Grevillův synovec. Moje máma je jeho sestra."

„Ráda vás poznávám, pane Abbotte."

„Všichni mi říkaj Johnny. Nechcete si se mnou dát čaj? Za rohem je kavárna."

„Musím se vrátit do kanceláře," odmítla, ale při pohledu do jeho zelených očí byla v pokušení.

„Solly strýci zavolá a poví mu, jaký jste zázrak, takže i kdybyste se trochu opozdila, rád vám to promine."

„Stejně odjel do Yorkshiru, takže se nic nedozví," usmála se. „A něčeho bych se napila."

Kavárna byla dosti sešlá, na podlaze popraskané linoleum, ve vzduchu visel cigaretový kouř, posedávalo tu zhruba deset lidí, kteří jako by zde zakořenili. Naolejované stoly by potřebovaly pořádně vydrhnout a rusovlasá žena za pultem napůl spala. Johnny usadil Mariettu ke stolku u okna a šel pro čaj.

„Je to trochu díra," pošeptal jí, když se vrátil se dvěma hrnky, „ale věřte mi, že tu dělají ty nejlepší slaninové sendviče, jaké jste kdy jedla. Což je vlastně celkem legrační, protože majitel je Žid a Židé vepřové nejedí."

Jak se ukázalo, Johnny toho o Mariettě už hodně věděl – že jí právě bylo dvacet, pochází z Nového Zélandu a žije u tety a strýce v St. John's Wood. Jeho strýc si prý velmi cení jejích schopností a prohlašuje o ní, že je nejlepší sekretářkou, jakou kdy měl. „Navíc žasne, že umíte francouzsky. Proč jste k němu vůbec nastoupila, slečno Carrerová? S vašimi schopnostmi a vzhledem byste jistě našla i lepší práci."

„Potřebovala jsem někde získat zkušenosti, navíc to tam mám z domova blízko," vysvětlila. „Ale vlastně se mi ta práce docela líbí. A říkejte mi Mari – to je zkráceně Marietta."

„Marietta," opakoval, jako by ochutnával každou slabiku. „Moc hezké jméno, navíc má šmrnc."

Usmála se. „Znamená to malá rebelka. Ale od té doby, co jsem přijela do Anglie, jsem žádné rebelie nepáchala."

„Chcete říct, že doma ano?"

„Dejme tomu," přitakala. „Žili jsme v malém ospalém městečku, kde nebylo co dělat. Právě proto naši nakonec rozhodli, že pro mě bude lepší jet do Anglie."

„A chodíte s někým?"

Tak přímočará otázka ji poněkud překvapila. „To je vlastně dost hloupý výraz," zasmála se. „Typicky britské, naznačovat, že vztah se omezuje na procházení."

„Tak co kdybych se zeptal, jestli máte milého? To už zahrnuje líbání a mazlení."

„Nic vážného," odpověděla. „Píšu dvěma přátelům, jeden z nich je s armádou ve Francii, druhý u RAF. A co vy?"

„Občas se sejdu s nějakou dívkou, ale žádnou výjimečnou nemám. Podle mě tahle válka nabídne příležitosti. Nevím sice, v jaké přesně podobě, ale nechci být svázaný, až se něco objeví."

Ta poznámka ji poněkud zneklidnila, aniž by tušila proč.

„Až začne bombardování, budete mít dost práce s požáry," podotkla káravě. Viděla na něm, že je trochu frajírek, jak by řekla Rose, příliš sebevědomý, a neváhal by za správnou cenu poněkud ohnout pravidla ve svůj prospěch.

„To je pravda," povzdechl si. „Skoro si přeju, aby to začalo, ať to máme za sebou. Všechno tohle čekání, až se něco stane, mě ničí."

„Jak můžete říkat tak hrozné věci," zvolala Marietta, přesto se neubránila úsměvu. Skutečně se zdálo, jako by celý Londýn napjatě tajil dech.

Posléze Marietta oznámila, že už musí jít, ale když vyšli z kavárny ven, vzal ji za ruku.

„Mohli bychom se zase vidět?" požádal a zadíval se jí do očí. „Vzal bych vás do klubu, tancovat, kam byste ráda. Jen se trochu pobavit, nic vážného. A opravdu málo procházení."

„Musím si to promyslet," prohlásila a zamířila nazpátek.

Ale neodolala a ohlédla se přes rameno. Johnny se opíral o zeď, ruce v kapsách, a pozoroval ji. Bylo na něm něco, co ji přitahovalo, navíc se zdál jako zábavný společník.

„Zavolejte mi do kanceláře," křikla za ním.

O pouhé tři dny později vešlo ve známost, že hlavou válečné koaliční vlády byl jmenován Winston Churchill. V pravý čas, protože Němci už se hnali Nizozemskem, Belgií a Lucemburskem. Tyto děsivé události způsobily, že Marietta na Johnnyho rychle zapomněla.

Nizozemská armáda se o pár dnů později vzdala a britská a francouzská vojska se údajně stahovala k francouzskému pobřeží.

Morgan se neozýval, ale když byly Marietta s Rose v biografu na promítání *Jihu proti Severu*, zpravodajský týdeník vysílaný před filmem obě silně znepokojil. Řady německých tanků doprovázely motorizovanou pěchotou a velmi přesným bombardováním rozdrtily zastaralou obranu Antverp i Bruselu. Na plátně viděly doutnající trosky domů, kostelů a škol. Tisíce lidí s malými dětmi a kojenci byly nuceny opustit domov a hledat bezpečné útočiště.

Několik divaček z kina propadlo hysterii a křičelo, že budou Němci za chvíli i v Anglii. Marietta viděla podél pobřeží v Littlehamptonu válce ostnatého drátu a varovné nápisy, že jsou pláže zaminované, německá armáda však působila neporazitelně. Nezdálo se, že by jim miny a ostnatý drát bránily dostat se přes kanál La Manche.

Den po promítání se obloha zdánlivě zaplnila spitfiry a hurricany. V porovnání s německými letadly, jež Marietta viděla v týdeníku, se však zdála žalostně malá.

Rose se strachovala o Petera.

„V těch malých letadélkách nemají šanci, jestli je zasáhnou," naříkala. „Nesnesu pomyšlení, že bych ho ztratila."

Marietta ji sotva mohla utěšovat, že se nic takového nestane – ztráty mezi piloty byly nevyhnutelné –, přesto když je Peter s Geraldem přišli o několik dní později navštívit o svém čtyřiadvacetihodinovém volnu, působili nebojácně a nemohli se dočkat první mise.

„Copak nemáš strach?" zeptala se Marietta později Geralda, když spolu osaměli na zahradě.

„Z létání ne, to miluju," usmál se. „Ale až se za mnou objeví messerschmitt, asi mně nebude do zpěvu. Nemá smysl se s tím nervovat předem."

Požádal ji o fotografii a ona mu dala tu, kterou pořídili na oslavě ukončení jejího studia. „Než poletím, políbím ji pro štěstí," řekl a schoval ji do peněženky. A pak políbil Mariettu, se vší vášní muže, který ví, že je to možná naposledy.

„Miluju tě, Mari," zašeptal, když se konečně odtrhli. „Neustále na tebe myslím, usínám s představou, že se jednou vezmeme a víckrát se neodloučíme."

Nedokázala se přimět, aby mu řekla, že se za něj provdá ráda, ale jeho vášnivý polibek v ní cosi probudil. Přitáhla si ho a políbila ho na oplátku. Pokud to bral jako potvrzení, že jeho představy sdílí, tak ať. Navíc jestli ji bude i nadále líbat jako dnes, možná se v ní nakonec probudí skutečná láska.

Právě kvůli obavám o Geralda odmítla Johnnyho, když zavolal a pozval ji na schůzku. Ráda by si užila večer plný zábavy a tance, zvlášť s mužem, u nějž nehrozí, že ho vbrzku zabijí, ale připadalo jí to špatné, když ji Gerald považuje za svou vyvolenou.

Přesun tisíců britských a francouzských vojáků z pláží Dunkirku začal dvacátého sedmého května. Následujícího dne odjel Noah do Doveru, aby o manévrech napsal článek. Zůstal až do čtvrtého června, kdy bylo přemístění vojsk dokončeno. Po celou dobu vysedávaly Marietta, Lisette a Rose přilepené k rozhlasu a každý večer poslouchaly zprávy nejen o přesunech, ale i o stovkách obyčejných lidí podél pobřeží, kteří vypluli na moře ve svých malých loďkách a zachraňovali vojáky. Někteří dokonce absolvovali sedmdesátikilometrovou zpáteční plavbu přes kanál dvakrát, pod palbou německých letounů. Bylo to tak podnětné a hrdinské, že ženám u přijímače kanuly po tvářích slzy.

V týdeníku v kině viděly tisíce francouzských a anglických vojáků trpělivě čekat na plážích u Dunkirku, přestože byli pod těžkou palbou. Ještě výmluvnější pak byly záběry na raněné vynášené na nosítkách z lodí v Doveru a Folkestonu.

Marietta každý den úzkostně čekala poštu, ale dopis od Morgana nepřicházel. Napadlo ji, jestli by vůbec někdo věděl, že ji má kontaktovat, kdyby se něco stalo. Koneckonců byli jeho nejbližšími příbuznými bratři.

Osmnáctého června si vyslechly jímavou řeč Winstona Churchilla, že bitva o Francii skončila a nyní se schyluje k bitvě o Británii. „Proto se připravme konat svou povinnost," pronesl mimo jiné a jeho slova mrazila i povzbuzovala. „Muži budou přese všechno říkat, že toto byla jejich nejlepší hodina."

Následujícího dne přišel neobvykle stručný dopis od Morgana, odeslaný z nemocnice ve Folkestonu. Stálo v něm:

Schytal jsem šrapnel. Ale jsem v pořádku. Nejezdi sem. Nechci se s tebou vidět dokud jsem na tom takhle.

Tvůj
Morgan

Nepoznala, jestli je to skutečně tak, nebo jestli nepředstírá kuráž a ve skutečnosti si přeje, aby jej přesto navštívila.

Lisette jí doporučila řídit se jeho přáním. „Možná má velké bolesti, třeba nemůže chodit. Některým mužům se líbí, když jsou obskakovaní, ale jiní pocit bezbrannosti nenávidí. Vlaky budou stejně plné raněných. To není místo pro tebe."

Winston Churchill měl pravdu, když tvrdil, že se schyluje k bitvě o Británii. Čtrnáctého června vpadli Němci do Paříže. Británii nyní od nepřítele dělil jen Lamanšský průliv a Luftwaffe ostřelovala britské lodi. Invaze se zdála bezprostřední.

V tisku se psalo o tom, jak útočné formace německých ponorek způsobují lodím ve vodách Atlantiku závažné škody, Italové se spojili s Němci a útočili na britská vojska v Egyptě. Gerald, Peter ani jejich druhové nyní nedostávali volno, statečně a opakovaně usedali do kabin malých spitfirů a hurricanů a bránili Anglii před Luftwaffe, která z jihu napadala vzdušný prostor. Noah po návratu z Brightonu hlásil, že zhlédl několik zuřivých bitev na obloze.

Všem bylo jasné, že navzdory nezpochybnitelné kuráži britských pilotů má Německo velkou výhodu, protože disponuje mnohem početnější letkou.

Stažení tisíců vojáků ze všech koutů Spojeného království do Anglie bylo povzbudivé, zároveň však nad vším visel temný stín, protože jejich příchod značil začátek invaze.

Druhého července se Marietta vrátila z práce a našla Rose i Lisette u stolu v slzách.

„Co se stalo?" vyhrkla a žaludek se jí sevřel strachy. „Kde je Noah? Je mu něco?"

„Ne, Noah je v pořádku," vypravila ze sebe Lisette. „Jde o Geralda… sestřelili ho."

Marietta se jako v mrákotách svezla na židli. Nemusela se ptát, jestli je mrtev, jejich výraz mluvil za vše. „Jak jste to zjistily?" hlesla.

„Volal Peter. Ráno vylétali spolu s dalšími třemi piloty," vyprávěla tiše Lisette. „Gerald sestřelil heinkel a všichni se vraceli ve formaci na základnu, v tu chvíli se ale z mraků vynořil další heinkel a začal pálit. Geraldovo letadlo schytalo zásah do ocasu, roztočilo se a vzápětí začalo hořet. Neměl šanci."

Marietta si zakryla tvář rukama. Vzpomněla si na poslední Geraldův vášnivý polibek a na jeho vyznání. Proč mu jen neřekla, že ho také miluje, a nenechala jej odejít ve víře, že se jednou vezmou? Někoho tak báječného už nejspíš nepotká. Víckrát Geralda nespatří. To bolelo.

Válka náhle získala velmi skutečné obrysy. Po celé Evropě umíraly tisíce mužů – dvě z šiček z továrny v Shoreditchi přišly u Dunkirku o manžely a další pilot, Geraldův a Peterův přítel, byl sestřelen při své první misi – jenže nikoho z nich osobně neznala. Nesmála se s nimi, netančila s nimi a rozhodně se s nimi nelíbala. Geraldova smrt jí teprve pořádně otevřela oči a všechny ty pytle s pískem, protiletecké kryty a plynové masky náhle získaly nový význam. Lidé budou umírat, tady v Londýně – nejen cizí, ale i ti, které dobře zná –, život už nikdy nebude stejný.

Zůstala vzhůru dlouho do noci, psala dopis domů. Už nebyla prohnanou Mariettou, na papír se jí řinula slova přímo ze srdce. Alexovi bylo nyní sedmnáct, Noelovi šestnáct a při představě, že by je mohli povolat do války, se jí dělalo zle. Teprve nyní si pořádně uvědomila, jak svou rodinu miluje, a potřebovala jim to dát vědět. Napsala:

Když jsem se dnes dozvěděla, že Geralda sestřelili, konečně jsem plně pochopila, co válka skutečně obnáší. Je to strach o ty, které člověk miluje, pochopení, že už nikdy nic nebude stejné. Doufám, že dokážu být stejně statečná jako vy ve válce minulé. A lituji, že jsem se vás nezeptala dřív, co jste zažili. Byla jsem strašně sebestředná, viďte?

Nakrátko zavřela oči, představila si je všechny u kuchyňského stolu. Téměř cítila vůni jednoho z Moginých vynikajících masových koláčů, slyšela tiché syčení petrolejek a klábosení bratrů. Poprvé od chvíle, kdy opustila domov, si skutečně přála být zpátky a nestarat se o nic vážnějšího, než jaké si vezme šaty na příští tancovačku.

Kapitola čtrnáctá

Od počátku srpna se nepřátelské nálety zaměřily na konvoje v Doveru a lodě plující přes kanál La Manche, následovalo bombardování letištních ploch a doků. Británie se bránila vší silou. Z každého letiště na jihu Anglie vylétaly spitfiry a hurricany, útočily na nepřátelská letadla. Doris z kanceláře, která žila v Kentu, hlásila, že obloha byla za rozbřesku plná stíhaček RAF v pevných formacích. Docházelo k početným ztrátám a pokaždé se vracelo méně pilotů.

A pak došlo devatenáctého srpna k velkému útoku na doky v londýnském East Endu. Marietta se o něm dozvěděla z první ruky od Johnnyho, protože ten na místě hasil požáry.

O dva dny později na ni počkal, až skončí v práci, a vzal ji na skleničku. Oči měl ještě zarudlé od kouře.

„Nemůžu ani popsat, jak je to zlé, prostě hrůza," přiznal. „Večer musím zpátky, ještě není po všem. Uhasíš jeden požár a vedle vypukne další. Potrvá nejmíň čtrnáct dnů, než bude všechno pod kontrolou."

Od Geraldovy smrti se s ním Marietta sešla již dvakrát. Poprvé den po Geraldově pohřbu. Zádušní mše se sloužila v kostele ve Finchley, kam Geraldova rodina chodila již roky. Na pohřeb Mariettu doprovodili i Rose, Lisette a Noah, zúčastnil se také Peter s rodiči. Geraldův velitel a dva z jeho nejbližších přátel z řad RAF dostali pár hodin volno, aby mohli přijít, ostatní smuteční hosté byli z řad rodiny, sousedů a Geraldových přátel z dětství. Vidět jeho rodiče, prarodiče, dvě sestry a mladšího bratra zdrcené žalem bylo srdceryvné. Gerald jim očividně pověděl, že by se s ní chtěl oženit. Když srdnatě překonali vlastní zármutek a vyjadřovali jí upřímnou soustrast, připadala si Marietta jako podvodnice. Ale slzy ten den prolévala upřímné. Nechtělo se uvěřit, že jeho život zhasnul tak brzy, dříve, než měl šanci naplnit své sny, s nimiž se jí svěřil. Přitom byly tak prosté. Chtěl se naučit jezdit na koni, protože ta zvířata miloval, vyplout s Mariettou na plachetnici a zalyžovat si ve Švýcarsku. Tolik by si přála, aby měli čas všechny ty věci spolu podniknout, aby ho mohla skutečně milovat.

Johnny jí druhý den volal do práce a zastihl ji v nejtemnějším rozpoložení, kdy se děsila jít večer domů. Věděla, že Rose bude chtít mluvit o Geraldovi a o tom, jak se strachuje o Petera. Proto svolila, že se po práci s Johnnym setká.

Nakonec byla ráda, pomohl jí překonat nejhorší. Nebral život příliš vážně a působilo to nakažlivě. Vzal ji do malé restaurace na Marylebone Road a u jídla jí líčil veselé historky o hasičích, poté se odebrali do blízké hospody, kde jí koupil drink.

Marietta mu vyprávěla o Geraldovi i o Morganovi. „Jeden je mrtvý, druhý nechce, abych ho navštívila," stěžovala si zasmušile. „Připadám si hrozně, protože Gerald mě měl mnohem radši než já jeho. Jaká vlastně jsem?"

„Upřímná," usmál se na ni. „Spousta děvčat by tvrdila, že byl jejich životní láskou, aby vytěžila soucit. Tys ho měla ráda, záleželo ti na něm, ale člověk se nedokáže zamilovat jen proto, že v to někdo jiný doufá. A pokud jde o toho druhého, co tě nechce vidět, protože je zraněný, možná se považuje za hrdinu, nebo potkal jinou a nechce, aby ses to dozvěděla."

„Nemyslím, že má jinou," ohradila se.

Johnny povytáhl obočí. „Jestli si hraje na hrdinu, není to o moc lepší. Přece mu neustřelili nohu, ne?"

Marietta si nebyla jistá, jestli ji má jeho přímočarost urážet, nebo za ni má být vděčná.

„Jestli ano, nesvěřil se," řekla. „Prý jen schytal šrapnel."

Johnny pokrčil rameny. „Já si potrpím na upřímnost. Jestli chceš znát můj názor, ztrácíš strachováním o něj čas. Chlap přece neřekne svý holce, aby za ním nechodila, jen tak. Nedává to smysl."

Jeho slova sice působila bezcitně, přesto Mariettě nabídl nový náhled na věc. Morgana nemilovala – tu jiskru v ní uhasil svým chováním –, a jestli mu na ní záleží, jak tvrdí, měl by k ní skutečně být upřímný. Ať už to znamená přiznat, že jsou jeho zranění horší, než tvrdil, nebo že má jinou.

Na druhé straně si začínala uvědomovat, že jen málo lidí je zcela upřímných. Možná vysloveně nelžou, ale přikrašlují věci tak, aby byly přijatelnější. Noah by Morgana neschvaloval, kdyby ho poznal. Když však slyšel, že byl u Dunkirku zraněn, projevil starost, kterou, jak věděla, necítil. Slyšela hosty na Geraldově pohřbu říkat, že by jistě raději zemřel jako hrdina, než aby žil dlouhý a nudný obyčejný život. To byl nesmysl, Gerald toužil právě po obyčejném životě, ale do cesty se mu postavila válka.

Noahovi s Lisette by se nezamlouval ani Johnny. Londýnský hochštapler, řekla by o něm Rose, a měla by pravdu, protože Johnny byl skutečně poněkud neotesaný a rozhodně ne tak pěkný jako Morgan. Na druhé straně byl chytrý, vtipný a hasit rozsáhlé požáry vyžadovalo stejnou odvahu jako pilotovat letadlo. Možná to nevypadalo na osudovou lásku, přesto se Mariettě zamlouvaly jeho zelené oči a uličnický výraz, líbilo se jí, jak se její dlaň zdá v jeho velké drobná, a věděla, že se s ním chce ještě setkat.

A díky zarudlým očím a zřetelné únavě při druhém setkání se jí zamlouval ještě víc. Na muži, který dva dny v kuse bojuje s požárem, je něco ušlechtilého, zvlášť když mohl jen odsloužit svou směnu a ulehnout na pryčnu v budově školy, dočasně přeměněné v hasičskou stanici. Místo toho v sobě našel sílu jít za ní, dokonce trval na tom, že ji po večeři doprovodí domů, a když ji na rohu ulice políbil, nechtěla se vůbec odtrhnout.

„Nevím, kdy se zase uvidíme," řekl, přejel jí prstem po rtech a zadíval se jí do očí. „Ty bombardéry to jen tak nevzdají, mám dojem, že jsme ještě neviděli nejhorší. Ale až budu moct, zavolám ti, a příště tě vezmu tancovat."

Krátce nato se skutečně staly terčem komerční zóny v centru a pátého září se německé bombardéry zaměřily na ropné rafinerie a zásobníky v Thames Havenu a Shell Havenu, u ústí řeky, přičemž jeden zásobník vzplál po zásahu zápalnou bombou.

Johnny jí druhý den telefonoval a popisoval, jak stál na střeše ropného zásobníku a mířil hadicí na ostatní ohrožené zásobníky, aby je ochlazoval, když vtom se nad něj snesl messerschmitt a začal pálit.

„Většina chlapů se utíkala schovat," vyprávěl celkem vesele. „Ale já byl až nahoře a neměl jsem kam. Navíc kdybych pustil tu zatracenou hadici, mohly by ty zásobníky chytit a pak by tam uvízli všichni. Naštěstí jsem to neschytal."

Ráno u snídaně Noah o útoku na rafinerie mluvil. Prý kvůli vysoké bezpečnosti práce, již ropné společnosti v minulých letech prosazovaly, zůstalo v Anglii jen pár hasičů se zkušeností s hašením ropných požárů. Dodal, že ti, kdo tam byli hasit, jsou skuteční hrdinové, protože kdyby se požár rozšířil i na ostatní zásobníky, byla by to skutečná katastrofa.

Snad měla Marietta přiznat, že jednoho z těch hrdinů zná. Jenže tak krátce po Geraldově smrti jí to nepřipadalo vhodné.

Druhý den ráno se ozvala poplašná siréna. Marietta vyskočila z postele a vyběhla z pokoje. Spatřila Noaha ještě v pyžamu, jak se dívá z okna.

Otočil se na ni. „Určitě jde o falešný poplach," mínil. „Je krásné ráno, obloha bez jediného mráčku."

I Marietta vyhlédla z okna. Přesně jak tvrdil, neviděla ani ona žádné důvody k obavám. „Možná míří bombardéry znovu do oblasti jižně od řeky," navrhla. „Nebo nad pobřežní města. Nejspíš půjde o obecné varování."

Všichni si šli dolů dát čaj. Zdálo se, že měl Noah pravdu. Venku vládl klid, nikde nikdo nepobíhal, ve vzduchu visel příslib teplého dne.

„Škoda, že dnes musíš do práce, mohly jsme si vyrazit na piknik na Hampstead Heath," povzdechla si Rose.

„Pracuju jen do jedné. Pan Greville přichází v sobotu v sedm, jestli budu v práci brzy, možná mě kolem jedenácté pustí," navrhla Marietta.

„Jestli šlo o omyl, je trochu zvláštní, že nevysílali zrušení poplachu," poznamenal napjatě Noah o chvíli později.

„Jestli se něco děje někde jinde, asi ani nemohou," podotkla Rose.

Plány na piknik vypadaly lákavě. Marietta nechala přípravy na Rose, oblékla se a pospíchala do práce. V ulicích ještě vládlo ticho, cestou do Baker Street potkala sotva pět lidí a všichni se tvářili naprosto nevzrušeně, zkrátka šli do zaměstnání jako ona.

Pan Greville už byl v kanceláři a soudě podle toho, jak měl pomačkané oblečení, zde nejspíš strávil celou noc. Možná si vyrazil s přáteli a nedostal se domů. O svém soukromém životě nikdy nemluvil. Vědělo se jen, že bydlí blízko Eppingského lesa a má manželku a dva syny, kteří oba narukovali. Paní Grevillová do kanceláře nikdy nepřišla a Marietta měla dojem, že spolu nejsou právě šťastní.

Vysvětlila mu, proč přišla tak časně, a zeptala se, jestli by směla odejít v jedenáct. Pan Greville jen zamručel na souhlas. Marietta tedy usedla ke svému stolu a začala sepisovat dopisy, jež jí nadiktoval předchozího dne.

Neuběhlo ani čtvrt hodiny, když zazvonil telefon. Greville zvedl sluchátko, vzápětí zbledl.

Poděkoval volajícímu, zavěsil. „Znovu zaútočili na Thames Haven," oznámil. „Jsou tam mračna bombardérů podpořených stovkami stíhaček. Zasáhli Fordovy motorové závody, Becktonskou plynárnu. Teď míří do doků a shazují zápalné bomby."

„V tom případě ten ranní poplach nebyl žádný omyl!"

„Pokud zasáhnou továrnu, jsem vyřízený," lomil pan Greville rukama.

Mariettě to připadalo velmi sobecké. Mnohokrát procházela tou čtvrtí a viděla velká skladiště plná potravin a dalšího zboží nezbytného pro válečné úsilí. Nacházely se v ní také velké nákladní lodě, připomínající kachny sedící venku na slunci, obilná sila, mlýny na mouku, výrobny téru, chemické závody, továrny na výrobu laků a barev a ohromné hromady trámů. Požár, který by v těch místech vypukl, by se rychle šířil celé kilometry. Navíc Greville ani nepomyslel na to, že v té části města bydlí spousta lidí a všem hrozí smrt nebo zranění.

Náhle k nim z dálky dolehlo dunění bombardování.

„Náš Johnny!" zvolal Greville a otřel si čelo kapesníkem. „Jestli se mu něco stane, sestře pukne srdce."

Snad přece jen není zcela bezcitný, pomyslela si Marietta. Nesvěřila mu, že se s Johnnym stýkají. Ale strach o něj v ní sílil a nyní litovala, že se ani nemůže podělit o svou úzkost.

„Skladiště je od doků poměrně daleko," řekla, vstala a položila mu ruku na rameno. „Tam snad nic nehrozí. Pokud jde o Johnnyho, je přece hasič, určitě se o sebe dovede postarat. To o šičky bychom se měli bát. Spousta z nich bydlí blízko doků."

Připravila jim oběma čaj. Ale zatímco jej pili, bombardování se ozývalo ze stále větší blízkosti. Slyšeli i hukot britských letounů, které se pokoušely protivníka přemoci a vyhnat ze země.

„Radši běžte domů," navrhl Greville. „Já půjdu zjistit, jestli by se v továrně nedalo něco podniknout."

„Půjdu s vámi," rozhodla se Marietta bez váhání. „Je to nejbytelnější budova široko daleko, lidé by se v ní mohli ukrýt. Je podsklepená, ne?"

Podíval se na ni, jako by ji viděl vůbec poprvé. „Ano, je. Snad se nám podaří dostat část zboží do bezpečí."

Marietta však nemyslela na balíky látky ani šicí stroje, jen na lidi. Nechala si to pro sebe, začne jednat, až budou na místě.

Řidič taxi je vysadil na začátku whitechapelské High Street. Těžko mohli požadovat, aby je dovezl dál, když se z doků zvedal štiplavý černý kouř. Hukot letadel nad hlavou a dunění shazovaných bomb se mísily s kvílením sirén sanitek a naháněly hrůzu.

Když zatočili do úzké vedlejší uličky, Greville zaváhal. „Možná by bylo lepší vrátit se domů, dokud to jde."

„Ne, jdeme do továrny," naléhala Marietta a vzala jej pevně za paži. „Zatím tu ještě žádné bomby nespadly, nic nám nehrozí."

Všichni lidé zřejmě uprchli do krytů nebo se schovávali někde uvnitř, v ulicích nebylo ani živáčka. Nyní už dostala strach i Marietta. Černý kouř, výpary chemikálií, dunění bombardování, palba protiletadlových děl, kvílení sirén, to všechno byly zvuky jako z pekla.

Zrychlili, blížili se k továrně. Nemluvili. Marietta si uvědomovala, že měla před odchodem z kanceláře zavolat domů. Jakmile Noah uslyší bombardování, nepochybně popadne telefon a zjistí, co a kde se děje. A až jí pak zavolá do kanceláře a nikdo to nezvedne, bude o ni mít strach.

Když došli k bráně továrny, Marietta se rozhodla, že zavolá domů odtamtud. Jenže jakmile Greville bránu otevřel, objevilo se na ulici hejno lidí.

„Můžeme dovnitř, pane?" chtěla vědět žena s nemluvnětem v náručí a dvěma malými dětmi, které se jí držely za sukně.

Greville neodpověděl, Marietta tedy rozhodla místo něj: „Jistě, pojďte, ve sklepě to bude bezpečnější."

O hodinu později se ve velkém sklepení ukrývalo přes padesát lidí, vesměs ženy s dětmi. Přišli sem z domů v sousedních ulicích, mezi nimi i zaměstnankyně továrny. Sklep se nepoužíval ke skladování materiálu nebo strojů, v zimě byl vlhký, ale nyní, na konci léta, bylo uvnitř sucho. Greville přinutil těch pár mužů příliš mladých nebo starých na odvod, aby sem natahali šicí stroje a balíky látky. Marietta s dalšími ženami přinesly židle, dlouhý stůl, který se používal ke stříhání látky, aby si udělali trochu pohodlí.

Sklepení osvětlovaly pouhé dvě žárovky, ale protože neustále blikaly, připravila Marietta krabici svíček pro případ, že by přestaly svítit úplně. Zvuky bombardování tu zněly tlumeně. Jakási holčička se zeptala své matky, jestli jsou v bezpečí. Marietta v to upřímně doufala.

Když se odvážila vypravit do dílny o dvě poschodí výš, zdálo se jí, že se zvuky katastrofy od řeky přibližují. Přes hustý černý kouř viděla z okna tak na dvacet metrů, ale slyšela rachocení bortícího se zdiva a syčení, a to zlověstně blízko.

Když volala domů, zvedl to Noah. „Co tě to jenom napadlo?" vyhrkl okamžitě.

„Snažím se pomoct," ohradila se. „Myslím, že prozatím jsme v bezpečí, ale kdyby se nálety posunuly sem, nemohl bys někam zavolat, že jsou tu ve sklepě lidé?"

Souhlasil, že zavolá na civilní obranu, a poradil jí zajistit odpovídající větrání a přinést všem ve sklepě vodu. „Kdyby ten tvůj pan Greville měl rozum nebo trochu předvídal, byl by se na takovou možnost připravil. Nemůžeš zaplnit sklep lidmi jen tak bez zásob."

„Je pro ně lepší zemřít v rozvalinách domu se svačinou v ruce? Nebo hladovět, ale žít?" opáčila příkře a zavěsila.

Vzadu za nákladovou rampou se nacházela místnost vzdáleně připomínající kuchyni. Byla neuklizená – dělníci z továrny si vařili čaj v kuchyňce hned vedle výrobní haly –, ale přes všechny nedostatky bylo lepší používat špinavou než riskovat a chodit o patro výš. Marietta posbírala všechny kelímky, hrnky a věci na přípravu čaje a přinesla je dolů. Vedle kuchyňky se nacházela také toaleta. Marietta přese všechno doufala, že se kvůli bombardování nebudou muset uchýlit k používání kbelíků ve sklepě.

Všichni kromě dětí, které byly tak malé, že nechápaly, co se děje, vypadali vyděšeně. Choulili se v hloučcích, sebemenší zvuk je lekal. Švadleny Iris a Janet roznášely kelímky s čajem a pokoušely se chovat, jako by to všechno byla legrace, jejich úsměvy však působily nuceně.

Greville sbíral složky a dokumenty a nosil je dolů do sklepa. „Díkybohu, že tu velkou zásilku uniforem vyzvedli už ve čtvrtek," řekl jednu chvíli Mariettě. „Možná by děvčata mohla v pondělí pracovat tady dole, jestli bude bombardování pokračovat – tedy pokud se nám sem podaří dotáhnout elektřinu."

Mariettu ohromovalo, že dokáže myslet jen na výrobu. „Odpusťte, pane Greville, ale měli bychom spíš přemýšlet, jak sem dostaneme deky, mléko pro nemluvňata a jídlo pro všechny, ne jak to bude s uniformami."

Některé děti už si stěžovaly, že mají hlad. Ale právě když chtěla Marietta navrhnout, aby s ní někdo zašel do některého z nejbližších domů pro jídlo a mléko, ozval se výbuch. Byl tak prudký a hlasitý, že všechny zasypala sprška omítky a prachu. Kdekdo křičel, lidé si zakrývali hlavy rukama, jako by je to mohlo ochránit, pár se jich rozběhlo ke dveřím.

„Zasáhli nás?" zeptala se Marietta Grevilla, ale ten se jen třásl strachy. „Vzpamatujte se," sykla a zatřásla jím. „Jdu ven obhlédnout škody."

Napjatě otevřela dveře. Východ naštěstí nebyl zatarasen, jak čekala. Marietta se rozběhla po betonových schodech k nákladové rampě. Ta zůstala nedotčená, stejně tak otevřená brána, ale domy na pravé straně ulice před branou schytaly přímý zásah. Celá řada zhruba deseti domků se zhroutila jako domek z karet. Ve vzduchu vířil prach. Zatímco Marietta šokovaně přihlížela, sesula se i zeď na konci řady domků.

Když uslyšela další letadlo, otočila se k dokům a spatřila, jak německý bombardér vypouští náklad ani ne o kilometr dál. Za ohlušující exploze se vrhla zpátky dovnitř a seběhla po schodech do sklepa.

Přistoupila k ní Iris. „Schytali jsme to?" chtěla vědět.

Marietta zaváhala, protože mezi zničenými domy byl i ten Irisin. Měla čtyři děti, všechny tady dole ve sklepení, její manžel odešel do války.

„No tak, nenech mě tápat," zasmála se Iris.

Marietta ji měla ráda, Iris nikdy neměla k smíchu daleko a nestěžovala si. Bylo jí jednatřicet, první dítě porodila v sedmnácti, další tři v rychlém sledu. Kvůli vlasům odbarveným na blond a vnadné postavě, již s oblibou vystavovala v upnutých šatech s výstřihy, ji některé nevrlejší šičky nazývaly běhnou, jí to ale bylo jedno. Obvykle je usadila: „Chlapi chtějí v kuchyni anděla a v ložnici děvku. V kuchyni dvakrát šikovná nejsem, ale děvka můžu být v každý cimře, kterou si vyberou."

„Je mi líto, Iris," vzdychla Marietta, „ale spadla celá řada domů včetně tvého."

Žena zbledla a zděšeně si přikryla ústa dlaní. K Mariettinu úžasu se však posléze zasmála. „Tak to je aspoň klika, že jsem dlužila za nájem," prohlásila. „Fakt by mě naštvalo, kdybych ho právě zaplatila."

Ve sklepě se ukrývala většina obyvatel těchto domů, špatné zprávy však nenesli tak statečně jako Iris. Jedna z nich, tlustá žena středního věku, začala kvílet a kymácela se na židli, nedala se utěšit.

V tu chvíli se ozval signál, že je vzduch čistý. Všichni se zvedli a vycházeli ven. Marietta šla na dvůr s nimi. Když spatřili tu zkázu a černý mastný kouř, který téměř zastínil slunce, vypadali všichni otřeseně, bezmocně a bezradně.

„Pokud jste přišli o střechu nad hlavou nebo kdyby se znovu ozvala siréna, vraťte se sem," doporučila jim Marietta. „A nejlepší by bylo vzít s sebou nějaké jídlo."

Sledovala, jak přelézají trosky na ulici, i mladé ženy náhle působily staře a ztrhaně. Ti, kteří právě přišli o domov, se začali přehrabovat v troskách a hledali, co se dá zachránit. Jen děti se zdály tragédií nedotčené. Jedna holčička zvedla z trosek domu hadrovou panenku a radostně volala na matku, že ji stačí vyprat.

„Co budeme dělat?" ozvala se Iris.

Marietta chápala, že tím myslí, kde bude bydlet. „S tím vám asi pomůže civilní obrana," odpověděla. „Požádala jsem strýce, aby jim zavolal, určitě sem někoho brzy pošlou. Bude asi nejlepší, když pro dnešek zůstanete s dětmi ve sklepě. Zkusíme najít nějaké oblečení a přikrývky."

Práce bylo tolik, že si Marietta ani nevzpomněla na návrat domů. Některé ženy zkáza obydlí zcela ochromila, vůbec nedokázaly racionálně uvažovat. A ačkoli Marietta předpokládala, že už dnes k dalšímu bombardování nedojde, spoléhat se na to nedalo.

Už prve sepsala seznam všech, kdo se ve sklepě ukrývali, včetně jejich adres. Vyžádala si od nich také jména lidí žijících na stejné adrese. Prozatím se zdálo, že všichni ze zbořených domků naproti továrně buďto přišli do sklepa, nebo nebyli doma, a pod troskami snad nikdo neuvízl. O tom bylo třeba uvědomit civilní obranu. Když Marietta zahlédla, jak Greville zamyká horní podlaží továrny a chystá se odejít domů, šokovalo ji to.

„A co všichni ti lidé bez domova?"

„Nechám sklep odemčený, to snad stačí, ne?" ohradil se překvapený, že od něj očekává něco víc.

„A neměl byste počkat, než se objeví někdo z civilní obrany?"

„A k čemu?" mávl netrpělivě rukou. „Nikdo nebyl zraněn, ti lidé nejsou nemocní a dovedou snad mluvit sami za sebe, ne? I vy byste se měla vrátit domů."

„Vrátím, jakmile budu mít jistotu, že o tom sklepě ví někdo, kdo má tyhle věci na starost."

„Tak hlavně běžte hned, jak se objeví," doporučil jí příkře, jako by ho něčím podráždila. „Jestli cestou potkám policistu, pošlu ho sem."

Marietta pomáhala ženám zachraňovat přikrývky a oblečení z trosek jejich domácností. Mezitím se vrátilo několik dalších lidí ze zbořených domů. Většina plakala, někteří vypadali zmateně.

„Je to jako konec světa," naříkala jedna žena. „Celé ulice zničené, zůstaly z nich jen hromady cihel a rozbitého nábytku. Dědečkovy kyvadlové hodiny jsou rozsekané na kusy. A spousta lidí zemřela, viděli jsme záchranáře, jak jejich těla ukládají na ulici.

Marietta ji objala. „A pověděli vám, kam máte jít?"

„Řekli jsme jim, že jsme při bombardování byli v továrně, a oni nás poslali zpátky sem."

Zhruba dvanáctiletý zrzavý klučina Mariettě prozradil: „Bavil jsem se s jedním z nich, prej v dokách všechno hoří a jsou tam skoro všichni hasiči z Londýna. Jenom kousek vocaď uvízli lidi pod troskama. Snažej se sehnat autobusy, co by lidi odvezli někam do bezpečí, ale chvíli to potrvá, protože většinu ulic zablokovaly trosky. Nám řekli, ať se na noc vrátíme sem. Prej pošlou někoho s dekama a svačinou."

Kolem půl páté skutečně dorazil muž s naloženým vozíkem, přivezl hromadu přikrývek, krabici sýrových sendvičů a několik láhví mléka. Lidé žijící po levé straně ulice v domech, které zůstaly nedotčené, přinesli vše, co mohli postrádat. Někdo z nich připravil láhve pro nemluvňata a podělil se o staré pleny.

Marietta už se chystala odejít domů, když vzduch znovu prořízlo kvílení sirény. Sklepení nyní vypadalo uspořádaně a dokonce téměř domácky. Každý si našel své místo vedle rodiny a přátel, položili si na zem přikrývky, kdekdo měl v zavařovací sklenici zapálenou svíčku. Na to, co se odehrálo jen před pár hodinami, zde vládla klidná a poměrně veselá atmosféra.

To se ale změnilo, když začali na dveře bušit další lidé, kteří se dožadovali vpuštění. Tentokrát se sem uchýlili i obyvatelé dalších ulic. Došlo k velkým zmatkům, lidé šlapali po pečlivě rozložených přikrývkách a jejich majitelé protestovali. Nemluvňata plakala, malé děti se honily, vypukly první hádky.

Marietta byla nucena ujmout se velení. Zapískala na píšťalku, kterou prve našla, aby je umlčela.

„Bombardování může začít každou chvíli. Než k tomu dojde, vyslechněte mě, prosím vás. Tenhle sklep je dost velký pro vás všechny, ale nezapomínejte, prosím, na slušné chování, nešlapte po dekách, neděste děti hádkami. Jsme v tom všichni společně. Není to pohodlné, je tu jen jedna toaleta nahoře u nákladového oddělení, proto spoléhám na to, že k sobě budete všichni vstřícní a podělíte se o to málo, co máme. Dokážete to?"

„Jasně, srdíčko, já se s tebou o svou deku podělím třeba hned," zavolal zhruba třicetiletý rozcuchaný chlapík.

Neměla už příležitost zareagovat, protože v tu chvíli zaslechli hukot blížícího se letadla, který sílil v nesnesitelné burácení. Následoval štěkot protiletadlových děl, kvílení padajících bomb a zadunění při výbuchu.

Bombardování se zdálo mnohem blíž než ráno. Lidé se drželi za ruce, tiskli k sobě své děti, ve tvářích strach. Nikdo netušil, jak hluboko může bomba proniknout, měli strach, aby nebyli pohřbeni zaživa.

Marietta všechny obcházela, zapisovala jména, adresy a data narození. Napadlo ji, že kdyby továrna schytala přímý zásah a pohřbily by je trosky, seznam stejně nikdo nenajde. Ale aspoň měla co na práci, poznávala přítomné a snad jim při tom i poskytla nějakou útěchu. To všechno jí pomáhalo nemyslet na hrozící nebezpečí.

Bombardování pokračovalo celou noc. Chvílemi zavládl klid, to se pak všichni rozběhli na toaletu a vylít kbelíky, které používaly malé děti. Některé děti usnuly, dospělí však nezamhouřili oka.

Iris si vzala na starosti přípravu čaje. Alfie, rusovlasý chlapec, který s Mariettou prve mluvil o záchranných pracích, hrál s dětmi karty. Jedna starší žena se opřela o balíky látky a pustila se do pletení. Marietta se jí ptala, jak to dokáže, když je uvnitř tak špatně vidět.

„Pletu celej život," opáčila pletařka. „Už se na to koukat nemusím. Můj starej vykládal, že mi do rakve přidá i jehlice a klubko vlny. Ale umřel první, jsou to dva roky, tak teď štrikuju pro děcka sousedů."

V šest ráno konečně zazněl signál ohlašující ukončení poplachu. Ale ven nikdo nespěchal.

Iris všem nabídla ještě jeden čaj, než se odváží vyjít na světlo a zjistit, jaké jsou škody. „Jestli se dneska večer vrátíte," křikla, „každej si vemte hrnek. A jestli má někdo doma velkej podnos nebo čajovou konvici, přineste je."

Marietta vyšla na nádvoří. Potřebovala na čerstvý vzduch, žádný tu však nebyl, jen prach, kouř a zápach požárů. Šaty měla špinavé a počítala, že od dětí chytila nějakou tu veš, navíc si byla jistá, že nevoní. Ale především už ji přestávalo bavit být laskavá, statečná a nápomocná.

Chtěla se vrátit domů, ponořit do horké vany a pak spát osm hodin v kuse. Nechtěla ale, aby to vypadalo, že utekla.

Stála ve vířícím prachu a přemítala, když se náhle k jejímu úžasu objevil u brány Johnny.

Vypadal zničeně a na sobě měl hasičskou uniformu, která i na dálku čpěla mokrou vlnou a kouřem. „Můj špeh měl pravdu," prohlásil a v jeho tváři černé od sazí se objevil úsměv. „Říkal, že se lidi schovávají ve strejdově továrně, a prý tady velí mladá holka, co legračně mluví. Napadlo mě, že to budeš ty."

Marietta se rozesmála. „Tak já mluvím legračně? Moc ráda tě vidím! Musí to tam být strašné."

„Horší než strašné," potvrdil. „Jsem ve službě už šestatřicet hodin a ani na chvíli jsem si neodpočinul. Přišel jsem se podívat, jestli jsi v pořádku."

„Jsem, jak vidíš. Ale pojď, donesu ti hrnek čaje a můžeš se na chvíli posadit."

„Jestli si teď sednu, už nevstanu," odmítl. „Je tu strejda?"

Marietta musela přiznat, že Greville zmizel ještě před náletem.

Johnny hvízdl. „To je ale hrdina."

Ven vyšla Iris s hrnkem čaje. „Zahlídla jsem tě z kuchyně, Johnny. Náš barák je v tahu, všimnul sis?"

„Jo, je mi to líto," přikývl. „Ale po tom, co jsem viděl jen cestou sem, patříš k těm šťastnějším."

„Já i mý děcka bysme byli mrtvý, nebejt tady slečny Carrerový," zdůraznila Iris. „Kdyby to bylo na tvým strejdovi, továrna by zůstala zamčená. Když spustila siréna, vůbec jsme nevěděli, kam se máme schovat. Ten trouba z protiletecký obrany okamžitě udá každýho, u koho se v okně objeví jenom proužek světla, ale včera, když jsme ho potřebovali, se tu ani neukázal."

„V tom případě to nahlásím," řekl Johnny. „Můžete samozřejmě do nejbližšího krytu, ale lepší bude používat zatím tenhle sklep. Je o dost bezpečnější než některé kryty, co vybudoval stát. O kus dál schytal jeden přímý zásah a všichni v něm umřeli. Ale nepřišel jsem mluvit o smutných věcech, chtěl jsem vidět Mari."

Iris si dala ruku v bok a udělala legrační obličej. „Takže najednou Mari, jo? Děje se tu snad něco, o čem bych měla vědět?"

Marietta se zasmála. „Ne, jsme jenom kamarádi."

„No, ten chudák stejně vypadá tak utahanej, že asi garde potřebovat nebudeš," opáčila Iris, otočila se na patě a vrátila se do kuchyně.

„Jak dokáže být tak veselá, když zůstala se čtyřmi dětmi bez domova, to vážně nechápu," vydechla obdivně Marietta. „Já bych se zhroutila."

„Tihle lidi mají tuhý kořínek," podotkl Johnny. „Narodili se s ocelovou páteří. O kus dál prohrabujou ženské trosky holýma rukama a hledají své milované. Dej mi pusu, jestli se mě neštítíš, i když jsem špinavej."

„Jistěže ne," zasmála se, přistoupila blíž a objala jej. Páchl, uniformu měl promáčenou a rty popraskané z žáru všech těch ohňů, které hasil. Ale Marietta myslela jen na to, jak ráda ho vidí a jak je statečný.

„To mi vdechlo nový život," prohlásil, když se odtáhla. „Promiň, zamazal jsem ti šaty."

Marietta se na sebe podívala a zjistila, že kromě špíny, jíž už si stačila všimnout, je nyní černá od sazí. „To se vypere. Musíš se trochu vyspat. A děkuju, žes přišel, bála jsem se o tebe."

„Takhle to vypadat nemělo," pronesl ostýchavě a svěsil hlavu. „Chtěl jsem tě někam vzít na rande. Oba bysme se pořádně vyšňořili. A pak bych tě něžně sváděl."

Mariettě vyhrkly slzy. Moc nemyslela na to, co by vlastně od Johnnyho chtěla, ale něžné svádění se zdálo jako to pravé.

„Naše chvíle přijde, Johnny. Radši budu mít špinavého, ale statečného chlapa než hejska, co myslí jen na sebe."

Kapitola patnáctá
Začátek března 1941

Marietta váhala nad dopisem, který psala domů, nemohla se rozhodnout, jestli má vylíčit věci podle pravdy, nebo zvolit jemnější verzi, aby rodině nepřidělávala starosti.

Nemohla zmínit, že chodí tancovat s Johnnym pokaždé, když má on volno, aniž by vysvětlila, o koho jde, a přiznala, že o něm Noah s Lisette nevědí. Kdyby zlehčovala bombardování, bylo by jim to podezřelé. Jenže kdyby si nebrala servítky, měli by o ni strach.

Už věděli, že od začátku Blitzu, jak se bombardování Anglie říkalo, pracuje pro pana Grevilla jen dva dny týdně a zbytek času tráví v East Endu, kde rozdává ošacení vybombardovaným rodinám a pomáhá jim vyplňovat žádosti o ubytování. Rodiče to muselo šokovat, protože Marietta, která odplouvala z Nového Zélandu, by se k ničemu podobnému sama od sebe nenabídla. Ale nedivili se, naopak na ni byli pyšní. A Mariettu překvapilo, kolik pro ni uznání rodičů znamená.

V předchozích dopisech vylíčila příběhy některých lidí, s nimiž se seznámila, ale psaní o lidech, kteří přišli o střechu nad hlavou a jejich synové nebo manželé se pohřešují nebo se stali válečnými zajatci, bylo příliš skličující.

Rozhodně jim nechtěla tvrdit, že už se náletů nebojí, podezírali by ji z lehkovážnosti, proto raději líčila obyčejné každodenní záležitosti, nedostatek potravin, otravné zatemňování a legrační historky o Rosiných kamarádkách, z nichž se staly dobrovolnice na farmách. Většina z nich se děsila hospodářských zvířat, dokonce i slepic. Když zjistily, že mají kydat stáje a chlévy, učit se orat a žít na místě, kde se voda do koupele ohřívá v hrncích, bylo to poměrně komické – ačkoli v Russellu to možná tak nevyznělo. Matka ani Mog dost možná nikdy nepoznaly namyšlené dívky z lepších rodin a nedovedly si představit, jak jsou směšné.

Rose neodešla pracovat na farmu, místo toho nabídla v rámci válečného úsilí své schopnosti účetní Ministerstvu obrany. To se přemístilo do Hertfordshiru, kde nyní žila i ona. Dělala tam jakousi tajnou práci, ale Marietta si ji dobírala, že ve skutečnosti doplňuje papír na latríny a mýdlo ve vojenských umývárkách. Rose se tomu smála. Velmi pravděpodobně využívala svou bystrou mysl k něčemu skutečně užitečnému. V poslední době Rose působila velmi šťastně – přestože se s Peterem téměř nevídali. Marietta pojala podezření, že je za tím nějaký muž.

Dům se bez Rose zdál příliš velký a prázdný. Noah psal články o tom, jaký má válka dopad na obyčejné lidi, a zapojil se do domobrany. Lisette pracovala jako ošetřovatelka v místní nemocnici. Ale ani Marietta doma mnoho času netrávila. Ve dnech, kdy chodila vypomáhat do East Endu, se často stalo, že se rozezněly sirény a pak musela ve společném krytu strávit celou noc.

Už si ani nevzpomínala, kolik mrtvých a znetvořených těl po náletech viděla. Nebo kolik utěšovala lidí, kteří přišli o své blízké. Sháněla příbuzné dětí, jejichž rodiče zahynuli, psala dopisy manželům v armádě, že jejich žena a děti leží vážně zranění v nemocnici. Jen minulý měsíc, kdy byla mrazivá zima, našla před kancelářemi v Baker Street mrtvého starce. Kolemjdoucí si jej museli všimnout, ale považovali ho za pobudu, který vyspává propitou noc. Podle lékaře zemřel na podchlazení.

Pan Greville měl nyní novou továrnu v Berkshiru a většina kancelářské práce se rovněž vyřizovala tam. Když mu Marietta oznámila, že chce pomáhat v East Endu, hodně kolem toho nadělal, ale ve skutečnosti to nakonec nevadilo, protože Doris zvládala pobočku na Baker Street v podstatě úplně sama. Greville přicházel jen v pondělí, kdy Mariettě diktoval dopisy, které ona následujícího dne přepisovala.

Greville našel nové prostory krátce po onom prvním děsivém náletu a najal nové šičky z dané oblasti. Všichni zaměstnanci v East Endu byli ohromení, když jim k poslední výplatě přidal pět liber navíc. Očividně se cítil nepříjemně, že opustil lidi, kteří pro něj celé roky pracovali. Za současné situace šla většina raději do zbrojních továren nebo dělat průvodčí v autobusech, protože se tam lépe platilo. Těch pět liber navíc znamenalo pro zaměstnance hodně a ještě dlouho o tom mluvili.

Sklepení ve staré továrně se nyní stalo skutečným protileteckým krytem vybaveným dřevěnými pryčnami a odpovídající umývárkou. Dílna nahoře se přes den využívala jako odpočinkový prostor a právě zde Marietta pracovala. Lidé sem nosili ošacení, které mohli postrádat, přikrývky a domácí potřeby a ti, kdo o všechno přišli, zde mohli najít, cokoli potřebovali. Místo bylo navíc otevřené pro všechny z okolí, mohli sem přijít na čaj a sendvič a probrat svou situaci s ostatními. Nejhorším problémem bylo bezdomovectví a zdálo se, že nikdo neví, jak ho řešit. Lidí, kteří se ocitli bez střechy nad hlavou, bylo příliš mnoho. Někteří se na noc uchylovali do stanic podzemní dráhy, jiní tábořili ve školách a v kostelích. A další zůstávali v těžce poškozených domech a doufali, že je ještě naděje na opravu.

Sklepení továrny si jako kryt vybrala i Marietta, využívala jej také řada bývalých zaměstnanců. Některé dny to tu připomínalo večírek, všichni se sdružovali, dělili o jídlo a pití, vymýšleli hry k ukrácení času. Smáli se, jak byli během prvních náletů vyděšení, děvčata vyprávěla o dobrodružstvích a románcích, které od té doby zažila.

Bylo s podivem, jak stoicky začali všichni ohrožení přijímat. Po pětasedmdesáti po sobě jdoucích nocích plných bombardování už zkušeně rozebírali rozdíly mezi vysoce výbušnými bombami, zápalnými bombami a minami na padácích, jako by šlo o běžnou součást života. Jedenácti- a dvanáctiletí chlapci chodili hasit malé ohníčky způsobené zápalnými bombami, aby se zbytečně nevolali hasiči. Pracovali rychle a pečlivě, pyšní na to, že jsou užiteční. Lidé trávili noc v krytu a ráno kolikrát zjistili, že jejich dům skončil v troskách. Přesto neseděli v koutě a nenaříkali, pustili se do práce, jako by se nic nestalo. Obchody nadále fungovaly, dokonce i bez oken. Marietta na jednom zahlédla nápis „Otevřenější než obvykle".

Neustále se jí vybavovalo, co jí Morgan vyprávěl o obyvatelích East Endu. Ti lidé byli nezlomní. Přijímali vše, co jim osud vmetl do cesty, s bradou vztyčenou, vysmívali se katastrofám do tváře, drželi při sobě, starali se o děti své i cizí, dělili se o všechno, co měli, a vzájemně se podporovali.

Lidé riskovali, utíkali domů uprostřed náletu pro pletení, pro souseda, který se v krytu neobjevil, nebo zkontrolovat, jestli vypnuli plyn. Všichni zřejmě zastávali fatalistický názor, že pokud má bomba na sobě napsané jejich jméno, stejně se jí nevyhnou. Téměř každý už párkrát unikl jen o vlásek. Jednu noc uslyšela Marietta padat bombu, vrhla se na zem, zakryla si hlavu a odříkala poslední zoufalou modlitbu. Ale bomba přistála nějakých třicet metrů od ní a újmy došel jedině její kabát, pokrytý červeným cihlovým prachem.

I Johnny byl fatalista. Vyprávěl jí mrazivé příběhy o tom, jak zůstal uvězněn v hořícím kruhu a skutečně si myslel, že je to jeho poslední hodinka, načež ho jako zázrakem něco zachránilo. Spadla zeď a vytvořila tak únikovou cestu. Nebo někdo namířil na plameny hadici a umožnil mu útěk do bezpečí. Jednou, když uvízli hned čtyři najednou, nakonec zvedli poklop kanálu a slezli dolů do stoky, z níž se vynořili zapáchající o několik ulic dál. Johnny pokaždé dodával, že měl štěstí, které ho jednou dost možná opustí.

Marietta o něm občas mluvila s Noahem a Lisette, ale jen jako o příteli hasiči, Grevillově synovci, ne o svém milém. Přesto se jejím milým stal a bylo to přesně, jak Johnny sliboval, něžné svádění. Zatím s ním Marietta nespala, jen se líbali, drželi za ruce, mazlili se a společně smáli. Jako by se vrátila do svých osmnácti, znovu si připadala nevinná a důvěřivá, přesto se nemohla dočkat, až se znovu setkají, aniž by si musela vyčítat, že dělá něco špatného. Ve světě, který byl často děsivý a krutý, se s ním cítila bezpečně. Nedokázala však Noahovi a Lisette svěřit, že je Johnny víc než kamarád, neschvalovali by to. Navíc nemělo smysl přidělávat jim starosti, když ani sama nevěděla, jak se vztah vyvine.

Když se na Novém Zélandu zamilovala do Sama, myslela si, že ví, co je láska. Záhy pochopila, jak se mýlila, a dodnes jí nebylo jasné, proč si od něj nechala všechno líbit. Pak přišel Morgan, který jí ukázal, jak nádherné může být milování.

Myslela si, že tentokrát poznala skutečnou lásku. Jenže on se nakonec zachoval jako zvíře a posléze se ani nepokusil ospravedlnit. Galantní Gerald ji zbožňoval, necítila však k němu víc než přátelství.

Johnny byl jiný než všichni tři. Dokázal s ní komunikovat všemi možnými způsoby, něžnými doteky, pohledy, smíchem i mlčením. Měl zvláštní dar objevit se ve chvíli, kdy ho potřebovala nejvíc, přesto nikdy nepůsobil pokorně odevzdaný jako Gerald. Nepotrpěl si na rozmáchlé sliby a nemluvil o budoucnosti, snad protože každý den balancoval na hraně života a smrti. Vždycky si měli o čem povídat, jen společného času bylo málo.

Ale miluje ho?

Rozhodně to jako láska vypadalo, srdce jí poskočilo, kdykoli ho zahlédla ráno po dalším bombardování opírat se o zeď továrny. Někdy byl ještě v mokré uniformě, obličej od sazí, ale jindy přišel umytý, oholený a v civilu. Neustále byl vyčerpaný, s oblibou však opakoval: „Kdybych za tebou přišel vyspalý, nestačil bych si tě ani prohlídnout.“

Jejich vztah představovaly ukradené okamžiky. Časně zrána hrnek čaje v zakouřené kavárně, zatímco na ulicích zametali lidé rozbité sklo a suť po předešlé noci. Jindy hodina odpoledne, kdy se šli projít a tvářili se, že nejsou v ledovém větru na kost promrzlí, s vědomím, že jen co se setmí, musí se Johnny vrátit na stanici.

A přece bylo na jejich vztahu cosi velmi neskutečného, téměř jako by byli jen filmovými postavami. Marietta se s tím svěřila kamarádce Joan.

Ta se smála. „To by byl pěknej doják, takovej film. Ty rozdáváš starý hadry, Johnny hasí požáry. Ty jsi z nóbl čtvrti, on z drsný. Nikdy spolu nejste tak dlouho, abyste zjistili, jestli vám to klape. A navrch se po válce vrátíš na druhej konec světa. Na šťastnej konec to moc nevidím, holka."

Na Nový rok bombardování ustalo, letadla odrazovala hustá mlha a sněžení. Několik večerů po sobě si mohli Marietta s Johnnym obléci sváteční šaty a jít tancovat do West Endu. Na těch pár hodin, kdy ji držel v náručí, mohli zapomenout na všechny hrůzy a chovat se jako milenci před válkou.

Ale jakmile se obloha vyjasnila a na Temži svítil měsíc, bombardéry se vrátily, sledovaly lesknoucí se stříbrnou stužku do centra Londýna a rozsévaly v hlavním městě zkázu.

Dnes večer se žádný nálet nekonal. V St. John's Wood neviděli, jak rozsáhlá destrukce potkala východ a jihovýchod města. Lidé tu nadělali kvůli několika málo výbuchům, ale ve skutečnosti o nic nešlo. Sklep pod domem byl coby kryt velmi pohodlný, Marietta v něm však pobyla jen čtyřikrát, a to vybuchla nejbližší bomba až o tři sta metrů dál.

Marietta zhasla lampičku a poodtáhla zatemňovací závěs. Venku osvětlovaly reflektory oblohu a pátraly po případných blížících se bombardérech. Usmála se, protože věděla, že jeden z nich, reflektor na Primrose Hillu, obsluhuje Noah. Trávil tak většinu nocí a zřejmě ho to bavilo. To byla další zvláštnost války: lidé se zdáli spokojenější, když mohli nějak přispět své vlasti. Během Blitzu nedocházelo k žádným sebevraždám.

Už za dva dny, osmého března, ovšem Noah obsluhovat reflektor nebude, Lisette nebude ošetřovat raněné a Rose se vrátí, všichni se vyšňoří a půjdou společně do Café de Paris oslavit Mariettiny jednadvacáté narozeniny. Navrhla to Rose, jednak šlo o vyhlášený podnik ve West Endu, a zároveň byl považován za nejbezpečnější, protože taneční sál ležel čtyři patra pod Leicesterským náměstím.

Na dveřích šatní skříně visela Mariettina nová večerní toaleta, upnuté šaty ze stříbrnošedého hedvábného sametu, jejichž sukně se vzadu rozšiřovala. Noah je koupil v Paříži pro Lisette na začátku dvacátých let, ona však trvala na tom, že ve svých šestapadesáti už je na ně moc stará a nemá tak útlý pas, aby je ještě mohla nosit. Měla radost, když se ukázalo, že Mariettě dokonale padnou a není třeba žádných úprav.

„Belle s Etiennem by byli tak pyšní, kdyby tě v nich viděli," vydechla Lisette, když si je Marietta poprvé vyzkoušela. „Jejich holčička dospěla a je tak nádherná! Musíme tě vyfotografovat a poslat jim pár snímků. Bude pro ně těžké nemít tě o narozeninách u sebe."

Marietta pohladila měkkou smyslnou látku šatů. Když jí Lisette šaty ukázala, obávala se, že bude v šedé vypadat nevýrazně, ale to se mýlila. Šaty jí odrážely světlo do tváře, která jako by přímo zářila. Nemohla se dočkat, až si je oblékne. Lisette měla pravdu i v tom, že budou rodiče smutní: narozeniny se u nich v rodině oslavovaly ve velkém, kuchyň a zahrada se vyzdobily, Belle pro oslavence vyrobila krásnou korunu, kterou musel po celou oslavu nosit. Přišli všichni přátelé a sousedé, Mog upekla fantastický dort, všichni se oblékli do svátečního a hráli hry. Dospělí často pili a tančili do ranních hodin a Marietta si kolikrát přála, aby už byla velká a mohla zůstat vzhůru s nimi.

Dovedla si představit, jak si Belle s Mog osmého poplácou. Mog možná stejně upeče dort a všichni Mariettě alespoň připijí, ale bude to smutná chvíle, protože doma už nemají ani Alexe, jakmile mu v lednu bylo osmnáct, musel narukovat. Nyní zůstával ve výcvikovém táboře a čekal na zprávy, zda jeho pluk pošlou do Evropy, nebo do severní Afriky. Ani ne za rok dojde i na Noela. Mariettě se ani nechtělo věřit, že její hubení bratříčci dorostli v muže schopné střílet z pušek. Pro rodiče a Mog to bude doma bez dětí těžké.

Přála si zajet domů a navštívit je. Všechny výhrady, které ohledně Russellu kdysi měla, že jde o primitivní zapadákov, kde se nikdy nic neděje, se nyní zdály hloupé. Dala by cokoli, aby mohla na plachetnici do zátoky nebo vyšplhat na Flag Staff Hill a pokochat se vyhlídkou. Jen sedět o tichém večeru na verandě, kde by jí teplý vánek cuchal vlasy, připomínalo ráj.

Vrátila se k dopisu a pustila se do sepisování myšlenek na domov a na to, jak by si přála být s rodinou:

Zatímco píšu tento list, je u vás časně ráno. Skoro slyším, jak Mog vyhrabává popel ze sporáku a volá nahoru na Noela, aby vstával. Máma asi venku krmí slepice a sbírá vejce a táta už možná vyrazil s někým na ryby. Dokud jsem byla s vámi, nedovedla jsem ocenit, jak je doma krásně, ale dnes už to vím.

Vyhrkly jí slzy, když si vzpomněla, jak rodiče klamala. Vybavila si podvody, lži a pocit, že je o hodně ochuzená, když musí žít v tak malém a klidném městečku. Nyní viděla skutečně chudé děti a pochopila, že měla to nejhezčí dětství, jaké by si člověk mohl přát. Vždycky měla co jíst a dostatek lásky a pozornosti. Nikdy ji nebili. Otec domů nechodil opilý a nebyl surový, matka vymýšlela zábavné věci a Mog hrála roli utěšovatelky. U ní na klíně bylo nejlíp na světě.

Marietta toužila mít stejné manželství jako její rodiče – plné lásky dvou lidí, kteří spolu sdílejí dobré i zlé. Byla hloupost představovat si něco takového s Morganem. Přesto na něj nedokázala zapomenout, i když ji to zlobilo. Poslední zpráva od něj přišla krátce po zahájení Blitzu. Nedalo se tomu říkat ani dopis, tak byla stručná. Prý ho budou propouštět z nemocnice a doufá, že se jí nic nestane.

Ani slovo o jeho zranění, jestli se vrací ke svému pluku nebo ho převážejí do jiné nemocnice. Od té doby se neozval.

Johnny trval na svém, podle něj si Morgan našel jinou, jen to nechce přiznat. Marietta s jeho teorií nesouhlasila, proč by se jí v takovém případě vůbec namáhal psát?

Na druhé straně viděla od začátku války takové věci, že se už nedivila ničemu. Vdané ženy s dětmi navázaly krátký poměr s někým jiným, zatímco manžel, jehož údajně milovaly, sloužil v zámoří. Dvě z těch, které znala, otěhotněly s náhodnou známostí a víckrát toho muže neviděly. Irisin manžel dezertoval a dopadli ho v Portsmouthu s teprve šestnáctiletou dívkou. Zatímco čekal na vojenský soud, napsal Iris, že ji nemiluje a nikdy nemiloval. Vzal si ji, protože musel. Starší pán, který bydlel blízko továrny, nahlásil, že se jeho žena od náletu pohřešuje. O pár dnů později našli tělo té nešťastnice v troskách, ale její zranění naznačovala, že ji někdo opakovaně udeřil do hlavy olověnou trubkou. Když to začala vyšetřovat policie, manžel se zhroutil a přiznal se. Prý byl přesvědčen, že během náletu zemře, a nechtěl ji nechat samotnou.

Mariettě se zdálo, že válka do určité míry změní povahu každému. Z krotkých se mohou stát stateční, ze zlých velkorysí, z mírných mužů malí Hitlerové, jakmile obléknou uniformu domobrany. I ona sama se změnila. Zdálo se jí neuvěřitelné, jak sebestředná dříve byla. Teď trávila celé dny tříděním starého šatstva, ačkoli by si mohla hezky vydělávat jako sekretářka a každý večer chodit tančit a flirtovat s důstojníky, kteří dostali volno.

Peter s sebou měl na oslavu jejích narozenin přivést dalšího pilota, šestadvacetiletého Edwina Atkinse, podle Rose velmi hezkého a zábavného.

Marietta by byla nejraději, kdyby jí ti dva přestali dělat dohazovače, toto byl od Geraldovy smrti už třetí muž, do jehož náruče se ji pokoušeli postrčit. Počítala s tím, že bude podobný těm dvěma předchozím – dobrého původu, zdravý, s hlavou plnou sebe sama. Piloti stíhaček se možná stali hrdiny národa a většina děvčat o nich snila, ona však ne.

Noah seděl v obývacím pokoji u krbu a usmíval se, Mariettu právě fotografoval objednaný fotograf.

Ve stříbrných šatech od Lisette vypadala fantasticky, světle rusé vlasy jí volně spadaly na odhalená, smetanově bílá ramena a vše završoval nádherný náhrdelník, který jí půjčila Lisette. Jeho sklíčka se leskla jako diamanty. Zato v náramku, který jí daroval k narozeninám Noah, byly vsazené skutečné diamanty.

Marietta už s nimi žila dva roky a Noah si ji zamiloval. Měla Bellinu příjemnou povahu, věčně se usmívala a upřímně se zajímala o ostatní. Když přijela, připadala mu maličko vypočítavá, jako by každého hodnotila a odhadovala jeho slabá místa. Nakonec usoudil, že to jen jeho novinářská mysl hledá zádrhele tam, kde žádné nejsou, nebo ho možná ovlivnila vzpomínka na Bellinu matku. Annie nebyla věrná nikomu, dokonce ani Mog, která by za ni dýchala. Mariettin otec Etienne měl také pár znepokojivých vlastností. Byl to ten nejlepší přítel, ale běda těm, kdo si ho znepřátelili.

Ale ať už si přede dvěma lety myslel cokoli, mýlil se. Marietta byla svá. Měla matčinu zarputilou houževnatost, s níž se vrhala do všeho, co dělala, a otcovu odvahu a snad i špetku Anniiny arogance, ale také velké srdce. Noah upřímně doufal, že se jí Edwin bude zamlouvat, připadal mu jako správný chlapík – inteligentní, okouzlující a z dobré rodiny.

Lisette mu opakovala, že se nemá pokoušet provdat to děvče za „hejska". Podle ní by Marietta potřebovala muže jako Etienne. Jenže Noah si nemohl pomoct, chtěl pro svou kmotřenku to nejlepší.

„Tak, a teď skupinová fotografie," zavolal fotograf, postavil Mariettu mezi Rose a Lisette a pokynul Noahovi.

„Fotografie tří nejkrásnějších žen v Londýně," prohlásil Noah a vstal.

Rose si oblékla nádherné růžové večerní šaty a Lisette byla tak elegantní, jak dokáže v černé krajce vypadat jedině Francouzka.

„Nemám já štěstí, že smím doprovodit takové tři krásky do Café de Paris?"

Kapitola šestnáctá

Protiletecká výstraha se rozezněla přesně ve chvíli, kdy Noah platil taxikáři před Café de Paris na Piccadilly Circus. Bylo chladno a Marietta s Rose se zachumlaly do štól a pospíchaly ke dveřím klubu. Tančírny a noční kluby byly na začátku války uzavřeny, ale Café de Paris se to netýkalo, protože byl podnik situován v podzemí a považován za bezpečnější než jakýkoli kryt. Tento noční klub měl dlouhou a barvitou historii, přitahoval bohaté a slavné zejména od chvíle, kdy princ z Walesu uvedl, že patří k jeho oblíbeným. Rose, Noah a Lisette zde byli už před válkou, ale dnes večer se těšili stejně jako Marietta, protože měli vystupovat Ken „Snakehips" Johnson a jeho West Indian Orchestra.

Dlouhé schodiště vedlo dolů do první z několika galerií, každý stolek osvětlovala lampička. Mariettu ohromilo zařízení klubu, připomínalo taneční sál na Titaniku, všechno bylo pozlacené, ze stropu visely krásné křišťálové lustry.

Peter a jeho přítel Edwin už na ně čekali u stolu a v uniformách jim to náramně slušelo. Mariettu příjemně překvapilo, že je Edwin právě tak hezký, jak Rose slibovala. Měl ošlehanou tvář, hranatou bradu, hnědé vlasy a měkké modré oči. Navíc se hezky usmíval, byť poněkud rozpačitě, očividně si nebyl jistý, co má vlastně čekat. Ale nezaváhal. Vyskočil, podal jí ruku a odvedl ji k židli vedle té své.

Jejich stůl se nacházel na nejnižší galerii hned nad pódiem a tanečním parketem. Na pódiu hrála momentálně čtyřčlenná kapela a zpěvák zpíval „Stormy Weather". Marietta se zvědavě rozhlížela po krásně ustrojených dámách a pánech ve večerním úboru či v uniformě, ani si nevšimla, když jim číšník nalil šampaňské a Noah začal pronášet přípitek. Edwin do ní musel jemně šťouchnout.

„Na naši krásnou Mariettu a její jednadvacáté narozeniny," zadeklamoval Noah a pozvedl sklenku. „Kéž by tu s námi mohli být Belle s Etiennem, byli by na tebe tak pyšní. Připijme na tvé narozeniny a na nepřítomné přátele!"

„Na narozeniny a na přátele," opakovali všichni sborem.

„Asi ti je líto, že slavíš narozeniny tak daleko od domova," poznamenal Edwin po přípitku.

Mariettu dojala jeho citlivost. „Ano, ráno se mi opravdu stýskalo, máma vždycky dělala velké přípravy. Můj starší bratr právě narukoval, zůstal jí doma jen ten mladší, Noel."

„A ví se na Zélandu, jak zlé to je v Londýně? Nebo se tisk soustředí spíš na boje v severní Africe a na Japonce?"

„O tom mi rodiče nepíšou, ale táta má určitě přehled o dění všude ve světě. Jenže oni vědí mnohem líp než ostatní Novozélanďané, jaké to je, táta byl v minulé válce u francouzské armády a máma ve Francii řídila sanitku."

„Podle toho, co Peter vyprávěl, ses vyvedla po nich. Pomáháš lidem v East Endu, že?"

„Vlastně jsem k tomu přišla náhodou. Uvízla jsem tam při jednom z prvních náletů. A jakmile jsem ty lidi poznala a viděla, jakým problémům čelí, nemohla jsem jinak. Mají to tam teď opravdu těžké. Ale o tom vás jistě nemusím poučovat."

Usmál se na ni, jeho modré oči byly teplé jako letní obloha. „Máme sklony myslet jen na to, jak sestřelit nepřítele a dostat se domů bez škrábnutí. Nevnímáme, jak trpí bombardováním civilisté, přinejmenším ne tak jako vy."

Zamlouvalo se jí, že není sobec, navíc měl příjemný hluboký hlas. Nepatrně se zachvěla. Možná se s ním bude chtít ještě setkat.

Jídlo bylo zklamání – steak malý a tuhý, zelenina rozvařená –, ale tak to teď chodilo téměř ve všech restauracích a nikdo si nestěžoval. Zato šampaňské a víno byly vynikající, navíc v sále proudila zábava.

Edwin Mariettu uchvátil, byl zábavný, hovorný, ale netlačil příliš na pilu. Zajímal se o Nový Zéland a zmínil, že by tam po skončení války možná přesídlil. „Jestli tedy někdy skončí," dodal zasmušile. „Rád rybařím a plachtím, chtěl bych žít někde, kde je dost prostoru."

„Tak toho je u nás spousta," smála se Marietta. „A víc ovcí než lidí!"

„Tak co mu říkáš?" pošeptala jí Rose později, když Edwin s Peterem odešli na toaletu.

„Je moc milý," uznala Marietta.

„Takže by ses s ním chtěla zase setkat?"

Marietta se rozesmála. „Uvidíme, jak se dnešní večer vyvine."

Dojedli před devátou, číšník sklidil talíře ze stolu. Každou chvíli měl nastoupit „Snakehips" Johnson a Marietta s Rose se nemohly dočkat, až uvidí mladého pohledného zpěváka z Guyany, jemuž vynesly přezdívku dokonalé taneční pohyby.

Nebyly zklamány. Ken Johnson vypadal naživo ještě lépe než na fotografiích a West Indian Orchestra hrál swing, který všechny přiměl přesunout se na taneční parket.

„Po desáté už si moc nezatancujeme," poznamenal Edwin při tanci. „Bude tu narváno. Ale aspoň tě budu moct přimáčknout víc k sobě."

Marietta se usmála. Ráda se k němu nechá přitisknout. Uvědomovala si však, že další příchozí znamenají delší fronty na toaletu, proto se omluvila a odskočila si hned.

Ještě přede dveřmi se ohlédla. Zpěvák spustil píseň „Oh Johnny, Oh Johnny, How You Can Love". Marietta poněkud zrozpačitěla. S Edwinem si večer tak užívala, že na Johnnyho ani nepomyslela, ale omlouvala to tím, že je na rodinné oslavě, ne na rande.

Lisette s Noahem tančili quickstep, Rose s Peterem se jen kolébali ze strany na stranu a pevně se objímali. Edwin stál vedle parketu, přihlížel a kouřil. Marietta napůl čekala, že jakmile zmizí, vyzve k tanci jinou dívku. Nic takového neudělal, což ji potěšilo.

Právě když si před zrcadlem nanášela na rty vrstvu rtěnky, ozvala se děsivá rána. Bomba. Znělo to, jako by se prohnala budovou a rozdrtila vše, co jí stálo v cestě. Mariettě vypadla rtěnka z ruky. Vzápětí se spustil křik.

Když otevřela dveře a spatřila tu hrůzu, vydral se výkřik z hrdla i jí. Bomba dopadla na pódium a zpěvák i ostatní muzikanti byli podle všeho mrtví. Leželi na podlaze, bílé košile nasáklé krví.

Světla blikala, ale Marietta ke svému zděšení i tak spatřila u parketu sedět ženské tělo bez hlavy.

Vzápětí zhasla světla.

Za tu krátkou chvilku nestačila Marietta objevit nikoho ze své skupiny, protože parket byl plný lidí, kteří buď leželi na zemi, nebo se pokoušeli dostat pryč. Jenže zatímco stála strnulá šokem ve tmě, zřítila se dolů druhá bomba.

Výbuch nakrátko prozářil sál a bylo zřejmé, že nikdo z těch, kdo byli na parketu, neměl šanci. Byli příliš natěsnaní k sobě, proměnili se v masu těl letících vzduchem, zatímco je shora zasypávaly kusy omítky, cihel a skla.

Marietta instinktivně ucouvla. Z bombardování East Endu už věděla, že by se mohla zřítit celá budova. Stála pod galerií, kde ještě před chvílí seděla a večeřela. Nad ní byla další dvě poschodí a pak dlouhé schodiště vedoucí k východu. Během několika minut jistě dorazí muži se svítilnami a pak bude možné zjistit, kdo je mrtvý nebo vážně zraněný. Ale pokud Noah, Lisette, Peter, Rose a Edwin neopustili taneční parket, zatímco byla na toaletě, a nevrátili se ke stolu, leží někde v té změti zmrzačených těl.

Marietta zvedla hlavu. Dírou ve střeše viděla hvězdnou oblohu. Vzápětí se nahoře objevila pohybující se světla a někdo začal vydávat povely, ozvalo se houkání sanitek. Teprve když Marietta poznala, že je pomoc nablízku, rozplakala se.

Z ulice dovnitř dopadlo další světlo svítilen a luceren a mužský hlas zavolal velitelským tónem: „Všichni, kdo nejste zranění, vyjděte prosím po schodech ven na ulici," křikl. „Čekají tu lidé, kteří si zapíší vaše jména. Nepokoušejte se hledat své přátele a příbuzné, jen tím záchranářům ztížíte práci."

Marietta se nedokázala přimět k pohybu. Mozek jí říkal, že musí, přesto dál upírala oči na změť lidských těl na parketu. Světlo nestačilo na to, aby dokázala někoho identifikovat, stejně se ale snažila zahlédnout Rosiny růžové šaty nebo Peterovu modrou uniformu. Nikde je neviděla, což v ní probudilo nepatrnou naději, Lisettiny černé šaty a Noahův večerní oblek by s ostatními snadno splynuly.

Kolik zemřelo lidí?

Někdo jí položil ruku na rameno, trhla sebou. Byl to záchranář v plechové přílbě s baterkou v ruce. „Pojďte se mnou, slečno, nahoře se o vás postarají."

„Byla jsem na toaletě, když se to stalo," vzlykala. „Mám narozeniny a nechala jsem je všechny tancovat. Nevím, jestli jsou tam…" Ukázala na parket.

„Možná ne," řekl jemně. „Pojďte nahoru, třeba je najdete tam."

Vzal ji pevně za ruku a vedl ji ke schodišti a k východu. V prvním podlaží se zastavila a podívala se dolů. Světla už bylo více a ona viděla, jak záchranáři obcházejí těla na parketu a zjišťují, jestli je někdo naživu. Dvě ženy trhaly ze svých šatů pruhy látky na obvazy. Pomáhaly ženě v červenobílých šatech posadit se, vzápětí však Mariettě došlo, že její šaty jsou ve skutečnosti bílé, červené od krve.

A pak spatřila Rose. Její růžové šaty se nedaly splést. Jednu ruku měla přehozenou přes obličej, nohy pokroucené, jako by vyletěla do vzduchu a pak dopadla na zem z velké výšky. „To je moje kamarádka," ukazovala zoufale záchranáři. „Ta v růžových šatech. Někde tam musejí být i její rodiče a přítel. Podíváte se po nich?"

„Ano, jen co vás odvedu nahoru," přisvědčil. „Tak pojďte, slečno, tohle není místo pro vás."

Záchranáři odváděli nahoru i další hosty. Všichni byli v šoku, pohybovali se jako ve zpomaleném filmu. Odevšad se ozýval pláč, lidé prosili, potřebovali někoho najít. Někteří byli zranění, měli šrámy na obličeji, klopýtali po schodišti, po jehož druhé straně sbíhali dolů záchranáři s nosítky.

Když se Marietta konečně dostala do foyer, jakási žena v overalu si zapsala její jméno a zeptala se na zbytek skupiny, s níž přišla: jména, věk, oblečení a cokoli, co by je pomohlo identifikovat.

Marietta se zmohla na odpověď. „Viděla jsem Rose na parketu, myslím, že tam budou i ostatní," dodala a rozplakala se nanovo. „A byl s nimi i Edwin Atkins. Má na sobě uniformu RAF, je asi sto osmdesát centimetrů vysoký, má hnědé vlasy a je mu šestadvacet."

„To nám hodně pomůže, slečno Carrerová," přikývla žena. „Vidím, že se třesete, pošlu někoho, aby vám přinesl deku a čaj. Pak můžete počkat na zprávy o svých přátelích."

S armádní dekou kolem holých ramenou Mariettu odvedli spolu s dalšími lidmi, otřesenými stejně jako ona, ven na ulici a pak po schodech do jakési sklepní místnosti. Uvnitř už bylo zhruba čtyřicet lidí, někteří seděli a plakali, jiní neklidně přecházeli sem a tam. Dle večerních úborů šlo o další návštěvníky Café de Paris, ale bylo tu i pár dalších, kteří se sem schovali, když před pár hodinami zazněl poplach.

Vysoká žena v uniformě dobrovolnice obsluhovala vozík s čajem, ale Mariettě to všechno připadalo neskutečné. To ona by měla rozdávat pohárky s čajem, byla na to zvyklá. Nečekala, že se někdy ocitne mezi těmi, jimž je vyjadřován soucit a jichž se ptají, jestli je jim teplo a podobně.

Vzala si čaj, ale celá se tak třásla, že jí někdo z pomocníků vzal kelímek z ruky a posadil ji, postavil čaj vedle ní a pořádně ji do deky zavinul.

Většina ostatních nedokázala přestat drmolit o tom, co se stalo. Podle někoho bylo štěstí, že bomby spadly tak brzy. Kdyby se to stalo po desáté, kdy je v klubu nejvíce plno, byly by škody mnohem horší. Většina přítomných seděla na vyšších galeriích. Někteří z nich měli přátele nebo příbuzné, kteří šli dolů tančit a zůstávali nezvěstní, ale většina o nikoho nepřišla, čekali zde, než se pro ně sežene doprava domů.

Mariettě bylo zle z jejich řečí o muzikantech, kteří byli zasaženi jako první, nebo o té ženě bez hlavy.

„Tancovali jsme s manželem dole jen pět minut předtím, než ta bomba vybuchla," opakovala jedna žena. Na sobě měla norkovou štólu a na hrdle se jí leskly diamanty. „Manžel mě odvedl pryč, že mu vadí, jak je na parketu plno. A já se na něj zlobila!"

Marietta si vybavila, že nechala kabelku i štólu na židli. Neměla peníze ani klíče, aby se dostala domů. I přes deku kolem ramen mrzla a studená betonová podlaha měnila její nohy ve večerních lodičkách v kusy ledu.

A právě když už si myslela, že na ni zapomněli, vešel dovnitř Edwin. Levou ruku měl na pásce, uniformu od omítky a prachu, na tváři ošklivý šrám. Ale byl živý.

Marietta se k němu rozběhla. „Díkybohu, že jsi v pořádku. Co ostatní?"

Vzal ji zdravou rukou kolem ramen a přitiskl k sobě. „Je mi líto, Mari, všichni zemřeli," vypravil ze sebe ochraptěle. „Právě jsem je identifikoval."

Marietta už slyšela, že lidé, kteří se ocitli v její situaci, takovou zprávu nedokázali vstřebat a věřili, že muselo dojít k omylu. Nyní už je chápala. Jak jen proboha mohla přijít o ty, kteří pro ni tolik znamenali, tak strašným způsobem?

Edwin se ujal situace. „Až zruší poplach, odvezu tě domů, Mari. Rose má, myslím, bratra, musíme mu dát vědět."

„Jmenuje se Jean-Pierre, ale viděla jsem ho jen párkrát. Slouží u námořnictva. Ale já nemám klíče od domu ani nic jiného," vychrlila ze sebe a rozplakala se ještě usedavěji.

„Klíče mám, policista je vzal panu Baylisovi z kapsy," chlácholil Edwin. „Je strašné, co se stalo, Mari, ale jsem s tebou.

Teď se posaď, promluvíme si o tobě. Máš v Anglii nějaké další příbuzné? Rodinu, která by ti pomohla?"

Zpátky do St. John's Wood se dostali teprve po třetí ráno. Marietta měla deku, kterou dostala, stále ovinutou kolem holých ramen, větší část cesty domů proplakala. Když vešla do domu plného Noahových a Lisettiných věcí, přepadlo ji bezbřehé zoufalství. Vedle křesla stál Lisettin košík s šitím, vedle druhého ležela Noahova kniha. Na stolku u okna byly vyrovnané rodinné fotografie. Ve vzduchu ještě visel závan Lisettina parfému.

Kdyby neměla narozeniny, už by teď všichni leželi v bezpečí ve svých postelích. Rose se nedočká vytoužené svatby a Noah s Lisette vnoučat pobíhajících po domě. Jen před pár dny Noah říkal, že se po válce všichni vypraví na Nový Zéland, ale ani k tomu už nedojde.

„Asi bys měla hned zavolat rodičům," navrhl Edwin. „Na Zélandu teď bude poledne."

„Nemají telefon," vypravila ze sebe. „Vždycky mi volají z pekárny tety Peggy."

„Tak jim zavolej tam. Mám to udělat za tebe?"

Nalil jim oběma brandy, Marietta mezitím vyhledala v rodinném adresáři číslo. Edwin rozdmýchal oheň a přiložil. Usadil Mariettu a vytočil číslo.

„Spojení asi chvíli potrvá," řekl Mariettě. „Vypij si tu brandy. Je na šok dobrá. Jaké má tvá teta příjmení?"

„Reidová," odpověděla Marietta zdrceně a představila si tlustou veselou tetu Peggy, jak se kolébá k telefonu a křičí do sluchátka jako vždycky. „Není to opravdová teta, jen mámina kamarádka."

Edwin přikývl, vzápětí promluvil do sluchátka. „To je paní Reidová? Peggy Reidová?"

Marietta slyšela, jak se Peggy ptá, kdo volá. Vstala a převzala sluchátko. „Teto Peggy, to jsem já, Mari. Stalo se něco hrozného. Mohla bys sehnat mámu, tátu nebo Mog?"

„Mog je zrovinka tady, zlatíčko, přišla na návštěvu. Předám ti ji."

„Mari?" Mogin hlas zněl vyděšeně. „Co se děje?"

Mari to ze sebe s pláčem vychrlila. „Jsou mrtví, všichni, Noah, Lisette, Rose i její přítel Peter. Vzali mě do klubu na oslavu narozenin. Jenže tam spadly dvě bomby. Já byla zrovna na toaletě. Všichni jsou mrtví."

Slyšela, jak se Mog zajíkla, vzápětí se však vzpamatovala jako vždycky, když šlo do tuhého. „Kde teď jsi? A kdo je to tam s tebou?" chtěla vědět. Z jejího hlasu zaznívala potlačovaná úzkost. „Musím běžet domů a povědět to Belle."

„Jsem v domě strýčka Noaha. A je tu se mnou Edwin, Peterův přítel. Byl na mě moc hodný." Už jen slyšet Mogin hlas uklidňovalo. „Mně se nic nestalo. Ani škrábnutí. Edwin identifikoval jejich těla. Tady je noc. Bombardování už skončilo, ale je to všechno tak strašné, nemůžu uvěřit, že jsou mrtví."

„Dej mi toho mladého muže. Edwin říkáš, že se jmenuje? Musíš si lehnout a dostat do postele ohřívací láhev. Je to vážně hrůza a ty jsi určitě v šoku. Zítra sežeň Jean-Pierra. On už bude vědět, co je třeba udělat. Kdybych uměla lítat, hned bych se za tebou vypravila, ale nesvedeme to já ani tví rodiče. Musíš zůstat silná, moje milá. A teď mi dej toho Edwina."

„Co ti řekla?" chtěla vědět Marietta, když Edwin posléze zavěsil.

„Totéž, co by mi v takové situaci řekla moje babička. Že tě nemám využít a mám se postarat, abys byla v teple. A pak si vzpomněla, že jsem právě přišel o nejlepšího přítele, a vyjádřila mi soustrast a řekla, že bych měl mít u sebe mámu a brandy."

Pousmál se. „Podle všeho bude pěkně od rány. Prý to hned poběží vyřídit tvé matce, ale otec je v práci a vrátí se až večer. Zavolají ti ráno, čili tady u nás zítra večer v šest."

„Vůbec jsem nepomyslela na to, že jsi i ty o někoho přišel," přiznala Marietta, když se k ní posadil. „Moc mě to mrzí."

„Já to chápu. Pro mě to je jiné – z naší roty už každý přišel o tolik přátel, že jsme si na to zvykli. Je to pořád hrozné, ale učíme se jít dál. Tohle bylo jiné, protože to přišlo nečekaně. My, piloti, umíráme v letadlech, ne v nočních klubech."

„Ani jsem se tě nezeptala na zranění," vzdychla. „Máš zlomenou ruku?"

„Asi ne, ale říkali mi, abych se radši zastavil v nemocnici. Výbuch mě porazil a špatně jsem upadl. Podle mě to mám jen vykloubené. Jeden člověk z civilní obrany říkal, že v klubu zemřelo třicet čtyři lidí a zhruba osmdesát je zraněných. Kdybys nešla na toaletu, bylo by o dva mrtvé víc."

Z brandy se Mariettě po předchozím šampaňském a vínu zatočila hlava. Vstala, zapotácela se, musela se chytit pohovky.

„Opatrně! Posaď se, já ti zatím naplním láhev horkou vodou a pak tě odvedu do postele," nabídl se Edwin.

„Mohl bys přespat v Rosině pokoji," hlesla Marietta a posadila se.

O chvíli později jí Edwin pomohl nahoru. Ukázala mu na dveře Rosina pokoje a zamířila do svého.

„Asi budeš potřebovat pomoc s rozepínáním šatů," poznamenal.

Marietta se na něj ohlédla v obavách, že chce využít situace. V jeho tváři však četla jen starost.

„Vidím, že mají spoustu malých háčků a oček, nedosáhneš si na ně," dodal. „Byla by škoda tak krásné šaty potrhat."

Měl pravdu, sama by je svléknout nedokázala. Když si je oblékala, zapínala jí je Lisette. Marietta se k Edwinovi otočila zády a cítila, jak jeho prsty nepatrně tápou.

„Hotovo," oznámil nakonec a položil jí ruku na rameno. „Kdyby ses v noci bála, jenom zavolej. Uslyším tě."

Marietta si přidržela šaty na prsou, otočila se a políbila ho na tvář. „Děkuju za všechno, Edwine. Nevím, co bych si bez tebe počala."

Přitáhl ji zdravou rukou k sobě. „Rozhodně jsem si nepředstavoval, že se večer vyvine takhle. Když jsem tě uviděl, nemohl jsem uvěřit svému štěstí. Ale mám rozkazy od tvé babičky. Postarám se o tebe."

Kapitola sedmnáctá

Marietta usnula, jakmile ulehla, ale po hodině se probudila a zbytek noci plakala do polštáře. Ještě nikdy tak nepostrádala rodiče a Mog. Měla strach, děsilo ji, co se stalo, netušila, jak se s tím vypořádá.

V sedm už nedokázala dál ležet s těmi hroznými výjevy před očima. Když sešla dolů připravit si čaj, našla Edwina v kuchyni. Oči měl zarudlé a vypadal stejně ztrápeně jako ona.

„Nevím, co mám dělat," přiznala a posadila se ke kuchyňskému stolu naproti němu. „Přijde sem policie? Co udělají s těly do pohřbu?"

„Já to taky nevím, nic takového jsem ještě neřešil. Ale podle mě ti všechno vysvětlí pohřební služba. S tím si teď hlavu nelam, Mari. To by měl zařídit Jean-Pierre. Tvoje babička říkala, že ho máš sehnat. Můžu to udělat místo tebe, jestli chceš."

„Je u námořnictva, takže pochybuju, že bys ho zastihl," namítla Mari. „Ale jeho žena Alice bude vědět, jak ho sehnat. Byla bych ti vděčná, kdybys jí tu zprávu oznámil ty, já bych asi všechno pokazila."

Došla pro číslo do Noahovy pracovny. Když se vrátila, voda v konvici už vřela. Připravila pro oba čaj. „Potíž je v tom," vyhrkla náhle, „že Jean-Pierre není právě příjemný člověk. Dokonce i Rose říkávala, že mluvit s ním je stejné jako mluvit s cihlovou zdí."

Edwin přikývl. „Peter to taky zmínil. Prý jsou Jean-Pierre a Rose každý z jiného těsta. Sice sourozenci, ale nevlastní."

Mariettu napadlo, kdo byl asi Jean-Pierrovým otcem. Kdyby zemřel, Lisette by se o něm nejspíš zmínila, ale na druhé straně jí nepřipadala jako žena, která by se rozvedla. Další část nejasné minulosti jejích rodičů, Noaha a Lisette. Jenže na tom už stejně nezáleželo.

Marietta se komunikace s Jean-Pierrem obávala, měla totiž pocit, že mezi ním a Noahem panuje zlá krev. Jako by Lisette stála mezi nimi a držela je od sebe.

Když se ohlédla zpátky, bylo to jasně patrné již při jejich prvním setkání. Jean-Pierre se k ní choval zdvořile, ale chladně, očividně šlo jen o povinnou návštěvu, nijak netoužil vidět matku a poznat dceru její drahé přítelkyně. Na fotografii v obývacím pokoji mu to slušelo, byl na ní Lisette podobnější než ve skutečnosti. Naživo vypadal zvláštně, černé vlasy mu příliš spadaly do čela, oči měl tmavé a malé. Jeho hlava by se dala popsat jako trojúhelníková, se špičatou bradou.

Ten den se zdržel nanejvýš dvacet minut. Marietta tomu nepřikládala žádný význam, ale po nedávné stejně krátké návštěvě se zeptala Lisette, proč se její syn nezdrží déle a nechodí častěji. Lisette se zatvářila rozpačitě a řekla něco v tom smyslu, že je hodně vytížený.

Jean-Pierrovu ženu Alici viděla Marietta za ty dva roky, co žila v Londýně, jen dvakrát. Podle Lisette nechodila Alice do společnosti kvůli nervovým potížím. Marietta si pomyslela, že mít tak chladného manžela, měla by zřejmě nervové potíže i ona.

Nechápala, jak mohla žena tak milující a velkorysá jako Lisette zplodit syna tak odlišného. Byl snad jeho otec surovec, a proto jej Lisette opustila?

Edwin počkal do devíti hodin, než Jean-Pierrovi zavolal, prohlašoval, že nemá smysl budit někoho v neděli časně ráno špatnými zprávami.

Marietta seděla vedle něj na sofa. Když se ve sluchátku ozval mužský hlas, Edwin nakrátko zaváhal, nečekal, že Jean-Pierra zastihne doma.

Není možné oznámit komukoli bezbolestně, že právě přišel o celou rodinu, přesto se Edwin snažil. Líčil podrobnosti jemně a taktně. Párkrát mu došla řeč a neustále se omlouval. Ale popsal všechno poměrně věrně včetně Mariettina šoku a tlumočil Jean-Pierrovi upřímnou soustrast.

Když zavěsil, tvářil se otřeseně. „Byl tak strohý," ulevil si a překvapeně pohlédl na Mariettu. „jako by mu úplně vadilo, že mu to říkám. Prý o Café de Paris četl v novinách, ale nechápal, co nás to všechny popadlo, vyrazit si do nočního klubu. Slyšelas, jak jsem mu vysvětloval, žes měla jednadvacáté narozeniny? Tak on se na to pohrdavě uchechtl. Dokonce se zeptal, jak to, že zrovna my dva jsme přežili. Vůbec ho nezajímalo, jestli nejsme zranění!"

Marietta ho pohladila po rameni. „Je sice studený čumák, ale zřejmě je taky v šoku. Až celou situaci vstřebá, pravděpodobně zavolá a bude lidštější."

„To doufám. Zařizování pohřbu je na něm, čeká ho taky dát do pořádku záležitosti rodičů. Rád bych zůstal a pomohl ti, Marietto, ale musím se vrátit do kasáren a nahlásit Peterovu smrt. Požádal jsem včera policii, aby uvědomila jeho rodiče, musím s nimi ale promluvit osobně."

„Už jsi pro mě udělal víc než dost. Nedovedu si představit, jak bych to včera bez tebe zvládla."

„Budu ti volat tak často, jak to půjde, Mari," řekl Edwin, objal ji a políbil na čelo. „Nerad tě tu nechávám samotnou. Nemáš nějakou kamarádku, která by sem mohla přijít?"

„Tak nějak se obávám, že by Jean-Pierre neměl radost, kdyby tu našel někoho z přátel, které jsem si našla v East Endu," povzdechla si sklíčeně. „Ale obvolám všechny kamarádky, které jsem poznala přes Rose. Aspoň budu mít co na práci. Nedělej si o mě starosti, Edwine. Jak ale budeš pilotovat nebo řídit, když máš zraněnou paži?"

Chabě se usmál. „Nebudu. Zajdu za velitelem, buď mi dá nemocenskou dovolenou, nebo mě dočasně převelí na pozemní práce. Říct klukům o Peterovi bude těžké, všichni ho měli rádi."

Marietta si všimla, jak se mu lesknou oči. Mlčky ho pohladila po tváři. „Mám zavolat do Rosiny kanceláře, nebo to mám nechat na jejím bratrovi?"

„Asi bych počkal, než se ti ozve. Podle toho, jak se choval, se snadno urazí."

„Od něj útěchu nečekám," připustila. „Možná se pletu, ale připadá mi strašně zakyslý."

Edwin vytáhl z kapsy pero a bloček. „Tohle je číslo na letiště. Můžeš mi tam nechat vzkaz, kdybys cokoli potřebovala. I kdybys jen chtěla s někým mluvit. Neboj se ozvat, Mari. Kdyby se tohle nestalo, přešlapoval bych před tvými dveřmi, abych tě mohl zase vidět. Moc se mi líbíš, a neříkám to ze soucitu."

„Taky se mi líbíš," přiznala. „Ale teď už běž, Edwine, ať nemáš potíže."

Sklonil se a políbil ji na rty. Jen lehký dotek, přesto stačil, aby pochopila, že všechno myslel vážně.

Když Edwin odešel, vydala se Marietta do Rosina pokoje ustlat a najít její adresář. Ale pohled na Rosiny šaty, pudr vysypaný na toaletním stolku, knížku *Hrozny hněvu*, o níž nedávno hovořily, v ní vyvolal neuvěřitelný pocit naprosté ztráty.

Tolik večerů spolu seděly v tomhle pokoji, povídaly si a smály se. Tady ji Rose naučila tančit swing, pít alkohol, vyprávěla jí o filmových hvězdách, které Marietta neznala, bavily se o lásce. Marietta obdivovala Rosin rozhled, jen její naivita ohledně sexu jí připadala směšná, přesto snila o tom, že bude jednoho dne zrovna tak vzdělaná jako její kamarádka.

Vyčítala si, že Rose občas považovala za snobskou, panovačnou a zlomyslnou, protože její dobré stránky ty špatné mnohonásobně převyšovaly a Marietta si ji zamilovala jako sestru. Rose jí věnovala čas, dělila se o své přátele, nikdy jí nedala pocítit, že je chudá příbuzná nebo zátěž. Teprve když zemřela, uvědomila si Marietta, že právě Rose jí dodala sebedůvěru stát se takovou, jaká chce být. Rose by nikdy nerozdávala ošacení lidem, kteří přišli o střechu nad hlavou, a nenaslouchala jejich problémům, ale nikdy také nad Mariettou neohrnovala nos, že to dělá – naopak ji za to obdivovala.

Ztratit Noaha a Lisette, kteří se k ní chovali tak laskavě, bylo strašné. Milovali ji, starali se o ni, živili ji, zaplatili jí školu a mnoho dalšího. Ale Rose měla navždy patřit do jejího života. Marietta si představovala, že jí na svatbě půjde za družičku, stane se kmotrou jejích dětí, budou všechno sdílet a zůstanou přítelkyněmi i ve stáří.

Lehla si na Rosinu postel a plakala. Nebyly to slzy šoku jako včera, ale slzy ztráty, s níž se, jak cítila, nikdy nesmíří. Ještě nikdy se necítila tak osamělá. Víckrát Rose neuslyší zpívat „Puttin' on the Ritz". Neuslyší její smích, neuvidí, jak krčí nos, když jí líčí nějaké hrozné věci z East Endu. Nespatří ten úsměv s povytaženým obočím, když Rose něčemu nevěřila, neuvidí ji kontrolovat švy na punčochách před odchodem z domu. Všechno to byly maličkosti, které však dohromady utvářely Rose – vřelého člověka s touhou po životě.

Plakala ještě i o hodinu později, když zazvonil zvonek. Vstala, zaběhla do koupelny, opláchla si obličej a šla otevřít.

Za dveřmi stál Jean-Pierre.

„Je mi to tak líto," vyhrkla. „Pořád tomu nemůžu uvěřit. Pro vás to byl jistě hrozný šok."

„Ano," přitakal, vešel a odložil si klobouk na stolek v hale. „Kdyby mi matka pověděla, že se chystá na takové místo, rozmlouval bych jí to. West End není bezpečný, když padají bomby. Včera schytal zásah i Buckinghamský palác."

Byl v civilu, na sobě měl kvalitní oblek a tmavě modrý svrchník. Marietta čekala, že ji politujé, bude se vyptávat na podrobnosti, ale Jean-Pierre už nic dalšího neřekl. Došel do obývacího pokoje a nalil si skotskou.

Marietta jej následovala. „Edwin vám tu nechal vzkaz, koho máte kontaktovat kvůli jejich tělům," řekla rozpačitě. „Mám také číslo k Rose do práce. Kdybyste chtěl, zavolám tam sama."

„Postarám se o to i o všechno ostatní," pronesl stroze a hodil do sebe obsah sklenky.

„Kolik máte volna?" zeptala se napjatě. „I když za daných okolností vám je jistě prodlouží."

„Měl jsem se vrátit v úterý, ale požádal jsem o celý týden."

„Nedal byste si něco k jídlu?" nabídla mu. Sice žil v Hampsteadu, což bylo nedaleko, přesto měla pocit, že mu něco nabídnout musí.

„Ne, už jsem jedl a nemám moc času. Klidně běžte, já si tu vyřídím papíry a další záležitosti."

Šokovalo ji, že ji propustil jako služebnou.

„Nepotřebujete s něčím pomoct?"

„Ne, ale očekávám, že si v příštích dvou dnech najdete jiné ubytování. Po pohřbu nechám dům zabezpečit, dokud se sem nenastěhuji."

Marietta stála jako zkoprnělá. „Mám odejít?"

„Přesně tak, špatně snad slyšíte?"

„Ne, jen se mi nechce věřit, že jste něco takového řekl," opáčila. „Strýčka Noaha a tetu Lisette by to zděsilo."

„Nejste žádná jejich neteř," prohlásil příkře. „Jen dcera někoho, o koho se moje matka starala ve Francii. Jste dospělá a už jste je odírala dost dlouho."

To ji vyvedlo z míry.

„Proč se ke mně chováte tak ohavně?" rozhořčila se. „Víte dobře, že po vypuknutí války jsem se domů vrátit nemohla. A kdyby mě tu vaši rodiče nechtěli, řekli by to."

„Možná, ale oni už tu nejsou. Tak už běžte, mám práci."

„To tedy ne." Přistoupila blíž. „Já skutečně nechápu vaše nepřátelství. Měla jsem vaše rodiče a Rose ráda jako vlastní rodinu. Ať už máte s domem v úmyslu cokoli, je to vaše věc, to chápu. Ale jestli si myslíte, že mě vyhodíte ještě před pohřbem a zabráníte mi poskytnout útěchu těm, kdo na něj přijdou, nebo připravit smuteční hostinu, tak se pletete. Zkuste to a já uvědomím vydavatele všech novin, pro které Noah pracoval. Vědělo se o něm, že má srdce na správném místě, všechny by zděsilo, kdyby slyšeli, jak je jeho nevlastní syn bezcitný."

„No ano, ke kurvám byl ohromně soucitný. Například k vaší matce!"

Marietta šokovaně ucouvla.

„Tak vy nic nevíte?" ušklíbl se. „Napsal knihu o ženách, které byly prodány k prostituci, protože vaši matku pomohl zachránit právě před takovým životem."

„Nevěřím vám," hlesla, ačkoli měla nepříjemný pocit, že uhodil hřebíček na hlavičku.

„Belle vyrostla v bordelu v Seven Dials, stala se svědkem vraždy, proto ji unesli, aby ji umlčeli. Prodali ji do Francie jako prostitutku," vychrlil na ni Jean-Pierre. Pak se odmlčel a nasadil samolibý úsklebek. „Vraha nakonec chytili a pověsili a vaše vzácná matka byla korunním svědkem. Tak mi tu nevykládejte, že budete obvolávat nějaké vydavatele. Tohle byste určitě do světa vypustit nechtěla, nemám pravdu?"

Marietta uprchla nahoru, z člověka schopného takové zášti dostala strach.

O hodinu později ji Jean-Pierre zavolal dolů. Sbalil si krabice s nějakými papíry a také sametové šperkovnice.

Marietta celou tu dobu přecházela po pokoji a plakala rozčilením. Uvědomovala si však, že kdyby mu pěkně od plic řekla, co si o něm myslí, mohl by jí skutečně ublížit.

„Už půjdu. Zavolám ohledně pohřbu," prohlásil. „Uvědomuji si, že jsem mluvil poněkud unáhleně, můžete zůstat ještě dva dny po pohřbu. Ale pokud tu bude cokoli chybět, uvědomím policii."

Marietta byla v pokušení poslat ho kamsi, ale spolkla příkrou odpověď a jen mlčky přikývla.

Jakmile zmizel, nasadila na dveře řetízek, neměla v úmyslu nechat ho vplížit se dovnitř a sledovat ji. Opřela se o dveře a pokoušela se rozvážit, co dál.

Jenže těžko myslet na budoucnost, když se právě dozvěděla něco tak neuvěřitelného o vlastní matce. Bylo pět hodin, za hodinu měli rodiče volat. Jenže na takové věci se těžko mohla zeptat po telefonu. Přesto to potřebovala vědět.

Co s tím?

Připadalo jí logické začít pátrat v Noahově pracovně.

Začala prohledáváním knih, které napsal. Našla mezi nimi jednu s titulem *Bílé otrokyně*. Ale po krátkém prolistování v ní neobjevila žádná skutečná jména obětí, jen údaje o tom, kam je unesli a jaká je statistika pohřešovaných a nikdy nenalezených dívek. Našla také část o cizinkách přivlečených do Anglie, aby tu údajně dělaly služky v bohatých domácnostech, místo toho byly obratem prodány do nevěstinců.

Noah vše úpravně uspořádal, odborné publikace měl abecedně seřazené podle tématu, beletrii dle autora. Nikde žádný nepořádek. Několik krabic se složkami na policích vyplňovaly účtenky, různé zápisky, výstřižky z časopisů a recenze na jeho knihy.

Když už se Marietta chtěla vzdát, zazvonil telefon.

„Mami?" ozvala se do sluchátka, zadýchaná po běhu po schodech.

„Holčičko moje! Nemůžu ti ani vypovědět, jak na nás ta zpráva dolehla. Jak to zvládáš?"

Její známý milý hlas vyvolal nový příval slz. „Už mi bylo líp," vzdychla. „Právě tu byl Jean-Pierre, postará se o všechno, co je třeba udělat."

„Ano, určitě, byl to vždycky hodný chlapec."

Marietta zaťala zuby. Nemohla matce povědět, s čím na ni Jean-Pierre vyrukoval, dokonce ani, že se má vystěhovat, zbytečně by se o ni strachovali.

„Pověz mi, jak se to stalo," vybídla ji Belle. „Mog byla tak vedle, že si to ani pořádně nezapamatovala."

Marietta vše znovu vylíčila. „Neboj se o mě," řekla nakonec. „Mám tu přátele, kteří se o mě postarají. Napíšu po pohřbu, teď potřebuju všechno v klidu promyslet."

„Měla jsem Lisette a Noaha tak ráda," pronesla Belle, očividně plakala. „Pomohli mi v opravdu těžkých časech. A Rose byla tak krásná hodná holčička. Je opravdu těžké přijmout, že už tu s námi nejsou."

„Mami, mně se teď o tom špatně mluví. Napíšu vám dopis. Pověz tátovi a Mog, že jsem v pořádku, jen moc smutná. Ten hovor tě bude stát spoustu peněz, radši se rozloučíme."

„Máme tě všichni rádi, moje milá," řekla Belle a tentokrát už vzlyky neovládla. „Tak moc bych chtěla být u tebe a obejmout tě."

„Taky vás mám všechny ráda. Hned napíšu."

Marietta měla pocit, jako by ji protáhli ždímačkou. Klesla na sofa a znovu se rozplakala.

Vyrušilo ji další zvonění telefonu. Zatvrdila se, čekala, že volá Jean-Pierre s dalšími pokyny, ale byl to Johnny.

„To jsem rád, že jsi tam," vyhrkl, jakmile se ohlásila. „Já se často nemodlím, ale když jsem se dozvěděl o bombardování Café de Paris, musel jsem. Nedostal jsem se k seznamu obětí a věděl jsem, že se tam chystáš. Tolik jsem se bál, že o tebe přijdu. Jaká úleva!"

Marietta se nedokázala přimět povědět mu, že její blízcí všichni zahynuli. Nepochybně by se za ní okamžitě rozjel. A kdyby se to dozvěděl Jean-Pierre, získal by proti ní další zbraň. Proto mu řekla, že bude zítra v kanceláři u Grevilla, a požádala, jestli by se s ní po práci nemohl sejít.

„Jsem ještě pořád v šoku," dodala. „Teď půjdu do vany a pak do postele."

„Mluvíš, jako by z tebe vyprchal všechen život," podotkl. „Zítra o půl šesté na tebe budu čekat."

Večer se siréna rozezněla o půl sedmé. Marietta byla v pokušení ulehnout a riskovat, uvědomila si však, jak by to bylo bezohledné. Vzala si pyžamo a župan, naplnila ohřívací láhev a sešla dolů do sklepa.

Lisette jejich sklepní příbytek nedávno vylepšila – lampa, koberec na podlaze – a na stěnu připevnila velkou barevnou patchworkovou deku. Prý ji šila, když čekala Rose, a pak za války, zatímco byl Noah pryč. Když se nastěhovali do tohoto domu, nehodila se deka barevně k zařízení pokojů.

Byla to další připomínka Lisettina nadání. Ta důstojná jemná žena ráda tiše proplouvala domácností a starala se více o pohodlí druhých než o své. Nikdy nezvyšovala hlas, jídlo připravovala dokonale systematicky. Marietta ji zřídkakdy zahlédla při úklidu, praní prádla a dalších domácích pracích, přitom byla domácnost vždycky jako ze škatulky a nic se na tom nezměnilo, ani když Andrewsovi odešli k příbuzným na farmu. Lisette vše zvládala sama. Dokonce i sklepní kryt pro rodinu zařídila útulně.

Marietta položila ohřívací láhev do jedné z postelí a zapnula elektrické topení, pak se posadila do lenošky. Zvenčí slyšela tlumené dunění bomb a odhadovala, jestli znovu bombardují East End, nebo dnes večer okusí zkázu jiná londýnská čtvrť.

Kam se vrtne, jestli odsud bude muset odejít? Co si bude moct dovolit s pouhými dvěma dny placené práce týdně?

Odpověď byla zřejmá: bude si muset najít jiné zaměstnání. Jenže jaké? Ve zbrojní továrně? Průvodčí v autobusu?

Zatímco takto přemítala, všimla si tří lepenkových krabic v rohu, narovnaných na sobě. Noah říkal, ať je tam nechají, že ničemu nepřekáží. Lisette si ho dobírala kvůli obsahu, domnívala se, že jde o první články, které jako novinář napsal, a že je sentimentální blázen, když je nevyhodí. Noah se jen smál.

Mariettu napadlo, jestli by v nich nenašla něco o matce. Možná je prohrabal Jean-Pierre, ještě když tu bydlel, a proto ví víc než ona.

První krabice potvrzovala Lisettino podezření. Výstřižky z novin. Noah každý nalepil na kartičku a připsal datum a název listu, v němž článek vyšel. Nejstarší byl datován 1905, kdy bylo Noahovi teprve dvacet. Byl o jakési svatbě v Camden Townu, popisoval v něm nevěstiny šaty ze smetanového taftu s krajkou a růžové šaty nevěstiných sester, které šly za družičky.

Marietta hledala dál. Rané články se týkaly vesměs svateb a pohřbů, sem tam nějaký popisoval dobročinnou party, k těm si Noah poznamenal, kdo večírek pořádal, kolik se vybralo a kteří významní hosté se zúčastnili.

Byl pořádkumilovný už tenkrát, výstřižky měl seřazené podle data. Marietta se jimi probírala, zarazila se jen u jednoho, jehož titulek ji zaujal. „Hrůza s tarantulí", z ledna roku 1910, vyšel v *Heraldu*. Psalo se v něm o nosiči z Covent Garden, jemuž se na rameni objevila tarantule. Jakmile to nosič zjistil, ztuhl strachy, ale nějaký chlapec se sklenicí a kusem lepenky pavouka odchytil a strčil do krabice. Později tarantuli odvezli do Londýnské zoo. K tomuto článku si Noah na kartičku poznamenal: „Má první skutečná reportáž".

Od té doby, soudě dle množství výstřižků, začal dostávat více práce a byl vysílán jako reportér k zajímavějším událostem. Pak Marietta objevila článek ze srpna 1910, vydaný opět v *Heraldu*, o dívkách, které zmizely ze čtvrti Seven Dials. Tento jako první nesl Noahovo jméno.

Byl to text psaný se zápalem – Noaha se případ očividně silně dotkl – a podle všeho si informace zjišťoval velmi důkladně. Všechna zmizení byla ohlášena na policii, přesto se žádná z dívek nenašla. Noah zdůrazňoval, že byly všechny hezké, poslušné dcery z milujících rodin, které neměly důvod utíkat. Všechny záhadně zmizely, když šly ven něco zařídit nebo za kamarády, a podle Noaha byly uneseny a nuceny k prostituci snad ve Francii nebo v Belgii. Na konci článku byl uveden seznam jmen. A mezi nimi Belle Cooperová.

Marietta oněměla.

Zavřela krabici a vzala do ruky další. I ta byla plná výstřižků, zde však Marietta nic zajímavého nenašla, jen si všimla, že Noahova hvězda ve světě žurnalismu stoupala a jeho články se začaly objevovat na titulních stranách.

Poslední krabice byla podobná, ale právě když chtěla Marietta zaklapnout víko, našla, co hledala. Zprávu o soudním přelíčení v Old Bailey z roku 1913. Autorem článku nebyl Noah a nenalepil jej na kartičku jako všechny ostatní. Byl krátký a věcný.

Pan Frank James Waldegrave, známý též jako Kent, byl usvědčen z vraždy Millie Simmonsové v Jake's Courtu v Seven Dials v lednu 1910 a odsouzen ke smrti pověšením. Korunní svědkyně Belle Cooperová potvrdila, že se ve svých patnácti letech stala svědkem této vraždy a Waldegrave ji následně unesl a odvezl do Paříže, kde ji prodal k prostituci.

Marietta seděla s výstřižkem v rukou jako zkoprnělá. Nechápala, jak může být její matka tak hodná, starostlivá a normální poté, co prošla něčím tak strašným.

Vzplála v ní potřeba poznat celý ten příběh: jak do něj zapadají Noah, Lisette a její otec. A jak všechno zvládla Mog, když Belle zmizela. Přestože to bylo všechno děsivé, už se nedivila, kde se v rodičích a Mog vzalo takové pochopení pro slabosti druhých.

Ale pokud měl Jean-Pierre v úmyslu ji tímto rodinným příběhem zdrtit, nedosáhl ničeho. O to víc Marietta svou matku milovala a obdivovala.

Kapitola osmnáctá

„Najdu ti nějaké ubytování," prohlásil Johnny, natáhl se přes stolek v kavárně a vzal ji za ruce. „Mám taky sto chutí trochu si Jean-Pierra podat. To není člověk, ale had."

Kavárna ležela blízko kanceláře v Baker Street. Marietta Johnnymu právě vylíčila, jak to bylo v Café de Paris a jak strašně se Jean-Pierre zachoval.

Zmohla se na chabý úsměv. „Kdyby tě zavřeli, ničemu to nepomůže. Co bych si pak počala?"

„Rád bych pro tebe udělal víc," pronesl upřímně. „Nechápu, jak jsi dokázala jít do práce. Máš asi dost tuhý kořínek."

„Co bych celý den dělala, kdybych zůstala doma? Pro mě už to stejně domov není. Jean-Pierre mi ani nemusel nařídit vystěhování – nechci tam zůstávat sama, ani bych si to nemohla dovolit. Ale Lisette by se otáčela v hrobě, jak se její syn chová. Tedy kdyby už v nějakém byla."

„Co ti dnes řekl strejda?"

„Byl laskavý a pochopitelně otřesený. Člověk přece jen nečeká, že k němu přijde jeden ze zaměstnanců a oznámí, že čtyři

239

z pěti lidí, s nimiž byl oslavovat narozeniny, jsou mrtví. Prý mám požadovat nahlédnutí do Noahovy závěti. Ale to já nemůžu."

„Jestli zjistíš, jak se jmenuje Noahův právník, mohla bys mu povědět, co se stalo," navrhoval Johnny. „Nejspíš všechno připadne Jean-Pierrovi, když jsou všichni ostatní z rodiny mrtví. Ale nikdy nevíš, třeba Noah nechal něco i tobě – byl koneckonců tvůj kmotr. Ten slizoun by mu mohl napovídat, žes zmizela nebo tak něco, vůbec bych se nedivil."

„Já se na takové věci ptát nebudu, klesla bych na Jean-Pierrovu úroveň."

„Nemusíš se ptát, jen dej právníkovi adresu, na které budeš, kdyby bylo něco potřeba. Ale jak jsem říkal, já už ti něco najdu. Znám spoustu lidí, kteří by mohli mít místo pro jednoho podnájemníka, a nežijí v žádných haluznách."

„Jsi moc hodný. Včera jsem měla pocit, že mě ta tíha rozdrtí. Ale když jsem se ráno probudila, mohla jsem se aspoň těšit, že se uvidíme."

Johnny dlouho neříkal nic, jen se díval na jejich propletené ruce.

Nakonec promluvil váhavě, jako by hledal vhodné výrazy. „Když jsem si ještě myslel, že jsem o tebe přišel, litoval jsem, že jsem ti neřekl, že tě miluju. Nikdy jsem se neodvážil, bál jsem se, abych tě neodradil. Ale když jsi mi včera zvedla telefon, měl jsem nesmírnou radost. Slíbil jsem si, že ti to povím. Když jsi dnes odcházela z kanceláře, vypadala jsi jako někdo, koho vedou na popravu. Ale jakmile jsi mě zahlédla, usmála ses. A víš, co mě napadlo?"

„Ne. Pověz mi to."

„Že to chceš mezi námi ukončit."

Vzhledem ke všemu, co mu právě pověděla, Mariettu šokovalo, že myslí na sebe, a napadlo ji, jestli nechce její tragédii využít k vlastním cílům.

„Jak tě to jenom napadlo?" podivila se.

„To je jednoduché. Jsi výjimečná, krásná, chytrá, máš všechny přednosti. Proč by ses měla vázat k hasiči, když můžeš mít boháče, který ti dá krásný dům a věci, na které jsi zvyklá? A proč jsi mi vlastně neřekla včera do telefonu, že zemřeli?"

„Protože ty bys všeho nechal a spěchal za mnou. Měla jsem strach, aby se Jean-Pierre nevrátil. Kdyby tě tam našel, mohlo by to skončit zle."

„Vyrazil bych mu zuby. Ale přesně toho ty ses nejspíš bála."

Naznačoval, že se za něj stydí. Marietta nechápala, proč s tím musí začínat zrovna teď, když toho má na talíři víc než dost. Původně mu chtěla svěřit, co jí Jean-Pierre pověděl o matce. Nakonec ten nápad zavrhla.

V hostinci si dali něco k pití, Marietta však byla příliš smutná, zhrzená a ustaraná a na povídání neměla náladu. Nemohla se ubránit srovnávání Edwina a Johnnyho. Edwin jí poskytl útěchu, a to ji poznal jen pár hodin před katastrofou. Zato Johnny, jehož znala už celé měsíce, jako by vůbec nedokázal pochopit, jak je to pro ni všechno těžké.

„Půjdu domů," rozhodla se, když jí nabídl třetí skleničku. Bylo teprve osm, ale jí už to stačilo. „Je mi líto, Johnny, ale je mi tak bídně, že mi není dvakrát do řeči."

„To je jasné, doprovodím tě."

„Ne, Johnny," odmítla. „Půjdu sama."

„Vždycky sis přála, abychom spolu mohli být sami někde, kde je útulno," ohradil se.

„Všechno má svůj čas," opáčila příkře. „Teď není vhodná chvíle a strýcův dům tak krátce po smrti celé rodiny není vhodné místo. Měj trochu ohledy, Johnny!"

„Chtěl jsem se o tebe postarat. Některým lidem se nezavděčíš," postěžoval si.

Marietta se vracela domů a před očima měla Johnnyho zasmušilý výraz. Poznala, že se skutečně rozhodl využít situace, a to bolelo. Ale možná přehání a myslí si o něm to nejhorší, protože nemá na kom ventilovat své pocity.

Když se vrátila domů, byla ráda, že nepodlehla a nenechala se od něj přemluvit, protože uvnitř našla Jean-Pierra. V ruce měl velký zápisník a pero, zdálo se, že sepisuje inventář cenností.

„Pohřeb je domluven v kostele svatého Marka na pátek ve dvě hodiny," oznámil jí. „Připravte občerstvení pro dvacet lidí, až se pak přesuneme sem."

Ráda by mu doporučila používat slůvko „prosím", ale víc ji znepokojilo vyřčené číslo.

„Jen dvacet?" podivila se. Sama věděla minimálně o patnácti párech blízkých přátel Noaha a Lisette, k tomu Noahovi kolegové novináři a spisovatelé, Rosini přátelé a kolegové z práce.

„Nebudu dělat trachtaci pro celý Londýn," prohlásil povýšeně. „V kuchyni jsem nechal seznam pozvaných. Pár sendvičů postačí, myslím, že na pohřeb smí člověk dostat příděly navíc, ale nemá smysl cpát lidi v takové chvíli horem dolem."

Marietta usoudila, že něco tak ubohého nestojí ani za odpověď. „Dal jste vědět všem, koho měli rádi?"

„Nechal jsem vytisknout parte v *Timesech*."

Z toho bylo zřejmé, že nikomu vědět nedal a ani nemá v úmyslu nikomu zavolat nebo napsat osobní dopis. Tak podlé chování ji skutečně zaráželo.

„Nemyslíte, že by od vás rodina čekala, že zaváte lidem, kteří pro ně byli důležití?" nadhodila.

Jeho výraz potemněl. „Co si to dovolujete, kritizovat má rozhodnutí?" prskl. „Mám na starosti důležitější věci než obvolávat Rosiny tupé kamarádky nebo se klanět před otčímovými známými."

Marietta považovala za lepší dát najevo svůj nesouhlas tím, že odejde, než aby řekla cokoli dalšího. Koneckonců jde o jeho rodinu, nikoli o její. A jestli nemá takové vychování nebo soucit, aby myslel na to, co by si přáli, není to její vina.

Krátce poté Jean-Pierre bez jediného dalšího slova odešel. Odnesl s sebou stříbrné svícny a velkou stříbrnou mísu z jídelny, hodiny z obývacího pokoje a několik malých akvarelů ve zlacených rámech z Noahovy a Lisettiny ložnice. Podle všeho ji podezíral z krádeže, což byla poslední kapka.

Marietta se rozplakala.

Následujícího rána přišla do práce a našla pana Grevilla nad *Timesy*.

„Viděla jste ten nekrolog za Noaha Baylise?" zeptal se a ukázal jí sloupek na třetí straně z pera šéfredaktora Waltera Franklina. „Vím, že váš strýc byl spisovatel, ale netušil jsem, jak slavný."

Marietta již dávno zjistila, že Greville není tak bezcitný, jak se tváří. Během dnů po bombardování se k ní choval velmi laskavě a dokonce se zeptal, jestli nepotřebuje peníze. Bylo milé, že se o ni alespoň někdo zajímá. Vděčně se na něj usmála a vzala noviny do ruky.

Přečetla si sloupek a dojetím se jí zarosily oči.

Jean-Pierre považoval za dostačující oznámit smrt své sestry, matky a otčíma pouhými několika řádky, ale toto byl skutečný nekrolog, který napsal člověk, jenž Noaha dobře znal a obdivoval.

Celá Fleet Street truchlí pro smrt spisovatele a novináře Noaha Baylise, který přišel o život 8. března spolu se svou ženou, dcerou a rodinným přítelem v Café de Paris, kde slavili jednadvacáté narozeniny jeho kmotřenky.

Pan Baylis byl často nazýván „hlasem války" a jeho reportáže z uplynulého vojenského konfliktu se zapsaly do dějin jako jedny z nejzasvěcenějších příběhů o zkáze a skutečné dani, již si vybírá válka.

Psal upřímně, nezachycoval jen hrdinství, ale i šokující mrhání lidskými životy. Jeho zapálené články nám umožňovaly vidět frontu jeho očima, nahlédnout do toho pekla, jež pronásledovalo mnohé z našich mužů ještě dlouho poté.

Vychválil také Noahovy knihy a trefné investigativní reportáže o bezohledných pronajímatelích bytů v chudinských domech, lhostejnosti vůči válečným mrzákům a extrémní chudobě, s níž se mnozí během krize potýkali. Sloupek uzavřel takto:

Noah Baylis měl velké srdce a využíval své nadání, aby poukázal na nerovnost v této zemi. Jeho skon je pro svět žurnalismu a pro všechny, kdo si jej vážili, velkou ztrátou.

Marietta se s panem Franklinem neseznámila, doufala však, že ho uvidí na pohřbu, aby mu mohla podat ruku a poděkovat.

„Doufám, že si to Jean-Pierre přečte a bude se stydět," pronesla a otřela si oči. Vylíčila Grevillovi, co se stalo předchozího večera. „Jde mu jen o cennosti. Co by si asi tak teta Lisette o jeho chování pomyslela!"

„Čím dřív odtamtud odejdete, tím líp," přikývl a pohladil ji po rameni. „Kdybyste chtěla, můžete samozřejmě začít pracovat v továrně. Tam by asi nebylo těžké najít místo, kde byste mohla přebývat. Ale podle všeho, co jsem slyšel, byste možná raději zůstala nablízku našemu Johnnymu."

Když se zatvářila překvapeně, věnoval jí jeden ze svých vzácných úsměvů. „Uhodl jsem to už dávno. Kdyby bylo na mně, nevybral bych vám zrovna jeho. Ale mně do toho jistěže nic není."

Zajímalo ji, jak to myslí. O vlastním synovci tak člověk obvykle nemluví. Ví snad o Johnnym něco, co jí uniklo?

Marietta si sloupek z novin vystřihla, aby jej mohla poslat rodičům. Bylo smutné, že je to jediná útěcha, kterou jim po ztrátě drahých přátel může nabídnout.

V pátek ráno se Marietta probudila a zadívala se na otevřený kufr na podlaze. Byl sbalený, vše připravené, zbývalo jen přihodit před odchodem pár posledních věcí. Půjde na pohřeb, pak se sem vrátí a bude říkat, co se sluší, lidem, jež Jean-Pierre shledal hodnými pozvání na smuteční občerstvení. Poté odejde navždy.

Joan, kamarádka ze staré továrny, jí nabídla postel, dokud si něco nenajde. Bydlela v malém domku v Bow, s venkovní toaletou, bez koupelny a s plynovým osvětlením. Joan zůstala sama, protože její dvě děti evakuovali do Devonu a manžel sloužil u armády v severní Africe. Marietta jí byla za nabídku vděčná a ulevilo se jí, že po dnešku již Jean-Pierra víckrát neuvidí, přesto ji bolelo srdce, že musí odejít z místa plného krásných vzpomínek.

Ještě před šesti dny byla štěstím bez sebe. Jednadvacáté narozeniny znamenaly, že je oficiálně dospělá, a také si tak připadala, silná, schopná, připravená na cokoli. Netušila, že se jí rozpadne celý svět a ztratí tři osoby, které pro ni tolik znamenaly. V jejím srdci jako by po nich zůstalo prázdno. Na Zélandu by možná dokázala toto prázdno vyplnit svou rodinou, jenže nebylo jak se dostat domů. A zde, v Anglii, ji nikdo toho hlubokého smutku nemohl zbavit, dokonce ani Johnny ne.

Vylezla z postele a šla si napustit vanu. Ode dneška se bude muset spokojit s veřejnými koupelnami a věděla, že to bude nenávidět. Jakmile se oblékla, vyrazila do pekárny pro chleba – pan Giggs, majitel pekárny, měl Lisette rád a slíbil jí tři bílé bochníky na sendviče.

Ještěže Lisette tak schraňovala zásoby: ve spíži zůstaly čtyři plechovky s lososem, dva lančmíty a dostatek přísad na velký ovocný koláč. Marietta jej upekla předešlého dne, připravila také párkové závitky a taštičky s džemem. Byla to malá pomsta Jean-Pierrovi, postarat se, aby hosté snědli vše, co si zřejmě plánoval odnést domů. Na dno kufru si Marietta přibalila čaj, cukr a pár dalších věcí, aby k Joan nepřišla s prázdnýma rukama.

O půl jedné bylo vše připraveno. Stůl v jídelně vypadal pěkně, prostřený Lisettiným oblíbeným ubrusem s lemem z bílé krajky, ozdobený vázou narcisů ze zahrady, pokrmy byly naaranžovány na nejpěknějších talířích, sendviče přikryté vlhkými utěrkami, aby vydržely čerstvé. Na vozíku čekaly čajové šálky s podšálky, alkohol a sklenky v obývacím pokoji.

Byl krásný jarní den. Krokusy rozevřely květy slunci v ústrety, všude kvetly narcisy. Marietta vyhlédla do zahrady. Sice nikdy nepořídili slepice, jak navrhovala na dovolené v Arundelu, ale loni vypěstovali nějakou zeleninu. Ráda by věděla, co se stane s překrásnou zahradou, již Lisette tolik milovala a zahrnovala péčí. Nedovedla si představit, že by se o ni Jean-Pierre staral.

V kostele bylo plno a mnozí hosté museli stát. Marietta se ohlédla na Jean-Pierra, který vedle ní zpíval první hymnus, a napadlo ji, jestli alespoň nyní cítí výčitky, když vidí, kolik lidí mělo jeho rodinu rádo. Jeho žena Alice se nedostavila, údajně jí nebylo dobře, ale neznělo to příliš věrohodně. Mariettu napadlo, jestli se jejich manželství nerozpadlo. To by vysvětlovalo, proč se chce Jean-Pierre nastěhovat co nejrychleji.

Pro Mariettu byl obřad velmi bolestný. Mnohokrát tu absolvovala bohoslužbu ve společnosti Noaha, Lisette a Rose, a ačkoli nepatřili k rodinám, které chodí do kostela každý týden, znali se dobře s vikářem a Marietta čekala, že pronese něco osobnějšího, přinejmenším o Noahovi. To se však nestalo a ji napadlo, jestli mu to Jean-Pierre nezakázal. Posléze následovalo celé shromáždění nosiče s třemi rakvemi ven na hřbitov. Hosté si šuškali, podle všeho byli i oni překvapeni tak neosobním rozloučením se zesnulými.

Johnny Jean-Pierra impulzivně nazval hadem. Očividně však stejně působil i na ostatní. Jakmile byly rakve spuštěny do země, vikář pronesl poslední slova a přišel čas na kondolence, všichni k Jean-Pierrovi přistupovali obezřetně, jako by je skutečně mohl uštknout.

Marietta se držela stranou, potěšilo ji však, kolik lidí přišlo vyjádřit soustrast jí. Některé z nich poznala, když byli u Noaha a Lisette na návštěvě, bylo tu i pár sousedů a mnoho lidí pro ni cizích, přesto zřejmě všichni věděli, co je zač ona.

Největším překvapením byla účast pana a paní Hayesových, Peterových rodičů. Působili velmi aristokraticky, seděli hned za ní a Jean-Pierrem, a když se jí později představili, uvědomila si, že jí mělo dojít, o koho jde. Dokonale odpovídali Rosinu popisu. Pan Hayes byl vysoký muž něco přes šedesát s hustými bílými vlasy a pronikavýma modrýma očima. Jeho žena byla štíhlá, měla výrazné lícní kosti a vlasy pod černým kloboukem s širokou krempou ještě stále blond. Za šťastnějších okolností by působili jako velmi šťastný pár. Zato dnes, ve smutečním a s tvářemi ztrhanými žalem nad ztrátou syna, vypadali stařE.

Paní Hayesové se leskly oči, na napudrovaných tvářích jí zůstaly cestičky vymyté prolitými slzami. „My jsme zkrátka museli přijít," pronesla a dolní ret se jí chvěl. „Slyšeli jsme od Edwina, jak to pro vás bylo strašné. Rose jsme měli moc rádi, doufali jsme, že se stane naší snachou."

„Kéž bychom se poznali za šťastnějších okolností," pronesla Marietta a vzala ženu za ruce. „Je mi moc líto, že jste o Petera přišli, tím spíš si cením, že jste zde i přesto, jak vám musí být."

„Nejbolestnější je ten jeho okázalý nezájem," kývl pan Hayes k Jean-Pierrovi. „Jako by nestačilo, že jsme se datum konání pohřbu dozvěděli až z novin. Přičítali jsme to zármutku. Jenže když jsme se teď tomu člověku představili, sotva nás vzal na vědomí. Ani slovo soustrasti, že jsme přišli o syna."

Mariettu byla zaskočená, myslela, že je Jean-Pierre nepříjemný jen k ní. „To mě moc mrzí," pronesla smutně, „snad je skutečně jen zdrcený. Byla bych vám zavolala sama, ale Jean-Pierre si vzal Rosin adresář s tím, že všechny uvědomí."

„Nezdá se mi, že by s někým z Rosiných přátel mluvil," podotkla poněkud rozhořčeně paní Hayesová. „Hovořili jsme s těmi, které jsme znali, nikdo jim nedal vědět. Jen tamtomu pánovi," ukázala na malého kulatého muže středního věku s bradkou, který právě rozmlouval s Jean-Pierrem. „Podle mě to byl Rosin zaměstnavatel."

„Sir Ralph Hastings," přikývla Marietta. Setkala se s ním jen jednou, když přivezl Rose na víkend domů.

„Rose by člověk s titulem nepřipadal o nic důležitější než její přátelé a budoucí tchán s tchyní,“ podotkla paní Hayesová kousavě.

„Ne, to máte pravdu,“ souhlasila Marietta. „Ani Noahovi a Lisette. Musím přiznat, že i ke mně se Jean-Pierre choval velmi nepříjemně. Po pohřbu se musím odstěhovat.“

„Propána!“ zvolala paní Hayesová. „Nutí vás odejít?“

Marietta přikývla. „Kdybyste se potkali s Edwinem, vyřídíte mu to, prosím? Napíšu mu do Biggin Hillu, až se někde usadím.“

„Uvidíme ho v pondělí na Peterově pohřbu,“ řekl pan Hayes. „V tom posledním týdnu nám dodával sílu, stejně jako další Peterovi přátelé. Přišli za námi i Geraldovi rodiče, milí lidé. Ptali se na vás, Marietto. Vkládali ve vás dva velké naděje.“

Marietta si náhle vybavila, jak seděli v Peterově autě, Peter za volantem, Rose vedle něj a ona s Geraldem vzadu, a zpívali z plných plic. V jejich společnosti prožila mnoho krásných okamžiků. Oči se jí zalily slzami.

„Byl to moc milý mladík, chybí mi,“ vzdychla smutně.

Během smutečního občerstvení v domě se Marietta zaměstnala naléváním čaje a nabízením koláče a sendvičů. Neznala nikoho z těch, které Jean-Pierre pozval, s výjimkou sira Ralpha Hastingse, a i toho jen povrchně. Všimla si, že jedno mají pozvaní společné – bohatství a postavení. Nikdo z nich nepatřil k blízkým přátelům rodiny, byli tu právníci, bankéři a podobní. Pravděpodobně jen lidé, jejichž jména našel Jean-Pierre v Noahově adresáři, a usoudil, že by se mu mohli hodit. V tu chvíli jej nenáviděla ještě víc, měla sto chutí popadnout kufr, zmizet a nechat úklid na něm.

Náhle k ní přistoupil malý muž s brýlemi ve zlatých obroučkách. „Vy budete Marietta, viďte?“

„Ano, jsem," přikývla a přemítala, jestli jej nezná. „Promiňte, ale my už jsme se někdy setkali?" zeptala se nakonec.

„Ne, má milá, ale kdysi jsem znával vaši matku. Jsem Henry Fortesque, právník ve výslužbě. Zamlada jsme byli s Noahem kamarádi, později už jsme se tak často nevídali, víte, jak to chodí. Belle jsem poznal, když před odplutím na Zéland bydlela u Noaha s Lisette, moc jsem si ji oblíbil. Když Noaha požádala, aby se stal vaším kmotrem, nesmírně ho to dojalo. Naposledy jsem s ním mluvil po telefonu asi před rokem, říkal mi, že u nich bydlíte."

Už jen potkat tu někoho, kdo zná její matku a měl Noaha skutečně rád, působilo jako konejšivé objetí. „V tom případě asi víte, že se mámě na Zélandu moc líbí a že mám dva mladší bratry, Alexe a Noela," usmála se.

„Ano, vedu ten její šťastný konec v patrnosti," pousmál se. „Pomáhal jsem Noahovi najít vašeho otce ve Francii. Podle všeho velmi pozoruhodný muž a skutečný válečný hrdina. Jen máloco je uspokojivější než najít dva lidi, kteří si zaslouží společné štěstí. Jste krásná po matce a působivá po otci."

Marietta se tiše zasmála. „I vy oplýváte šarmem. Ani nevíte, jak je milé najít tu někoho, kdo zná mé rodiče. Víte, Noah, Lisette a Rose pro mě byli jako druhá rodina a ta ztráta mě opravdu zasáhla."

Henry ji vzal za loket a odvedl do kuchyně. „Promiňte, že vás sem vláčím, má milá, ale všiml jsem si určitého napětí mezi vámi a Lisettiným synem. A přišlo sem tak málo skutečných přátel Noaha s Lisette, už jsem si stačil udělat vlastní závěry. Předpokládám, že mě shledal potenciálně užitečným."

„Opravdu se stydím za to, jak se k lidem chová," zašeptala. „Se mnou jednal ještě hůř. Dva roky jsem tu byla doma, ale sotva Noah s Lisette zemřeli, vykázal mě. Jakmile bude po pohřbu, musím odejít."

Mužík zděšeně povytáhl obočí. „Ale to je vážně hrozné, má milá. Noah vás měl rád jako vlastní dceru, sám mi to říkal. Doufal, že se s vámi po válce vypraví na Nový Zéland za Belle a Etiennem. Inu, teď se o tom bavit nebudeme, tady i stěny mají uši. Když vám dám svou navštívenku, zastavíte se? Bydlíme kousek odsud, v Hampsteadu."

V jeho hnědých očích se zrcadlila laskavost. „Moc ráda si promluvím s někým, kdo Noahovu rodinu znal a měl ji rád, pane Fortesque."

„Říkejte mi Henry, prosím vás. Kam že se to chystáte přestěhovat?"

„Do Bow, kamarádka mě nechá u sebe, dokud si něco nenajdu. Sice jde o skromný příbytek, ale útulný."

Henry vytáhl ze stříbrného pouzdra navštívenku. „Mohla byste k nám přijít v neděli na oběd? Mé ženě chybí, že nám doma nezůstaly žádné děti, s radostí pro vás uvaří."

„To je moc milé. Děkuju, Henry, hned se cítím lépe."

„Tak kolem jedné, většinou obědváme před druhou," dodal ještě.

Hosté spořádali vše do posledního sendviče, poté se začali rozcházet.

Marietta vyšla nahoru do svého pokoje, sbalila si poslední věci, naposledy se s láskou rozhlédla po místnosti, inspirované Belliným klobučnictvím. Doufala, že Jean-Pierre nenalezne v tomto domě ani chviličku štěstí.

Když sešla po schodech s kufrem a kabátem v ruce, vynořil se z obývacího pokoje.

„Ještě je třeba uklidit," prohlásil stroze.

„Ano, ukliďte si," opáčila Marietta příkře. „Odcházím a doufám, že vás v životě neuvidím. A taky doufám, že tu nikdy nebudete šťastný."

„Ty malá potvoro," prskl a výhrůžně přistoupil blíž.

„Zkuste na mě vztáhnout ruku a budete se divit," varovala jej. „Kdyby vaše matka nebyla mrtvá, zemřela by hanbou nad vaším chováním. Nahnal jste sem bohaté a vlivné, které sotva znala, a ignoroval všechny, které měla ráda. Váš otec musel být zlý člověk, protože po matce jste tohle rozhodně nezdědil."

Otevřela dveře a bez ohlédnutí odešla.

Nedokázala dál zadržovat slzy, s nimiž bojovala celý den, slané potůčky se jí řinuly po tvářích. „Však já přijdu na to, jak se ti dostat na kobylku, ty zatracený Jean-Pierre, jen počkej!"

Joan se očividně vynasnažila, aby její omšely malý byteček v Soame Street působil útulně. Skládal se jen z jedné místnosti a malé kuchyňky, ale bylo tu uklizeno, nikde ani smítko prachu, kamenná podlaha pečlivě vydrhnutá.

„Jsi asi zvyklá na lepší, holka," objala ji Joan, „ale jsem ráda, že tě tu mám. Snad se spolu taky zasmějeme a zapomeneme na smutek."

Joan, malá a hubená osmadvacetiletá žena, sice nebyla nijak výrazná nebo pohledná, její vlastnosti však nedostatky vyvažovaly. Měla úsměv, který dokázal rozzářit celou místnost, a pořádnou páru, dokázala všechny rozesmát košilatými vtipy i neuctivými poznámkami, brala si na paškál všechno, od náboženství po Winstona Churchilla.

„Je to tlusťoch a záprdek, ale až se tu vobjeví příště, tak mu klidně dám," prohlásila o Churchillovi, když se s ní Marietta seznámila. „Ten chlap se určitě nikdy pořádně nepobavil. Podle toho, jak vypadá ta jeho panička, si doma moc neužije."

Její náhled na život byl prostý: je třeba vnímat všechno z té světlejší stránky, a když člověk chce, na všem nějakou najde. Což se Mariettě víc než zamlouvalo.

„Tak jakej byl pohřeb?" vyptávala se Joan.

„Asi jako Vánoce v chudobinci," odpověděla Marietta. „Nejradši bych popadla rozžhavený pohrabáč a ocejchovala Jean-Pierrovi záda. Ale nesu od něj dárky! On pochopitelně neví, že nám je poskytl. Tím líp."

Otevřela kufr, vytáhla láhev ginu zabalenou ve svetru. Všimla si, jak do sebe smuteční hosté lijí alkohol, a usoudila, že když jedna láhev zmizí, Jean-Pierre nic nepozná. Pak vylovila čaj, cukr, plechovku lososa, rybí paštiku a velký kus ovocného koláče.

Joan vykulila světle hnědé oči. „No krucinál, Marl, ty ses ale vytáhla! Celou láhev jsem snad jaktěživa neměla. A losos a všecko ostatní! To je teda paráda."

„A ještě něco pro tebe mám," dodala Marietta a vytáhla z kapsy rtěnku. „Rosina. Říkala jsem si, že Jean-Pierrovi určitě chybět nebude."

„Podle toho, cos vo tom mamlasovi vykládala, bych se nedivila, kdyby se voblíkal do ženskejch šatů," rozesmála se Joan. Došla k zrcadlu nad krbem a namalovala si rty korálově červenou rtěnkou. „Mělas toho sbalit víc, Mari, byla by ses cejtila krapet líp."

„Popravdě jsem se bála, aby mi neprohledal kufr," přiznala.

„A neboj, mám v plánu vymyslet nějakou pomstu."

Joan rozdělala oheň a přitáhla křesílka ke krbu. Každá si nalila sklenku ginu s pomerančovou šťávou a Marietta začala vyprávět, jak pohřeb probíhal.

„No vidíš, možná by ti ten Henry moh sehnat práci," napadlo Joan.

„V to ani nedoufám, stačí, že znal mámu a strýčka Noaha. A co Ian se Sandrou? Ve středu jsi říkala, že ti od nich přišel dopis."

Ian se Sandrou byly Joaniny děti, evakuované v září 1939 z Londýna jako většina malých Londýňanů. Protože k žádnému bombardování dlouho nedošlo, mnohé děti a matky s kojenci se začaly vracet do města, Joan však odolala touze mít ty své u sebe, protože v přímořském městečku Lyme Regis byly spokojené a ona je nechtěla přetahovat sem a tam. Nakonec se to ukázalo jako prozíravé. Po prvních náletech poslali děti, které se vrátily, stejně nazpátek.

„Ianův učitel říká, že je dost chytrej, aby dochodil školu a pokračoval na gymnáziu," oznamovala Joan pyšně. „A Sandra je ve třídě nejlepší z abecedy. Asi se za nima příští víkend zajedu podívat. Paní Hardingová mi dovoluje přespat u Sandy v posteli, prostě normální ženská, žádná nafoukaná panička. Stará se vo děcka dobře."

„To ty taky," podotkla Marietta. „Hodně ženských žárlí na ty, které se starají o jejich děti, ty jsi naopak vděčná a chováš se k paní Hardingové slušně, nehádáš se s ní a nepodrýváš její autoritu. I kvůli tomu můžou být Ian se Sandrou šťastní."

„Ale je to zatraceně těžký," povzdechla si Joan. „Pokaždý, když je vidím, jsou zas o kousek větší, mluví teď hrozně nóbl a dokonce jedí s ubrouskem na klíně!"

Marietta se rozesmála. „No ne, to bych nedovolila," dobírala si přítelkyni „Co když budou chtít doma ubrousek taky, až se vrátí?"

Joan se zamračila. „Mám strach, že se pak za mě budou stydět. Hrozně mi chybí. Jak se jim asi bude líbit, až se vrátěj do tohodle krcálku?"

„Budou tě mít rádi takovou, jaká si," ujistila ji Marietta. „U nás doma na Zélandu máme venkovní suchý záchod a nemáme elektřinu. Zvykla jsem si na přepych v St. John's Wood, ale kdybych mohla, okamžitě jedu k našim a ani jedinkrát bych si nepostěžovala. Máma je jen jedna."

Když se tu noc Marietta pokoušela usnout v Ianově malé posteli s boulovatou matrací, napadlo ji, že konečně pochopila, jak je rodina důležitá.

Teď už si nebudou moct telefonovat a potrvá pár týdnů, než rodičům přijde poštou její nová adresa, aby jí mohli napsat. Telefonovat do pekárny sice mohla z telefonní budky, ale neměla na to peníze.

Rozhodla se však nahlížet na věci optimisticky, jako Joan.

Poslední tři noci nebyl žádný nálet. A v neděli navštíví Henryho.

Joan ji uklidňovala, že se nějaká práce jistě naskytne, snad bude nejlepší tomu věřit.

Navíc by mohla být ráda, že bydlí blízko Johnnyho. Jenže při předchozí schůzce ji vyvedl z míry a Marietta si nebyla jistá, jestli se její city k němu nezměnily.

Kapitola devatenáctá

Marietta se musela třikrát zeptat na cestu, než se na Willow Road konečně dostala. Myslela si, že to bude hned u stanice podzemní dráhy v Hampsteadu, ale čekalo ji ještě dobře deset minut chůze.

Procházka jí nevadila, svítilo slunce a v Hampsteadu byl mnohem čistší vzduch než v Bow, jen málo vybombardovaných míst a krásné zahrady plné narcisů a stromů. V noci ze soboty byl další nálet a Marietta s Joan musely do krytu. Stařík, který se tam rovněž uchýlil, se neustále drbal, a než se ve dvě ráno ozval signál pro ukončení poplachu, Mariettu už všechno svědilo. Byla přesvědčená, že to od něj chytila, ať už měl cokoli.

Když se ráno prohlédla na světle, na kůži nic neobjevila, snad to tedy bylo jen „v hlavě", jak pravila Joan. Umiňovala si, že musí být víc jako ona, podobným věcem se vysmát, přestat se ošklíbat nad zápachem a špínou a snažit se vnímat lidi, s nimiž se setkává v krytu, jako potenciální přátele, nejednat s nimi podezíravě.

Dům číslo jedenáct byl hezký, s okny po obou stranách dveří, vysokým živým plotem a tepanou kovovou branou. Henry ji zřejmě vyhlížel, protože jí otevřel dříve, než stačila zazvonit.

„Tak jste nás našla," usmál se zeširoka. „Říkal jsem si, že jsem vás měl lépe nasměrovat."

Zavedl ji velkou kuchyní do obývacího pokoje s výhledem do dobře udržované zahrady a představil ji své ženě Doreen.

„Jsem moc ráda, že jste mohla přijít," usmála se a podala Mariettě ruku. „Tolik jste zkusila, a jak mi říkal Henry, završilo to chování Noahova nevlastního syna."

Marietta čekala elegantní, poněkud chladnou ženu, nemohla se však víc mýlit. Doreen působila mateřsky, mohlo jí být kolem padesátky, kyprá, šednoucí vlasy sčesané do neupraveného drdolu. Na sobě měla pletený svetr a tvídovou sukni a přes ně zástěru opranou tak, že se původní vzorek dal sotva rozeznat.

„Když jsem odcházela, zachoval se ještě hůř. Ale myslím, že jsem mu dala podnět k zamyšlení a nádavkem horu špinavého nádobí," zazubila se Marietta. Doreen se jí okamžitě zalíbila. „Pořád tomu nerozumím. S Noahem, Lisette a Rose jsem zažila tolik hezkého. Měla jsem je moc ráda a nechápu, proč se ke mně Jean-Pierre choval tak hnusně."

„Noah s ním válčil už tak od dvanácti let. Ten kluk byl domýšlivý, záměrně rozbíjel Noahovy věci a snažil se, seč mohl, aby Noaha a Lisette poštval proti sobě," vyprávěl Henry. „Noah se byl se mnou poradit, protože náš syn Douglas je stejně starý. Zdálo se mi, že když se Noah s Lisette vzali, snad to s péčí o chlapce přeháněl. Myslel to samozřejmě dobře, ale rozmazloval ho, nevychovával ho a kluk došel k závěru, že si může dělat, co chce."

„Já ho viděla jen jedenkrát," poznamenala Doreen a pustila se do přípravy zeleniny. „Lisette s Noahem s sebou vzali děti na čaj. Už tenkrát odmlouval. Zřejmě žárlil na svou malou sestřičku a vadilo mu, jak je jeho matka do Noaha zamilovaná. Celou dobu, co tu byli, se snažil někoho rozčílit."

„Myslel jsem, že ho internátní škola srovná," dodal Henry, „ale vrátil se ještě horší."

Doreen se otočila k manželovi. „Marietta by na Jean-Pierra určitě nejradši zapomněla, aspoň pro dnešek. Vezmi ji do salonu a nalij jí před obědem sklenku sherry, ano?"

Z pokoje bylo vidět francouzskými okny do zahrady. Šlo o půvabnou místnost s velkými křesly a sofa se zelenými a růžovými kvítky. U stěny stála prosklená vitrína plná porcelánových figurek.

Henry nalil dvě sklenky sherry. „Tak na budoucnost," pronesl a ťukli si. „Počítám, že to teď vidíte trochu temně, protože tahle zpropadená válka se vleče, konec v nedohlednu, a určitě se cítíte opuštěná. Ale válka často přináší příležitosti, jaké by se v mírových časech nenaskytly, zvlášť pro ženy. Doslechl jsem se, že Ernest Bevin chce začít s mobilizací žen, nechat je nastoupit na místa, která dosud okupovali výhradně muži."

„Vážně?" Mariettu to zaujalo. „To zní dobře. Právě sháním práci, abych zaplatila nájem."

Krátce Henrymu popsala své zaměstnání u Grevilla a dobrovolnictví v East Endu, dodala, že žije v Bow.

„Vyškolená sekretářka přece nemusí pracovat ve zbrojní továrně nebo lézt po telegrafních sloupech. To by si pro vás Noah jistě nepředstavoval. Povězte mi, Marietto, naučil vás otec trochu francouzsky?"

„Bein sûr, mon père me ferait passer –"

Henry ji přerušil. „Výborně, tedy francouzsky umíte. Já bohužel ne," zasmál se.

„Říkala jsem, že táta mě někdy nutil mluvit francouzsky třeba celý den. A s Lisette jsme taky procvičovaly konverzaci. Ona mi opravovala přízvuk – táta byl z Marseille a Lisette chtěla, abych mluvila jako Pařížanka. Proč se vlastně ptáte?"

„Občas zaslechnu, že někdo z kolegů potřebuje sekretářku, která ovládá cizí jazyk," usmál se na ni. „Budu si to pamatovat a po něčem se poohlédnu."

Při obědě se Henry i Doreen vyptávali na Nový Zéland. Podle všeho měl jejich syn Douglas, inženýr, v plánu přestěhovat se tam, až skončí válka.

„Je to dobré místo pro nové začátky," potvrdila Marietta. „Spousta prostoru, nádherná krajina a klima podobné jako v Anglii, zvlášť na Jižním ostrově. Douglasovi by se tam jistě líbilo. Mohli byste odejít s ním, tam si to zamilujete."

„Už nás to napadlo," připustil Henry, „ale v našem věku je těžké zpřetrhat kořeny. Na druhé straně, jak říkám často Doreen, jestli Douglas opustí Anglii, stejně nám tu nic moc nezůstane."

„Brzy byste si našli přátele," ujišťovala je Marietta. „Je tam spousta lidí z Británie, nebo odtamtud pocházejí aspoň jejich rodiče. A myslím, že právník se uplatní všude." Líčila jim, jak je krásně v Zátoce ostrovů, o plachtění a rybaření a jak se jí stýská.

„Takže si poradíte i s loďkou?" zeptal se Henry.

Marietta se zazubila. „Podle táty jsem lepší než většina mužských. Začal mě brát na moře, když mi byly tak tři nebo čtyři, v šesti už jsem uměla skvěle plavat. Asi to mám v krvi. Táta je ve své lodi nejšťastnější a já jsem po něm."

„Škoda, že jsem se s ním nikdy neseznámil," poznamenal Henry. „Noah ho zbožňoval. Jednou řekl, že je přesně takový, jací bychom chtěli být všichni – nebojácný, silný a strašlivý pro každého, kdo se mu pokusí zkřížit cestu. Má ale i jemnou stránku. Vložil v něj prý všechnu důvěru a nikdy toho nelitoval."

„To je vážně hezké," vydechla Marietta a oči se jí zarosily. „Ale táta si Noaha zrovna tak cenil. Od té doby, co jsem přijela do Anglie, mám pocit, že spolu prožili něco hodně dramatického, jenže se mi nic vyzvědět nepodařilo."

„Řekl bych, že váš otec vám to jednou poví sám," soudil Henry. „My rodiče většinou svěřujeme dětem svou komplikovanou minulost teprve, když jsou tak dospělé, aby si s tím poradily. Možná přijde správná chvíle, až se po válce vrátíte domů."

Podle toho, jak se na ni Henry díval, Marietta poznala, že ví velmi přesně, co Noaha a Etienna spojuje. Napadlo ji, jestli nemá informace i o matčině minulosti. Byl však stejně neochvějný jako otec a Noah, pochopila, že tenhle člověk tajemství někoho jiného neprozradí.

Od Henryho a Doreen odešla Marietta kolem páté, téměř s nevolí, protože jejich domácnost byla světlá a útulná, oběd vynikající, připadala si u nich opečovávaná. Na pár hodin dokázala zapomenout na starosti. Když se chystala k odchodu, Doreen ji na rozloučenou objala. Totéž dělávala Lisette a Marietta při té vzpomínce pocítila nový příval smutku.

Uvědomovala si, že takové pouto už nenajde. Nezbývá jí než dospět a vzít za sebe odpovědnost na vlastní bedra. Henry si zapsal telefonní číslo ke Grevillovi i Joaninu adresu a Marietta upřímně doufala, že jí s hledáním zaměstnání pomůže.

Týden po návštěvě byl těžký, ve středu v noci došlo k jednomu z nejhorších náletů. Marietta s Joan strávily celý den ve staré továrně a siréna spustila, právě když se vracely domů. Nestačily se ani navečeřet a kryt, do nějž se musely uchýlit, byl opravdu žalostný. Sedět se uvnitř dalo jen na hrubě otesaných prknech a vlhké hliněné podlaze a lidem vadily dva cizí přírůstky.

Nálet byl skutečně děsivý. Pokaždé když spadla bomba, zasypala je sprška hlíny a celý kryt se otřásl. Marietta si opravdu myslela, že tam zemřou, pokud ne přímým zásahem, tak hlady, žízní a nevyspáním. Když se po rozednění konečně ozval signál ukončující poplach, mohli všichni sotva chodit, jak byli ztuhlí. Jak se později ukázalo, přiletělo tu noc několik set bombardérů, o život přišlo sedm set padesát lidí, mnozí z nich v krytech, které zasáhla bomba. Ale Mariettě a Joan se z celé noci nejvíc vrylo do paměti, jak se dvojice žen stále dokola vybavovala o džemu a marmeládě, které přibyly na seznam potravin na příděl. Podle jejich rozhořčení to vypadalo, že džem je zásadní položka pro zdraví národa.

„Měla jsem sto chutí říct jim, ať už zavřou klapačku," utrousila Joan cestou domů, aniž by vůbec věděly, jestli jejich dům ještě stojí. „Kdybych u sebe měla sklenici marmelády, nacpala bych jim ji do zadku."

Právě když si dávaly vytoužený čaj, objevil se Johnny. Joan se zmínila, že pojede na víkend za dětmi, a Johnnymu se okamžitě rozzářily oči.

Marietta však byla unavená a obořila se na něj: „To rozhodně neznamená, že se spolu hned vyspíme."

„Věř tomu nebo ne, prostě mě jen napadlo, že by bylo hezký sedět s tebou někde v teple a v suchu," opáčil rozhořčeně. „Ale taky je možný, že bude další nálet nebo budu někde hasit."

O pár minut později odešel a Marietta celá schlípla a složila hlavu do dlaní.

„Proč jsem to jenom řekla?" otočila se na Joan.

„Protože přesně na to myslel," zakřenila se Joan. „No jo, parádně to zamaskoval a vytasil se s požárama, aby připomněl, že je slavnej hrdina. Ale vrátí se, jen se neboj."

Jenže Johnny se nevrátil. Joan odjela v pátek v poledne do Lyme Regisu a Marietta se v šest večer za deště vracela do neveselé domácnosti. Rozdělala oheň, zkontrolovala zatemnění a zapnula si rádio.

K žádnému náletu nedošlo, snad kvůli špatné viditelnosti, druhý den se však ukázalo, že německé bombardéry zamířily místo toho nad Plymouth a napáchaly ve městě nevídanou zkázu, podobně jako na začátku týdne v Bristolu.

Večer Marietta seděla, zírala do plamenů a myslela na ženu, s níž ten den mluvila. Bylo jí tak osmadvacet, její snoubenec padl v severní Africe. Bydlela pár ulic od továrny, ale nedávno kvůli bombardování přišla o střechu nad hlavou. Podobně jako Marietta nyní přebývala u kamarádky.

„Vím, co říkaj všichni tady kolem. Prej že to zvládneme. Ale já už to nevydržím. Máma mi umřela, jsou to čtyři roky, loni táta, i když toho jsem v životě neviděla. Pak jsem se seznámila se Sidneym a myslela, že mám konečně někoho, s kým mi bude dobře, jenže ten už je taky v pánu. Koukám na všechny ty trosky kolem, na to utrpení, a vím, že to bude jenom horším. A ptám se sama sebe, jakej má smysl táhnout to dál? Kvůli čemu? Přišla jsem o mámu i o svou lásku, mám jenom tyhle hadry a nic víc. Ztratila jsem sílu pokoušet se začínat zase znova."

Marietta ji objala a snažila se ji povzbudit s tím, že člověk nikdy neví, co čeká za příštím rohem. Jenže ve skutečnosti se cítila dost podobně. Joan se soustředila na přežití kvůli manželovi a dětem, zato Mariettina rodina byla tisíce kilometrů daleko a v Anglii jí nikdo blízký nezůstal. Dokonce i Johnny, který jí jednu chvíli připadal jako ten pravý, už s ní zřejmě nechtěl nic mít.

Henry dostál svému slovu. Druhého dubna od něj Marietta obdržela krátký vzkaz, aby kontaktovala pana Perryho z firmy Prinknall a Forbes na Chancery Lane. Napsal:

Hledá sekretářku, která hovoří a píše plynně francouzsky. Většina jeho klientely je z Británie, přesto má i několik francouzských zákazníků a příští rok jich čeká víc kvůli situaci ve Francii. Myslím, že by to pro Vás mohlo být ideální místo.

Po pohovoru si Marietta nebyla zcela jistá, jestli o tuto práci skutečně stojí. Zaprvé by musela odejít od pana Grevilla. Možná byl trochu kluzký, ale zvykla si na něj a dokonce si ho oblíbila. Zadruhé se jí nezamlouval pompézní pan Perry, který s ní hovořil spatra. Byl to tlustý mužík s rudolícím lesklým obličejem a páchnoucím dechem a ona si nedovedla představit, že by třeba jen seděla v jeho blízkosti, natož že by změnila názor.

Přesto nakonec práci vzala, protože ji potřebovala, a z Holbornu to do Bow bylo blíž než z Baker Street.

Pan Greville projevil překvapivé pochopení. „Napůl jsem to čekal," řekl. „Bylo mi jasné, že příjem za dva dny týdně vám nemůže stačit. Ale povězte mi, kam nastupujete? Doufám, že jste se nedala do zbrojní továrny jen proto, že tam dobře platí."

Prozradila mu, že bude pracovat v advokátní kanceláři a také překládat z francouzštiny.

„To mám radost," usmál se. „Upřímně řečeno jsem stejně zvažoval tuhle kancelář pustit. Mohl bych všechno snadno vyřizovat z továrny. Přeji vám hodně štěstí, slečno Carrerová. Jste výtečná sekretářka, budete mi chybět."

Marietta však téměř od prvního dne litovala, že na nové místo nastoupila. Ostatní úřednice, písařky a sekretářky tvořila hrstka snobských a nepřátelských žen, které mezi sebe očividně nehodlaly přivítat nikoho nového. Zaslechla, jak si o ní šuškají, že umí francouzsky a je z Nového Zélandu, obojí jim však zřejmě připadalo divné a rozhodly se ji ignorovat.

Během druhého týdne byla poprvé otestována její francouzština. Pan Perry si ji zavolal do kanceláře, aby tlumočila novému francouzskému klientovi, který ovládal jen velmi základní angličtinu.

Paní Dupontová byla Židovka. Její manžel, lékař, trval na tom, že musí z Paříže uprchnout. Pár dnů nato padlo město do rukou Němců. Pan Dupont měl oprávněné obavy, doslechl se totiž, že Židy odvádějí do pracovních táborů, a usoudil, že rodina bude v Anglii u příbuzných ve větším bezpečí.

Od chvíle, kdy paní Dupontová dorazila do Británie, neměla od manžela žádné zprávy. Jeden z příbuzných ji odkázal na pana Perryho s tím, že by snad dokázal zjistit, co se s jejím manželem stalo.

Mariettě nečinilo potíže přeložit ženin příběh a ujišťování pana Perryho, že udělá, co bude moci. Zapsala všechny informace o panu Dupontovi, jak požadoval její zaměstnavatel, nešlo jí však do hlavy, proč sem za paní Dupontovou nepřišel jednat některý z jejích příbuzných, kteří žili v Londýně a jistě uměli dobře anglicky. Ti by ze strohých odpovědí pana Perryho mohli vytušit, že ten člověk s její situací nijak zvlášť nesoucítí.

Kdyby ji pan Perry propustil z kanceláře ve stejné chvíli, kdy se rozloučil s paní Dupontovou, mohla by s rozrušenou ženou promluvit a doporučit jí obrátit se na Červený kříž. Bohužel jí chtěl zaměstnavatel nadiktovat důležitý dopis jinému klientovi, tím pádem neměla příležitost.

„Myslíte, že pana Duponta zadrželo gestapo?" zeptala se ho, když skončili.

„To je dost nepravděpodobné," opáčil sebejistě. „Nejspíš poslal svou ženu do Británie z vlastních pohnutek. Však víte, jací jsou Francouzi."

Marietta mu už málem připomněla, že její otec je Francouz a svou ženu by poslal pryč jedině v případě ohrožení života, ale včas se zarazila. Tu práci potřebovala. Navíc usoudila, že by se mohla poradit s Židy, s nimiž se často setkávala v krytu, a poté informace nějak doručit paní Dupontové.

Jak se jaro měnilo v léto, Marietta často cítila, že nebýt Joan a dalších přátel, které si v East Endu našla, opustila by Londýn a přestěhovala se někam, kde nehrozí bombardování. Posledním typem bomb byly miny spouštěné na padácích. Některé byly velké jako britská poštovní schránka, vznášely se po větru a při nárazu explodovaly se zničujícími následky. Ke zdemolování celé ulice stačily pouhé dvě.

Dvacátého dubna došlo k nejhoršímu náletu od prosince. Johnny hlásil, že zápalné bomby tu noc způsobily rekordních patnáct set požárů ještě předtím, než se na město snesl déšť prudce výbušných bomb a min. Zasaženo bylo osm londýnských nemocnic, vyhořela část Selfridges a dvousetkilová bomba protrhla severní transept katedrály svatého Pavla. O tři dny později se bombardéry vrátily v plné síle a zaměřily se na East End, jako by tam nenapáchaly už dost zlého.

Na začátku května zhlédly Marietta s Joan v kině zpravodajský týdeník, který zachycoval ústup australských, novozélandských, britských a polských vojsk z Thermopyl v Řecku. Marietta věděla, že tam bojuje i její bratr Alex. Hlášeno bylo sedm tisíc zajatých vojáků a ji děsilo, že by mohl být mezi nimi.

Desátého května se bombardéry opět vrátily, využily úplněk, který je navedl k cíli. Zničily všechna důležitá železniční nádraží a na pět tisíc domů, velké části Londýna zůstaly bez plynu, elektřiny a vody. Ráno jedenáctého května se Joan s Mariettou unaveně vypotácely z krytu a zjistily, že slunce cloní oblak hnědého kouře. Bylo zataraseno tolik ulic, že měli lidé problémy dostat se do práce. Marietta se nakonec doplahočila ke kancelářím, zjistila však, že jsou zamčené. V City Road vypukl velký požár. Vzplála palírna ginu a kvůli alkoholu bylo nemožné plameny uhasit. V jižním Londýně hořela továrna na mýdlo Palmolive, zatímco se ji hasiči snažili uhasit, voda se měnila v horkou pěnu.

Později toho dne se s Joan dozvěděly, že byla poničena řada slavných budov jako Scotland Yard, St. James's Palace, Soudní dvůr a další – dokonce i Tower zasáhla stovka zápalných bomb.

Johnny se zastavil o pár dnů později a pověděl Mariettě, že hasiči budou zestátněni, což si už dlouho přál. V současnosti byly v každém místním hasičském sboru jiné hodnosti, vybavení a hierarchie, což značně komplikovalo spolupráci jednotlivých oddělení.

Marietta by se jindy nad jeho novinou radovala, ale visel nad nimi děsivý stín milionu obyvatel, kteří zůstali bez domova, přičemž přístřeší poskytovalo jen sto dvacet devět malých a špatně vybavených záchytných center. V Joanině domě vysklily výbuchy všechna okna, podobně jako v dalších, lidé zůstali bez elektřiny, plynu a vody. Okna zatloukly Marietta s Joan prkny, vodu nosily z cisterny na ulici a považovaly se za šťastné, že jim zůstala alespoň postel.

Když se Marietta doslechla, že na plážích Řecka, jimž tisk přezdíval druhý Dunkirk, bylo zachráněno padesát tisíc vojáků, modlila se, aby k nim patřil i Alex. Její modlitby byly vyslyšeny, a když konečně v červnu přišel dopis z domova, dozvěděla se, že je bratr v bezpečí. Zato Austin Roberts, s nímž chodila do školy, první chlapec, který ji políbil, přišel o život. Sice musela v poslední době čelit daleko horším ztrátám, přesto ji představa, že Austin zemřel tak daleko od domova, sklíčila.

Před Joan z ní vyletělo, že už má Londýna a války po krk. „Už to nevydržím. Nesnesu pohled na lidi, jak prohrabují trosky svých domovů, ten věčný zápach ohně, dýchání prachu, vědomí, že některou další noc dojde i na nás. Odstčhuju se, než se z toho všeho zblázním."

Jak se dalo čekat, Joan zavtipkovala: „Tak se přihlas jako dobrovolnice na venkov. Budeš v tý jejich uniformě s rajtkama vypadat k sežrání! Jen si představ všecky ty nadržený starý farmáře, co tě budou ohmatávat na seně. Budeš dojit krávy, kydat stáje a sázet zelí, to si užiješ."

„Mně by nic z toho nevadilo – leda nadržení farmáři," odsekla Marietta. „Už mě nebaví dívat se pořád na všechna ta vybombardovaná místa, neslyšet nic než špatné zprávy a pokoušet se uvařit slušné jídlo z ničeho."

„Ale no tak, sama víš, že by ti chyběly fronty na příděly, který stejně dojdou, než tu frontu vystojíš! A zapomínáš, jak báječný jsou všechny ty noci v krytu vedle prdícího vochlasty."

„Dostalas mě, tohle by mi chybělo," rozesmála se Marietta.

„Abych tě rozveselila eště víc, právě zavedli příděly i na voblečení. Takže i kdybysme měly prachy na nový hadry, stejně nemáme ty zatracený kupony," dodala Joan.

Marietta se smála. „Víš, Joan, ty jsi to jediné, co by mi z Londýna chybělo doopravdy. A možná ještě Johnny. Ale mám dojem, že už se mě nabažil, poslední dobou se tu sotva ukáže, a stejně mluví jenom o požárech."

„Tak proč mu nepodržíš?" prohlásila Joan bez obalu jako obvykle. „To by na požáry zapomněl raz dva a voba byste byli spokojenější. A nevykládej mi, že se šetříš na vdavky. Je mi jasný, že už jsi to dělala."

„S ním to dělat nechci," přiznala Marietta ostýchavě. „Celou dobu se vymlouvám, že není vhodná příležitost, ale prostě to tak necítím." Pověděla jí o Morganovi a o tom, jak po něm vždycky prahla. „Tohle by se mnou měl chlap dělat, ne?"

Joan se zazubila. „Jo, děvče, to by měl."

„Jenže on se pak zachoval hnusně. Těsně předtím, než narukoval, se mě pokusil znásilnit v parku. Neuměl moc dobře číst a psát a naposledy se ozval, když ho propouštěli z nemocnice ve Folkestonu, zranili ho u Dunkirku."

Joan se kupodivu rozesmála. „Kristepane, ty si teda umíš vybírat! Co dělala nóbl slečinka jako ty s balíkem, kterej sotva umí číst a psát? Ale podle mě to na tebe zkusil silou, protože měl pocit, že tě ztrácí."

Marietta se usmála. „V tom případě se mu to povedlo urychlit."

„Jo, ale pochop, holka, chlapi prostě přemejšlej pinďourem. Udělalas nebo řeklas něco, co ho vyhodilo ze sedla. Třeba ses divila, že je negramotnej nebo že je cikán. Tak si tě chtěl označkovat, jako to dělaj psi, když vochcávaj lampy."

Mariettu to přirovnání pobavilo, ale vlastně dávalo smysl.

„Stejně už nezjistím, jak to bylo. Zůstala mi jenom vzpomínka na jeho hezkou tvář a na to, jak má vypadat pořádný sex. Ale zpátky k Johnnymu, co mám dělat?"

Joan se zamyslela. „Hele, jestli tě teď nebere, nezmění se to nikdy. Tak toho chudáka přestaň tahat za fusekli. Není to fér."

„Jenže já nevím, jak na to. Když začali bombardovat, byl mi dobrým přítelem, nechci mu ublížit."

„Hele, jak se říká, neuděláš omeletu, když předtím nerozbiješ vejce. S tímhle je to stejný. Víc mu ublížíš, když mu budeš pořád dávat naději a zároveň si ho budeš držet vod těla. Navíc jak tak Johnnyho pozoruju, prostě chce nějakou lepší, takže se tě možná tolik nedrží proto, že by tě šíleně miloval, ale protože seš někdo."

„To nejsem," ohradila se Marietta rozhořčeně.

„Prober se! V porovnání se všema tady seš nóbl slečinka. Seš sekretářka, umíš francouzsky a máš styl. Až bude po válce, vrátíš se domů. Johnny si určitě myslí, že vaši jsou pracháči."

Mariettě se nad tou cynickou poznámkou zamračila, ale když zůstala sama a vybavila si Johnnyho komentáře z poslední doby – jak často mluvil o bohatých a o příležitostech, které jdou z války vytěžit –, napadlo ji, že by Joan mohla mít přece jen pravdu.

Po zničujícím náletu desátého května došlo k útlumu. Vzhledem k několikaměsíčnímu, téměř nepřetržitému nočnímu bombardování už se nikdo neodvažoval uvěřit, že nepřijdou další. Postupně však byla z ulic odklizena suť a rozbitá okna zasklena a lidé si konečně dovolili doufat, že letecká bitva o Anglii skončila a Hitler má tolik práce s útokem na Rusko, že je nechá na pokoji.

Počasí bylo příjemné, a když se Marietta s Joan vrátily ze staré továrny, kam chodily pomáhat, často si zašly na skleničku, do kina nebo na tancovačku. Když Johnny zrovna nesloužil, vyrazil s nimi a Marietta zapomněla na nápad odstěhovat se z Londýna a doporučit Johnnymu, aby si našel jinou přítel-kyni. Ne že by na něj změnila názor, cítila však, že by mu měla dát příležitost projevit se tak či onak.

Jeden víkend se Marietta vypravila s Joan do Lyme Regisu za jejími dětmi. Dorset ji okouzlil, stejně tak ospalé přímořské městečko.

Ian se Sandrou byli báječní. Dlouhý pobyt u pana a paní Hardingových jim poskytl výhody, jaké by jim Joan ani při nejlepší vůli dát nedokázala. Ian měl od září nastoupit na gymnázium a i devítileté Sandře to ve škole náramně šlo.

Oba byli hubení a šlachovití jako Joan, zdědili její veselou povahu. Hardingovi je očividně milovali jako své vlastní, přesto Joan s Mariettou přivítali jako součást rozvětvené rodiny. Joan je nazývala „lepšími lidmi", ale Mariettě připadali jako obyčejní venkované vyznávající podobné hodnoty jako její rodina. Děti už nemluvily jazykem chudinské londýnské čtvrti, pobyt v Dorsetu jim zjemnil přízvuk, chovaly se vybraně, pleť jim zářila a vlasy se leskly po všem tom dobrém jídle a životě v klidném prostředí.

„Moc mi chybí," prohlásila Joan po návratu, „ale stejně jsem radši, že jsou tam a jsou spokojený."

Děti Mariettu a svou matku zavedly na útes, kde si všichni udělali piknik, který jim připravila paní Hardingová. V košíku byla vejce vařená natvrdo, plátky vynikajícího závinu s kuřecím masem a doma pečený chléb, pro Mariettu s Joan hotová hostina. Hardingovi měli přes dvacet slepic a Ian jim se zápalem vyprávěl, jak viděl pana Hardinga zakroutit krk kuřeti, jehož maso skončilo v závinu.

Na útesech bylo krásně, slunce hřálo, moře bylo stejně modré jako obloha, vysoká tráva se chvěla v mírném vánku. Děti ležely na zádech s hlavou v matčině klíně. Marietta pozorovala, jak je Joan něžně hladí po vlasech a z tváře jí čiší láska k nim. Upřímně doufala, že se Joanin manžel Rodney vrátí domů v pořádku a rodina bude zase žít pohromadě.

„Nemůžeme se přestěhovat po válce sem, až se táta vrátí?" ozval se Ian, jako by vytušil Mariettiny myšlenky. „Pan Harding říkal, že by se jim tu hodil dobrý mechanik, a to přece táta je, ne?"

„Ano, broučku, je. Moc by se mi to líbilo," vydechla Joan zasněně. „Jenom si představte, až sundaj ten ostatej drát a odminujou pláže. Mohla bych se s váma cákat ve vodě a jít pádlovat. Třeba by váš táta začal rybařit. Bydleli bysme v hezký chaloupce a na zahradě měli slepice."

„Tak nějak to vypadalo u nás," pronesla Marietta a ucítila příval stesku. „Přála bych si mít kouzelnou hůlku a tuhle hroznou válku ukončit. Pak bychom všichni mohli mít, co si přejeme."

Když se Marietta s Joan vracely v neděli vlakem do Londýna, byly obě spálené od sluníčka a najezené jako už dávno ne. Obě však většinu cesty mlčely.

Joan snila o domku u moře a snad i o tom, jak jej získat. Marietta sdílela její bolest, že musí děti opustit. Ani nepostřehla, kdy se v ní odehrála ta změna, ale přestala být sebestředná a začala myslet na druhé.

Po deseti týdnech klidu se dvacátého sedmého července opět rozezněl poplach, právě když se Joan s Mariettou chystaly na kutě. Rozčarovaně na sebe pohlédly.

Joan zahrozila pěstí k nebi. „Vy svině," křikla. „Copak nemáte na práci nic lepšího?"

„Možná je to falešný poplach," zkusila to Marietta, přesto kakao, které právě uvařila, nalila do termosky a tu uložila do košíku, který měly pro případ náletu vždycky připravený.

Joan vyběhla nahoru a popadla dvě deky. „Aspoň je dneska teplo," poznamenala, když se vrátila. „Ale v krytu budou stejně blechy a zpocený podpaždí."

Do pěti minut už seděly vedle sebe na tvrdé lavici v podzemí. Dnes večer zde nebyl nikdo cizí, jen místní, vesměs ženy a pár mužů, kteří překročili věkovou hranici pro odvod.

„Řekla bych, že je to dost daleko," poznamenala Edna, která bydlela o pár domků dál, když se ozvalo první vzdálené zadunění. „Měla jsem zůstat v pelechu."

Takové poznámky byly běžné. Mnozí lidé to po prvních několika týdnech náletů vzdali a do krytu nechodili. Soudili, že jestli přišel jejich čas, stihne je smrt doma stejně jako v krytu. Ale většina byla nálety tak vyděšená, že se téměř zabydleli ve stanicích metra. Bethnal Green byla zvláště oblíbená, protože ležela hluboko pod zemí a dovnitř se vešly tisíce lidí.

Marietta byla v metru několikrát hned na začátku náletů, ale nenáviděla to tam. Lidé chodili do tunelu na záchod, protože se hygienického zázemí nedostávalo, a páchlo to tam. Kolikrát vypukla rvačka, protože někdo šlápl jinému na deku. Chodili sem opilci, nikdy tu nebylo ticho, děti naříkaly a údajně zde řádili kapsáři. Od té doby do stanice umístili pryčny a toalety a navíc zde byly stánky, kde se dalo koupit něco k jídlu a k pití, ale Marietta s Joan byly spokojenější v krytu na konci ulice nebo v Grevillově staré továrně.

I kdyby byla Joan sebeunavenější, pokaždé mezi lidmi ožila, a dnešek nebyl výjimkou. Brzy vyprávěla sousedům o návštěvě v Lyme Regisu. Marietta si dala pod hlavu polštář, zavinula se do deky a zavřela oči.

Jako již tolikrát se její myšlenky stočily k Johnnymu. Stále se snažila vymyslet, jak mu jasně, avšak ohleduplně naznačit, že si nebyli souzeni.

Nechápala, proč ji to neustále táhne k mužům s tolika nedostatky. Nejprve Sam, který byl sice pohledný, ale jinak neměl co nabídnout. Morgan vypadal skvěle a byl přitažlivý, přesto se zachoval neomluvitelně, když se ji pokusil znásilnit. Gerald byl báječný, spolehlivý, slušně vychovaný, zkrátka ideální manžel, jenže ji nedokázal rozpálit. Johnny zase představoval skvělého společníka a měl ohromný smysl pro humor, přesto se nemohla zbavit dojmu, že se s ní schází z vypočítavosti.

Poznala ženy, které se provdaly za surovce, a přece je milovaly a zastávaly se jich. Jiné se provdaly za pocit bezpečí a jejich spolehliví manželé je nudili k smrti. Nebýt jejích rodičů a Noaha s Lisette, snad by si i myslela, že člověk si zkrátka musí vybrat jedno, nebo druhé – skvělý sex, nebo skvělého živitele –, že je nemožné najít obojí v jediném muži.

Pochopitelně tu byl také Edwin. Na něm zatím žádné nedostatky neshledávala. Hezký, slušný, inteligentní a zábavný, jenže spolu strávili jen jediný večer a vzhledem k tehdejším dramatickým událostem si na něj těžko mohla udělat objektivní názor.

Snad by mu měla zavolat na základnu. Neudělala to kvůli tomu, na jaké místo se přestěhovala. Nechtěla mu vnuknout dojem, že ho uhání. Ale možná by mohla napsat. Jen nezávazně, zeptat se, jak se mu daří, povědět mu o svém novém zaměstnání. To by přece jako nějaké nadbíhání nevypadalo, ne?

Rozhlédla se po krytu. V tlumeném světle bylo špatně vidět, ale Clařiny rusé vlasy přímo zářily, Aggie na sobě měla žlutou zástěru a zuřivě pletla. Starý pár naproti, Ernie a May Forrestovi, seděli tak těsně u sebe, jako by spolu splynuli. Drželi se za ruce, a kdykoli v dálce vybuchla bomba, Ernie si přitáhl Mayinu hlavu na rameno. Marietta už o nich věděla, že se brali, když bylo May osmnáct a Ernie se vrátil z první světové války. Zplodili osm dětí, o dvě je připravil záškrt. Teprve nedávno obdrželi telegram, že jednoho z jejich synů zajali v severní Africe. A přece tu seděli a sálala z nich vzájemná láska. A Marietta si přála najít právě takovou, která vydrží věčně.

Kvílení letadel se přibližovalo a dunění bomb bylo mnohem hlasitější. Jako obvykle to nikdo nekomentoval. Dávno se naučili přijímat situaci stoicky a navenek s klidem, byla to otázka cti. Joan otevřela termosku a nalila sobě a Mariettě kakao. Vyměnily si odevzdaný pohled. Zřejmě je čeká dlouhá noc.

Lidé si na bombardování v posledních měsících tak zvykli, že někteří z nich dokázali jen podle zvuku určit, kde bomby padají.

V tu chvíli někde nízko nad nimi proletěl bombardér. Bomby dopadly velmi blízko, všechny v krytu zasypal prach ze stropu.

„To byl nejspíš můj barák," zasmála se nervózně Clara.

Druhá bomba obvykle dopadla dál než první. Ale než se všichni stačili uvolnit, přímo nad nimi se ozvalo ohlušující zadunění a světla zhasla. Zřítila se na ně záplava zdiva a dřevěných trámů.

„Bůh s náma!" křikl někdo.

Víc již Marietta neslyšela.

Kapitola dvacátá

Marietta se probrala a zalapala po dechu. Ústa měla plná hlíny. Rozkašlala se a vyplivla ji, ve stejné chvíli jí však do hlavy vystřelila krutá bolest. Byla tma, takže nic neviděla, přesto si uvědomila, že leží na podlaze a na nohy jí spadlo něco těžkého. Bolely ji a nedokázala jimi pohnout.

Nakrátko si pomyslela, že je to jen noční můra – už se jí podobné zdály –, ale bolest hlavy a ústa plná prachu byly příliš skutečné. Kryt byl zasažen.

Ruce měla volné, osahala si tedy hlavu a nahmatala lepkavou krev. Když posléze ohmatala, co jí leží na nohách, zjistila, že jde o dřevěný trám. Protože předtím seděla na lavičce, zřejmě ji udeřil do hlavy, náraz ji povalil na zem a trám jí dopadl na nohy.

„Joan!" zvolala. „Slyšíš mě?"

Odněkud se ozývaly tlumené zvuky, ale na Joan příliš daleko. Marietta natáhla ruku do tmy vedle sebe a nahmatala na dotek známý Joanin pletený svetr. Přítelkyně ležela na zemi. Když Marietta putovala prsty dál k její hlavě, ramenům a trupu, zjistila, že stejný trám, který uvěznil ji, leží Joan přes břicho.

Do pohotovostního košíku s sebou vždycky braly kapesní svítilnu a košík stál u jejich nohou, když Joan prve nalévala kakao. Mariettě se podařilo napůl zvednout z podlahy, takže dosáhla dál, a konečně košík uchopit.

„Slyší mě někdo?" křikla. „Pokouším se dosáhnout na baterku. Určitě nás brzy dostanou ven."

„To jsi ty, Mari?"

Poznala Aggie, její hlas však zněl velmi slabě a vzdáleně.

„Ano, já, Aggie. Jak moc jsi zraněná?"

„Nevím, vůbec se nemůžu hýbat."

„Pomoc přijde jistě brzy," utěšovala ji Marietta a pokoušela se uvolnit zaklesnutý košík. „Ještě někdo nám může povědět, jak je na tom?"

„Hrozně mě bolí hlava a rameno," ozval se kdosi tiše. „Tady Brenda."

„Někdo další?"

Rozhostilo se ticho. Všichni ostatní byli buď mrtví, nebo v bezvědomí. Marietta upřímně doufala v to druhé. V krytu se shromáždilo osmnáct lidí včetně starého Toma z domobrany – počítal je, než zavřel dveře. Krev jí tuhla v žilách, když si uvědomila, že musejí být všichni pohřbeni pod troskami.

Konečně se jí povedlo udělat v boku proutěného košíku díru. Strčila ruku dovnitř a nahmatala malou kapesní svítilnu, kterou velmi opatrně vytáhla, věděla totiž, že by stačil jediný prudký pohyb a mohla by spadnout další lavina suti.

Svítilnu zapnula. Žalostně tenký kužel světla stačil jen natolik, aby přes vířící prach viděla, že ji, Joan a další tři, kteří seděli vedle ní, srazil stejný trám. Ti nejblíže ke dveřím to zřejmě odnesli nejhůř.

Prohlédla Joan, jak jen mohla, a zjistila, že je přítelkyně živá, ale v bezvědomí. Ležela pod trámem ošklivě zkroucená a na zemi se zaleskla krvavá kaluž.

Trám končil těsně za Mariettou a ironicky právě košík s proviantem způsobil, že na ni nedopadl plnou vahou. Nohy ji bolely, krvácela, ztratila boty, ale mohla pohybovat prsty, což bylo dobré znamení. Nalevo se za koncem trámu vršila hromada suti. Předtím tam seděly paní Headyová, její manžel i dcera. Pravděpodobně skončili pohřbeni pod ní.

Mezi Mariettou a protější stěnou krytu zely velké kusy betonu, za nimiž byly Brenda, Aggie, Clara, také Ernie a May, Edna a několik dalších, které neznala. Nikoho z nich neviděla.

Během uplynulých měsíců často slýchala záchranáře civilní obrany volat na lidi uvězněné ve vybombardovaných domech, aby se nehýbali a snažili se nepanikařit. Nehýbat se bylo poměrně snadné, zato nepanikařit ani trochu. Marietta posvítila vzhůru a spatřila ve stropě velkou díru. Odtud spadl kus betonu, který nyní ležel uprostřed krytu, světlo baterky však nestačilo, aby osvítilo, co je nahoře nad otvorem. Docela dobře tam mohly čekat další kusy uvolněného betonu nebo trámy, které se každou chvíli zřítí dolů.

„Brendo! Aggie!" zavolala. „Vidíte světlo baterky?" Zakývala jí, aby bylo zřetelnější.

„Jen ždibec," odpověděla Brenda. „Ne dost, abych viděla, jak jsou na tom ostatní."

„Pokusím se sehnat pomoc," slíbila Marietta. „Nehýbej se a nepanikař. Snaž se mluvit na ty kolem sebe, třeba jsou jen v bezvědomí."

„Mám strach, Mari," ozvala se Aggie sotva slyšitelně.

„Já taky," odtušila Marietta. „Ale viděla jsem, jak dostali lidi z horší kaše, nezoufejte."

Byla to pravda. Protože však v okolí shazovaly bombardéry další bomby, nedalo se čekat, že by sem civilní obrana dorazila, dokud nebude poplach ukončen. A ani pak možná nepřijdou hned, pokud jim někdo nenahlásí, že byl tento konkrétní kryt zasažen. Je třeba dostat se ven a upozornit je.

Pokusila se znovu Brendu a Aggie uklidnit a prozkoumala trám, jenž ji věznil. I kdyby se jí podařilo zvednout konec a vytáhnout zpod něj nohy, zvýšilo by to zátěž na Joan. Bylo třeba trám něčím podepřít.

Marietta šmátrala rukama kolem sebe. Našla cihlu, pak další. Kdyby ji postavila kolmo, sahala by výš než její noha. Stačilo by tedy protáhnout jednu vedle svých nohou a nadzvednout trám natolik, aby jej mohla položit na cihlu, vytáhnout nohy a podepřít trám druhou cihlou.

Zasunout cihlu vedle nohou nebylo nic těžkého, ale zvednout trám, aby se osvobodila, se vsedě zdálo téměř nemožné. Marietta napínala síly, krev z rány na hlavě jí tekla do očí a bolest v nohou sílila.

Zatínala zuby, umiňovala si, že to dokáže. Neměla dost dlouhé paže, aby mohla trám dobře uchopit shora, proto se jej snažila tlačit zespoda. Po několika pokusech se jí přece jen podařilo trochu trám nadzvednout. Podržela jej pravou rukou a levou se pokusila cihlu otočit. Snad ještě nikdy nedělala nic tak těžkého, měla pocit, že jí popraskají svaly. Přesto nakonec uspěla.

Opřela se, aby si chvíli odpočinula, a zavolala na Brendu s Aggie, co udělala. „Teď už jen vytáhnout nohy," dodala.

Neuvěřitelně to bolelo, navíc za sebou neměla místo, aby se mohla posunout dozadu. Ale jiné řešení se nenabízelo.

Když nohy konečně vyprostila, zjistila, že jsou celé od krve, bolestí se jí dělalo zle. Přesto se nějak dokázala zvednout. Na zemi našla další cihly a nakonec se jí podařilo nadzvednout trám z těla své přítelkyně a podložit jej, aby ji zbavila té tíhy. Sotva byla hotova, Joan zasténala.

Marietta se k ní sehnula a pohladila ji po tváři. „Jdu pro pomoc, Joan. Vydrž.“

„Ian… Sandra,“ vypravila ze sebe Joan tiše.

„Brzy se uvidíte,“ slibovala Marietta a bojovala se slzami. Dokonce i ve slabém světle svítilny bylo zřejmé, že je na tom přítelkyně opravdu zle.

Podle zvuku se bombardéry vzdálily, bylo třeba sehnat pomoc co nejdříve. Marietta ještě zavolala na Brendu s Aggie, že je Joan při vědomí, aby na ni mluvily, a začala klopýtat ke dveřím. Svítila si na cestu, aby nezakopla a nespustila další lavinu suti.

Tom, ležící vedle dveří, byl nepochybně mrtev. Hlavu mu rozsekl trám, který jej zasáhl. Starší pár vedle něj rovněž nejevil známky života.

Ještě než Marietta došla ke dveřím, napadlo ji, že schody budou možná zatarasené – navíc se jí možná ani nepodaří dveře otevřít. Příjemně ji překvapilo, když je dokázala odtlačit alespoň tolik, aby se protáhla ven.

Posvítila si na schody, zatarasené sutí, kovové zábradlí se zkroutilo jako had. Cítila však závan čerstvého vzduchu a spatřila mezi sutí mezeru. Mohla jen doufat, že bude otvor jako komín, jímž se dostane nahoru.

Zpočátku volala o pomoc ze všech sil, bála se pustit mezi suť, aby se na ni nesesypala – navíc by po chvíli mohla zjistit, že ani tak se nedostane až nahoru –, ale čím déle bude rozhodnutí odkládat, tím menší šanci na přežití její přátelé mají. Nezbývalo než se pokusit.

Lézt uměla vždycky dobře, často o ní říkali, že je jako kamzík, ale ještě nikdy nelezla na poraněných nohách a s ránou na hlavě nebo otvorem sotva dost širokým, aby se jím dokázala protáhnout. Sundala si pásek šatů a přivázala si jím svítilnu k čelu. V místech, kde se pásek dotýkal rány, to nesnesitelně bolelo, jenže se nedalo nic dělat, potřebovala obě ruce volné.

Pomalu a velmi opatrně se pustila vzhůru, ohmatávala suť před sebou, aby si byla jistá, že nepovolí. Jakmile se nasoukala do úzkého komínovitého otvoru, už neměla prostor pro manévrování a nezbývalo než se sunout vzhůru jako had s rukama nad hlavou, zapírat se prsty a lokty a hledat oporu pro nohy.

Bylo to děsivé, protože kdykoli narazila na větší kus vyčnívajícího zdiva, měla strach, že uvízne. Beton a cihly popadaly z domu stojícího vedle krytu a blíž k povrchu byl zával čím dál méně stabilní.

Čas od času se ozvalo zlověstné zarachocení, kameny se jí uvolňovaly pod nohama. Padala na ni suť, dlaně, paže, ramena i nohy měla do krve rozedřené, přesto se nevzdávala a plazila se jako had stále výš.

A náhle nad sebou zahlédla oranžovou záři. Někde blízko hoří, došlo jí. A v tom případě je v úrovni ulice, kde budou lidé.

Dokázala to.

V první skupině pracovníků civilní obrany, která dorazila do Fairfield Road v Bow po zprávách o těžkém bombardování, byl i Patrick Feanny. Kolem na mnoha místech hořelo, poplach však ještě nebyl zrušen a nikde nebylo ani vidu po hlídačích ani po lidech, kteří by se pokoušeli hasit.

Patrick stál na Fairfield Road a rozhlížel se po naprosté zkáze v bývalé Soame Street, dříve lemované malými řadovými domky. Žádný ze zhruba třiceti domů nevydržel. Zůstala jen jediná zeď na začátku ulice, na níž dosud visel obraz.

Třicet domů znamenalo víc jak sto padesát dalších bezdomovců. Patrick je upřímně litoval. Když mu bylo devatenáct, bojoval v první světové válce a přežil bitvu na Sommě. Přihlásil se k odvodu i tentokrát, ne protože chtěl bojovat, ale cítil to jako svou povinnost. Z aktivní služby jej však vyřadili, proto se dal k civilní obraně. Měl pocit, že jde o podřadnou a snadnou práci, to se však spletl.

Nespočítal by, kolik lidí už vytáhl z vybombardovaných domů, často s vážnými zraněními a ještě častěji mrtvé. Všichni konečně pochopili, že to Hitler myslí vážně, a od té doby se kryty vylepšily a mělo větší smysl je využívat. Jenže v ulicích jako Soame Street se vždycky našel někdo příliš tvrdohlavý nebo přesvědčený o vlastní nesmrtelnosti, kdo do krytu nešel, a když se Feanny díval na to, co z ulice zbylo, napadlo jej, kde asi najdou těla dnes.

Náhle zaslechl z druhého konce ulice volání o pomoc. Vylezl na hromadu suti a rozhlédl se. Obvykle přišel někdo nahlásit, že toho a toho dnes v noci v krytu neviděl, teprve po zrušení poplachu.

Na konci ulice spatřil dívku, předkloněnou jako v bolestech. Ve světle jednoho z ohňů bylo vidět, že je celá od krve.

„Kryt," křikla a ukázala na roh, odkud vedly schody dolů. „Bylo nás tam osmnáct. Ale minimálně tři jsou naživu."

V tu chvíli se ozval signál ohlašující konec poplachu a dívka klesla k zemi.

Feanny svolal píšťalkou zbytek svého oddílu a poslal jednoho z mužů pro sanitky. Vzápětí se dívce rozběhl na pomoc.

Nohy měla zakrvácené, byla bosá. K hlavě, odkud rovněž krvácela, měla přivázanou malou kapesní svítilnu. Byla celá pokrytá cihelným prachem, šaty měla potrhané a špinavé.

Když jí sundal z hlavy svítilnu, probrala se. Dal jí napít vody. Dívka se namáhavě posadila. „Musíme je dostat ven," vydechla. „Povedlo se mi protáhnout se mezi sutí na schodech a vylézt nahoru, ale budete muset vyčistit přístup."

Posvítil vlastní svítilnou ke schodům a vůbec nechápal, jak se jí podařilo dostat ven. „Dobře. Pomoc už je na cestě," uklidňoval ji. „Povězte mi, jak se jmenujete."

„Marietta Carrerová, bydlím v Soame Street u Joan Waitlyové, to je jedna z těch, kdo výbuch přežili. Musíte ji dostat ven, má dvě děti."

„To uděláme, ale nejprve mi popište, jak to tam dole vypadá. Čím víc budeme vědět, tím větší je naděje, že je dostaneme ven v pořádku."

Marietta se pokusila vstát, bylo však na ní vidět, že má velké bolesti. Feanny ji zvedl do náruče a odnesl ji k nízké zídce, na niž ji posadil.

„Když vejdete dovnitř, všechny po pravé straně přimáčkl k zemi masivní dřevěný trám. Hlídač Tom leží u dveří. Je mrtvý a podle mě i dvojice vedle něj. Pak je tam má kamarádka Joan. Já byla hned vedle ní. Povedlo se mi podepřít trám cihlami, abych se dostala ven a taky aby na ní neležela taková tíha. Uprostřed místnosti trčí ohromný kus betonu a za ním jsou další lidé. A pak ještě na konci toho trámu, pod kterým jsem uvízla i já. Po levé straně Aggie a Brenda, obě se mnou mluvily. Ale znělo to, jako by na tom byly zle. Dveře do krytu šly pootevřít jen trochu, ale podařilo se mi protáhnout, pak jsem se vyšplhala nahoru skrze zával na schodech."

„Popsala jste všechno výborně," přikývl Feanny. „Jen co dorazí sanitky, nechám vás odvézt do nemocnice."

„Já nikam nepojedu, dokud nebude Joan venku," zavrtěla rozhodně hlavou.

Feannymu bylo jasné, že nemá smysl se s ní hádat. Pokynul jednomu z mužů, aby jí přinesli deku, a šel zahájit záchranářské práce.

Marietta vůbec netušila, v kolik hodin se dostala ven z krytu, ale odhadovala to na třetí ráno. V každém případě se jí zdálo, že trvalo nekonečné hodiny, než se na obloze objevily první paprsky světla. Za tu dobu jí dvakrát přinesli čaj a ona uvedla jména všech, které v krytu znala. Zdravotníci se ji pokoušeli přesvědčit k odvozu do nemocnice, zarputile však odmítala.

„Až bude venku Joan," opakovala.

Obloha světlala a konečně bylo pořádně vidět. Ze Soame Street nic nezbylo. Všude jen haldy suti, sem tam okno, kusy oblečení, cáry závěsů. Podobný obrázek už Marietta viděla mnohokrát a soucítila s lidmi, kteří přišli o všechno. Jenže tentokrát to byli její známí a přátelé, navštívila jejich malé příbytky, znala jejich děti, manžely a rodiče. Po tvářích jí kanuly slzy. Čím se kdo z nich provinil, čím si to zasloužili?

Vzduchem plným zvířeného prachu a omítky se nesly hlasy, sousedé se vraceli z ostatních krytů a ze stanic podzemní dráhy. Zdrcené výkřiky postupně přecházely v odevzdané štkaní, jakmile lidem došlo, že přišli o všechno, co měli.

Někteří z těch lidí chodili za ní, chtěli se podělit o své zoufalství, ale ačkoli se je snažila utěšit a připomenout jim, že alespoň žijí, nespouštěla oči ze záchranářů.

Chápala, že je třeba přístup ke krytu uvolňovat opatrně, přesto podle ní pracovali šnečím tempem.

„Mari!"

Otočila se a spatřila, jak k ní kráčí Johnny. Očividně právě skončil směnu, byl ještě v uniformě a obličej měl celý špinavý. Pokusila se vstát, ale nohy se jí podlomily a musela se posadit zpátky.

„Proboha, miláčku," zvolal, jakmile byl blíž a viděl, jak vypadá. „Slyšel jsem na stanici, že to Soame Street schytala. Snad jsi nezůstala v domě?"

Vylíčila mu, jak to bylo v krytu a jak se dostala ven. „Nikam se nehnu, dokud nebudu vědět, jak je na tom Joan," dopověděla.

Johnny byl zvyklý, že na bombardování reaguje každý jinak. Někteří vyděšeně pobíhali s vytřeštěnýma očima, jiní byli tolik šokovaní, že dokázali jen sedět a zírat před sebe, další vše přijímali zdánlivě stoicky a později se zhroutili. Nebylo jak jim pomoct, jen ošetřit rány, nabídnout čaj a teplou deku a vlídné slovo. Nakonec si každý našel vlastní způsob, jak se se situací vypořádat.

Johnny však věděl, že Mari již tato válka připravila o víc než většinu ostatních. Navíc nepochybně potřebovala bezodkladné ošetření. Jestli jí rány na hlavě a na nohách někdo brzy nevyčistí a nepřeváže, dostane se do nich infekce.

„Vezmu tě do nemocnice, musíš se nechat ošetřit," domlouval jí. „Slibuju ti, že se odtamtud vrátím rovnou sem a pomůžu. A jakmile budu něco vědět, dám ti zprávu."

„Ne, zůstanu," nedala se. „Do sanitky půjdu až s Joan, až ji dostanou ven. Potřebuje mě."

Johnny vzdychl. Mariettina tvrdohlavost byla vždycky trochu na překážku. Snad měl jeho strýc pravdu, když mu říkal, že by byl spokojenější s dívkou ze stejného prostředí, která hledá manžela, co se o ni postará, a není odhodlaná dělat všechno za každou cenu po svém.

„Dobře," ustoupil a zavinul ji těsněji do deky. „Půjdu jim pomoct. Ale ty si aspoň necháš od zdravotníka vyčistit a ovázat ty rány, ano? Jestli se zanítí, nikomu tím nepomůžeš."

„Dobře," svolila. „A dávej tam na sebe pozor, ano?"

Johnny k ní poslal jednoho ze zdravotníků a připojil se k záchranářům.

Ti už se mezitím dostali téměř ke vchodu do krytu, ale zdržovalo je další zdivo, které padalo na schody.

„Bůhví, jak se ta holka dokázala dostat ven," podotkl Feanny. „Viděli jsme tu mezeru, kterou se protáhla, ale byla velká sotva pro kočku. Neuvěřitelné, co dokáže odhodlání."

Johnny mu svěřil, že je Marietta jeho dívka, pak se zachmuřeně usmál. „Teda já to tak říkám, ale ona je hlavně svá. A odmítá jet do nemocnice, dokud nedostaneme ven její kamarádku. Takže čím dřív, tím líp."

Konečně se podařilo otevřít dveře a záchranáři mohli dovnitř. Čekal je neradostný pohled. Hlídač Tom a postarší pár vedle něj byli mrtví. Feanny posvítil baterkou dál a spatřil pod trámem uvězněnou ženu, nepochybně Joan. Než ji dostanou ven, budou muset trám zvednout.

Posvítil vzhůru a zjistil, že několik dalších uvolněných trámů nebezpečně visí na kusech betonu, navíc nad dalšími lidmi. Stačil by jediný špatný pohyb a celý strop by se mohl propadnout. Rozhodně nešlo o odolný kryt, který prošel prověrkou. Byl to jen velký sklep táhnoucí se pod třemi odbytými domky typickými pro East End. Před válkou jej používal prodejce použitého nábytku jako skladiště. Jeden z domků nad krytem už spadl a druhé dva budou nejspíš brzy následovat.

Zavolal na všechny uvnitř, kdo zůstali při vědomí, že je brzy dostanou ven.

Ozvaly se jen dva slabé hlasy, Brenda a Aggie.

Feanny se shýbl a opatrně postupoval podél trámu k Joan. Zkusil pulz. Srdce jí dosud bilo, ale velmi slabě, pokud ji chtějí zachránit, je třeba okamžitě jednat. Viděl také cihly, jimiž Marietta podepřela trám, a nechápal, jak se jí to vůbec podařilo.

Ohlédl se na své muže a ukázal jim, kam se mají postavit. „Na tři trám zvednete a odtáhnete dozadu," zavelel. „Jakmile bude trám venku, ty, Johnny, vezmeš kamarádku svý holky ven a k sanitce. Není tu dost místa pro nosítka. Takže připravit! Raz, dva, tři!"

Když trám uchopili, pohnula se trocha suti, ale muži necouvli. Jakmile trám zvedli, Johnny se vrhl vpřed, popadl Joan do náruče a nesl ji ven.

Když se objevil na schodech, Marietta se dobelhala k nim. Zdravotník jí zatím stačil očistit obličej, ale jakmile spatřila Johnnyho, vytrhla se mu.

„Žije?"

„Ano, ale je na tom zle," vysvětloval Johnny cestou k sanitce. „A teď pojedeš s ní, Mari, žádné další výmluvy."

Kapitola dvacátá první

„Je mi líto, slečno Carrerová, nepřipadá v úvahu, že bychom vás dnes propustili."

Marietta pohlédla do přísné tváře sestry Charlesové, jíž zavolala její ošetřující sestra, protože s Mariettou byly potíže.

Nechtěla působit rozruch, ale jakmile vstoupila do londýnské nemocnice ve Whitechapelu, ze zápachu a ošklivých zranění všude kolem se jí dělalo zle. Když ji pak nařídili svléknout se a ulehnout na lůžko v kóji, vyděsila se a řekla sestře, že chce jen rychle obvázat a odejít.

Sestře Charlesové už bylo dost přes čtyřicet. Vysoká, štíhlá, majestátní žena, která očekává, že ji všichni poslechnou. Odtáhla přikrývku, jíž měla Marietta přikryté nohy, a při pohledu na ně se jí zkřivily rysy.

„Žádné rychlé obvazování nebude," pronesla příkře. „Nedovolím, aby odsud někdo z mých pacientů odešel bez odpovídajícího ošetření. Vaše rány na hlavě i na nohách vyžadují důkladné vyčištění a sešití, a jak jsem slyšela, máte v podstatě všude na těle oděrky a pohmožděniny. Navíc si potřebujete pořádně odpočinout, abyste se zotavila z toho, co jste prodělala."

„Chtěla jsem odejít co nejdřív, musím pomoct přátelům," vysvětlovala Marietta.

„V tomhle stavu stejně nikomu nepomůžete. Když vás přivezli, řekli mi, že to vy jste sehnala záchranáře a upozornila je na zavalený kryt. Podle vašich zranění je vidět, že to nebylo nic snadného. Jste velmi statečná. Ale tady velím já a vy budete dělat, co vám řeknu."

Mariettu kupodivu ten přísný rozkaz uklidnil. Ani sama nevěděla, proč chce za každou cenu odejít. Stejně už neměla střechu nad hlavou a zanedlouho jistě přijde Johnny se zprávami o ostatních z krytu.

Zmohla se na nepatrný úsměv. „Mluvíte jako moje teta. S oblibou mi opakuje, že ji musím poslouchat. Ale nemohla byste mi, prosím, zjistit, jak je na tom Joan Waitlyová? To je kamarádka, se kterou mě přivezly. Nevypadala dobře."

Joan nenabyla vědomí ani v sanitce a Marietta se nemusela ptát, aby pochopila, že je její stav vážný. Ošetřovatelka, která s nimi jela v sanitce, se obávala vnitřních zranění.

Sestra přikývla. „Někoho pošlu. Ale teď vám vyčistím rány."

O dvě hodiny později byla Marietta umytá, sešitá a dostala léky na bolest. Ležela v posteli na nemocničním oddělení a snažila se přesvědčit sama sebe, že žádné zprávy o Joan znamenají dobré zprávy, ne špatné. Nakonec usnula a probudila se až večer, o návštěvních hodinách, když přišel Johnny.

Umyl se, oholil a převlékl do civilu, podle zarudlých očí a ztrhaných rysů však poznala, že si neodpočinul.

„Brenda s Aggie jsou tady v nemocnici," informoval ji. „Brenda má podle všeho poraněnou páteř, Aggie jen nějaké ty šrámy a podlitiny."

„A ti ostatní?"

„Bohužel všichni mrtví," hlesl unaveně. „Jestli tě to utě-ší, doktor, který byl v krytu, říkal, že zemřeli okamžitě. Prý proběhne vyšetřování, jak mohl někdo schválit ten sklep jako kryt. Ale pozdě honit bycha."

„A Joan? Víš, jak je na tom?"

Johnny ji vzal za ruce. „Připrav se na špatné zprávy," řekl smutně. „Ten trám, co na ni dopadl, způsobil poškození or-gánů. Utrpěla vážné vnitřní krvácení, a i když ji operovali, nedělají si velké naděje na záchranu."

„To ne!" Marietta se rozplakala. „Co si počnou její ubohé děti a manžel!"

„Já vím," vzdychl Johnny. „Je to hrůza. Rodiny trpí nejvíc, to víš sama."

„Vždyť to vůbec nedává smysl," vzlykala rozčileně. „Měli se tak rádi. Zasloužili si po válce lepší život. Proč jsem neumřela i já? To už je podruhé, co jsem přežila, zatímco lidi, které mám ráda, zemřeli."

„Moje babička byla věřící a řekla by, že s tebou má Bůh jiné plány," pronesl Johnny jemně. „Viděl jsem spoustu kamarádů umřít při hašení požárů a myslel jsem na totéž, ptal jsem se, proč zrovna já mám štěstí."

„Ale mně to jako štěstí vůbec nepřipadá." Zabořila tvář do polštáře a plakala.

„Ani mně, když přijdu o někoho, koho mám rád." Johnny jí odhrnul vlasy z tváře. „Ale stejně mám radost. Kdybych přišel i o tebe, neunesl bych to."

Cit v jeho hlase byl neúnosný. Marietta konečně pochopila, že už ho nemůže nechávat v marných nadějích.

„To neříkej, Johnny. Nemůžu ti dát, co bys chtěl. Mám tě ráda jako člověka, ale nemiluju tě, snad mi rozumíš."

Kradmo pohlédla do jeho tváře. Vypadal ohromeně. Uvědomovala si, že si nevybrala nejlepší chvíli, ale kdyby mu neřekla pravdu hned, chtěl by se o ni starat, našel by jí bydlení, a než by se nadála, byla by v tom až po krk.

„Mrzí mě to, Johnny," dodala. „Jsi ten nejlepší přítel, jakého bych si mohla přát. Jsi hodný, zábavný, milý a silný, víc by žádná holka nemohla chtít. Jenže ty ode mě chceš víc, než ti kdy můžu dát."

Chvíli mlčel.

Marietta se připravovala na prosby a naléhání, nebo že bude Johnny přičítat takovou reakci šoku.

Když však Johnny nakonec promluvil, znělo to úsečně. „Musím říct, že sis nevybrala nejlepší chvíli. Ale pravda má prý po alkoholu nebo po šoku tendenci vyplavat na povrch. Půjdu. Nemá smysl to protahovat."

Otočil se na patě a odešel.

A Marietta se rozplakala nanovo.

Sestra Charlesová, která ji ráno ošetřovala, přišla na oddělení krátce před desátou, když sestry naposledy obcházely pacienty, než se na noc zhasne.

Marietta plakala od chvíle, kdy Johnny odešel. Jakmile sestru spatřila, pochopila, že jí nenese dobrou zprávu.

„Zemřela?" hlesla.

„Bohužel," přitakala sestra soucitně. „Po operaci prý krátce nabyla vědomí a požádala ošetřovatelku, aby vám předala vzkaz. Chtěla, abyste byla u toho, až se její děti dozví, že zemřela, protože vy to s nimi umíte."

Mariettě vyhrkly další slzy. Téměř Joan v duchu slyšela. Nepochybně si přála, aby děti nikdy nepochybovaly, že před smrtí myslela právě na ně.

„Je mi to líto," dodala sestra Charlesová a vzala Mariettu za ruku. „Její děti evakuovali?"

„Ano. Nedávno jsme je byly navštívit. Ianovi je jedenáct, Sandře devět. Joanin manžel slouží v severní Africe."

„Nemocnice armádu uvědomí."

„Děti jsou v Lyme Regisu. Joan se tam chtěla přestěhovat, až bude po válce," vyprávěla Marietta zdrceně. „Snila o malém domku u moře. Její děti jsou tak báječné a krásné, tolik jsem si přála, aby se jí ten sen vyplnil."

„Chápu, proč chtěla, abyste byla s nimi," pronesla sestra. „Máte velké srdce a nikdo by nemohl udělat víc než vy dnes, aby pomohl svému příteli, tak jako vy Joan. Až budou Ian se Sandrou starší, můžete jim to vyprávět. Dětem, které jako malé přijdou o matku, pomáhá, když jim někdo řekne, jak ji měl rád. Teď už budu muset jít, v šest ráno nastupuji do služby. Ale budu na vás myslet a modlit se za vás, Marietto. Bůh vám žehnej."

„Jste stejně moudrá a hodná jako má teta Mog doma na Novém Zélandu." Marietta popotáhla a pokusila se o úsměv. „Tohle už je podruhé, kdy jste řekla totéž, co by řekla ona."

Sestra se sklonila a políbila Mariettu na čelo. „Kdybych měla neteř jako vy, byla bych na ni velice pyšná. Pokuste se usnout, má milá. Máte za sebou den plný smutku a hrůzy."

Vzápětí světla na oddělení zhasla až na lampičku na psacím stole, u nějž seděla ošetřovatelka a dělala zápisky. Byla k Mariettě otočená zády, přesto působila uklidňujícím dojmem jako strážkyně zraněných žen na oddělení v naškrobeném čepci, uniformě a bílé zástěře.

Když Marietta přemítala o významu ošetřovatelství, vybavila si, jak jí Mog a její matka právě tuto profesi navrhovaly. Marietta chtěla do Aucklandu a ohrnovala nos nad vynášením toaletních mís, krve a zvratků. Tehdy ještě nedokázala myslet na ničí potřeby, jen na své.

Byla by z ní dobrá ošetřovatelka? Tak nějak o tom pochybovala. Sice se naučila cítit s druhými, přesto byla z krve a ran nesvá. Stačilo jí podívat se na vlastní nohy a dělalo se jí zle.

V osmnácti by takové zjizvení považovala za konec světa. Teď jí to kupodivu bylo jedno. Na čele měla šest stehů, vzadu na hlavě jí museli vystříhat kolečko vlasů v místě, kde jí sešili další ránu, tentokrát deseti stehy, osmnáct jich měla na pravém lýtku a šestnáct na levém. Ale dokud bude moct chodit a netrpět bolestí, nezáleží na tom.

Až se dostane domů, bude moct porovnat jizvy s otcovými. Jako malou ji fascinovaly – ačkoli on o každé z nich pokaždé vymyslel jinou legrační historku. Nikdy jí nepověděl, jak přišel k té na tváři. Ale až se vrátí, přemluví ho.

Pokud se někdy vrátí. Nyní už ji v Anglii nic nedrželo – jen setkání s Ianem a Sandrou. Samozřejmě měla své zaměstnání, navíc pomáhala v bývalé továrně. Možná se tam bude muset sama přihlásit a požádat o pomoc při hledání bydlení a o nějaké ošacení. Za celou dobu, kdy pomáhala ostatním ženám probírat šaty, svetry a boty, ji nenapadlo, že to jednou bude dělat pro sebe. S lítostí pomyslela na diamantový náramek, který jí darovali Noah s Lisette k jednadvacátým narozeninám, pohřbený v rozvalinách Joanina domu. A všechny ty drobnosti, které vlastnila a které byly její součástí.

Všechno pryč. Fotografie, dopisy od rodičů a Mog, maličkosti, které jí dala Rose. Šatstvo se dá nahradit – ačkoli jistě nebude tak pěkné jako její bývalé šaty –, jinak ale zůstala zcela bezprizorní. Dokonce i vkladní knížka, přídělové lístky a pas byly ztraceny.

Kapitola dvacátá druhá

Následujícího rána ji díky zásahu zdravotní sestry navštívila slečna Coatesová, zdejší sociální pracovnice. Byla to pohotová a schopná žena s nóbl vyjadřováním a její chování prozrazovalo, že je zvyklá jednat spíše s vévodkyněmi z Mayfairu než s obyčejnými lidmi.

V tom se však Marietta mýlila. Slečna Coatesová nejenže byla zvyklá radit lidem, kteří při bombardování přišli o všechno, ale také oplývala pochopením.

Marietta se starala, aby byli pan a paní Hardingovi, kteří pečovali o Joaniny děti, uvědoměni o jejím skonu, vysvětlila však, že děti se tu zprávu mají na Joanino přání dozvědět až v její přítomnosti.

„Neznám jejich telefonní číslo ani adresu," vysvětlovala slečně Coatesové. „Ale asi bych ten dům dokázala najít, až tam přijedu. Jenže teď se tam nedostanu a Hardingovy je třeba informovat."

„Jejich adresa i telefonní číslo budou v seznamu," ujistila ji slečna. „Povím jim tu zprávu sama a vysvětlím jim Joanino poslední přání. Jsem si jistá, že je budou ctít a počkají na vás.

Co kdybyste mi teď popsala svou situaci, abych viděla, co pro vás mohu udělat?"

Zůstala u Marietty zhruba hodinu. Nabídla se zavolat panu Perrymu a vysvětlit mu, co se stalo, a poradila jí, jak získat nový průkaz totožnosti a přídělovou knížku. Řekla jí také, že má nárok na nějaké peníze z nouzového fondu, které jí pomohou v prvních dnech. Ptala se na přátele, kteří by jí mohli pomoci, ale Mariettu napadli jen Henry a Doreen Fortesqueovi. Slečna Coatesová tedy slíbila vyhledat jejich telefonní číslo a kontaktovat je. Odpoledne se prý vrátí.

Svému slovu dostála, ve čtyři byla zpět.

„Nejprve to nejdůležitější. Našla jsem Hardingovy a promluvila s paní. Jak si dovedete představit, byla velmi rozrušená, ale ochotně souhlasila, že počkají na vás. Prý jste na ni působila jako vyrovnaná a laskavá osoba. I děti si vás oblíbily a jistě budou vděčné, že vás měla jejich matka v posledních chvílích u sebe. Můžete prý u nich pár dnů zůstat. Paní Hardingová by však byla ráda, kdyby k tomu došlo co nejdříve, protože děti jsou zvyklé dostávat každý týden od matky dopis, a když žádný nepřijde, začnou se strachovat."

„Pojedu tam, jakmile mě odsud pustí," ujistila ji Marietta. „A co otec dětí? Dostane se sem včas na Joanin pohřeb? A kde ji vlastně pochovají?"

Mnozí z těch, kdo při bombardování přišli o své milované, odsuzovali používání masových hrobů, vnímali to jako chudinský pohřeb. Ale Joan vždycky prohlašovala, že by byla raději pohřbena s lidmi, které znala, než sama. Dokonce o tom vtipkovala: „Prostě tam přihoďte pár láhví piva a my to pořádně oslavíme."

Marietta to vyprávěla slečna Coatesové a ta se usmála. „Myslím, že místnímu pohřebníkovi bude připadat rozumné a vhodné pochovat všechny oběti ze Soame Street do stejného hrobu," soudila. „Žili vedle sebe, společně zemřeli, je proto jen odpovídající pohřbít je společně. Ale o to se postará pohřební služba, slečno Carrerová, s tím si nelamte hlavu. Ani s tím, jestli se pan Waitly stihne dostat domů včas."

„Asi máte pravdu," přitakala Marietta.

„Teď se vraťme k vašim starostem. Potřebujete bydlení. Volala jsem Fortesqueovým, zděsilo je, co vás potkalo. Ani jsem se nemusela ptát, sami se nabídli, že vás u sebe nechají. Tím pádem nám zbývá vyřešit vaše oblečení."

„V tomhle opravdu nikam nemůžu," ukázala Marietta na bílou bavlněnou nemocniční košili. „Nemám ani boty."

„Máme tu naštěstí nějaké zásoby, lidé sem často nosí věci. Večer je projdu. Jakou máte velikost?"

Marietta si byla poměrně jistá, že jde o oblečení lidí, kteří zemřeli, ale jak by řekla Mog, darovanému koni na zuby nekoukej.

„Obvod hrudníku osmdesát pět centimetrů, boty velikost třicet sedm… a děkuju," odpověděla.

„Pokusím se najít něco hezkého, co by vám ladilo k vlasům," usmála se slečna Coatesová. „Co vaše zranění?"

„Bolí to," ušklíbla se Marietta. „A zůstanou mi ošklivé jizvy. Ale mám štěstí, že žiju, viďte? Děkuju za všechno, opravdu si toho vážím."

Čtyři dny po Joanině smrti seděla Marietta ve vlaku do Lyme Regisu. Věděla, že vypadá hrozně, ale snad bude pro Iana se Sandrou lepší vidět ji takhle. Aby pochopili, že nikdo z krytu nevyvázl jen tak.

Šaty, které jí slečna Coatesová našla, byly škaredé, hnědé s bílými puntíky, připomínaly školní uniformu. Navíc byly příliš dlouhé, ale Marietta se je ani nepokoušela zkracovat, protože přinejmenším částečně zakrývaly její zraněné nohy. Ty vypadaly opravdu hrozně, celé černé a modré se sešitými ranami.

Slaměný klobouk s ohnutou krempou byl docela pěkný a schoval lysinu ve vlasech. Hnědé sandály na korkové platformě považovala za ucházející. Obvaz zakryl velkou jizvu na čele, ale od bombardování se Mariettě všude vybarvily modřiny a každičký kousek kůže, nepoznamenaný oděrkami a šrámy, zfialověl.

Do Londýna se měla vrátit v pondělí čtvrtého srpna na vytažení stehů a bylo dost pravděpodobné, že následujícího dne proběhne pohřeb Joan a ostatních ze Soame Street. Jenže to se všechno zařídí, zatímco bude pryč.

Henry s Doreen byli velmi laskaví. Použili své vzácné přídělové lístky na benzín, dojeli pro ni a vyzvedli ji z nemocnice. Cítila se u nich doma vítaná. Strávila tam zatím jen jednu noc, ale bylo to jako u Noaha s Lisette. Vládl zde stejný pořádek a čistota, místnosti byly světlé a velké, navíc skutečná koupelna. Ne že by si Marietta mohla vlézt do vany, dokud jí nevyndají stehy, ale pak to bude jako odměna.

Trvali na tom, že může zůstat, jak dlouho bude chtít, a mysleli to upřímně. Přesto se silněji než dřív vrátil ten starý pocit, že by se z Londýna nejraději odstěhovala. Nešlo jen o strach z náletů nebo o to, že by mohla potkat Johnnyho. Chtěla se pokusit začít znovu někde jinde.

Styděla se za to, jak Johnnyho postavila před hotovou věc, přesto nedokázala přijít na laskavější způsob, jak mu tu zprávu sdělit. Kdyby neřekla nic, všechno by se jen zkomplikovalo. Neměla kde bydlet, žádné peníze ani oblečení. Jistě bylo čestnější se s ním rozloučit, než se ho držet, aby se o ni postaral.

Paní Hardingové se chvěly rty, když Mariettě otevírala dveře, okamžitě ji sevřela v náručí a celá se při tom třásla. „Děti si hrají na zahradě. Připadala jsem si jako ten nejhorší podvodník, že jsem to věděla a nic jim neřekla. Sandra se mě několikrát ptala, proč pláču,“ vyprávěla překotně.

Marietta ji objala. „Pořád se mi nechce věřit, že už tu Joan není. Byly jsme tak dobré kamarádky, myslela jsem, že spolu zůstaneme napořád. Pro vás a vašeho manžela bylo určitě těžké mlčet, ale museli jsme vyplnit Joanino poslední přání, viďte?“

„Bert to považuje za správnou věc. A tak jsme se snažili, aby děti nic nepoznaly.“

„Ozval se vám už jejich otec?“

„Volal nám nějaký důstojník, že prý je jejich otec na cestě, vrátí se o víkendu nákladním letadlem. Nejdřív půjde na pohřeb, pak přijede sem, chudák. Odcházejí na smrt a vůbec je nenapadne, že by si mohla přijít pro jejich blízké.“

„Mohou Ian se Sandrou zůstat u vás?“ zeptala se Marietta. „Já vlastně nevím, jak to v takových případech chodí.“

„Jistěže zůstanou s námi – navždycky, když budou chtít,“ prohlásila paní Hardingová a otřela si oči zástěrou. „Máme je rádi od samého začátku. Po pravdě jsme se věčně strachovali, že je Joan odvede, tolik jí chyběly…“ Přitiskla si dlaň na ústa. „Ach proboha, to zní hrozně.“

„Vůbec to nezní hrozně,“ uklidňovala ji Marietta. „Joan věděla, jak je máte rádi, a byla to pro ni útěcha. Ale pojďme se s tím vypořádat, ano? Nedokážu si tu povídat, když nevědí, proč jsem doopravdy přijela.“

I kdyby Marietta žila do sta let, nikdy by nemohla zapomenout na ten okamžik, kdy vyšla zadními dveřmi z domu a spatřila obě děti, jak hrají tenis se starými raketami přes prádelní šňůru místo sítě.

Byl horký dusný den. Sandra na sobě měla růžové bavlněné letní šaty s nabíraným živůtkem, Ian byl jen v šortkách. Oba byli krásně opálení, ztělesnění zdraví a vitality, tak odlišní od bledých dětí dosud žijících v Londýně.

Sandra ji zahlédla jako první, vyjekla radostí, upustila raketu a rozběhla se k ní. „Kde je máma?" volala.

Ian očividně něco vycítil. Nejprve se rozběhl, v půli cesty se však zastavil a podezíravě si Mariettu změřil. „Nepřijela s vámi? A co se vám stalo s nohama?"

„Pojďte se ke mně posadit," vybídla je Marietta jemně. Vzala děti za ruce a dovedla je k dece rozložené na zemi pod stromem. Paní Hardingová stála v kuchyňských dveřích a tiskla si dlaně na ústa.

„Něco se jí stalo, že jo?" zeptal se Ian, když se posadili. „Nepřijela byste sama, kdyby…"

„Ano, Iane," přikývla Marietta vážně. „Bohužel došlo na nejhorší. Byl nálet. Schovaly jsme se s vaší maminkou v krytu, ale spadla na něj bomba."

Děti na ni oněměle zíraly, jako by jí nevěřily.

„Maminku to zabilo, stejně jako spoustu dalších lidí," pokračovala Marietta, ale hlas se jí třásl. Cítila, že nedokáže zadržovat slzy dlouho. „Seděla jsem hned vedle ní, ale ona to odnesla nejhůř."

„Vám ta bomba spadla na nohy?" zeptala se Sandra s pohledem na obvazy na obou Mariettiných nohách.

„Ne, bomba ne, trám ze stropu, ale neublížil mi tolik jako vaší mamince. Odvezli ji do nemocnice a snažili se ji zachránit, jenže to nešlo. Prosila mě, abych za vámi přijela a pověděla vám, co se stalo, a že vás měla moc ráda."

„Takže už za námi nepřijede?" zeptala se Sandra roztřeseně.

„Asi těžko, když je mrtvá, ty hloupá," řekl Ian. A vzápětí se rozplakal.

Sandra se tvářila nechápavě až do té chvíle, ale jakmile viděla staršího bratra plakat, pochopila. Marietta je oba objala a přitáhla k sobě a plakala s nimi.

„Váš tatínek je na cestě domů," dodala. „Moc mě mrzí, že jsem vám musela říct tak hroznou věc, ale maminka chtěla, abych vám to pověděla já, protože jsme byly dobré kamarádky. A protože vím, jak moc na vás byla pyšná."

Paní Hardingová jim přinesla sklenice s vodou. „Je mi to tak líto," řekla dětem přeskakujícím hlasem. Po tvářích se jí kutálely slzy. „Vaše maminka byla báječná a není spravedlivé, že odešla tak mladá."

Sandra vstala a objala paní Hardingovou kolem pasu. „Můžeme zůstat u vás?" zeptala se.

„Nebo musíme zpátky do Londýna?" ozval se Ian poplašeně.

„Ne, Iane, zůstanete tady u nás," ujistila ho paní Hardingová spěšně.

„Napořád?" chtěla vědět Sandra.

„Přinejmenším do konce války," slíbila Marietta. Joan vyrůstala v sirotčinci, tudíž z její strany nebyl nikdo, kdo by se o děti přihlásil. Pokud věděla, ani Rodney žádné blízké příbuzné neměl, navíc se bude muset vrátit k armádě.

„Tak aspoň něco," vzdychl Ian.

A Marietta ho plně chápala – vracet se do Londýna bez matky by bylo strašné, jen se ještě nenaučil vyjadřovat opatrně.

Marietta si vybavila, jak její matka říkala, že jsou děti velmi houževnaté, a tři dny strávené s Ianem a Sandrou to potvrdily. Zpočátku hodně plakaly, pak se vyptávaly na dům a na sousedy. Ale nakonec jako by v podstatě uzavřely svou mysl před vším, co bylo, než přišly do Lyme Regisu.

Druhý den už byly děti jen zamlklé, občas se Marietty zeptaly na matku nebo jaké to bylo v krytu. Ian chtěl vědět, jestli měla bolesti, naštěstí alespoň v tom mu mohla poskytnout útěchu. Sandru přistihla, jak si prohlíží rodinnou fotografii. Rodina se zřejmě nechala vyfotografovat v ateliéru, než Rodney odjel do severní Afriky, protože na ní byl v uniformě.

„Tyhle šaty už mi jsou malé," poznamenala Sandra. „Ušila mi je maminka, byly růžové."

„A máš je ještě?" zeptala se Marietta.

„Ano, jsou v zásuvce se vším malým oblečením."

„Tak si je nechej, i tuhle fotografii. Až vyrosteš, budeš si ji ráda prohlížet. Jednou třeba budeš mít sama malou holčičku a můžeš jí ty šaty ukázat nebo dokonce dát. Věci, které vyrobil někdo, kdo tě má rád, jsou výjimečné. Připomínají nám to hezké a dělají radost."

„Ale my přece nemůžeme mít radost, když tu maminka není," namítlo děvčátko.

Sandřiny světle hnědé oči tolik připomínaly Joaniny.

„Jistěže můžete," ubezpečila ji Marietta. „Vaše maminka byla ten nejveselejší člověk, jakého jsem znala. Nechtěla by, abyste byli s Ianem smutní."

Třetího dne se Ian zeptal, jestli je jejich teta.

„Ne skutečná teta – na to bych musela být sestra vaší maminky nebo tatínka. Ale v srdci jsem. Vždycky vás budu mít ráda a budu se o vás zajímat. Budeš mi psát, Iane?"

Zamračil se, zvažoval, jestli to může slíbit. „Ano, budu," přikývl nakonec. „Ale že za námi taky někdy přijedete?"

„No samozřejmě. Až skončí válka, vrátím se na Nový Zéland, ale to už budeš tak velký, že ti to nebude vadit."

„Asi bude. Máma v jednom dopise psala, že jste její výjimečná kamarádka, tím pádem jste výjimečná i pro mě."

Marietta byla silně dojatá, přitiskla chlapce k sobě. „A ty a Sandra budete vždycky výjimeční pro mě."

„Jak to šlo?" vyptávala se Doreen, když se Marietta v úterý večer krátce po sedmé vrátila z pohřbu. Celý den pršelo. Doreen vzala Mariettě černý plášť a klobouk, které jim půjčila sousedka, a pověsila je na věšák na chodbě.

„Bylo to hrozně smutné," odpověděla Marietta napjatě. „Vikář o těch zemřelých řekl hezké věci, ale vidět všechny ty rakve pohromadě, to bylo na všechny moc. Rodney – Joanin manžel – na tom byl zle. Po pohřbu jsme šli do hospody a on se spolu s Brendiným manželem pořádně opil. Brenda už nebude nikdy chodit, a když její muž zaslechl, jak někdo říká, že by pro ni bylo lepší taky umřít, strašně se rozčílil."

„Lidi to myslí dobře, ale někdy jsou dost necitliví," povzdechla si Doreen. „Taky jsem na pohřbech slyšela pár strašných věcí. Když mi umřela matka, sousedka se rovnou zeptala, jestli by si nemohla nechat její oblečení. Stejně bychom jí ty věci přenechali, ale byla jako sup."

Odebraly se do kuchyně a Doreen postavila na čaj. „Neříkal Rodney, kdy pojede za dětmi?"

„Zítra. Tedy jestli vystřízliví natolik, aby dokázal nasednout do vlaku." Marietta se zamračila. „Snažila jsem se s ním mluvit o Joan a o dětech, ale podle mě moc nevnímal."

„Tyhle věci chtějí čas," podotkla Doreen. „Teď má ve všem zmatek a trápí se. Jen doufám, že nerozruší děti."

„Toho se právě bojím," vzdychla Marietta. „Říkala jsem mu, jak jsou u Hardingových šťastné, ale on se rozčiloval, že o jeho dětech nic nevím."

To byla jedna z nejznepokojivějších věcí na celém pohřbu. Marietta doufala, že s ní Rodney bude chtít mluvit o Joan a o dětech. Chtěla ho ujistit, že s nimi bude ve styku, dokud on bude pryč. Jenže Rodney byl rozložitý, svéhlavý a násilnický chlap a vůbec se jí nezamlouval. Přesto se snažila, připomínala si, že truchlí a za normálních okolností by byl jistě příjemnější. On však jako by se zlobil, že přežil, zatímco jeho žena zemřela, a Mariettin zájem o děti mu připadal podezřelý.

„Většina chlapů o svých dětech neví nic," odfrkla si Doreen. „Odcházejí do práce dřív, než děti vstanou, a když se vrátí, děti už spí. Spousta z nich navíc tráví večer v hospodě. Třeba byl Rodney jiný, kdo ví? Ale dokonce ani Henry s těmi našimi moc nepobyl, když byly malé. Co váš otec, Mari?"

„Ten s námi trávil hodně času," usmála se. „Přebaloval, vozil nás v kočárku, pomáhal mámě. Když mi byly tak čtyři, pět, často jsem s ním strávila celý den. Myslela jsem, že jsou všichni tátové jako on, takže mě dost šokovalo, když jsem zjistila opak."

„V tom případě měla Belle opravdu štěstí," přikývla Doreen. „A vy si najděte manžela, který bude také takový."

„Budu se snažit," vydechla Marietta. „Dnes musím napsat rodičům, že nás vybombardovali a kde teď jsem. A zítra zpátky do práce. Na to se moc netěším, kolegyně jsou hrozně nafoukané."

Doreen ji pohladila po rameni. „Třeba se teď budou chovat jinak, když jste zraněná a přišla jste o domov."

„Tak nějak o tom pochybuju," zasmála se Marietta nevesele.

Nemýlila se. Sekretářky neprojevily žádný zájem o její situaci ani soucit, jen si pohrdavě měřily její puntíkované šaty, jako by se vyplazila zpod nějakého kamene.

Pan Perry se ani nenamáhal zeptat, kde teď bydlí.

Marietta se rozhlížela po přeplněných zatuchlých míst-nostech zavalených hromadami papírů a regály s právnický-mi knihami. Všechno jí to připadalo jako z románu Charlese Dickense.

Rozhodla se zůstat ještě pár týdnů, našetřit nějaké peníze a pak odejít ze zaměstnání i z Londýna.

Kapitola dvacátá třetí
Sidmouth, Devon, 1942

Marietta pozorovala dešťové kapky stékající po výloze cukrárny a litovala, že nejela na bicyklu rovnou domů. Původně myslela, že jde o pouhou dubnovou sršku na pár minut, nyní to však vypadalo, že bude muset sedět uvnitř až do večera.

Do Sidmouthu se přestěhovala na konci ledna, před téměř třemi měsíci, poté co ji Hardingovi pozvali, aby strávila Vánoce s nimi a s Joaninými dětmi.

Dlouhá cesta do Lyme Regisu znamenala utrpení. V přeplněném vlaku byla zima, jel pomalu a stavěl na každé mezi. Všechna okna byla zatemněná, názvy nádraží odstraněné, vystupování tudíž představovalo sázku do loterie. Mariettě připadalo zábavné, jak se lidé proberou, teprve když výpravčí ve stanici křikne název zastávky, a pak všichni o překot sbírají zavazadla a vystupují.

Jinak ale vládla ve vlaku vánoční nálada a všichni cestující se snažili být hovorní a veselí. Dva vojáci z RAF, kteří se vraceli na základnu na pobřeží, Mariettu celou cestu bavili veselými historkami. A protože od Joaniny smrti představoval smích vzácnou komoditu, vítala to. Náhodou se před nimi zmínila, že se chce odstěhovat z Londýna, a oni jí prozradili, že Sybil Merchantová, majitelka hostince U Chocholouška v Sidmouthu, hledá výpomoc do rušného lokálu.

Sidmouth ležel v Devonu, jen kousek podél pobřeží od Lyme Regisu. A tak si Marietta impulzivně během návštěvy u Hardingových zajela vlakem do Sidmouthu a do toho hostince zašla. Sibyl byla zrovna tak milá a přívětivá, jak vojáci popisovali. A když jí nabídla práci, Marietta na místě souhlasila. Musela se ještě vrátit do Londýna, podat výpověď panu Perrymu a rozloučit se s Doreen a Henrym, ale do konce ledna už bydlela v Sidmouthu. Upřímně doufala, že nový rok a nový domov ohlašují nástup lepších časů pro ni i pro Anglii. Protože i beze všech jejích osobních tragédií byl svět v listopadu a prosinci obzvláště pochmurné místo.

Došlo k potopení lodi *Ark Royal*, nekonečné obléhání Leningradu stále pokračovalo, Japonci zaútočili na Pearl Harbor a potopili bitevní lodi *Repulse* a *Prince of Wales*, přišla invaze do Malajska a Honkong padl. K tomu kolovaly historky o děsivých zvěrstvech páchaných na Židech v Německu a Polsku, muže, ženy a děti stříleli na ulicích nebo zavírali do ghett, kde hladověli. Dokonce se šuškalo, že jsou budovány pracovní tábory, kam Židy posílají a zřejmě je tam zabíjejí. Nikdo nevěděl, jestli je to poslední pravda, ale důkazů brutálního zacházení se Židy bylo i tak dost.

Naštěstí alespoň bombardování Londýna polevilo, snad protože Německo napínalo všechny síly k podrobení Ruska. V tisku psali o tom, jak němečtí generálové podcenili krutou ruskou zimu, když vytáhli na Moskvu. Němečtí vojáci údajně rozdělávali pod tanky oheň, aby se jim vůbec povedlo nastartovat, jejich kulomety se v tom mrazu zasekávaly, neměli ani dostatečně teplé oblečení.

Když Američané vyhlásili Japonsku válku, všem to dodalo novou naději. Winston Churchill pronesl v prosinci procítěný proslov o tom, že Británie, USA a Sovětský svaz dají nepříteli lekci, na jakou nezapomene ani za tisíc let. Všichni v to upřímně doufali.

Mariettě se po všech hrůzách a smutku uplynulého roku zdálo snazší snášet nejistou budoucnost v Sidmouthu.

Lyme Regis byl menší, v podstatě vesnice s pár krámky, zato Sidmouth byl pořádné město se školou, knihovnou, spoustou obchodů, hostinců, restaurací, kaváren a podobně. Jeho obyvatelé nebyli ztrhaní a zoufalí po bezpočtu náletů, usmívali se na kolemjdoucí, kolikrát se zastavili na kus řeči, a především nežili v neustálém strachu.

Velkolepé neoklasicistní stavby na promenádě původně sloužily jako soukromé prázdninové domy bohatých a vlivných lidí. V roce 1819 se zde ubytoval Edward, vévoda z Kentu, i se svou chotí a dcerkou Viktorií, pozdější královnou. Dům, v němž přebývali, od té doby změnil název na Královský hotel Glen a dnes jej využívala RAF. Letectvo od vypuknutí války zabavilo v podstatě všechny velkolepé domy na pobřeží, to však nijak neumenšovalo jejich kouzlo.

Marietta milovala klikaté ulice s malými domky o kus dál, po nekonečném hluku a chaosu Londýna si užívala klid a mír. Obdivovala pečlivě udržované parky a zahrádky, které v lednu a únoru sice nekvetly, ale slibovaly hojnost v dubnu a květnu. Nad hlavou jí kroužili racci a vzduch voněl mořskými řasami a Marietta cítila, jak se jí vrací starý optimismus.

Chodila na dlouhé procházky podél půvabných útesů. Bohužel tu nebyl přístav, ale v ústí řeky Sid kotvila spousta loděk a Marietta si slíbila, že se spřátelí s někým, kdo by jí dovolil čas od času vyplout a rybařit.

Do hostince U Chocholouška se zamilovala na první pohled, měl vystouplá okna a přesně tak si vždycky anglický hostinec představovala. O chladných večerech byl lokál útulný, těžké závěsy se zatáhly a ve velkém krbu plál oheň. Většinou se našel někdo, kdo spustil na klavír „Bílé útesy doverské" a další smutné písně a všichni se přidali.

Sybil Merchantová, malá a kyprá žena s růžovými tvářemi a bujarou dobrosrdečnou povahou, vypadala a mluvila spíš jako farmářova žena než hostinská. Její manžel Ted byl jejím dokonalým protikladem: vysoký, hubený a zakaboněný. Při prvním setkání s nimi připadalo Mariettě, stejně jako většině ostatních, že se k sobě vůbec nehodí.

Jenže jak záhy zjistila, dvojice se naopak skvěle doplňovala. Ted představoval klidné břehy, v nichž mohl plynout manželčin zurčící potok. On věci organizoval, ona se starala, aby byli zákazníci spokojení.

Po plynovém útoku v první světové válce se mu dodnes špatně dýchalo, proto také působil zachmuřeně. Ale jakkoli se ti dva povahou lišili, jeden druhého vroucně milovali.

Marietta dostala k dispozici vlastní pokojík, sice malý, ale útulný a hezký. Ukázalo se, že instinkt, který ji přiměl tuto práci přijmout, byl správný. Od prvního večera, kdy přijela prochladlá, unavená a hladová a hostinská ji přivítala vřelým úsměvem a starostlivostí, si Marietta byla jistá, že se rozhodla dobře.

Měla pomáhat se vším, co bude třeba, s úklidem, obsluhou, rozděláváním ohně, přípravou snídaní pro ubytované hosty. Samozřejmě si směla vzít po dohodě volno, a kdykoli se jí zachtělo navštívit Hardingovy, projít se podél útesů, zajít do kina nebo na tancovačku, stačilo říct. Když naopak bylo třeba lokál pořádně vycídit po rušné době sobotních obědů, než se navečer znovu otevře, Marietta se toho ujala a poslala Sybil odpočívat.

Únor přešel v březen, minuly Mariettiny narozeniny a výročí Noahovy, Lisettiny a Rosiny smrti. V zahradách se probraly narcisy a tulipány, na loukách kolem města se rodila jehňata. Připadalo jí to jako znamení, že hrůzy předchozího roku jsou skutečně pryč. Svítalo nové, radostnější éře.

Marietta si uvědomila, že je vlastně šťastnější než u Noaha a Lisette. Pochopitelně je měla ráda, stejně jako Rose – ale často mívala pocit, že jen hraje svou roli tak, aby se jim zamlouvala. Život u Doreen a Henryho byl víceméně podobný – věčně musela být zdvořilá, nápomocná, usměvavá, nikdy neprotestovat proti něčemu, co řekli.

Se Sybil a Tedem a obyčejnými lidmi, kteří chodili pít do hostince, mohla být sama sebou a bylo to osvobozující. Kromě pravidelných hostů sem chodili také vojáci z RAF a Ženských pomocných leteckých sborů. S muži trochu flirtovala, s dívkami si povídala. Neměla pocit, že by se k ní chovaly nadřazeně jako někdy Rosiny kamarádky, ani ji nikdo neobviňoval, že je moc nóbl, jak často slýchala v East Endu.

Ted jí sehnal použitý bicykl, aby se mohla snáze přepravovat. O slunečných odpoledních, když v hostinci nebylo moc práce, se projížděla okolní krajinou a prozkoumávala pobřeží. Ian se Sandrou jí nahrazovali vlastní bratry a Hardingovi zase rodiče, navštěvovala je každý týden. Často se cítila zahanbená, že svým bratrům doma věnovala pozornosti mnohem méně, jen zřídka si s nimi něco zahrála nebo jim pomohla s úkoly. Zajímala se o ně trestuhodně málo. Nyní byla štěstím bez sebe, když od nich dostala dopis, a když jí nedávno poslal Alex fotografii sebe a Noela v Káhiře, chtěla ji ukazovat celému světu.

Jednou, to jí bylo asi tak šestnáct, se na ni Mog opravdu rozzlobila, že nejeví zájem o rodinu a není s nimi.

„Skoro si přeju, aby se ti jednou stalo něco zlýho, co by tě probralo. Abys pochopila, jaký máš štěstí, že žiješ mezi lidma, co tě maj rádi, holka moje," soptila tehdy. „Když člověk zestárne, málokdo si pamatuje, jak byl chytrej, hezkej nebo šikovnej. Zato si všichni pamatujou, jak se s tebou cítili. A právě teď si s tebou každej připadá nesvůj, nudnej a méněcennej. Tak o tom zkus přemejšlet, slečinko chytrá! Chceš, aby si tě všichni pamatovali takhle?"

Marietta pochopitelně věděla, že by jí Mog nikdy nepřála žádnou tragédii, ani aby docenila, co má. Ale měla pravdu. Kdyby ji Mog viděla teď, jak pomáhá Sandře šít oblečky na panenky, sama od sebe nosí Sybil snídani do postele nebo vkleče drhne podlahu v baru a spokojeně si přitom prozpěvuje s rozhlasem, byla by štěstím bez sebe.

Jenže jakkoli Marietta toužila vrátit se domů a shledat se s Mog a rodiči, nebyla si jistá, jestli by se s Ianem a Sandrou dokázala rozloučit. Rozhodně na ně nikdy nezapomene, stejně jako na jejich matku a na všechny, které si v Anglii zamilovala.

Odpoledne měla v úmyslu zajet do Lyme Regisu za dětmi, ale liják jí překazil plány. Koupila si noviny, až si je přečte, vyrazí do deště a vrátí se do hostince.

Zvonek nade dveřmi se rozcinkal, ale Marietta byla tak pohroužená do článku o novém směšném vládním nařízení – na dámském spodním prádle nesmí být žádná marnivá výšivka, protože je to plýtvání –, že ani nevzhlédla.

„Mari!"

Zvedla hlavu. Před ní stál Edwin Atkins, pilot, s nímž byla v Café de Paris ten večer, kdy došlo k bombardování. Přišel ještě s kolegou pilotem, oba v promáčených uniformách.

Marietta ohromeně vyskočila. „Božínku!" zvolala. „To se mi snad zdá! Edwine!"

Často na něj v týdnech po smrti Noaha, Lisette, Rose a Petera myslela. Byla odstřižena od svého dosavadního života a chování Jean-Pierra jen posílilo pocit izolace. Samozřejmě měla Joan, ale ta byla docela jiná než rodina, kterou Marietta ztratila. Možná mu měla napsat dopis, jak si mnohokrát umiňovala, prozradit, kde je a jak se má... Ale neudělala to, částečně protože nechtěla oživovat vzpomínky na ty hrozné chvíle v kavárně, částečně kvůli vztahu s Johnnym.

Vzhledem k tomu, jak nakonec Johnnyho odmítla, se to zdálo poměrně absurdní. Jenže se tehdy zotavovala z nejhoršího šoku svého života a všechno jí připadalo zpřeházené. A Johnny jí byl oporou. Během celého Blitzu představoval zdroj útěchy, světlo v temnotě.

Když pak Joan zemřela a Johnny odešel, byla Marietta tak na dně, že ji ani nenapadlo zavolat nebo napsat někomu mimo rodinu.

Nyní však stál Edwin přímo před ní v malé devonské čajovně a zdálo se to jako ten nádherný a neuvěřitelný zásah štěstěny.

„Byl jsem s touhle mladou dámou na oslavě jejích jednadvacátých narozenin v Café de Paris tu noc, kdy klub vybombardovali," vysvětlil Edwin svému společníkovi, mladíkovi, jehož představil jako Tima Warberryho. „Rád tě zase vidím, Mari! A na tak zastrčeném místě! Co tu propána děláš?"

Marietta mu pověděla, že pracuje v místním hostinci. Edwin se nadále tvářil nevěřícně, ale oba si přisedli k jejímu stolu a Tim všem objednal čaj a zákusek.

„Zkoušel jsem ti po pohřbu volat," nadhodil Edwin, když si servírka zapsala objednávku. „Ale Rosin bratr říkal, žes odešla. Mluvil se mnou dost stroze. Něčím sis ho popudila?"

„Ne, zato on si dost popudil mě, chtěl, abych se okamžitě odstěhovala. Nakonec mě tam nechal do pohřbu a ještě ten večer jsem odešla," odpověděla Marietta a popsala jim, jak Jean-Pierre pozval jen ty, které považoval za důležité, nikoli rodinné přátele. „Chtěla jsem ti zavolat, ale upřímně řečeno, ten strašný chlap mě tak zdrtil, že bych si stejně dokázala jen stěžovat, a na to jsi jistě nebyl zvědavý."

Přikryl její dlaň svou. „Mělas zavolat, když se k člověku někdo chová zle, potřebuje přátele. Byl bych se ti pokusil pomoct."

„Měla jsem pocit, že se neznáme natolik, abych tě obtěžovala," namítla. „Ale nevadí, teď jsem na tom dobře."

„A kde ses vzala tady?"

Stručně mu vylíčila, jak se nastěhovala k Joan a jak přítelkyně později zahynula při náletu. „Její děti evakuovali do Lyme Regisu, já sem za nimi přijela k Hardingovým, u který jsou ubytované. Než Joan zemřela, požádala mě, abych jim tlumočila zprávu o její smrti."

„Proboha, Mari, takový hrozný úkol!" zvolal Edwin.

„Ano, smutné, ale pro děti bylo lepší dozvědět se, co se přesně stalo, od někoho, kdo s jejich matkou byl a měl ji rád, než od někoho cizího. Nakonec jsme se hodně spřátelili s dětmi i s Hardingovými, tak mě pozvali na Vánoce. A cestou ve vlaku mi dva piloti prozradili, že tady v hostinci shánějí výpomoc. Tak jsem dala Londýnu sbohem a jsem tu."

„To je ale příběh," pronesl Edwin ustaraně. „Mám radost, že jsme se zase potkali. Tak často jsem na tebe myslel, přemítal, kam ses poděla a jak se máš. Rozhodně jsem nečekal, že na tebe narazím v čajovně u moře."

Otočil se k Timovi, omluvil se, že ho vynechali z konverzace, a vysvětlil mu, jak se s Mariettou seznámili a jak její příbuzní zahynuli spolu s Peterem, jehož Tim znal. „Byla to úplná náhoda, že Marietta odešla na toaletu a já z parketu – nebýt toho, umřeli jsme tam."

Mariettě dělalo dobře, že je na něm radost ze shledání jasně patrná. Už docela zapomněla, jak je hezký, jaké má laskavé hnědé oči a příjemný hluboký hlas. Ale nešlo jen o vzhled: Edwin představoval spojitost s Rose, Noahem a Lisette, připomínku všech hezkých chvil, které s nimi strávila, pohodlného a snadného života v jejich domácnosti. Snad byla zde, v Sidmouthu, šťastnější, přesto nikdy nezapomene na Noahovu laskavost a velkorysost a na to, jak ji jeho rodina změnila k lepšímu.

„Teď máte základnu tady?" zeptala se.

„Ne, v Bristolu, pilotujeme lancastery, útočíme na Hitlera."

„Četla jsem, že Bath, Exeter, Norwich a York vybombardovali jako pomstu za škody, které jste způsobili německým městům," podotkla Marietta. „Tak jim dejte dvakrát tolik co oni nám. Ale co děláte v Sidmouthu?"

„Jak sis asi všimla, je tu teď hodně vojáků z RAF. Zítra se koná schůzka velkých hlavounů. Zůstáváme do pondělí, doufám, že si na mě najdeš čas?"

Od přestěhování do Sidmouthu zval Mariettu na schůzku nejeden mladík, pokaždé však odmítla. Částečně kvůli tomu, co se stalo s Johnnym. Vyčítala si, že mu dávala falešné naděje, a nechtěla se dostat znovu do stejné pozice. Navíc nechtěla v Sidmouthu působit jako snadná kořist. Prozatím jen sem tam zašla na tancovačku nebo do kina s novými přáteli z hostince. Ráda se pobavila, ale bez závazků.

U Edwina však byla ochotná udělat výjimku.

„To by bylo milé," usmála se. „Teď už budu muset, slíbila jsem, že dnes večer otevřu. Ale zastav se, moc ráda tě uvidím."

Když se vracela na kole do hostince, překypovala nadšením. Edwin se jí líbil hned od začátku ono strašlivého večera. Nepochybovala, že kdyby Rose s Peterem nezemřeli, vyrazili by si napříště jako čtveřice. Zejména však nezapomněla, jak laskavě se k ní choval po bombardování. Muž, který projeví takovou sílu a pochopení vůči někomu, koho sotva zná, nemůže být špatný.

Téhož večera o půl sedmé přišel Edwin do hostince ještě s Timem a dalšími dvěma piloty. Marietta se snažila zamaskovat radost, že si ze všech ve městě vybral právě její podnik. V lokálu už bylo poměrně plno a piloti se usadili u jednoho z mála volných stolů, Edwin šel objednat pití.

Ukázal na své přátele. „Musel jsem je nutit, nechtělo se jim sem," zazubil se. „Ještěže jsou tu děvčata, jinak by mi to pěkně osladili."

„Tahle hospoda je ve městě údajně nejlepší," podotkla Marietta a začala čepovat pivo. „I když potvrdit to nemůžu, protože v žádné jiné jsem nebyla."

„Kam tě tedy vodí všichni tví ctitelé?" zeptal se a v očích mu zajiskřilo.

„Myslíš ty, co mi kupují portské a citronádu a vykládají, že mi snesou modré z nebe?" zasmála se. „Na to se v téhle době nedá spolehnout. Všichni slibují, ale já nejdu nikdy dál než ke dveřím."

„Ani s někým, kdo by měl plachetnici a vzal tě na moře?"

Dojalo ji, že si pamatuje. „Ne, stejně teď civilisté na moře nesmí. Leda bych potkala rybáře, jenže ti považují ženskou na palubě za špatné znamení. A většina z nich teď stejně hledá miny."

„Mrzí mě, že nemám loďku. Ale co se zítra odpoledne projít po útesech?"

„To by se mi líbilo, Edwine," usmála se na něj.

Zaplatil za čtyři piva. „Moc rád bych tu s tebou stál a povídal si celý večer, ale hoši by měli nemístné poznámky. Smím pro tebe tedy přijít zítra kolem druhé?"

Hostinec byl plnější než obvykle, a i kdyby Edwin u výčepu zůstal, stejně by se s ním vybavovat nemohla. Přesto se po ní neustále otáčel, usmíval se na ni a Mariettě bylo jasné, že to není jen z přátelství.

Než ten večer ulehla, lámala si hlavu, co si nazítří vezme na sebe. Matka s Mog jí poslaly k Vánocům krásné šaty a kabátek. Šaty byly z tyrkysové látky s potiskem, bez rukávů a s plnou sukní, sáčko jen tyrkysové bez vzoru, s límečkem a manžetami ze stejné látky jako šaty. Jenže tento model se hodil spíš někam na večeři než na procházku po útesech.

Už si stačila částečně doplnit šatník, o který po bombardování přišla, ale všechno byly věci z druhé ruky a na koupi nového spodního prádla měla jen pár lístků. Nic z toho, co vlastnila, nevypadalo tak hezky nebo módně jako její bývalé věci. V klínové tvídové sukni a krémové krepové halence si připadala nudně, ačkoli Sybil ji chválila. Černé krepové šaty měla ráda, ale většinu večerů si je brala do baru. A kdyby si měla ještě jednou obléknout ty hnědé s puntíky, zbláznila by se.

Zbývaly jedině šaty, které si nedávno ušila na Sybilině stroji. Byly z bílé bavlněné látky s pastelovými květy, bez rukávů, s hlubokým výstřihem a plnou sukní. Sybil jí k nim darovala široký modrý kožený pásek, a ačkoli na něco tak letního bylo poněkud brzy, rozhodla se, že si přinejhorším vezme svetr.

Zadívala se na své zjizvené nohy. Když se s Edwinem odpoledne setkala, měla kalhoty, a večer byla ukrytá za výčepem. Co si o těch jizvách pomyslí?

„Jestli se mu nebudou líbit, jeho smůla," řekla svému odrazu v zrcadle. „Táta vždycky říkal, že na válečné jizvy mají být lidi hrdí."

Druhý den přišel Edwin přesně ve dvě. Pátek byl obvykle velmi rušný, mnohé postarší sezdané páry přijížděly autobusem do města, a zatímco manželky nakupovaly, pánové se zastavili na pivo. Ale protože byl příjemný a slunný den, muži zřejmě vysedávali na lavičkách na pláži.

Marietta Sybil pověděla o Edwinovi všechno. Domluvila si, že odejde brzy, protože hostinec byl otevřený až do půl čtvrté.

Když Sybil Edwina spatřila, uznale na Mariettu mrkla. „Nespěchej s návratem, já si poradím."

„To jsou moc hezké šaty," pochválil ji Edwin cestou k promenádě. „Nové?"

„Ano, ušila jsem si je. Po tom bombardování jsem o všechno přišla, ale povedlo se mi koupit na ně látku i tady v Sidmouthu. Už jsem ti asi říkala, že jsem třídila obnošené šatstvo pro lidi postižené bombardováním. Tenkrát mě ve snu nenapadlo, že se jednou ocitnu ve stejné pozici."

„Měla ti mi zavolat. Určitě ses cítila hrozně osaměle potom, cos přišla o strýce, tetu a Rose," povzdechl si. „Byl bych tě představil své rodině, postarali bychom se o tebe."

„Podle Jean-Pierra jsem jeho rodinu jen ždímala, nechtělo se mi chodit žebrat k někomu dalšímu," vysvětlila. „Ale děkuju ti."

„Peterovi rodiče mi vyprávěli, jak sobecky se choval na pohřbu. Zaskočilo je to, čekali, že bude Rosin bratr stejně milý a chápavý jako ona, ale přikládali jeho chování zármutku. Kdyby věděli, jak ohavně se zachoval k tobě, byli by tě vzali k nim."

„Byl opravdu hrozný," připustila. „Chtěla jsem vymyslet nějakou pomstu, ale když umřela Joan, pustila jsem ho z hlavy. Teď už se na něj snažím nemyslet a vzpomínat jen na to hezké s Noahem, Lisette a Rose. Nemůžu o jeho chování ani povědět našim, byli by z toho zklamaní, znali ho jako malého kluka. Tak snad ho z té jeho lodi smete vlna a bude pomalu umírat v ledové vodě."

Edwin se zasmál. „Neplaví se na lodi, dělá pro námořnictvo kancelářské práce. Zjišťoval jsem si, co je zač. Ale třeba si ho jednou vybere bomba, až se bude vracet domů."

Marietta se zasmála. Nějakou dobu měla na toho člověka vztek a toužila po pomstě, nyní si však uvědomila, že už jí na tom nesejde. Je spokojená, on ne – jinak by se nemohl chovat tak příšerně. Přišel čas zapomenout na něj.

V Edwinově společnosti bylo snadné hodit nepříjemnosti za hlavu. Rozhovor nenásilně proudil, vyprávěli si, co je potkalo za poslední rok, mluvili o svých přátelích, rodině a o tom, jak je poznamenala válka. Edwin si všiml jizev na jejích nohách a upřímně ji litoval, nedal najevo sebemenší znechucení.

„Vyblednou," utěšoval ji. „Vsadím se, že tak za rok, za dva už nebudou vůbec vidět. Máš tak krásnou tvář, že se ti na nohy stejně nikdo dívat nebude."

Přišel o víc blízkých než ona.

„Je hrozné to takhle říct, ale když se na základnu nevrátí další pilot, už to skoro nevnímám. Nikdo z nás. Prostě jdeme do hospody a připijeme na ně, povyprávíme pár historek a život jde dál. Někdy mě napadá, jestli po válce, až nám teprve dojde, kolik lidí jsme ztratili, nepřijdeme všichni o rozum."

„Já už si ani nedovedu představit, že ta válka někdy skončí," přiznala Marietta. „Mluvíme o ní, zpíváme ,Bílé útesy doverské' a ,Až se znovu rozzáří světla', ale někdy mám pocit, že se to nikdy nestane a já už se na Nový Zéland nevrátím."

„Zůstala bys tady, kdyby ses zamilovala do Angličana?" zeptal se náhle.

Ta otázka se zdála významná, Mariettě se naštěstí podařilo nesmát a nečervenat. „Možná, kdybychom mohli žít na tak hezkém místě jako tady." Mávla rukou k útesům před nimi. „Ale pokusila bych se ho přemluvit k přestěhování na Nový Zéland."

„Myslím, že ty bys nikoho nemusela přemlouvat dvakrát," pousmál se. „Potrvá roky, než tu opravíme všechna města. Bude třeba postavit spoustu domů místo těch srovnaných se zemí, možná budeme žít na příděl ještě celé roky. Jsou tu tisíce vdov a sirotků a téměř každý o někoho přišel."

„Jak jsem tak Angličany poznala, myslím, že si se vším hravě poradí," opáčila Marietta. „Ale pojďme dál, nebo se do Beeru nikdy nedostaneme."

V sedm večer nastoupili v Beeru do autobusu zpátky do Sidmouthu.

„Byl to tak nádherný den," vydechla Marietta, když se posadila na sedadlo vzadu.

„Udělalo se překvapivě teplo," přisvědčil Edwin. „A na nose ti vyskákaly pihy! Léto je tady, jak se zdá."

Marietta se jen usmála. Den byl výjimečný díky Edwinovi, ne teplému slunci, kéž by nikdy neskončil. Edwin se často smál, dalo se s ním bavit v podstatě o všem, za celou dobu se o nic nepokusil ani ji k ničemu nepřemlouval. A k tomu byl ohleduplný.

Vyprávěl jí o těhotné přítelkyni jednoho z jeho kamarádů, kteří padli. „Je na tom dost zle, má pocit, že se nemůže vrátit domů, jenže sama to taky nezvládne," líčil, zjevně ho to trápilo. „Snažil jsem se ji přesvědčit, ať napíše Billovým rodičům – to dítě bude koneckonců jejich vnouče."

„Je hezké, že se jí snažíš pomoct," chválila ho Marietta. Jen málokterý muž by se tak angažoval. „Určitě by jeho rodiče měla uvědomit, ale nejdřív to musí povědět těm svým. Moji rodiče by mi rozhodně měli za zlé, kdybych to dřív než jim svěřila někomu jinému. Bude se muset trochu zatvrdit. Jestli tvého přítele milovala, měla by být pyšná, že nosí jeho dítě, a držet hlavu vztyčenou. Sedávání v koutku a pocity zahanbení jen probouzejí další klevety."

Edwin se zazubil. „Tomu říkám přímočarost! Nebo spíš prostořekost?"

Marietta zčervenala. „Podle mě jsou některé dívky neuvěřitelně nanicovaté," připustila. „Ale i já se musela naučit, jak se o sebe postarat."

Procházka ze Sidmouthu byla delší, než si uvědomovala. V Beeru si dali smaženou rybu a hranolky, seděli na lavičce a dívali se na moře. Ještě nikdy jí tak nechutnalo. Nazpátek se však rozhodli jet autobusem, přece jen to bylo daleko.

Zatímco seděli na zídce a čekali na něj, Edwin se jí zeptal, jestli někdy lituje, že přijela do Anglie.

Marietta to chvíli zvažovala. „Čas od času – hlavně když si připadám osamělá a myslím na všechny, které jsem ztratila. Ale jinak mi Anglie náramně prospěla. Nejsem tak sobecká, jako jsem bývala, naučila jsem se toleranci a pochopení. Nebo aspoň doufám. To by asi nejlíp posoudil někdo, kdo mě znal předtím.“

„A je ještě něco, co bys ráda, než se vrátíš domů?“

„Ano, ráda bych udělala něco užitečného.“

„Jako například?“ Povytáhl tázavě obočí.

Marietta pokrčila rameny. „Vlastně ani nevím. Něco, na co bych mohla být pyšná, až budu jednou stará babka.“

Nevysmál se jí, ale ani to jinak nekomentoval, proto ji překvapilo, že to téma znovu načal, jakmile nasedli do autobusu.

„Mohla bys dělat ošetřovatelku,“ navrhl. „Byla bys dobrá.“

Zavrtěla hlavou. „Ne, nebyla bych k ničemu. Když je někomu zle, zvracím taky, při pohledu na krev omdlévám.“

„Tomu nevěřím. Tvá matka řídila za války sanitku.“

„Jak to víš?“

„Peter se o tom jednou zmínil. Vyprávěl mi, jak dělal Noah válečného dopisovatele, přes něj se dostal k tvému otci. Noah ho prý uctíval jako hrdinu. Přece jen dostal válečný kříž a tak dál. A pak mi právě řekl, že byla ve Francii i tvá matka. Pocházíš z kurážné rodiny.“

Marietta se zasmála. „Rozhodně nejsem tak kurážná, abych ošetřovala válečná zranění. Zvládnu leda zalepit odřené koleno. Ale je legrační, jak říkáš, že Noah tátu uctíval jako hrdinu. Já to taky vycítila. Vlastně si myslím, že za jejich seznámením se skrývá velký příběh a jsem si poměrně jistá, že se točil kolem mámy a Lisette. Až dokážu něco, aby na mě mohli být naši hrdí, možná mi o tom povypráví.“

„Kdybys byla moje dcera, byl bych neskonale pyšný na tvou sílu a odvahu," prohlásil Edwin.

„Já se jen vypořádala s tím, co mě potkalo. To není žádná statečnost, prosté přežití."

„Podle mě ne," řekl, vzal ji kolem ramen a přitáhl k sobě. „Ale opravdu statečná věc by byla dovolit mi, abych tě políbil v autobusu do Sidmouthu."

Marietta se zasmála. Cestovalo s nimi sotva šest lidí a ona s Edwinem stejně seděli vzadu, kam na ně nikdo neviděl. „Dnes se cítím výjimečně statečně," pronesla a otočila se k němu.

Polibek byl dokonalý. Ani příliš váhavý, ani příliš smělý. Jeho jazyk jí kmitl mezi pootevřenými rty jen tolik, aby probudil všechna nervová zakončení. Držel ji při tom, jako by byla něco vzácného, a Marietta se cítila báječně.

„Mmm," vydechla, když se od sebe odtrhli. „Vůbec jsem neměla strach."

„Měla bys, kdybys věděla, na co myslím," pošeptal jí a přitiskl tvář k její. „Můžu ti něco říct?"

„Prosím."

„Ten večer v Café de Paris jsem z tebe byl celý pryč. Kdyby nedošlo k tomu bombardování, byl bych se úplně znemožnil, protože bych ti každý večer vyl pod oknem."

„To bych na tebe chrstla kbelík studené vody," rozesmála se. „Ale je hezké, že to říkáš. Ty ses mi taky líbil. Škoda že nemůžeme vrátit čas a jít mé narozeniny oslavit na jiné místo."

„Ale že ten večer skončil tragicky, nám přece nebrání začít znovu, ne?"

„Ne, to nebrání," souhlasila. „Jsem si jistá, že jestli se na nás Rose s Peterem dívají shůry, právě teď se radují."

Políbil ji znovu a tentokrát se Marietta cítila, jako by se rozpouštěla.

Přála si, aby ten polibek nikdy neskončil.

Když vystoupili, potáceli se jako opilí, tváře měli zardělé a rty oteklé od líbání. Připadali si, jako by se vznášeli v nějaké bublině, která je chrání před okolním světem.

„Co dál?" nadhodil Edwin. „V pondělí ráno se musím vrátit do Bristolu, ty přes den pracuješ a já mám schůzky a vyřizování. Nedokážu ani říct, kdy se s tebou do konce víkendu ještě budu moct sejít."

„Teď se vrátíme do hostince a Sybil se nad námi určitě slituje a dá mi přes víkend nějaké volno. Pokud jde o budoucnost, zkrátka uvidíme, jak se věci vyvrbí."

Edwin ji pevně objal. „Jsem tak rád, že jsme oba volní. Jenom mám trochu strach, abych tě zase neztratil."

„Osud nás znovu svedl dohromady, věřme tomu, že to tak mělo být."

„Jen se na něj podívej," pošeptala Sybil Mariettě později toho večera.

Měly plné ruce práce, protože v lokálu bylo plno. Edwin seděl na stoličce na konci barového pultu a zíral do prázdna. Mariettě poskočilo srdce, jak byl hezký. Dívala se na jeho tmavé řasy, které připomínaly malé vějíře, a rty, které ji před nedávnem líbaly.

„Není žádný opilec, měl jen dvě piva," pokračovala Sybil. „Sní o tobě."

„Ale no tak," zasmála se Marietta. „Pravděpodobně myslí na létání nebo na rychlé automobily."

„Kdepak, když chlap sedí mlčky u baru tak jako on, myslí vždycky na ženskou. Já ho předtím pozorovala, jak se na tebe toužebně dívá. Věř mi, v pozorování chlapů mám léta praxe. Mohla bych o tom klidně napsat knihu."

„Líbilo by se mi, kdyby myslel na mě," připustila Marietta. „Opravdu se mi zamlouvá. Ale nebude snadné se vídat, když má základnu v Bristolu."

„Milenci to za války nikdy nemají lehký," poznamenala Sybil. „Já poznala Teda, když ho z první války pustili na dovolenou domů. Okamžitě jsme se do sebe zamilovali, ale pak přišel ten chemickej útok. Napsal mi z nemocnice ve Francii, ať na něj zapomenu, že už mi k ničemu nebude. Jako by se dalo zapomenout!"

„Ale nakonec jste spolu," usmála se Marietta.

„Jsme, i když to ze začátku skřípalo. On si kvůli špatnýmu dýchání připadal jako poloviční chlap, nemohl dělat žádnou těžkou práci. Ale láska si poradí se vším."

„To doufám," přikývla Marietta a zadívala se na Edwina na konci barového pultu. „Opravdu doufám."

Kapitola dvacátá čtvrtá
1943

Sybil nahlédla do obývacího pokoje, kde Marietta právě žehlila. „Přišel sem za tebou nějakej chlap, chce s tebou mluvit v soukromí. Jmenuje se Ollenshaw. A podle toho, jak vypadá, bude z tajný služby."

Marietta se zasmála. Sybil věčně hádala, čím se kdo živí, a ráda si vybírala absurdní povolání. „Takže ti z tajné služby vypadají nějak speciálně?"

„No jasně, nedokážou se usmát a mluví škrobeně a povýšeně," přikývla Sybil. „Mám se ho zeptat, jestli zná tajný heslo? Poslat ho ke všem čertům, nebo ho sem pustit? Jestli s ním chceš mluvit, přísahám, že nebudu odposlouchávat za dveřmi."

„Jen ho sem pošli, nedovedu si představit, co mi může chtít," rozhodla Marietta. „Stojí za to, abych si namalovala pusu?"

Sybil se ušklíbla. „Ani náhodou!"

Když jej Sybil přivedla a představila, měla Marietta co dělat, aby si udržela vážný výraz. Šlo o malého šviháckého chlapíka v proužkovaném obleku, s buřinkou v ruce, stál tak rovně, jako by spolkl pravítko.

„Kdybys mě potřebovala, budu za barem," oznámila Sybil, za mužovými zády se ušklíbla a odešla.

Marietta složila deku, na níž žehlila, a nabídla mu šálek čaje. „Ne, děkuji," odmítl muž a posadil se ke stolu. „Přejdu rovnou k věci, slečno Carrerová. Vyrozuměl jsem, že mluvíte plynně francouzsky, je to pravda?"

„Ano," odpověděla Marietta ostražitě. Všimla si, že má mužík nepříjemná malá prasečí očka.

„Byla byste ochotná využít tuto schopnost ve prospěch válečného úsilí?"

„Myslíte překládat? Jistěže, pokud to nebude kolidovat s mou prací tady."

„Nejde jen o překládání," pronesl a upřeně se na ni zadíval.

Marietta věděla, že Sybil poznámku o tajné službě myslela žertem, ale zřejmě se kupodivu strefila. To bylo sice zajímavé, přesto se Mariettě nelíbilo, jak si ji ten člověk prohlíží, nebo že se tu objevil zčistajasna.

„Než se pustíme dál, ráda bych věděla, kdo vám řekl, že mluvím francouzsky, a proč by to vůbec někoho mělo zajímat."

Ollenshaw pokrčil rameny a pokusil se o úsměv, jeho rty se však jen nepatrně pohnuly a odhalily proužek zubů. „Mé oddělení má uši všude, slečno Carrerová. Ve vašem případě někdo zachytil nahodilou poznámku o vás. Tak jsme si vás prověřili."

„Chcete říct, že jste se bez mého vědomí šťourali v mém životě?" zvolala rozhořčeně.

„Ve válce je třeba zapojit lidi s určitými schopnostmi," prohlásil úsečně. „Pokud jde o záležitost státní bezpečnosti, pochopitelně musíme udělat důkladnou prověrku. Původně jsme se o vás zajímali, protože mluvíte dvěma jazyky, ale pak jsme zjistili, že navíc umíte zacházet s lodí."

„S lodí! Proč by vás zajímalo právě tohle?"

„Když potřebujeme jednoho z našich lidí dostat z Francie, obvykle ho odvezeme v malé loďce."

Marietta mu až do té chvíle věřila, ale přece by žádný vládní úředník nemluvil hned na první schůzce o zachraňování lidí z Francie? Tropí si z ní snad žerty někdo ze zákazníků hostince? Ale proč se trochu nepobavit a nepředstírat, že na to skočila.

„Když říkáte malé, o čem přesně mluvíte? O bárce? Nebo veslici?"

Ollenshaw přikývl.

Marietta vyprskla smíchy. „Přes kanál La Manche? To si ze mě děláte legraci!"

„Pochopitelně nečekáme, že by se někdo v malé loďce plavil přes celý kanál, jen k dalšímu většímu plavidlu opodál."

Marietta se zamračila na mužika, který vypadal, že by si neporadil ani se šlapadlem. „K tomu vás někdo navedl. Je to vtip?"

„Slečno Carrerová, vypadám snad jako muž, který si chodí dělat z lidí dobrý den?"

To skutečně nevypadal. A Mariettu nenapadal nikdo, kdo by byl schopen najít člověka jako Ollenshaw, jen aby si z ní vystřelil. „V tom případě mě zkuste přesvědčit, že jste tím, za koho se vydáváte."

Muž zhluboka vzdychl, jako by mluvil s prostoduchou. „Vysvětlím vám, proč jsem za vámi přišel, slečno Carrerová. Mí nadřízení mají dojem, že jste přesně taková mladá žena, jakou zoufale potřebujeme ke speciálním úkolům. Poprvé jsme si vás všimli už před časem, kdy jste pracovala jako sekretářka pro pana Grevilla v Londýně. Účastnila jste se večeře s britským důstojníkem a tlumočila dalšímu hostu, penzionovanému důstojníkovi francouzské armády. Nemám snad pravdu?"

V tu chvíli bylo jasné, že je ten muž přesně tím, za koho se vydává, protože o schůzce s francouzským armádním důstojníkem Marietta nikomu nevyprávěla. „Ano, máte pravdu. Často jsem pana Grevilla doprovázela na schůzky s lidmi, kteří si u něj objednávali uniformy."

„Povedlo se vám dobře zapůsobit. Byli jsme na vás upozorněni a od té doby vás sledujeme."

„To se mi moc nelíbí," prohlásila. „Je to divné."

Pokrčil rameny. „Možná, ale taková je doba. Každopádně o vás máme samé dobré zprávy. Víme, že jste se angažovala během náletů a navzdory osobním ztrátám pomáhala druhým, známe také vaši rodinnou historii. Váš otec získal za služby v předchozí válce válečný kříž a vaše matka sloužila své zemi, řídila ve Francii sanitku. Dcera takových lidí jistě nepostrádá odvahu. To se potvrdilo, když jsme se dozvěděli, jak jste vyšplhala ze zavaleného vybombardovaného krytu, přestože to bylo nebezpečné, abyste pomohla lidem uvězněným uvnitř. Celkově vzato se zdáte být odvážná, důvtipná a soucitná žena."

Marietta zčervenala rozpaky a zároveň rozhořčením, že někdo sleduje každý její pohyb. Přesto bylo příjemné být vylíčena v tak příznivém světle. „Udělala jsem, co bylo nutné, nejsem žádná hrdinka," prohlásila. „Ale i když jsem jako dítě na Novém Zélandu plachtila a poradím si s nejrůznějšími plavidly, vím, jak je zdejší moře nevyzpytatelné. Nemůžu zodpevědně říct, že bych to zvládla. Dost možná vám k ničemu nebudu.“

Ollenshaw jen mávl rukou. „Dnes jsem přišel, hlavně abych zjistil, jestli byste byla takové myšlence přístupná. Pochopitelně by došlo na formálnější pohovor. Pokud jej zvládnete, absolvujete výcvik.“

„Výcvik! Ale já se nechci vzdát svého místa tady.“

Zavrtěl hlavou. „To po vás ani nikdo nežádá. Mluvíme tu o zvláštních misích, pár dnů tam či onde. Navíc byste při nich nebyla úplně sama. A pak se můžete vrátit a pokračovat, jako byste byla jen navštívit příbuzné.“

Marietta přemýšlela tak usilovně, že ani nezareagovala.

„Ovšem měl bych v tuto chvíli zdůraznit, že je nezbytné, abyste o našem rozhovoru s nikým nemluvila. Dokonce ani se svými blízkými, přáteli nebo zaměstnavateli.“

Marietta polkla. Všechno to působilo nesmírně závažně a trochu děsivě, stále ale toužila dělat něco smysluplného a možná se jí právě nabízí příležitost. „Rozumím. Dobrá, přiznávám, že mě to zajímá. Přinejmenším tolik, abych se chtěla dozvědět víc.“

„V tom případě se s vámi brzy spojíme,“ uzavřel setkání Ollenshaw. Zvedl ze stolu buřinku a vyklouzl z místnosti. Marietta zůstala sedět ohromením bez sebe.

Napadlo ji, jestli se jí to nezdálo. Přece by si tajná služba – nebo kdo celou akci řídí – nevybrala někoho jako ona, vždyť ani není Angličanka! Vešla do výčepu, kde Sybil leštila sklenice.

Hostinská se zvědavě otočila. „Tak co? Už si tu nedočkavostí okusuju nehty!“

„Bohužel ti nemůžu nic říct,“ vzdychla Marietta bezmocně.

„No vida, já říkala, že je z tajný služby. Poznám špiona, když ho vidím,“ rozesmála se Sybil.

„Ani nevíš, jak jsi blízko," podotkla Marietta. „Ale na nic dalšího se mě, prosím tě, nevyptávej, protože ti to opravdu nesmím prozradit – i když bych moc ráda."

Sybil překvapeně vykulila oči. „I stěny mají uši," prohlásila.

V následujících dnech Marietta střídavě panikařila a střídavě byla přesvědčená, že se jí to všechno jen zdálo. Tolik se potřebovala někomu svěřit, slyšet další názor. Jak nebezpečná by taková práce mohla být? S loďkou by si poradila, toho se nebála, zato měla strach, aby ji někde nezastřelili. Při zachraňování lidí z Francie by se to jistě mohlo snadno stát.

Byl začátek června a pěkné počasí. Lidé z celé Anglie teď chtěli bydlet na nějakém tichém a klidném místě jako Sidmouth, protože válka se zdála nekonečná. Příděly, vysoké daně a nedostatek v podstatě všeho se podepsaly na všech. Spotřeba potravin klesla, zato se zvýšila spotřeba alkoholu a tabáku.

Z celé Evropy, severní Afriky a Dálného východu se nesly děsivé příběhy, ale Mariettu nejvíc zděsilo, když se dočetla, že v březnu bylo ve stanici metra Bethnal Green ušlapáno sto sedmdesát tři osob, když jedna žena zakopla a upadla na strmých schodech. Strhla při pádu všechny pod sebou a zanechala zástupy mrtvých. Myslela na bratry v Itálii a na to, jak se asi vede rodičům a Mog. A pochopitelně myslela i na Edwina. Nyní měla navíc novou starost – jestli má souhlasit s účastí na zvláštních misích.

Sice se to zdálo riskantní, ale zároveň i vzrušující. Nejen protože ji těšilo, že na někoho zapůsobila, nebo protože vždycky chtěla udělat něco užitečného a statečného, aby se mohla vrátit domů s vědomím, že odvedla svůj díl.

Bylo to i kvůli Edwinovi.

Kdyby za ní přišli přede dvěma lety, kdy se s ním seznámila, byla by rovnou odmítla, protože s ním tolik chtěla být, že by neriskovala ty vzácné okamžiky, které spolu mohli mít. Od té doby, co na sebe narazili v čajovně, se setkali jen několikrát.

Všechny manželky i přítelkyně, jejichž muži sloužili u armády, na tom byly stejně. Ale Marietta měla větší štěstí, Edwin sloužil v Anglii, tím pádem si mohli telefonovat, navíc pravidelně dostával dovolenou – byť na pouhých čtyřiadvacet hodin.

Když se mu povedlo přijet do Sidmouthu, chodili v sobotu večer tancovat a poté sedávali na měsícem zalité promenádě, celé hodiny se líbali a povídali si. Dvakrát se s ním sešla v Bristolu, ale pokaždé dopadla schůzka neslavně, protože penzion byl pochmurný a celou dobu pršelo, takže se museli uchylovat do čajoven a hospod. Pak se však Edwinova rota přemístila na vzdálenější základnu ve východní Anglii a situace se zkomplikovala.

Přesun s sebou navíc nesl nové ohrožení. Edwin během bitvy o Británii, kdy sídlili v Biggin Hillu v Kentu, přišel o desítky přátel z řad pilotů. Po přemístění do Bristolu ztratil další. A nyní se účastnil masivních náletů na Německo, a ačkoli to zlehčoval a dělal, že o nic nejde, spojenecká letadla byla sestřelována každou noc.

Marietta se snažila nemyslet na to, že by mohl padnout i on, a nikdy před ním v telefonátech ani dopisech nezmínila, jak se bojí, avšak noc za nocí, jakmile zhasla světlo, ji sevřela ledová ruka strachu. Přišla o Geralda, což nečekala, a měla pocit, že ztrátu Edwina už by neunesla.

Byla to skutečná láska a Marietta si přála vídat se s ním častěji, proto navrhla schůzku v Londýně, v půli cesty. Jenže

Edwin se bál, aby se nestala obětí některého z dalších náletů, potřeboval vědět, že je v bezpečí v Sidmouthu.

Před pár týdny se jí Sybil zčistajasna zeptala, jestli by se za Edwina provdala, kdyby ji požádal o ruku. Bez rozmýšlení odpověděla, že ano, dokonce by byla ochotná opustit Sidmouth a všechny přátele, které si tu našla, a přestěhovat se do východní Anglie, aby mu byla nablízku. A najednou Sybil napadlo, proč ji vlastně ještě nepředstavil svým rodičům.

Mariettě to nijak zvláštní nepřipadalo, snad protože měla rodiče na druhém konci světa, ale jakmile se Sybil zmínila, začala o tom přemýšlet.

Nejprve si uvědomila, že zatímco ona snila o tom, jak se po válce společně odstěhují na Nový Zéland, Edwin ve skutečnosti nikdy neřekl nic ve smyslu, že je čeká společná budoucnost.

Neustále jí opakoval, jak ji miluje. Stali se nejlepšími přáteli, smáli se stejným věcem a nikdy si nestačili povědět vše, co chtěli. Nezmínil se však, že by se s ní chtěl oženit, a nestali se milenci.

Marietta sice na milování nepospíchala, protože se bála, že otěhotní a Edwin padne, ale za hlavní důvod považovala nedostatek příležitostí.

Kdykoli se Edwin ubytoval u nich v hostinci, Sybil jim nedovolovala spát ve stejném pokoji – dokonce je nenechala dlouho o samotě ani v obýváku. Marietta se domnívala, že to na ni Edwin nezkusil v autě nebo venku nebo nenavrhl, aby šli do hotelu, čistě z úcty k ní a z přesvědčení, že nemanželský sex je špatný. Líbilo se jí to, připadala si s ním v bezpečí a opatrovaná.

Celou tu dobu do něj byla blázen a považovala své city za plně opětované. Manželství a děti přijdou později, myslela si. Nyní však byla nucena připustit, že by to mohlo být jinak.

Od chvíle, kdy Sybil toto téma načala, je Marietta nemohla dostat z hlavy. Nakonec byla za Ollenshawův návrh vděčná, posloužil jako rozptýlení. Umínila si, že až Edwin dostane příště dovolenou, navrhne mu navštívit jeho rodiče a uvidí, jak na to zareaguje.

O týden později dostala pokyn přijít ještě téhož odpoledne na jistou adresu na promenádě. Překvapilo ji, že se tajná schůzka neodehraje v Londýně, na druhé straně se nemohla dočkat, až zjistí, co se od ní přesně čeká.

Byl horký den, a když se Marietta po dvou hodinách vynořila na ulici, toužebně se zadívala na moře. Tak ráda by si zaplavala, vzhledem k podminování a ohrazení pláží elektrickým drátem to nebylo možné. Mohla se nanejvýš posadit na lavičku, dívat se na moře a srovnat si v hlavě, co se právě odehrálo.

První hodinu hovořila francouzsky s přísně vyhlížející ženou s ocelově šedými vlasy, již jí představili jako slečnu Salmonovou. Marietta ji považovala za Francouzku, ale žena o sobě za celou dobu neprozradila vůbec nic. Zasypávala Mariettu otázkami na různá témata, od první pomoci přes pěstování zeleniny, filmy v biografu po další překvapivé oblasti a očekávala, že bude Marietta vhodně reagovat a rovněž se bude ptát, jako by spolu vedly běžnou konverzaci.

Zpočátku Marietta klopýtala, ale brzy se dostala do hry a získala sebejistotu. Jen tu a tam si nevzpomněla na nějaké francouzské slovíčko, v takových případech jen zavrtěla hlavou a přiznala, že neví.

Druhou hodinu strávila s podsaditým mužem středního věku jménem Fothergill, jehož pronikavé oči ji upřeně pozorovaly. Zpočátku se jí vyptával na dětství a dospívání na Novém Zélandu, poté na život v Anglii a konkrétně na válečné zkušenosti.

Když byl s vyptáváním hotov, oznámil jí, že ji shledává ideální kandidátkou. Poté přizval slečnu Salmonovou. Ta byla nyní samý úsměv, ačkoli se prve zdálo, že něco takového vůbec neovládá.

„Vaše francouzština je prvotřídní," pochválila Mariettu. „A líbí se mi váš marseilleský přízvuk, na tom postavíme krycí příběh. Až vás pošleme do akce, budete hrát úlohu a je třeba, abyste se do role plně vžila a neprozradila se. Ani sebepřátelštějšímu člověku nesmíte nikdy svěřit, kdo skutečně jste nebo co ve Francii děláte, mohlo by jít o informátora. Dáme vám jméno osoby, která bude sloužit jako váš kontakt, ani té ovšem nesdělujte žádné soukromé informace. Pokud by kohokoli z celého řetězce chytili, čím méně toho o sobě navzájem víte, tím lépe."

Mariettu napadlo, jestli to znamená, že by ji Němci mučili, aby něco zjistili. Krev jí ztuhla v žilách. „Doufám, že berete v úvahu, že Francii vůbec neznám," podotkla a zadívala se z jednoho na druhého. Napůl doufala, že ji shledají neužitečnou. „Nikdy jsem tam nebyla."

„To ani není nutné," opáčil Fothergill. „Stejně tam budete vždycky jen nakrátko a vymyslíme vám odpovídající krycí příběh."

I kdyby ještě nakrásně neměla strach, Fothergill vzápětí vypustil časovanou bombu. „Budete se muset vycvičit v sebeobraně. Vzhledem k situacím, v jakých byste se mohla ocitnout, je nezbytné naučit se střílet. Ještě praktičtější je práce s nožem, v nouzovém případě jde o tiché řešení, které se snáz zamaskuje. V pondělí o půl třetí odpoledne sem přijďte, bude vás čekat první lekce, je to kousek odsud. Máte nějaké otázky?"

Marietta cítila, jak jí buší srdce. Seděla na lavičce a myslela na všechno, co jí pověděli. Moře dnes bylo sytě modré a klidné jako rybník. Všude kolem se lidé těšili z pěkného počasí. Cítila vůni cukrové vaty, pečených ryb a hranolek, odněkud sem doléhala hudba, a přece jí právě řekli, že ji vycvičí v zacházení s nožem. Jak se z výčepní během pár hodin stala potenciálním vrahem?

Zde, v Sidmouthu, bylo snadné zapomenout, že v polovině světa zuří nelítostná válka. Kdyby nebylo ostnatého drátu na pláži a množství mužů a žen v uniformách, dalo by se říci, že se válka Sidmouthu vůbec nedotkla. Pokud Marietta věděla, nespadla sem jediná bomba. O to podivnější se zdálo, že v hotelu za jejími zády s ní právě dělali pohovor kvůli práci, jež by byla v mírových časech nepředstavitelná.

Když se pan Fothergill zeptal, jestli má nějaké otázky, nenapadla ji ani jedna. Zato nyní se vynořovaly jedna za druhou. Kdyby ji chytili Němci, zastřelili by ji, nebo poslali do vězení? Kdo by uvědomil její rodiče, kdyby došlo na nejhorší a ve Francii by ji zabili nebo vážně zranili? Jak často by k těm krátkým cestám do Francie docházelo? A jak má vysvětlit Sybil, že potřebuje volno, aniž by jí prozradila důvod?

Skutečnost, že nesmí nikomu nic říct, byla snad horší než to, že se má učit, jak zabít nožem, nebo že ji může chytit gestapo. Jak se má rozhodnout, zda s těmi tajnými misemi souhlasit, aniž by to probrala s někým, kdo ji má rád?

„Bodněte, jako kdyby na tom závisel váš život, protože bude," křikl na ni učitel sebeobrany, jehož znala jen pod iniciálami PJ.

Sešla se s ním podle domluvy u hotelu na promenádě o půl třetí a on ji na bicyklu vedl k farmě zhruba kilometr a půl za Sidmouthem.

Bylo horko a dusno, jako by se blížila bouřka, a Marietta se pořádně zapotila, když se snažila na kole udržet tempo s instruktorem. Panu PJ bylo hodně přes čtyřicet, byl malý, holohlavý a šlachovitý, na krku se mu táhla nebezpečně vyhlížející jizva. Marietta soudila, že jde o památku z první světové války, ale on neprozradil víc, než že ji bude cvičit. První hodinu s ním strávila ve velké stodole, kde běhala a skákala přes překážky, šplhala po laně. Zdál se s její kondicí spokojen, přesto jí doporučil každý den hodinu běhat.

Když už si myslela, že padne horkem a vyčerpáním, začala hodina sebeobrany. Instruktor jí předvedl, jak povalit útočníka na zem.

Zpočátku si zoufala – nechápala, jak by šedesátikilová dívka mohla obstát v souboji s mnohem těžším mužem –, ale po mnoha pokusech si hmat konečně osvojila a povedlo se jí povalit učitele na zem.

Ležel tam asi minutu a zubil se. „Výborně. Pamatujte si ale, že to, co jsem vás naučil, vystačí, pokud se vás někdo pokusí okrást nebo nějak obtěžovat. Šokujete ho a je dost možné, že si dá odchod. Ale ve Francii proti sobě budete mít vojáky, kteří vás nebudou váhat zabít. Takže když je povalíte na zem, získáte tím jedině pár nezbytných vteřin, abyste stačila vytáhnout nůž a použít ho. A tím myslím zabít."

Zasmál se jejímu zděšenému výrazu a vyskočil. „Nesmíte ho nechat na živu, aby vás vyzradil nebo strhl poplach. Buď vy, nebo on. Zabij, nebo budeš zabit. Nikdy na to nezapomínejte. Váš nůž bude váš nejlepší přítel, to jediné, co vám může zachránit život. Musíte se mu naučit důvěřovat, ne se ho bát."

Na podlaze jí na tlusté plachtě sestavil z pytlů tvar lidské postavy, aby se mohla procvičovat. Když jí ukazoval, jak se má postavit dozadu za oběť, popadnout ji levačkou kolem krku a pravou rukou jí podříznout hrdlo, dělalo se jí zle. Ještě několikrát ji přinutil podříznout krk slaměnému panákovi, než byl spokojený, že ví, kolik síly je třeba.

„Ve skutečnosti je to dost krvavá záležitost," vykládal jako někdo, kdo už podřezal mnoho hrdel. „Ale účinná, rychlá a tichá. Je mnohem pravděpodobnější, že se nepříteli ocitnete tváří v tvář, nůž proto držte z dohledu, ať se nepřipravíte o moment překvapení. Hezká ženská jako vy se z nebezpečné situace může snadno vymluvit a vyhnout se prozrazení, ale kdybyste poznala, že to nezabírá, musíte se k němu dostat tak blízko, abyste ho nakopla do koulí, tím ho zneškodníte a pak ho bodnete do srdce. Nebo, což je většinou jednodušší, ho bodnete do boku a zatlačíte nůž vzhůru. Nezapomeňte ho zase vytáhnout. Oběť zemře rychleji a vy ten nůž budete možná ještě potřebovat."

Mariettu napadlo, jak ten člověk asi v noci spí, když učí takové věci. Nechal ji útočit na slaměného panáka tolikrát, že než skončili, zbyly z plachty jen cáry.

„Za dva dny bude další lekce," oznámil. „Jde vám to slibně, ale ještě se musíte hodně učit. Nezapomeňte běhat. Doporučil bych vám tu cestu, co vede nahoru na útesy. Čím větší rychlost získáte, tím bezpečnější to pro vás ve Francii bude."

Červenec se přehoupl v srpen. Nastaly dlouhé horké dny. Marietta vstávala ráno časně a chodila běhat. Zpočátku to bylo náročné, ale brzy jí ranní běh začal připadat osvěžující. Místo aby byla unavená, měla více energie. Pokračovala ve výcviku s panem PJ dvakrát týdně. A pokud se Sybil divila, co dělá o odpoledních, že se vrací celá zpocená, neptala se.

Zato když v polovině srpna přijel Edwin na víkend, změna mu neunikla.

„Vypadáš jinak," poznamenal, jakmile ji spatřil. Pozorně si ji prohlížel, jako by se snažil přijít na to, co se změnilo.

Mariettě díky tréninku narostly svaly. Bicepsy měla tvrdé, břicho ploché a pevné jako deska. Nečekala však, že je to tak zřejmé.

„Jen jsem se opálila," řekla. „To dělá divy."

„Ne, tím to není. Zhubla jsi, ale celá záříš. Chodíš hrát tenis?"

Marietta se málem rozesmála, věděla, že jakýkoli jiný sport by mu u dámy připadal nevhodný.

„Ne, běhám. Chybí mi plavání a plachtění, ztratila jsem fyzičku, tak jsem začala běhat, abych si udržela kondici."

„Doufám, že nemáš v úmyslu mi utéct?" zažertoval.

„Ani kdyby mě honila smečka vlků," usmála se, vzala ho kolem krku a políbila.

Tu noc se šli po zavírací době projít potmě na promenádu. Po rámusu v lokálu bylo šumění vln nesmírně uklidňující.

„Za tohohle zvuku jsem vyrůstala," poznamenala Marietta. „Lehávala jsem za bouřky v posteli a poslouchala, jak se vlny tříští o pláž, ale do rána vždycky zůstalo jen tiché šplouchání."

„Stýská se ti?" zeptal se Edwin.

„Dala bych cokoli, abych se mohla zase setkat s rodinou, chodit plavat a na loďku, ale zase bych nemohla vídat tebe."

„Znamená to, že jsem pro tebe důležitý?"

„To přece víš," opáčila a škádlivě jej šťouchla. „A když už mluvíme o důležitých věcech, není vhodná doba, abys mě představil svým rodičům?"

„J-j-já… jsem myslel, že bys nechtěla," vykoktal.

„Jistěže chtěla, jak tě to napadlo?"

Byla tma a Marietta mu neviděla do tváře natolik, aby odhadla jeho výraz, vycítila však, že s odpovědí zápolí.

„Jsou tak trochu zapšklí," řekl nakonec. „Staromódní a zavile konzervativní."

„Co tím chceš říct? Že by mě neschvalovali? Proč? Není na mě nic pobuřujícího, jím příborem, umím poprosit i poděkovat."

„Na tobě nic špatného není," pronesl naléhavě, snad jen příliš rychle. „Poslyš, zapomeň na ně, je mi jedno, co si myslí. Miluju tě, chci si tě vzít a rád s tebou po válce půjdu na Nový Zéland, jestli si to přeješ."

Bylo hezké konečně od něj slyšet vyznání lásky a něco o společné budoucnosti. Přesto Mariettě vadilo, že by nad ní měla jeho rodina ohrnovat nos.

„Tak už promluv!" zvolal Edwin. „Právě jsem řekl, že si tě chci vzít."

„Udělalo mi to radost. Ale nemůžu se za někoho provdat, dokud o něm nevím všechno, takže bych stejně nejdřív ráda poznala tvé rodiče," upozornila jej. „Teď to nechme plavat. Počkáme do konce války a uvidíme, jak to bude pak."

Ve skutečnosti chtěla říct, jestli budou oba naživu. Jenže k tomu se nedokázala přimět.

Sybil s Tedem si šli lehnout brzy poté, co zavřeli výčep, a Marietta s Edwinem v obývacím pokoji pro jednou osaměli.

„Konečně sami," vydechl Edwin a přitáhl si Mariettu do náruče. „Nebo jsi z toho nervózní?"

„Ne, proč bych měla?" opáčila.

„Třeba se bojíš, abych tě nenutil k něčemu, co nechceš."

Chvíli nechápala, o čem mluví, ale pak jí došlo, že o milování.

„To je ta nejhloupější věc, jakou jsem kdy slyšela," prohlásila nedůtklivě. „Jistěže se nebojím. Vlastně bych se s tebou ráda pomilovala – ale s ochranou, abych neotěhotněla."

Zatvářil se ohromeně. „Jsi pozoruhodně přímočará. To je novozélandská specialita? Angličanka by něco takového v životě neřekla."

Vzhledem k tomu, že nebyla podle vkusu jeho rodičů, jí narážka na nevytříbenost děvčat z kolonií vadila. A nelíbilo se jí ani, že chce Edwin diskutovat o tom, jestli se mají pomilovat.

Snad je přece nejlepší začít se prostě líbat a mazlit, nechat převládnout vášeň.

„Nevidím důvod hrát upejpavou. Anglická smetánka se schovává za eufemismy, mně to připadá dost ubohé," pronesla jízlivě. „Už je pozdě, jsem unavená. Půjdu si lehnout."

Vzápětí vstala a z pokoje zmizela.

Když už ležela v posteli a slyšela, jak se Edwin po špičkách krade z koupelny chodbou ke svému pokoji, trochu se zastyděla, jak se na něj utrhla. Nemohl za to, že jeho rodiče jsou snobové, a nejspíš ani netušil, že doufala v nějakou vášeň, když si šli Sybil s Tedem pro jednou lehnout brzy.

Zvažovala potichu se proplížit do jeho pokoje a vynahradit mu to. Jenže co vlastně? Ona netaktní poznámky neměla.

Navíc by se Sybil zlobila, kdyby ji přistihla, proto se nakonec rozhodla zůstat v posteli. Edwin má stejně odjet ranním vlakem, bude lepší nechat to plavat.

Kapitola dvacátá pátá

Pan PJ se ve stodole zvedl ze země, kam jej Marietta povalila. „Příhodný konec naší poslední lekce," zazubil se.

„Výcvik skončil?" podivila se.

„Ano. Jste tak připravená, jak jen můžete být," odpověděl. „Jste rychlá, obratná, máte páru a schopnosti. Jestli se někdy dostanete do potíží, ubráníte se. Byla jste dobrá žákyně."

Marietta se rozzářila. Pan PJ si na komplimenty nepotrpěl.

„Kdy půjdu poprvé do akce?" zeptala se.

„To nevím," zavrtěl hlavou. „Může to být zítra, nebo za dva měsíce. Až vás budou potřebovat, najdou si vás."

Marietta se na něj konsternovaně zadívala. „Ale já musím Sybil s Tedem upozornit včas. Nemůžu jen tak zčistajasna zmizet." Na jedné straně se první mise nemohla dočkat, na druhé měla strach. „Vadí mi, že se ode mě čeká, že se budu držet stranou a pak všechno naráz zahodím a půjdu!"

Instruktor se usmál jejímu rozhořčení a položil jí chápavě ruku na rameno. „To máte pravdu, ale víte, Mari, je tolik možných komplikací a překážek, které musíme eliminovat.

K přeplutí kanálu potřebujeme bezměsíčnou noc. Moře nesmí být rozbouřené a člověk, kterého máme přepravit, musí být na správném místě. Dost často se něco pokazí a někdy nemají naši lidi ve Francii na vybranou a musejí záchranu uspíšit nebo zrušit. Na vašem místě bych ale Sybil s Tedem připravil s předstihem.“

„Ještě dnes?“

„Ano, lepší to neodkládat. Teď je starý voják – když mu povíte, že jde o tajnou operaci, pochopí, že jemu ani jeho ženě nemůžete svěřit žádné podrobnosti. Musíte společně vymyslet, kam údajně odjedete, až vás povolají. Obvykle je ideální návštěva nemocného příbuzného. Taková výmluva se dá totiž použít opakovaně.“

„Já sice v Anglii žádné příbuzné nemám, ale určitě něco vymyslím,“ ujistila ho. Trochu ji mrzelo, že už se nebudou vídat. Zpočátku působil PJ přísně, nyní však již chápala, proč na ni vyvíjel takový nátlak. „V tom případě nezbývá než se rozloučit a poděkovat vám za všechno, co jste mě naučil.“

Věnoval jí jeden ze svých pronikavých pohledů, na které už si však zvykla. „Zvládnete to, Marietto, máte tuhý kořínek, jste vynalézavá. Cvičit vás bylo potěšení. Ať vás provází Bůh. A třeba se po válce sejdeme a dáme si spolu skleničku.“

V neděli ráno, tři dny poté, co se s instruktorem rozloučila, Marietta konečně promluvila s Tedem a Sybil. Záměrně počkala do neděle, protože to byla hospoda celý den zavřená a nikdo je nemohl rušit.

„Můžou mě zavolat v podstatě kdykoli,“ vyhrkla. „Bohužel vám nesmím povědět víc, než že jde o tajnou práci pro vládu. Doufám, že se na mě nebudete zlobit, bude to pro vás asi složité, ale já nemůžu jinak.“

Nastalo hrobové ticho. Oba se na ni zaskočeně dívali, jako by na ně mluvila cizím jazykem.

„Řekněte něco, prosím vás," naléhala. Ted toho obvykle moc nenamluvil, zato Sybil měla ke všemu komentář. „Budu radši, když se budete zlobit nebo řeknete, že jsem vás zklamala, než když budete mlčet."

„Zaskočilo nás to, nevíme, co říct," přiznal Ted. „Něco takového by nás ve snu nenapadlo."

„Já věděla, že se mi na tom chlapovi, co za tebou byl, něco nezdá… a pak jsi najednou začala běhat," promluvila konečně Sybil. „A odpoledne jsi chodila pryč a nikdy neřekla kam. Bylo v tom tohle?"

„Ano," vzdychla Marietta. „Ale na nic se mě neptejte, prosím vás, protože nesmím nic říct. Jen že mě můžou každou chvíli zavolat a já vám ani nebudu smět povědět kam nebo proč. Jestli vás to trochu utěší, dala bych všechno, kdybych se vám mohla svěřit."

„Nám to povědět můžeš, my neceknene živé duši," pobízela ji Sybil zvědavě.

„A dost, Sybil!" zamračil se na ni Ted. „Mari nám to říct nemůže, zavařila by si. Můžeme ji leda ujistit, že u nás bude mít vždycky práci a domov, a popřát jí, aby se jí nic nestalo."

„Děkuju, Tede." Mariettě vyhrkly slzy. Ted dal jen zřídka dohromady víc než pár slov, dojalo ji, že právě teď dokázal najít přesně ta, která potřebovala slyšet. „Prý to bude pokaždé jen pár dnů a nebude k tomu docházet pravidelně. Mám strach. Skoro si přeju, aby se rozhodli, že se jim nakonec nehodím."

„A co na to říká Edwin?" zeptal se Ted.

„Nic neví a vědět nesmí. Kdyby mi volal, až tu nebudu, povězte mu, že jsem šla do kina nebo tak něco. Nechci, aby si o mě dělal starosti."

Od poslední schůzky, kdy jí sice řekl, že se s ní chce oženit, ale zdráhal se představit ji rodině, mezi nimi došlo k ochlazení.

„A je všechno v pořádku?" zeptala se Sybil.

„Ano, je," přikývla Marietta a vstala. Bylo jí jasné, že jestli zůstane celý den doma, Sybil ji podrobí výslechu. „Zajedu navštívit Iana a Sandru. Zatím se tu mějte."

Pokaždé, když Iana se Sandrou viděla, myslela na to, jak by Joan byla na děti hrdá. Chovaly se slušně, byly výřečné, snadno se nadchly a zajímaly se o spoustu věcí. Dovedly ocenit, když pro ně někdo něco udělal. Možná to byla z velké části zásluha Hardingových, ale měly také Joanin smysl pro humor a vrozenou velkorysost.

Sandra začala v září chodit na stejné gymnázium jako Ian a nové předměty ji moc bavily, například biologie a praktická výchova.

„Zrovna teď se učíme péct pečivo," vyprávěla nadšeně. „Brzy už budeme vařit celá hlavní jídla. A v biologii budeme pitvat žáby. Dovedeš si to představit?"

Marietta měla co dělat, aby se nerozesmála. Nedovedla si představit nic horšího než pitvání žáby, ale těšilo ji, že se Sandře ve škole líbí. Sama školu odmalička nesnášela.

Ian se učil na kytaru. Darovali mu ji Hardingovi k loňským Vánocům a on se začal učit podle příručky pro samouky, ale kolem Velikonoc se ho paní Hardingové zželelo, protože nedělal velké pokroky a moc si přál hrát. A tak našla v Beeru někoho, kdo mu dával hodiny, a nyní už toho uměl hodně.

„Teto Mari, mohl bych se živit jako kytarista?" zeptal se. „Až dodělám školu. Platí se lidem za hraní na hudební nástroje?"

„Ano, pokud to umí opravdu dobře," odpověděla. „Tak se toho drž a snad jednou uděláš kariéru. Ale kdyby náhodou ne, nevadí, můžeš hrát pro radost."

Později s nimi šla na procházku. Byl slunný den, ale blížil se podzim, začátek října provázel studený vítr a ranní jinovatka, v pět odpoledne už byla tma. Marietta se zadívala na moře, dnes klidné jako rybník, a vzpomněla si, jak jí pan PJ říkal, že musejí počkat na bezměsíčnou noc. Vypadalo to romanticky a směle jako filmová zápletka, vpadnout do Francie a někoho zachránit, ve skutečnosti ale půjde o dlouhou a studenou cestu plnou nebezpečí. Francouzské pobřeží budou Němci dobře střežit na souši i na moři, navíc bude podminované.

Když se však na to Marietta podívala z lepší stránky, ten, kdo všechno plánoval, musel být přesvědčený, že jde o splnitelný plán. Nemělo by přece smysl posílat lidi do Francie někoho zachraňovat, kdyby je čekala téměř jistá smrt.

Přese všechna rizika byla Marietta vzrušená. Ocitnout se na lodi na volném moři byla svým způsobem výzva, již vítala. A s tím, co ji čeká ve Francii, si bude lámat hlavu, až přijde čas.

Vzkaz přišel v pondělí ráno, měla se hlásit slečně Salmonové téhož odpoledne o půl čtvrté v tomtéž hotelu na promenádě, kde absolvovala pohovor.

„Podle instruktora jste připravená," konstatovala slečna, když k ní Mariettu přivedli.

Tvářila se stejně kysele jako při prvním setkání. Mariettu napadlo, jestli nepije ocet, aby si výraz udržela. Měla na sobě hnědé vlněné šaty, jejichž strohost nezjemňoval ani krajkový límeček nebo brož. Očividně jí na vzhledu nezáleželo a Mariettin světle zelený kabátek jí musel připadat křiklavý.

„Plánujeme misi na středu. V pět hodin budete připravená v přístavu v Lyme Regisu. Oblečte si teplé tmavé věci vhodné pro plavbu. Ale musíte mít s sebou také elegantní městské oblečení a koktejlové šaty.“

Marietta na ni úkosem pohlédla. Snad od ní nečekají, že půjde do společnosti?

„Ale no tak, no tak,“ zašvitořila slečna Salmonová, „v téhle misi vás čeká víc než jedna úloha. Teď vás seznámím s krycí historkou.“

Když se Marietta chystala ve středu v jednu odpoledne vyjít postranním vchodem z hostince, Sybil se k ní vrhla a pevně ji objala.

„Hlavně se v pořádku vrať,“ vyhrkla procítěně. „Přijali jsme tě s Tedem do rodiny a budeme trnout, dokud nebudeš zpátky.“

Marietta se vyprostila z její náruče, dojatá tou náklonností. „To je moc milé, ale nestrachujte se o mě, já si poradím. Kdyby volal Edwin, prostě mu povězte, že jsem venku. Neříkejte, že jsem jela za dětmi – což jsem namluvila všem ostatním –, protože zná telefonní číslo k Hardingovým a mohl by tam zavolat. Ale teď už musím jít, jinak mi ujede vlak.“

„Chtěla ses převléknout za muže?“ dobírala si ji Sybil, čímž narážela na její vlněné kalhoty a námořnické sako, které po loňské zimě zůstalo ve výčepu. „Jestli ano, moc se ti to nepovedlo. I se svázanými vlasy vypadáš neomylně žensky.“

Marietta se zazubila. „Až si vezmu tohle, srovná se to.“ Vytáhla z kapsy černou pletenou čapku. „Ale přes Sidmouth v tom nepůjdu. Schovám si ji, než bude tma.“

Napadlo ji, co by asi Sybil řekla, kdyby věděla, kam se ve Francii chystá. Zvětšila si výstřih u černých šatů, jež často nosila do výčepu, a živůtek pošila flitry. Kdyby ji v těch šatech Sybil viděla, okamžitě by pochopila, jaká úloha ji čeká.

A o to větší by měla strach.

Jak se vlak řítil podél pobřeží, Marietta myslela na Sybilino dojemné rozloučení. I ona si oba manžele velmi oblíbila. Připadalo jí podivné, že doma na Zélandu si neutvořila pouto k nikomu kromě rodiny. A ani k té se nechovala příliš láskyplně.

Změnil by ji věk k lepšímu, i kdyby zůstala doma? Nebo ta změna přišla teprve po rozšíření obzorů v Anglii a prožití několika tragédií?

Byla velmi nervózní. Když si dávala do kabelky spolu s oblečením na cestu dokonale ostrý nůž od pana PJ, udělalo se jí fyzicky zle, byla přesvědčená, že ho nikdy nedokáže použít. Instruktor ji však ujistil, že kdyby se ocitla v ohrožení, díky výcviku bude reagovat automaticky. Doufala, že měl pravdu. Napadlo ji, jak by asi reagovali její rodiče, kdyby věděli, k čemu se chystá. Pochopitelně by o ni měli strach, zároveň by snad ale byli pyšní, že je odvážná a chystá se nasadit život pro někoho jiného.

Jenže Marietta se odvážná necítila. Na chvíli dokonce zvažovala vystoupit na příští stanici z vlaku a rozběhnout se zpátky do bezpečí hostince. Jenže ten, koho má ve Francii vyzvednout, je pravděpodobně v tuto chvíli zrovna tak vyděšený jako ona, krčí se někde v úkrytu a bojí se, že ho zastřelí. Nedokázala by jeho muka prodlužovat tím, že by se neukázala, jak bylo v plánu – tím by mu mohla docela dobře podepsat rozsudek smrti.

Do Lyme Regisu dorazila příliš brzy na to, aby zamířila rovnou do přístavu, proto se šla na chvíli posadit do rušné čajovny. Od svého malého stolku v rohu mohla všechny pozorovat a přes její nervozitu to bylo velmi zábavné.

Do hostince v Sidmouthu chodívali vesměs muži, žen jen málo a samé obyčejné – obvykle manželky nebo přítelkyně stálých hostů nebo mladé ženy sloužící u armádní pobočky ve městě. Marietta jen zřídka narazila na „nóbl dámy", jak jim říkala Sybil, ženy středního věku s liščí kožešinou kolem krku, které se vybavovaly hlučnými, ječivými hlasy. Takové chodívaly spíš do koktejlových barů některého z místních lepších hotelů, kde popíjely gin s tonikem.

Měděná konvička, čajovna v Lyme Regisu, ovšem k takovým místům očividně patřila, a ačkoli některé z přítomných dam možná jen přijely na dovolenou hledat fosilie – které, jak Marietta zjistila, patřily k hlavním lákadlům Lyme Regisu –, ze zaslechnutých útržků konverzace vydedukovala, že většina jich žije zde v okolí.

„Chtěla po mně průkaz totožnosti!" zvolala hlasitě žena s římským profilem a dlouhým perem na klobouku. „Jako by nevěděla, kdo jsem! Taková drzost. Ta holka před válkou sloužila u mé sestry, ale co ji vzali jako recepční do Bellevue, připadá si jako královna."

Jedna z přítelkyň této dámy se ihned vytasila s vtipy o nevděčných služebných. Marietta se pro sebe usmála. Podobné ženy měly nyní smůlu. Nemohly sehnat sloužící, protože nikdo nechtěl dělat posluhovačku, když si mohl víc vydělat v továrně, kde je navíc nikdo neomezoval v osobním životě. Jenže bez služebných a hospodyň se tyto dámy ocitly na stejné lodi s obyčejnou dělnickou třídou, jejich domy mohly být vybombardovány zrovna tak dobře a vyžít musely ze stejných přídělů. Mnohé měly potíže udržet svá velkolepá sídla, aby jim nespadla na hlavu, protože většina řemeslníků, kteří se starali o údržbu, narukovala.

Marietta pro ně velké pochopení neměla. Říkala si, že by u nich služebné nejspíš zůstaly, kdyby se k nim chovaly slušně a dovedly je ocenit. Navíc jí vadilo, jak všechny ohrnují nos nad těmi, které považují za podřadné. Doufala, že válka ukončí třídní snobismus, ale nezdálo se.

Krátce po páté došla Marietta do přístavu. Byla černá tma a chladno, ale naštěstí moc nefoukalo. Marietta mířila svítilnou na zem, dláždění podkluzovalo. Dostala instrukce postavit se k záchranářskému člunu a v ruce držet bílý kapesník. Kapitán lodi ji prý sám vyhledá.

Nasadila si vlněnou čapku a stáhla si ji přes uši. Nešlo jen o teplo. Se zakrytými vlasy ji z dálky budou považovat za muže a nevzbudí podezření.

„Elise?"

Ochraptělý hlas, který se ozval za ní, ji vylekal, nakrátko zapomněla, že se má jmenovat Elise Baudinová.

Otočila se na patě a spatřila malého podsaditého chlapíka s hustým tmavým plnovousem, víc v té tmě neviděla.

„Bonsoir, je suis Elise. Armand?"

Přikývl. „Můžete mluvit anglicky. Pojďte za mnou."

Vedl ji přes kamenitou pláž a za celou dobu nepromluvil, dokud nedošli k člunu s vesly, napůl vytaženému z vody. Tam hodil tašku do loďky a pomohl jí nastoupit. Odstrčil člun do vody, naskočil a chopil se vesel.

Vesloval rychle vpřed, s jistotou téměř bezhlesně, připomínal Mariettě otce. Jako by s vesly splynul v jedno, jako by se stala prodloužením jeho paží. Už jen ta podobnost Mariettu uklidňovala.

Doplulí k zakotvené rybářské lodi, Armand se chytil žebříku po straně a pokynul Mariettě, aby vylezla nahoru jako první. Z paluby se vyklonil muž a podal jí ruku.

Během pár minut už rybářská loď vyplouvala z přístavu. Ten druhý muž, Henri, Mariettě řekl, aby si oblékla nepromokavý overal. Ve světle petrolejky zjistila, že je oběma mužům minimálně padesát. Byli to Angličané a podobně jako ona dostali pro tuto misi francouzská jména. Nepůsobili dvakrát sdílně, ale Henri jí prozradil, že se mají ještě před úsvitem setkat s francouzskou rybářskou lodí u Bretaňského pobřeží.

Henrimu zřejmě došlo, že je zmatená, proto dodal: „Nemůžeme rovnou ke břehu, Němci by po nás stříleli, proto se setkáme s francouzskou lodí, na kterou přestoupíte. Je tmavá noc, doufáme, že nás nikdo neuvidí.“

Loď byla o něco větší než Etiennova, motor však měla výrazně silnější. Brázdila vlny a Marietta se radovala, že je konečně zase na moři.

Brzy pochopila, že ji poblíž kormidla ani jeden z jejích průvodců nechce – snad i oni věřili, že žena na palubě nosí smůlu –, posadila se tedy do malé kajuty. Loď byla jako kterákoli jiná, páchla, a nejen rybami, ale i zbytky jídla, cigaretami a zpocenýma nohama. V kajutě se nacházela úzká pryčna připevněná ke stěně, sedělo se na krabicích na druhé straně, v nichž se skladovalo vybavení, mezi nimi stál stolek přišroubovaný k podlaze. Mezi pryčnou a bednami vedla úzká ulička.

Všechno bylo značně špinavé, Marietta si však uvědomovala, že většina rybářů, zvlášť ti, kteří vyrážejí na moře každou noc, nemá čas zabývat se podobnými prkotinami. Vzpomínala, jak její matka krčila nos nad stavem kajuty v otcově lodi. Vždycky říkala, že pokoušet se uvnitř uklidit je ztráta času, protože tam vzápětí bude stejný nepořádek. Přesto Marietta nevydržela nečinně sedět a dívat se na neumyté nádobí. Dala vařit konvici vody.

Loď sice plula vpřed velmi rychle, přesto zůstávala překvapivě stabilní, Marietta proto bez obtíží zvládla umýt nádobí a uvařit Armandovi a Henrimu kávu.

Když ji odnesla na kapitánský můstek, oba muži byli příjemně překvapeni.

„Máme dobrý čas," poznamenal Armand, vzal si hrnek a odmítl plechovku s kondenzovaným mlékem, kterou vzala s sebou. „Na vašem místě bych si zkusil trochu zdřímnout, až se budeme blížit k Francii, budete nám muset pomoct vyhlížet lodě."

„Pokusím se," přikývla, ačkoli jí bylo jasné, že pro všechno napětí stejně neusne.

„Zítra vás čeká dlouhý den," dodal Henri a mile se na ni usmál. „S trochou štěstí se znovu setkáme s tou francouzskou lodí s vámi na palubě kolem desáté večer. A za svítání bychom měli být zpátky v Anglii."

„Už jste tohle absolvovali mnohokrát?" chtěla vědět.

„Neptejte se, Elise. Lepší je nic nevědět."

Marietta ulehla na pryčnu a pokoušela se usnout. Přitom přemítala, jak to Henri myslel. Možná jejího předchůdce zajali nebo zastřelili. Anebo jen chtěl říct, že je nejlepší nevyptávat se na nic.

Armand ji probudil ve čtyři ráno a dal jí dalekohled, aby pátrala na obzoru po lodích, zatímco on se šel natáhnout a Henri převzal kormidlo. Marietta tu a tam zahlédla světla, ale žádná se nezdála znepokojivě blízko.

Když obloha začínala blednout, spatřila rybářskou loď blížící se k nim. „To je ta, se kterou se máme setkat?" zeptala se Henriho.

Přikývl. „Dojděte probudit Armanda a přineste si tašku, přestup musí proběhnout co nejrychleji."

Druhá loď připlula až k nim a Marietta přeskočila na palubu. Tašku jí hodili.

„Hodně štěstí!" zavolal Armand a bez otálení otočil plavidlo zpátky k Anglii.

Na lodi se plavili dva Francouzi s velkým nákladem ryb. Muži byli mladší než Armand a Henri, drsně vyhlížející chlapi ve špinavých montérkách a s hustým plnovousem. Nepředstavili se, jen ji rychlou francouzštinou poslali dolů do kajuty a řekli jí, aby tam zůstala, dokud ji nezavolají.

Marietta ležela na pryčně a s obavami si zkoušela představit, co ji čeká. Věděla, že směřují do malé rybářské vesničky jménem Portivy na atlantské straně dlouhé pevninské šíje. Pobřeží se nazývalo Côte Sauvage, vypovídalo o tom, že tam dují prudké vichry a moře je bouřlivé. Vnitřní, chráněná strana, která tvořila Quiberonskou zátoku, bude méně nehostinná, jenže při pokusu o nenápadný útěk odtamtud by museli celou šíji obeplout a na jejím vrcholu, jen asi kilometr a půl od Portiv, stála pevnost Fort de Penthièvre z osmnáctého století. Původně měla sloužit k obraně Francie před Angličany, nyní ji však obsadila německá posádka a slečně Salmonové se nepovedlo zjistit, kolik přesně je tam vojáků.

Po připlutí do Portiv se měla Marietta odebrat do kavárny Plume Rouge v přístavu a vyhledat její majitelku Celeste Gaillardovou. Celeste tu navíc provozovala nevěstinec, a protože k ní neustále přicházely nové dívky, Mariettina přítomnost nebude podezřelá. Krycí příběh uváděl, že její matka byla ještě v Marseille Celestinou přítelkyní. Pokud vše půjde podle plánu, Marietta vesnici ještě téhož večera opustí, aniž by se o ni vůbec někdo začal zajímat.

Slečna Salmonová jí prozradila, že je Celeste členkou aktivního hnutí odporu Brittany a ukrývala již hezkou řádku lidí, dokud se je nepodařilo dostat z Francie. Většinou patřili k hnutí odporu, ale byli mezi nimi i sestřelení piloti Spojenců a prchající Židé, které chtěli poslat do německých koncentračních táborů.

Slečna Salmonová podotkla, že při těchto záchranných akcích sehrála roli řada osob, které riskovaly život, ale Celeste je obzvláště odvážná, protože nadto neustále čelí zášti a zatracení mnoha místních obyvatel, ti totiž o její tajné činnosti nemají tušení a podezírají ji z kolaborace s Němci, kteří její kavárnu a nevěstinec navštěvují.

Marietta jen doufala, že od ní pochytí trochu odvahy a odhodlání dát Němcům za vyučenou. Zároveň si však uvědomovala, že vstupuje do Francie ilegálně, s falešnými doklady, které nemusejí při bližším zkoumání obstát, a ještě ke všemu míří do nevěstince. Upřímně doufala, že ti, kdo ji úkolem pověřili, věděli, co dělají.

Krátce poté, co Marietta zahlédla Fort Penthièvre, ohromnou a nepřístupně vyhlížející stavbu z šedého kamene, nad níž se třepotala německá vlajka, přišel do kajuty jeden z námořníků a představil se jako Luc. Byl to obr s rozcuchanými a špinavými, slámově blond vlasy a knírkem, Marietta jej odhadovala na nějakých pětatřicet.

„Musíte si vlézt sem," oznámil a otevřel víko skladovací bedny, která se využívala jako lavice na sezení. „Jsou v ní otvory pro vzduch. Jakmile to bude bezpečné, pustíme vás ven. Ale možná to chvíli potrvá. Němečtí vojáci si často chodí kupovat ryby rovnou na loď a my musíme předstírat nadšený zájem. Až budou pryč, dostaneme vás k Celeste."

Marietta vlezla s obavami do bedny. Vnitřní prostor nebyl dost velký, musela se skrčit, navíc to uvnitř páchlo. Luc jí do bedny podal tašku, aby si ji mohla dát pod hlavu. Pokusila se o úsměv.

„Jsou horší věci," řekl a úsměv oplatil. Náhle už nepůsobil tak nepřístupně.

Ruch z přístavu zaslechla ještě předtím, než se ozvalo zadunění, jak loď přirazila k doku. Plavidlo sebou trhlo, když jeden z námořníků vyskočil, aby je ukotvil, vzápětí zaduněly na palubě jejich kroky, začali vynášet bedny s rybami.

Slyšela, jak rybáři mluví s jinými lidmi, ovšem ne tak zřetelně, aby jim rozuměla. Zdálo se jí, že se dohadují o cenách, ale každou chvíli se ozval výbuch smíchu. Marietta, uvězněná, prochladlá, hladová a celá bolavá, si představovala, že právě říkají německým vojákům, kde ji najdou. Čekala, že se víko každou chvíli otevře a vyvlečou ji ven.

Hlasy se však od lodi vzdalovaly, až bylo slyšet jen křik racků. Marietta byla v pokušení nadzvednout víko, jen aby se podívala, co se děje, ale neodvažovala se. Na palubě nebo blízko lodi by klidně mohl stát německý voják.

Po nekonečně dlouhé době, která jí připadala jako hodiny, se Luc konečně vrátil. „Rychle," pobídl ji. „Převlékněte se, to, co máte na sobě, nechte tady v bedně, pak vás musíme dostat z lodi."

Odešel a Marietta se přestrojila z kalhot, tlustého svetru a pevných bot do hnědých vlněných šatů, punčoch, lodiček a hnědého kabátu s červeným límcem z lišky, který jí darovala Sybil. Šaty ušila a poslala Mog a Edwin jí skládal lichotky, že v nich vypadá svůdně, protože byly úzké a měly překřížený výstřih, který jí zdůrazňoval ňadra. Rty si namalovala rudou rtěnkou, rozčesala vlasy a na ně nasadila smaragdově zelený baret. Do kapsy kabátu vložila vystřelovací nůž a uchopila svou tašku s černými koktejlovými šaty a mycími potřebami.

Luc se překvapeně usmál, když viděl tu změnu. „Za chvíli sem přijede kamarád pro ryby," oznámil jí. „Zajede těsně k lávce. Ponesu dozadu do jeho dodávky ryby. Vy se musíte dívat oknem z kajuty, a jakmile si strčím do pusy fajfku, bude to signál pro vás, že můžete ven. Doběhnete dopředu, vlezete si do kabiny dodávky, lehnete si na zem a zakryjete se dekou. Kamarád vás odveze k zadnímu vchodu do La Plume Rouge. Všechno ostatní vám poví Celeste."

Marietta měla v ústech tak vyprahlo, že nebyla schopná promluvit. Jen přikývla.

„Většina vojáků už bude pryč, ale nechceme, aby vás někdo viděl vystupovat z lodi. I v Portivách je pár lidí, co by Němcům upsali duši."

Slečna Salmonová nic takového nezmínila. Marietta si představovala, že Celestin podnik leží tak blízko doků, že jen přeběhne z lodi. Slečna Salmonová ji jen nabádala, že nesmí žádné z Celestiných dívek nic prozrazovat a musí se držet dohodnutého příběhu, že se v Marseille nepohodla s matkou a odjela vlakem do Paříže. Tam se jí nevedlo dobře, proto nakonec přijela sem. Zkrátka měla vystupovat, jako by pro ni prostřední nevěstince bylo dobře známé, snad dokonce působit, jako by už v nějakém pracovala.

V tu chvíli zajela k lávce velká modrá dodávka, jejíž výfuk kouřil a vydával hlasité rány. Marietta se v kajutě postavila k oknu. Vesnice se zdála skutečně maličká, jen nějakých dvanáct domků kolem přístavu a snad nějaké další v uličkách za nimi. Na rohu zahlédla La Plume Rouge – šlo o nevábně vyhlížející dům s matnými okenními tabulkami a oprýskanou červenou omítkou. Malý přístav působil pod cínovým nebem nevesele, zato v létě, kdy jsou zídky porostlé popínavými květinami a moře není šedé, ale modré, tu muselo být hezky.

Marietta moc lidí neviděla, jen pár rybářů spravujících sítě, tři klábosící ženy v hloučku a další dvě s košíky, jak míří do pekárny. Zato vojáků spatřila šest, stáli ve dvojicích, a ačkoli se zdálo, že se spíš vybavují, než aby hlídkovali, z jejich vysokých holínek a pušek jí naskakovala husí kůže. Často je vídala na fotografiích, v novinách a v týdeníku v kině, ale naživo se zdáli větší, drsnější a děsiví.

„Můžeme?" zeptal se Luc a vytáhl z kapsy pruhované zástěry dýmku, aby jí připomněl smluvený signál. Poté vyšel na palubu, popadl několik krabic s rybami a zamířil k lávce.

Řidič dodávky byl starý, bělovlasý, měl brýle se zlatými obroučkami a kolem krku červený šátek. Jakmile spatřil Luca, zavýskl na pozdrav, vyskočil z kabiny, obešel ji a přitom otevřel dveře u spolujezdce dokořán. Poté došel k nákladovému prostoru.

Luc i stařík se okázale radovali ze shledání, smáli se a plácali se po zádech, pak jako by došlo na vážnější rozhovor o rybách v bednách. Marietta však vnímala, jak při tom sledují všechny v přístavu, zejména německé vojáky.

Luc vytáhl z kapsy u zástěry dýmku a začal gestikulovat. Mariettě prudce bušilo srdce, byla si jistá, že to musí vojáci slyšet, přesto si zastrčila tašku do podpaží, sledovala Luca a připravila se na úprk.

Luc několikrát ruku s dýmkou zvedl, ale zase ji spustil. Marietta z něj nespouštěla oči.

A náhle vsunul dýmku do úst.

Marietta vyběhla jako o život, přeběhla po lávce, proplížila se podél dodávky a schoulila se v nohách u sedadla spolujezdce. Ze sedadla stáhla deku a přikryla se jí.

Zaslechla, jak se stařík s Lucem rozjařeně loučí, poté se dveře dodávky zabouchly a vzápětí i ty u řidiče. Motor nastartoval. Řidič křikl oknem cosi o humrech a Luc se rozesmál. Vzápětí se rozjeli.

„Zůstaňte, kde jste, děvče," řekl muž tiše francouzsky, zatímco dodávka rachotila po dláždění. „Je to jen kousek."

Zhruba o pět minut později zastavili. „Už se můžete posadit. Řekněte jim, že jsem vás svezl z nádraží v Quiberonu."

Marietta ze sebe shodila deku a uvelebila se na sedadle. Projížděli úzkou ulicí obehnanou vysokými zdmi, zřejmě šlo o zadní stěny domů kolem přístavu. Marietta si narovnala baret a usmála se. „Vypadám jako někdo, kdo právě přijel z Marseille?"

„Vypadáte jako filmová hvězda," odpověděl galantně. „Rozhodně ne jako někdo, kdo strávil noc na rybářské lodi."

Ujeli ještě několik metrů a zastavili před vysokou tepanou kovovou brankou zasazenou ve zdi. „Tudy," řekl a ukázal. „Kdyby se někdo ptal, zavezl vás sem Gilpin."

„Gilpin?" zopakovala.

„Všichni mi tak říkají," usmál se a pohladil ji po rameni. „Dávejte si pozor na ty holky. A zlomte vaz."

Kapitola dvacátá šestá

„Mohla bych mluvit s Celeste, prosím?" požádala Marietta francouzsky dívku, která jí po zaklepání otevřela zadní vchod. Mohlo jí být nanejvýš čtrnáct, byla malá, hubená a šaty a zástěra jí byly příliš velké. „Pověz jí, že je tu Elise."

„Počkejte, zaběhnu tam," slíbilo děvče a zabouchlo jí před nosem. Marietta zůstala na malém, zdí obehnaném dvorku. Kolem viděla desítky osázených květináčů, ale rostliny v nich byly suché, možná už připravené na zimu.

Napodruhé otevřela dveře kyprá rusovlasá padesátnice. „Elise!" zvolala hlasitě, jako by měly diváky. „Zrovna jsem na tebe a na tvou mámu myslela, a ty jsi za dveřma!"

Sevřela Mariettu v náručí. „Až půjdem dovnitř, vymysli si nějakou historku o tom, jak ses s mámou pohádala," pošeptala jí při tom. „Holky mají věčně nastražené uši, promluvit si můžeme, teprve až budeme opravdu samy."

Zavedla Mariettu do prostorného obývacího pokoje spojeného s kuchyní, s okny směřujícími do zahrady. Kromě stolu a židlí a dvou omšelých sofa zde stála také komoda, která se téměř ztrácela pod množstvím porcelánu, dekorací a nejrůznějších předmětů od šperků přes dopisy až po lahvičky s léky.

Vše už mělo nejlepší za sebou, ale díky roztopeného krbu vládla uvnitř hřejivá a útulná atmosféra. V místnosti seděly tři dívky oděné jen v košilkách.

„Co tě přivedlo za starou tetkou?" zeptala se Celeste a ani se nenamáhala Elise představovat děvčatům.

Marietta si vymyslela příběh, který by se jí doma na Novém Zélandu docela dobře mohl stát: že utekla, protože matka neschvalovala jejího přítele, a že po ní chce, aby dělala servírku nebo služku.

Do své role se snadno vžila. „Křičí na mě, že mám domů nosit peníze. A já bych je nosila, kdyby mi sehnala místo v krejčovském salonu nebo v kanceláři, ale nebudu nikomu uklízet, dřít v továrně nebo roznášet jídlo. Tak jsem přijela sem."

Uvědomovala si, jak ji dívky ohromeně sledují. Možná by samy raději dělaly jakoukoli jinou práci, než aby se prodávaly mužům – nebo možná protože poprvé slyšely někoho, kdo sdílí jejich přesvědčení –, těžko říci.

„Ach, Elise," zavrtěla Celeste smutně hlavou. „Přece bys nechtěla pracovat tady?"

Marietta se zatvářila znechuceně. „Žádné nechutnosti, teto Celeste, ale mohla bych přijímat zákazníky, vnést sem trochu stylu a půvabu, jako jsi to dělávala ty."

Všimla si, že má Celeste co dělat, aby se nerozesmála. Bylo jí jasné, že spolu budou dobře vycházet.

Z vedlejší místnosti přišla starší žena v květované zástěře a Marietta mimoděk zahlédla kousek kavárny. Bylo to bezútěšné místo s voskovanými ubrusy na stolech a rozvrzanými židlemi. Žena řekla něco o zelenině a Celeste se ohlédla na Mariettu.

„Jen tohle vyřídím, pak si popovídáme. Dej si něco na snídani, pak můžeš pomoct s úklidem. Tady nikdo nezahálí zbůhdarma, ani moje milovaná neteř."

Během dopoledne se Marietta dozvěděla hodně o tom, jaké je žít pod německou okupací, když němečtí vojáci všude šíří strach a zlobu. Dívky u Celeste neměly na vybranou, musely je přijímat. Kdyby odmítly, pravděpodobně by se ocitly v příštím transportu do pracovního tábora. Jedna zasmušile vyhlížející dívka s vlnitými černými vlasy říkala, že je všechny obviňují z kolaborace a většina místních je stejně krutá a nenávistná jako Němci. Jiná obrátila oči v sloup, jako by to nebyla úplně pravda, a Marietta se mohla jen dohadovat, jak se věci skutečně mají.

Zjistila však, jak se řídí nevěstinec a že měla v mnoha ohledech mylnou představu. Například si vždycky myslela, že jsou dívky k prostituci nuceny – jako pravděpodobně její matka –, všech šest Celestiných dívek však přišlo dobrovolně a práce jim nevadila. Marietta se původně domnívala, že prostitutky využívají jen strašní, špinaví staří muži, podle Celeste to tak ale nebylo.

„Chodí sem spousta starých mládenců a chlapů, co mají nemohoucí ženu nebo s nima ta jejich prostě odmítá spát," vykládala nenuceně, jako by rozebíraly výhody ukončení školní docházky. „Chodí sem mladí kluci, aby získali zkušenosti před svatbou. A pochopitelně taky chlapi, co pracujou daleko od domova, včetně vojáků, a potřebujou ženskou. Ráda si myslím, že jim moje holky dávaj víc než jen krátkou úlevu, taky trochu citu a zábavy."

Celeste se do této části Francie dostala v roce 1920, ve svých šestadvaceti, předtím dělala za války ošetřovatelku v polních nemocnicích.

„Francii válka vyplundrovala," konstatovala. „Čtvrtina našich mužských padla a spousta dalších kvůli zraněním nemohla pracovat. Bylo tu tolik unavených a zahořklých lidí, co přišli o všechno – o své blízké, o domov, o živobytí. Většina z nich neměla páru, jak začít znova. Já přišla sem a pokusila se o to."

Odmlčela se a usmála se, jako by si vzpomněla na něco zábavného. „Líbil se mi ten klid tady, divokost pobřeží. Tak jsem si tu otevřela kavárnu. Byla to spíš taková bouda tady vzadu, ale lidi tam chodili na kus řeči, a snad protože jsem dělala ošetřovatelku, rádi se mi svěřovali. Tak jako tak se mi dařilo dobře a brzo jsem si mohla pronajmout tenhle větší dům. Chtěla jsem z něj udělat hotel a na začátku jsem vážně pronajímala pokoje, ale jeden z prvních hostů byla prostitutka, a tak to vlastně začalo."

Mariettě se Celeste zamlouvala a podle všeho, co viděla, nebyla žádná z dívek pracujících v La Plume Rouge nešťastná. Podle Celeste se i většina německých vojáků chovala k dívkám hezky, nadto platili víc než místní kunčafti. Děvčata měla péči, dobrou stravu, pravidelné lékařské prohlídky a společnost těch ostatních.

Ale ačkoli byly podrobnosti o chodu nevěstince fascinující a Marietta o něčem podobném nikdy dřív nepřemýšlela, přece jen nezapomínala, že sem přišla za jiným účelem. Chtěla zjistit, komu má pomoci k útěku a kde se dotyčný ukrývá.

Celeste se držela úlohy její tety jako rozená herečka, vtipkovala s Mariettou, jako by skutečně měly společnou minulost, ale také ji napomenula, že se k matce nechovala hezky a že je namyšlená, když si myslí, že pro ni některé práce nejsou dost dobré. U oběda, v přítomnosti všech svých děvčat, Elise nařídila, aby se vrátila domů. Prý sežene někoho, kdo by ji večer odvezl na vlak do Paříže.

Marietta se zmohla na pár slziček a protestovala, že Celeste neví, jak je to s její matkou těžké. Ale Celeste se nedala obměkčit s tím, že dceřino místo je po matčině boku, zejména za války. „Pozdějc se spolu půjdeme projít a probereme to," zakončila celý proslov a dala tak Mariettě najevo, že se konečně dostanou k tomu důležitému.

Když se dostaly ven, bylo už pozdní odpoledne. Zamířily dolů malou uličkou, jíž ji ráno přivezl Gilpin.

Celeste se zastavila u branky podobné té do La Plume Rouge. „Ten pilot je tady ve sklepě," zašeptala. „Nebudu riskovat a vodit tě za ním. Cestou ti vysvětlím, co je v plánu."

Ulice vedla za poslední domek podél přístavu a odtamtud se vinula cesta travou a pískem k několika dalším, stranou stojícím domkům. Pláž ležela nějaké dva metry pod touto cestou, vesměs kamenitá, ale tu a tam se našel pás oblázků umožňující snadný přístup k vodě, a občas i písčitý pruh.

„Dnes večer tu bude čekat loďka s vesly," zašeptala Celeste a ukázala na ohromný balvan. „Bude odliv a loďka zůstane na písečném pruhu. Odtlačíš ji mezi kamením do vody a popluješ na otevřené moře. Vidíš tu bójku?" Ukázala na velkou červeno-bílou bóji vzdálenou zhruba pět set metrů od břehu. „Tam budeš veslovat. Samozřejmě ji ve tmě neuvidíš, ale uslyšíš její zvonění. Až se k ní dostaneš, přivážeš k ní člun a počkáš, až pro vás připluje rybářská loď."

„A ten pilot, co mu mám pomoct?" zeptala se Marietta. „Mám ho sem přivést?"

„Ne, to udělá někdo jiný. Piloti většinou utíkají přes Španělsko, ale tenhle má poraněnou nohu a ruku, a tak dlouhou cestu by nezvládl."

„Je pláž podminovaná?" chtěla vědět Marietta.

„Ne. Naštěstí si Němci zřejmě myslí, že to kamení jako ochrana před přistáním stačí. Ani přístav nepodminovali, protože sem připlouvají jejich lodi, ale z pevnosti drží bedlivé hlídky a mají tam světlomety. Tady budete těsně mimo dohled, skrytí za zdí přístavu. Podél pobřeží chodí pěší hlídky, ale o studených nocích, jako je dnes, se většinou schoulí někde v teple. Znají všechny rybářské lodi a nezastavují je, leda by pojali podezření. Snad k tomu nebudou mít důvod. Nejvíc se bojíme, že něco zvětří a vyšlou rychlý člun zadržet rybářskou loď. Ale zatím se to ještě nestalo. Myslíš, že zvládneš doveslovat k bóji?"

„Zvládnu," přisvědčila Marietta sebejistě. „Ale budu potřebovat teplejší oblečení." Již nyní se třásla a v lodičkách by se ve tmě na kamenité pláži přerazila.

„Mám tvé oblečení v kavárně," usmála se Celeste a pohladila ji po tváři. „Kdybys byla doopravdy má neteř, byla bych na tebe pyšná. Jsi moc statečné děvče."

„Zatím jsem ještě nic neudělala," namítla Marietta.

„Jen se neboj, tvůj čas přijde a může to být dost nebezpečné. Chtěla jsem, aby sis s sebou vzala večerní šaty, kdyby bylo potřeba, aby ses večer vydávala za jedno z mých děvčat. Zdánlivě opilé ženě toho projde hodně. Ale vzhledem k tomu, jak je ten pilot zraněný, jsme museli zvolit jiný způsob a přiznávám, jsem ráda, že tě nebudu muset vystavovat v kavárně."

„Takže se s ním sejdu tady?"

„Ano, jestli půjde všechno podle plánu, bude čekat v loďce. Jen se musíme modlit, aby byl hlídač téhle části liknavý jako obvykle. Jestli přijde do La Plume, což dělává často, dám mu velkou brandy, aby neměl chuť ještě někam chodit."

„A co mám dělat, když někdo půjde?"

„K tomu jsi, myslím, vycvičená, ne?" opáčila Celeste.

Marietta polkla. Jedna věc byla učit se, jak někoho bodnout, a druhá to skutečně udělat, ve tmě, tady na pláži, kde jediný chybný krok na kamení bude slyšet stejně nahlas jako výstřel. „Doufejme, že k tomu nedojde."

Celeste ji vzala za ruku. „Tak pojďme nazpátek. Musíš si cestu zapamatovat. Ve tmě vypadá všechno jinak a budeš tu sama."

Jak Marietta později zjistila, byla to svatá pravda. V tenkém pramínku světla z baterky nevypadalo povědomě vůbec nic.

Rozloučila se s děvčaty a s Celeste zhruba před hodinou, hrála neochotu vrátit se domů až do konce. Přijel Gilpin, který ji měl údajně odvézt na nádraží, ale ujeli jen asi dvacet metrů po ulici k boudě, kde na ni čekalo teplé oblečení, které měla na sobě po cestě z Anglie. Marietta musela v boudě zůstat, dokud neuslyší odbíjet sedm hodin.

Během čekání měla bohužel dost času přemýšlet, co všechno by se mohlo zvrtnout, a když kostelní hodiny konečně odbily sedmou, byla jako na jehlách. Kolem prošlo několik lidí. Kdykoli zaslechla těžké mužské kroky, byla přesvědčená, že je to německý voják, jemuž někdo vyzradil jejich plány.

Jakmile konečně vyrazila, bylo těžké neohlížet se, jestli ji někdo nesleduje. Jednu chvíli zaváhala v místě, kde se cesta rozdvojovala – na to místo si nevzpomínala a bála se, že došla příliš daleko –, ale slyšela moře, šla za zvukem a náhle se ocitla na pláži.

Vítr zesílil, vlny šplouchaly o břeh a jejich bílé zpěněné hřbety svítily do tmy. Marietta měla vyprahlo v ústech, svíral se jí žaludek. Přitiskla se k zahradní zídce posledního domu a rozhlížela se, jestli je skutečně sama. Nikde nikdo, jen zvuky větru a moře. Marietta rychle seběhla dolů k velkému balvanu, který jí prve Celeste ukázala, nedočkavá, jestli najde pilota v loďce.

„To jsem já, Elise," šeptala anglicky, uvědomovala si, že jestli tam ve tmě někde pilot je, kroky ho vyplaší. „Ještě vás nevidím. Kde jste?"

„Vedle loďky," ozvalo se tiše jen o pár metrů dál. „Bál jsem se, že nepřijdete."

V tu chvíli ho spatřila ležet vedle loďky. Ve tváři byl bledý. „Zůstaňte tak, dotlačím loďku blíž k vodě," zašeptala. „Vím, že jste zraněný, ale dokážete se dostat dovnitř?"

„Budu muset," odpověděl a velmi nejistě se zvedl na nohy.

Celý se tím úsilím zapotácel. Marietta mu podala ruku a pomohla mu dolů na pláž blíž k vodě.

Začala tlačit loďku, byla těžká a špatně se jí manipulovalo. Pilot se jí vrávoravě pokusil jít na pomoc, ale zarazila jej. „Ne, zůstaňte tam, mohl byste si ublížit. Zvládnu to."

Zatlačila vší silou a loďka se konečně pohnula. Jakmile se příď dotkla vody, bylo to snazší. Marietta pevně svírala kotevní lano a pokynula vojákovi, aby se nalodil.

V té tmě mu stěží viděla do tváře, ale vycítila, že má velké bolesti a dělá mu potíže přehodit nohu přes bok. Jakmile byl uvnitř a usadil se na přídi, odtlačila loďku ještě o kus dál a naskočila.

Chopila se vesel, v tu chvíli však cosi zaslechla a žaludek se jí sevřel strachy. Nikoho neviděla, proto začala veslovat k bóji.

Od té doby, co odjela z Nového Zélandu, veslovala jedině na londýnské Serpentine a několikrát na řece v Arundelu, ovšem od začátku války ani jednou. Bylo zvláštní ocitnout se znovu na moři, bojovat s proudy a silným větrem.

Bóje se nacházela dál, než Marietta čekala. Bedlivě naslouchala, čekala výkřik, který by znamenal, že je někdo viděl.

Ale nakonec skutečně dopluli až k bóji, k níž loďku připevnila lanem.

„Neznám vaše jméno," pošeptala pilotovi. Na pobřeží již nedohlédla a pochybovala, že by je někdo mohl vidět, zvuk se však nese daleko.

„Alan White," odpověděl šeptem. „Ani nevíte, jak rád zase slyším angličtinu."

„Já taky," souhlasila. „Teď ale buďme radši zticha, popovídáme si na lodi."

Zdálo se jako věčnost, než konečně spatřili zelené světlo, signál, že je Luc nablízku. V dálce viděli světla dalších lodí, které zřejmě mířily do Quiberonské zátoky, snad do St. Pierre na druhé straně pevninského hřbetu, jiné pluly do Biskajského zálivu. Nebylo poznat, zda jsou francouzské, či německé.

Konečně se jedna loď objevila v dohledu. Mířila přímo k nim a zatočila teprve v těsné blízkosti.

„Dokážete vylézt po žebříku?" zeptala se Marietta.

„Nic jiného mi nezbývá," opáčil Alan. „Nemám chuť trávit noc tady ve člunu."

Marietta mu lanový žebřík přidržela a Luc se sehnul přes palubu, aby mu také pomohl, přesto bylo zřejmé, že pilot leze nahoru s vypětím sil. Když se konečně dostal na palubu, zhroutil se.

Luc s Mariettou jej zvedli, podepřeli a odvedli do kajuty, kde raněného uložili na pryčnu.

„Tamhle je láhev brandy," ukázal Luc na bednu vedle sporáku. „Kapku mu dejte, je studenej jako kus ledu."

Když rybářská loď vyplula v ústrety anglické, Mariettě se nesmírně ulevilo, uvědomovala si však, že ještě nejsou v bezpečí. Stále je čeká proplout kolem pevnosti, kde by je v případě jakéhokoli podezření mohli zadržet. A i pak by na ně mohli shodit bombu z letadla, mohou narazit na minu ve vodě nebo se ocitnout pod palbou z německé lodi. Na to však Marietta odmítala myslet.

Alan se také uklidnil. Ležel na pryčně a tvářil se jako kočka Šklíba. „Nečekal jsem, že se z Francie dostanu," přiznal. „Spíš jsem myslel, že v tom sklepě umřu na gangrénu. Nebo mě zastřelí na té pláži."

„Já si zas představovala, jak mě zajmou a postaví před popravčí četu," svěřila se Marietta. „Ale nemluvme o tom. Povězte mi, odkud jste."

„Ze Saffron Waldenu v Essexu. Matka bude moc šťastná, až zjistí, že jsem naživu. Poté co mě sestřelili, jí nejspíš napsali, že jsem pohřešovaný, pravděpodobně mrtvý. A nevím, jestli dají vědět, že člověk žije, když se ho chystají potají dostat ven."

Trochu Mariettě připomínal Geralda. Nešlo však o vzhled – byl vyšší, měl širší ramena a na rozdíl od Geralda zdravé zuby –, byl ale v podobném věku, podobně mluvil a měl stejnou sebedůvěru, svědčící o původu z milující rodiny střední třídy a o kvalitním vzdělání. Navíc měl stejný štěněcí výraz jako Gerald, kdykoli se obával, že řekl něco, co jí není vhod.

„Jste na takovou práci hrozně mladá a hezká," podotkl. „Odkud vlastně pocházíte? Máte zvláštní přízvuk."

„Z Nového Zélandu," opáčila příkře. „Ale je jedno, jak vypadám, v téhle práci i v jakékoli jiné."

„Páni!" Přikryl si ústa dlaní. „Jestli jsem vás urazil, omlouvám se."

„Neurazil, jen už mě trochu unavuje, jak mě všichni posuzují podle věku a vzhledu. Mužům tohle nikdo nedělá. Ale to nic. Co vaše zranění? Nemůžu pro vás něco udělat, abych vám ulevila? Je vám dobře?"

„Teď už ano, když jsme na cestě do Anglie," odpověděl s chlapeckým úsměvem. „Nemůžu uvěřit, že za den nebo dva budu pít pivo u nás v hospodě, vezmu na rande svou Valerii a budu poslouchat, jak si máma stěžuje na frontu u řezníka."

Marietta upřímně doufala, že se toho dočká. Po všem, co měl za sebou, by byla opravdu smůla, kdyby je teď chytili nebo kdyby loď narazila na minu.

Měli štěstí. Vody byly rozbouřené a Alanovi se dělalo zle, ale nenapadla je žádná německá plavidla ani bombardéry a k anglické lodi se dostali včas. V jedenáct dopoledne se dostali do Lyme Regisu a Alana převezli do vojenské nemocnice.

Pokusil se Mariettě poděkovat, jí však vyhrkly slzy a chvěl se jí hlas.

„Ne, Alane," odmítla jeho díky. „Jsem jen jeden článek řetězce lidí, kteří vám pomohli. Spolupracovali jsme na tom všichni. Teď se hlavně uzdravte. Vraťte se domů, za matkou a za Valerií, a dávejte na sebe pozor."

Kapitola dvacátá sedmá
Sidmouth, únor 1944

Marietta se zadívala zadním oknem z hostince na tlustou vrstvu sněhu pokrývající střechy, zdi a zahrady a zachvěla se strachy. V tomhle počasí bude plánovaná operace ještě nebezpečnější.

Nešlo o zimu, protože jakkoli v ledovém větru všichni mrzli, často hrál v jejich prospěch. Němečtí vojáci se v mrazech raději někam schovali, než aby hlídkovali, jak mají. Sníh však znamenal lepší viditelnost ve tmě a ze stop se dalo snadno vyčíst, které stezky se využívají a kolik lidí je do celé věci zapleteno.

Dnes večer ji čekala devátá cesta do Francie a prozatím byly všechny úspěšné. Ne pokaždé šlo o raněného pilota: dvakrát převážela členy hnutí odporu, které stíhalo gestapo, a také mladou Židovku, jež se ukrývala u Celeste.

Nikdo nepochyboval, že Spojenci válku nakonec vyhrají. Američané se přidali na pomoc a letouny RAF způsobovaly německým městům zdrcující ztráty. Rusům se konečně podařilo vítězoslavně ukončit obléhání Stalingradu a dokonce i Rommel v severní Africe se konečně zdál porazitelný. Samozřejmě zůstávali ve hře Japonci – někdo tvrdil, že jsou téměř na kolenou, jiní zas, že budou bojovat do posledního muže.

Lidé sice měli rozdílné názory na mnohé aspekty války, ale v jednom se shodovali, už je unavoval život na příděly, zatemňování a věčný nedostatek běžného zboží. Kupodivu si na to naříkali víc než na strašné tragédie, jež se odehrávaly každý den a při nichž umírali jejich manželé, synové a bratři v boji a civilisté při náletech. Tisíce lidí se ocitly bez domova a další žili ve vážně poškozených domech, děti vyrůstaly bez otců. Přesto se o ničem z toho nemluvilo tak často jako o skandálech, kdy se nějaká manželka nebo dívka nechala svést vojáky vyhledávajícími zábavu.

Před pár dny se v hospodě vášnivě diskutovalo o nevěrných manželkách, prodavačích z černého trhu, drancování a dalších nešvarech s válkou spojovaných. Sybil tvrdila, že lidé ztrácejí svůj morální kompas a zapomněli, co jim kdysi připadalo důležité – věrnost, poctivost, hrdost, slušné chování a stálost v manželství.

Marietta s ní nesouhlasila. Podle ní zastávali lidé stále stejné hodnoty, strádání a těžkosti válečné doby však pozměnily jejich náhled na svět. Například kdyby se ona sama nezačala účastnit tajných misí, byla by se bez mrknutí oka provdala za Edwina, pokud by ji požádal o ruku, a s radostí by se usadila a porodila mu děti.

Jeho neochota představit ji rodičům ji sice ranila, ale kvůli výcviku a nebezpečným misím získala novou perspektivu. Dozvěděla se hodně o sobě a o tom, co od života chce. Už si nebyla tak jistá, že je pro ni Edwin ten pravý.

Stále ji fyzicky přitahoval a toužila strávit celou noc v jeho náruči, Edwin se však nadále choval jako vzorný džentlmen. Nikdy ani nenavrhl, že by spolu mohli do hotelu, což by udělal každý plnokrevný chlap, kdyby neměl kam své děvče vzít. Kdysi jeho sebeovládání obdivovala, nyní se jí však zdál chladný, jako člověk, u nějž hlas rozumu přehlušil hlas srdce.

Ale možná se jen bál, aby ho nezabili a ona nezůstala sama, neprovdaná a těhotná. V každém případě se odcizovali. Kdysi si měli tolik co říct, nikdy nebyl čas na všechno, zato nyní kolikrát tápali.

Edwin vyprávěl o přátelích ze své roty, co řekli a udělali, ona o zákaznících hostince, ale bylo to nudné, žádná spontánnost nebo vzrušení.

Podle Sybil zřejmě nebyl schopen hovořit o svých zkušenostech z náletů, domlouvala Mariettě, že by to měla chápat – sama přece také nemohla mluvit o svých misích ve Francii. Jenže o to nešlo. Cítila, že už si jí Edwin není tak jistý. Podle všeho, co říkal o své rodině, když se seznámili, byli jeho rodiče bohatí a snobští. Pokud si navíc vybavila občasnou kritickou poznámku ohledně jejího přímého vyjadřování, oblékání a jednání s lidmi, bylo zřejmé, že jeho rodiče nebudou schvalovat práci ve výčepu ani původ z Nového Zélandu.

Mnoho Angličanů zastávalo názor, že Novozélanďané a Australané jsou nevzdělané ovce, a jeho rodiče k nim zřejmě patřili.

Bolelo, že by ji někdo odsuzoval dřív, než ji pozná, ale možná měl Edwin pravdu: nedokázala by být manželkou, jakou byla jeho matka. Marietta ve městě potkala řadu „nóbl dam“ a nedovedla si představit, jak by zapadla mezi ty zakyslé ženy, které hrají bridž a jezdí na lovy a posílají své děti do internátních škol. Její sny o manželství a budování hnízdečka se vždycky odehrávaly v Russellu. Chtěla se stát stejnou manželkou a matkou jako Belle – milující, veselou a nevypočitatelnou. Belle nepotřebovala týden dopředu, aby zorganizovala večírek nebo piknik, hodina bohatě stačila. Do všeho se pouštěla s nadšením, od zavařování ovoce přes sbírání vajec až po šití nového klobouku, který jí všechny ženy v neděli v kostele záviděly.

Během jedné z cest do Francie se Marietta byla projít po Quiberonském pobřeží a pochopila, proč se atlantské straně pevninské šíje říká Côte Sauvage. Plochou krajinu sužovaly prudké větry a těch pár stromů se ohýbalo téměř k zemi. Připomnělo jí to místa na Novém Zélandu. Poznala, že ačkoli uprostřed zimy působí okolí nehostinně, v létě zde bude nádherně, vzduch provoní žluté květy hlodášů, vysoká tráva se bude vlnit ve větru a kamenitá půda bude posetá trsy růžových trávniček a dalšího divokého kvítí.

Dokonce se přistihla, jak si prohlíží domy, které byly od okupace zatlučené, a představuje si, že by jeden koupila, otevřela, zvenčí nabílila a vysázela do truhlíků u dveří muškáty. Kdyby však Edwinovi pověděla, že by se jí líbilo žít na takovém místě, s loďkou kotvící u břehu, kde by mohly její opálené děti volně běhat, rybařit a sbírat dříví do kamen, považoval by ji za šílenou.

Pochopitelně jen cítila nostalgii kvůli podobě s Novým Zélandem. Nechtěla by žít ve Francii, chtěla žít jedině v Zátoce ostrovů. V duchu viděla dřevěné domky v Russellu, cítila teplé slunce, slyšela hlasy lidí, mezi nimiž vyrostla. Představovala si večírky v Russellu, jichž se účastnili všichni od starých prarodičů po novorozeňata. Sledovala při těchto večírcích své rodiče, jak se smějí a tančí spolu, milují se stejně, jako když se brali. A přece měli každý také svůj vlastní svět, otec jako stavbař, loďař a rybář a matka malovala, kreslila a vyráběla krásné klobouky.

Bylo ironické, že musela odjet na druhý konec světa, aby zjistila, že právě její vlastní rodiče žijí tak, jak by si sama přála. Jenže Edwin by do Russellu nikdy nezapadl.

Na to byl příliš kultivovaný a vzdělaný, příliš zaměřený na to, jak působí. Možná tvrdil opak, přesto představoval prototyp městského člověka. Sice rád plachtil, plaval a rybařil, ale jen o prázdninách, ne po celý rok. Nedovedla si představit, jak dlouho by vydržel bez elektřiny a bez kvalitních silnic. A čím by se na Zélandu živil? Možná by mohl pokračovat s účetnictvím nebo přejít na práva nebo se stát pilotem nových aerolinií, které by snad po válce měly začít létat. Jenže to by znamenalo žít v Christchurchi, Wellingtonu nebo Aucklandu.

Především si však Marietta uvědomovala, že by Edwina zděsilo, kdyby zjistil, že není panna. Zpočátku si myslela, že jediná noc vášně s ním by k vymazání minulosti stačila – tak jako s Morganem –, jenže Edwin by chtěl ujištění, že je první. Zkrátka takový byl.

A pak tu byli její rodiče a Mog. Brzy by muselo být každému zřejmé, že sdílejí barvitou minulost. Někomu by se to snad mohlo i líbit, ale Edwinovi těžko. Na to byl příliš konvenční. Nemohla by prožít celý život s někým, před kým musí určité věci zatajovat.

Když poznala Celeste lépe, svěřila jí, co říkal Jean-Pierre o její matce. Celeste se zkušeně usmála a doporučila jí, ať se matky zeptá sama, až se vrátí domů.

„Hlavně nikdy neudělej tu chybu, že bys všechny, který jsou nebo byly prostitutky, považovala za špatný," doporučila jí. „Já mám přesně opačnou zkušenost. Viděla jsem velkou laskavost, sebeobětování, velkorysost a odvahu. Ženská, která vychovala dceru jako ty, musí být skrz naskrz dobrá. Tak si poslechni její příběh, až přijde čas, a buď na ni pyšná."

Marietta poznala od začátku války život i z té drsné stránky a byla připravená přijmout cokoli, co snad její rodiče v minulosti udělali. Zato od Edwina nic takového čekat nemohla. Pochopitelně by se snažil – přece jen je to tolerantní a dobrý člověk –, ale jak s oblibou říkávala Mog, „slepýmu zrak a hluchýmu sluch nevrátíš, ani kdyby ses přetrhla".

Marietta se odvrátila od okna, vylovila flanelové pyžamové kalhoty, zastrčila si nohavice do ponožek a přes ně natáhla teplé vlněné kalhoty. Měla také vlněnou vestu, flanelovou košili a dva svetry. Potřebovala se obléknout dostatečně teple, než vyrazí na moře, jinak bude trpět.

Stejně jako pokaždé, když vyrážela na novou misi, doufala, že to dnes bude naposledy. Strach ji neopouštěl. Jednou unikla jen těsně, na pláž přiběhli němečtí vojáci, právě když odveslovala od břehu. V loďce měla Židovku. Němci začali střílet. Naštěstí už byly mimo dostřel a kulky neškodně padaly do vody. Jenže tím to nekončilo. Marietta čekala, že vojáci zavolají posily a z přístavu vyšlou motorový člun, aby jim odřízl cestu. To se z neznámého důvodu nestalo – Luc se domníval, že měli být vojáci zřejmě někde jinde a vyvolání poplachu by přineslo nepříjemné otázky. Marietta byla za šťastný zvrat vděčná, uvědomovala si však, že napříště už tak snadno vyváznout nemusí.

Podle Edwina se Spojenci chystali vpadnout na začátku léta do Francie. Marietta se upřímně modlila, aby měl pravdu. Od Celeste a francouzských rybářů slyšela hodně o tom, jak lidé v okupované zemi trpí. Statkářům zabavili dobytek i úrodu, někdy vyplundrovali celý statek a poté jej spálili na popel. Děti hladověly, staří lidé umírali na podvýživu nebo proto, že neměli dříví na topení.

Luc jí vyprávěl, že Celeste se snaží penězi, které vydělá kavárnou a nevěstincem, pomáhat místním. „Někdo ji má za kolaborantku, protože její holky baví Němce, ale každý sou, který od nich vezme, se rozdělí mezi naše lidi. Navíc hodně riskuje, když podporuje hnutí odporu. Ve městě se najdou lidi, co by na druhé donášeli za bochník chleba nebo pár vajec. Je jenom otázka času, než na ni někdo ukáže prstem."

Marietta již slyšela hrozné zvěsti o táborech, kde Židy zabíjejí plynem. Věděla také, že všichni, kdo pracují pro hnutí odporu, byli po dopadení popraveni nebo odesláni právě do koncentračních táborů. Na první pohled se mohlo zdát, že je tábor lepší než smrt, ale podle všeho to bylo právě naopak, v táborech přicházela smrt pomalu a bolestivě, vězni umírali hlady, vyčerpáním a nemocemi. Tím obdivuhodnější bylo Celestino zarputilé odhodlání gestapo přechytračit.

„Jestli nechceš zmeškat vlak, měla by sis pospíšit," křikla nahoru Sybil. Marietta se vytrhla ze zamyšlení.

Odešla od okna a naskládala do tašky poslední věci. Nechtělo se jí, ale neměla jinou možnost, záviseli na ní ostatní. Sybil už se nepokoušela vyzvědět, co dělá. Věděla však, že jde o něco nebezpečného, protože pokaždé, když Marietta odcházela, bylo loučení delší a její úleva, když se Marietta vrátila v pořádku, tím větší.

Na dně šatní skříně si Marietta nechávala plechovou krabici s dopisy adresovanými rodičům, Mog, bratrům, Edwinovi, Sybil s Tedem a Ianovi se Sandrou pro případ, že by se někdy nevrátila. Vysvětlila v nich, co celé ty měsíce dělala, a prosila o odpuštění, že si zvolila něco tak nebezpečného. V jednom napsala:

Byla jsem vděčná, že mi plynulá francouzština a zacházení s lodí pomohly zachránit tolik lidí. Rodiče říkali, že jsem byla vzdorné dítě, a já skutečně s radostí vzdorovala Němcům a pašovala jim lidi z Francie do Anglie přímo před nosem.

Každý z dopisů byl sestaven individuálně, aby její drazí pochopili, jak moc pro ni znamenají a proč. Když dopisy ukládala do krabice, napadlo ji, že nemá nic víc, co by mohla někomu přenechat. Oblečení a ostatní věci by se vešly do malého kufříku. A kdyby ve Francii zemřela, nikdo ani nezjistí, kde leží její tělo.

Anglická loď se setkala s francouzskou v sedm hodin ráno. Obloha měla barvu olova a zdálo se, že bude sněžit. Mariettu uvítali Luc s Guyem, pravidelná posádka. Guy byl strohý jako obvykle, jen jí pokývl, Luc se dnes tvářil zaneprázdněně. Za poslední měsíce se spřátelili, ale tentokrát ji stěží pozdravil.

Když si Marietta uložila věci do kajuty, donesla mužům na kapitánský můstek kávu, sýr a cibulový koláč, který s sebou vzala z domova.

„Tos pekla ty?" zeptal se Luc, když ochutnal. „Lahoda."

„Děkuju. A teď mi pověz, co se děje."

Luc vzdychl. „Tentokrát máš odvézt děti. Čtyři židovské děti. Podle mě je to moc riskantní."

Marietta jeho obavy chápala. Děti se snadno mohou rozplakat a vyzradit celou skupinu, nedá se spolehnout na jejich iniciativu, nedovedou tak rychle běhat, nepomohou jí odtlačit loďku. Nebezpečné v každém směru. Jenže děti jsou budoucnost, navíc jsou nevinné a zaslouží si záchranu. Marietta slyšela o transportech Židů vysílaných z Paříže, nacpaných v dobytčácích bez vody a vzduchu. Nesnesla pomyšlení, že by tomu byl někdo podroben, natož děti.

„Chuděrky," vydechla, představila si, jak asi musejí být vyděšené a jaký by byl jejich osud, kdyby je chytili. „Určitě to zvládneme."

„Já nikdy neslíbil, že budu brát děti," mračil se Luc. „Je to moc nebezpečné. Sám mám děti, o které se musím starat. Jestli mě chytí a zastřelí, co pak bude s nima?"

Marietta jeho dilema chápala, zároveň si však uvědomovala, že musí existovat hodně dobrý důvod, proč se jejich spojenci pokoušejí tyto děti dostat ze země. „V tom případě se musíme postarat, aby nás nechytili," prohlásila odhodlaněji, než se cítila.

Poslední tři mise Marietta k Celeste nemohla, protože kdyby se tam její „neteř" objevovala v tak krátkých intervalech a pokaždé zůstala jen pár hodin, vypadalo by to podezřele. Ale přinejmenším to znamenalo, že se nemusí převlékat a může si nechat teplé oblečení.

V přístavu ležel lehký sněhový poprašek. Mariettu odvezl jako obvykle Gilpin v rybářské dodávce a vysadil ji u boudy v zadní uličce, kde se musela schovat, dokud jí Celeste nedoručí instrukce. I Gilpin působil nervózně a sotva promluvil.

Marietta čekala v mrazivé kůlně tři hodiny, než Celeste konečně dorazila zabalená v pánském tvídovém svrchníku a s červenou vlněnou čapkou naraženou přes uši.

„Moc mě to mrzí," řekla, když našla promrzlou Mariettu v kůlně s pytlem hozeným přes ramena. „Nemohla jsem přijít dřív. V poslední době je to čím dál těžší, musím si dávat pozor, komu můžu věřit. Ale přinesla jsem ti teplou polívku na zahřátí."

Marietta se vděčně napila polévky, která sice neměla zvláštní chuť, ale aspoň byla horká.

„Kdysi jsem byla pyšná, jak umím vařit," vykládala Celeste. „Ale teď se už nedají sehnat ani základní potraviny, tak musíme používat, co najdeme."

„V Anglii je to stejné," přisvědčila Marietta. „Lidi dělají zavařeninu z řepy, sušená vejce jsou nechutná a tuhle jsme dokonce měli nějaký sušený bramborový prášek. Rozmíchá se s horkou vodou a je z toho bramborová kaše, ale chutná hrozně."

„Ráda bych s tebou chvilku poklábosila nebo tě aspoň vzala někam do tepla, ale nejde to," povzdechla si Celeste lítostivě. „Mám dojem, že na mě někdo z kavárny donáší. Viděla jsem chlapa, který to tam sledoval. Po téhle akci musíme na chvíli přestat, začíná to být moc nebezpečné."

„Luc říkal, že to dnes budou děti," nadhodila Marietta.

„Ano. Můžu ti jen povědět, že jde o děti dvou z našich lidí. Nejmladší jsou čtyři, nejstaršímu čtrnáct. Musíme je dostat do bezpečí."

Marietta podle jejího ztrápeného výrazu odhadla, že se bojí, aby děti nechytili Němci a nepoužili je k vydírání rodičů, kteří by pak mohli prozradit ostatní z hnutí odporu.

„Stejná strategie jako obvykle?" zeptala se.

„Ano. Děti se schovávají blízko pláže. Loďka bude na stejném místě, kvůli přílivu musíte odplout o půl šesté. Voják, který hlídkuje u pobřeží, tam normálně přichází ve tři čtvrtě na šest. Když je velká zima, vždycky se staví v kavárně na koňak. Postarám se, aby zůstal v teple trochu dýl."

Marietta se nezeptala, jestli si je Celeste jistá. Věřila jí.

„Odejdeš odsud, až odbijou kostelní hodiny pátou," instruovala ji Celeste. „Ten nejstarší kluk, Bernard, ví, že mají být připravení. Až se budeš blížit k pláži, dej obvyklé znamení, ať vědí, že jsi to ty."

Marietta přikývla. Ten signál vymyslela sama. Zachřestila několika oblázky v plechovce, protože použít píšťalku nebo volat bylo velmi riskantní.

„Tohle je možná naše poslední setkání," řekla Celeste a objala ji. „Cítím, že brzo přijdou lepší časy. Snad se nepletu. Ale jestli se vidíme naposledy, musím ti poděkovat za všechno, cos pro nás udělala. Máš obdivuhodnou odvahu. Přeju ti v životě hodně štěstí."

Vzápětí odešla a Marietta byla trochu dojatá. Velmi si ji oblíbila, bylo jí líto, že se možná víckrát neuvidí.

Choulila se v boudě, slyšela, jak kostelní hodiny odbíjejí jednu, dvě, tři, čtyři hodiny. Ta doba jí v mrazu připadala mnohem delší. Po čtvrté se setmělo. Marietta chvíli běhala na místě, aby si rozproudila krevní oběh.

Konečně bylo pět. Opatrně otevřela dveře a bedlivě naslouchala. Když si byla jistá, že je čistý vzduch, svižným tempem zamířila dolů k pláži.

Jako obvykle byla bezměsíčná noc, přesto Marietta dokázala rozeznat obrys velkého balvanu, u nějž bude, skryta z dohledu, čekat loďka. I přes šumění vln slyšela cinkání zvonku v bóji, napovídající, kterým směrem má veslovat. Nabrala hrst oblázků, vhodila je do plechovky a zachřestila.

Za sebou zaslechla tichý zvuk. Otočila se a spatřila čtyři děti, které se jako stíny protáhly zahradní brankou domu nejblíž k pláži. Dům patřil zámožným Pařížanům, kteří zde před válkou trávili celé léto. Nyní byl zamčený, okenice zavřené, Celeste však zřejmě využívala sklep nebo kůlnu.

Marietta došla k dětem a každé mlčky pohladila po tváři. Nejstarší chlapec, Bernard, byl vyšší než ona. Druhému chlapci mohlo být šest nebo sedm, oba měli na hlavě kuklu. Malá děvčátka byla oblečena v tmavých kabátech a čepcích.

„Jdeme," zašeptala Marietta francouzsky a vzala holčičky za ruce. „Posadím vás do loďky, pak se vrátím pro vaše bratry."

Řekla chlapcům, aby se vrátili do zahrady a schovali se za zdí. Pak pospíchala s jejich sestrami na pláž. V této fázi celé akce se vždycky trochu bála, že tam loďka nebude nebo že se náhle objeví nějaký voják. Ale loďka čekala na stejném místě jako vždycky. Marietta zvedla děti do náruče, postavila je do loďky a řekla jim, aby si lehly na dno a skryly se, než přivede chlapce.

Vracela se a už byla málem u nich, když ke svému zděšení zaslechla na pobřežní cestě z vesnice kroky. Těžké kroky. Vojenské boty. Mariettě ztuhla krev v žilách. Kdyby dívenky v lodi jen hlesly nebo se k nim chlapci pokusili dostat, bude vše ztraceno.

Když se dostala k zahradní brance, Bernardův úzkostný výraz napovídal, že chlapec chápe závažnost situace. Marietta oběma mlčky naznačila, aby zůstali schovaní za zdí, a přitiskla prst na ústa.

Zatímco oni se krčili za zdí, Marietta zůstala u branky. Voják přišel dříve, než se čekalo. Mohla jen doufat, že chce mít obchůzku co nejdříve za sebou a vrátit se do tepla. On se však k jejímu rozčarování zastavil jen pár metrů od nich a zadíval se na pláž, jako by něco hledal.

Na zemi ležela sotva dvoucentimetrová vrstva sněhu, dalo se tedy předpokládat, že v té tmě voják žádné stopy nezahlédne. Ale co kdyby některé z děvčátek v loďce promluvilo a on by je slyšel? Naštěstí šplouchaly vlny dorážející na břeh tak hlasitě, že by se v nich utopilo všechno kromě hlasitého výkřiku.

Čekali a čekali. Jenže voják zůstával na místě.

Mariettu náhle napadlo, že jestli ho poslali hlídat toto konkrétní místo, nepohne se. Udělalo se jí zle, protože umístění stráže sem znamenalo, že Němci pojali podezření.

Uvízli v patové situaci. Marietta se nemohla dostat k děvčatům, a těm bude zanedlouho taková zima nebo se budou tak bát, že z loďky vylezou. Stejně tak nyní nebylo možné dostat do loďky chlapce.

Voják by děti postřílel. Tím si byla naprosto jistá. Něco takového nemohla dopustit.

Vybavila si slova svého instruktora. „Uvidíte, že až na tom bude záviset něčí život, dokážete ten nůž použít."

Vsunula ruku do kapsy a sevřela střenku v dlani. Jedinou možností bylo vojáka zabít. Nemůže ty děti nechat zemřít, jen protože má strach.

Ale bála se jako nikdy. Kdyby měla na sobě ženské šaty, mohla by směle vyjít z branky, tvářit se překvapeně, že vidí vojáka, a říct něco koketního, aby se k němu dostala blíž. Jenže ve svém stávajícím úboru by okamžitě vzbudila podezření. Tím pádem ho musí překvapit ze zálohy.

Sebrala veškerou odvahu a nejprve Bernardovi naznačila, aby zůstali, kde jsou. Pak se začala krást podél zahradní zídky dál od vojáka, zastavila se až v místě, kde zídku přerůstaly husté keře.

Nejprve sebrala ze země dva kameny, pak vylezla na zídku. Skrytá za keřem hodila jedním kamenem. Ozvalo se křupnutí. Vykoukla mezi keři a viděla, jak se voják otočil po zvuku, ale nepohnul se.

Hodila další kámen, dál na pláž, dopadl s hlasitým tresknutím. Tentokrát se voják pustil k místu, kde se ukrývala, pokoušel se prohlédnout tmu na pláži, jako by tam někoho čekal.

Cesta byla necelý metr široká. Po obou stranách se nacházel krátký svah, na který by si ve tmě každý dával pozor, protože nebylo vidět, jak je dlouhý nebo jestli končí na kamení, nebo jen v písku a trávě.

Marietta tiše slezla ze zídky na touž cestu, na níž stál voják, dosud skrytá mezi větvemi keře. Byla od něj tak metr a půl, z té blízkosti cítila pach tabáku z jeho svrchníku.

Odhadovala jej. Byl jen o málo vyšší než ona, podsaditý, pohyboval se pomalu. Na rameni měl pušku, obě ruce v kapsách. Pokud by se jí povedlo skočit po něm tak rychle jako při výcviku, stačila by mu podříznout hrdlo dřív, než vůbec vytáhne ruce z kapes.

Aby se k tomu přiměla, představila si dvě vyděšené dívenky v loďce a chlapce za zahradní zídkou, myslela na strach, že je chytí a zabijí. Bylo třeba provést to správně. Kdyby selhala, všichni zemřou a Luc, Guy a Celeste se ocitnou tváří v tvář popravčí četě.

Přikradla se zezadu k vojákovi. Doufala, že hukot vln přehluší jakýkoli zvuk, který by nechtíc způsobila.

Zhluboka se nadechla, zvedla se na špičky a skočila vojákovi na záda. Popadla ho levačkou za bradu, zvrátila mu hlavu a obnažila hrdlo. Překvapeně hekl, helma jí narazila do ramene. Marietta pevně sevřela nůž a udělala rychlý tah přes vojákovo hrdlo.

Vzpouzel se, vydával chroptivé zvuky a ona cítila, jak z rány tryská teplá krev na její studenou ruku a obličej. Ledový vzduch naplnil měďnatý zápach. Voják ochabl, svalil se na ni. Strčila jej vpřed, takže padl na kolena, a rozběhla se pro chlapce.

„*Vite, vite,*" pobízela je.

Bleskově seběhli dolů na pláž, jen se krátce ohlédli na vojáka ležícího na cestě.

Marietta jindy postupovala pomalu a opatrně, aby nenadělala zbytečný hluk, ale teď na tom nezáleželo. Myslela jen na to, jak dostat děti do loďky a na moře.

Bernard hodil mladšího chlapce do člunu, holčičky vyplašeně vyskočily.

„Zůstaňte na zemi," nařídila Marietta a zatáhla za lano připevněné ke kovovému kolíku zapíchnutému do písku.

Bernard jí pomáhal postrčit loďku do vody. Zpoždění znamenalo, že odliv již o kus ustoupil, byla to dřina. Ale nakonec se loďka do vln dostala.

„Naskoč," nařídila Marietta Bernardovi. „Ještě ji kousek odtlačím a nasednu taky."

Chlapec poslechl. Marietta ucítila, že už je loďka na vodě. Postavila se z boku a chtěla vlézt dovnitř. Náhle se ozvalo třesknutí, a než jí vůbec došlo, že šlo o výstřel, ucítila palčivou bolest v pravém koleni.

„Nebyl mrtvej!" zvolal Bernard. Zachytil ji a vtáhl do loďky.

Ozval se druhý výstřel a mladší chlapec vykřikl šokem a bolestí. K Mariettě zděšení byl zasažen do ramene.

Popadla vesla, odstrčila se od velkého balvanu. Odliv loďku táhl na moře.

Další výstřel. Marietta zahlédla záblesk z pušky nízko nad zemí, voják střílel z posledních sil.

„Bernarde, vezmi tenhle šátek a přimáčkni ho bratrovi na ránu," zavelela a stáhla si šátek z krku. „Jak se jmenuje?"

„Isaac," odpověděl Bernard. „Je bratr Sabine, té maličké. Celine je moje sestra, je jí šest."

„Dobře, Isaaku," řekla Marietta, co nejrychleji veslovala a snažila se nekřičet bolestí v koleni. „Jsi postřelený, já taky, ale jen co pro nás přijede loď, ošetří nás. Do té doby musíme být potichu. Dokážeš být tak statečný a neplakat, dokud nebudeme v bezpečí?"

„Budu se snažit," zašeptal. „Ale strašně to bolí."

„Mě taky," přiznala. „Budeme stateční vojáci."

Bójka se dnes zdála nedosažitelná. Marietta slyšela cinkání, ale neviděla ji, vlny byly příliš vysoké. Všichni už byli promáčení, malá Sabine tiše plakala, velké tmavé oči plné strachu, tiskla se k Bernardovi. Celine přidržovala Isaakovi na ráně šátek a pokoušela se jej utěšit. Mariettu napadlo, že tyhle děti už musely prožít peklo, když se během tak děsivých okamžiků dokáží ovládat. Byla tma, mrazivo, všichni promáčení, vlny hrozily loďku převrátit, a k tomu je vezla úplně cizí žena.

Marietta si přála mít jejich sebekontrolu. Jenže trpěla velkou bolestí a děsila se, že střelba přivolala další vojáky, kteří najdou svého mrtvého druha. Ve tmě již nebylo vidět břeh, to však neznamenalo, že je liduprázdný. Co když Luc vůbec nepřipluje, protože už jej Němci podezírají? Jak dlouho by vydrželi čekat na otevřeném moři, jestli přijde nějaká pomoc?

Bolest a strach o děti byly jako nejhorší noční můra. Marietta si představila, jak se Celeste pokouší okouzlit nacistické důstojníky, kteří přiběhnou prohledat La Plume Rouge. Zatknou ji a odvlečou?

A co by v takovém případě měla dělat? Nemůže tu nechat děti celou noc, do rána by zemřely na podchlazení. Jestli ani nenajde bóji, jak by dokázala plout dál podél pobřeží a bezpečně přistát tam? A i kdyby se to povedlo, kůlna, v níž strávila celý den, byla stejně nehostinná jako loďka.

Navíc byli ona a Isaac zranění. Moc se v podobných věcech nevyznala, ale poznala, že má koleno roztříštěné. Rána hodně krvácela a Marietta se bála, že brzy omdlí. Isaac je ještě malý a bez brzkého ošetření by mohl dostat infekci, která ho zabije.

Co si jen počnou?

Dělalo se jí slabo, ale zaťala zuby a přinutila se myslet na to, co absolvoval její otec v předchozí válce. I přes vážná zranění bojoval dál. Totéž dokáže i ona.

Náhle měla před očima jeho tvář. Něco jí říkal a ona napínala sluch, aby mu porozuměla. „Skutečná odvaha je držet se toho, co je správné, za každou cenu, i když se zdá, že není žádná naděje."

Říkal jí to, než opustila Nový Zéland, ale teď jako by byl tady, s ní, a šeptal jí do ucha.

„Elise!"

Probralo ji jméno, které stěží poznávala.

Bernard do ní strkal. „Myslím, že ta bóje je tamhle, před chvílí jsem ji viděl. Dokázala jste to."

Loďku nadnesla velká vlna, když klesla, Marietta konečně bóji spatřila. Díky zkušenostem z mládí v Russellu se jí podařilo přehodit smyčku lana přes vrcholek a přitáhnout loďku blíž k ní.

„Jste tak dobrá," prohlásil Bernard obdivně.

„Mám spoustu cviku," zmohla se na chabý úsměv, přestože měla pocit, že jí koleno bolestí snad exploduje.

„Isaakovi je moc špatně," ozvala se úzkostně Celine. „A nám se Sabine je hrozná zima."

„Už to dlouho nepotrvá," konejšila je Marietta. „Schválně, kdo jako první uvidí rybářskou loď!"

Zdálo se, že čekají celou věčnost, jejich loďka se zmítala na vlnách, zalévaná sprškami ledové vody, studený vítr je šlehal do tváři. Pět párů očí hledělo do tmy a Marietta se v duchu modlila o záchranu.

A náhle, právě když se malá Sabine rozplakala, spatřil Bernard zelené světélko rybářské lodi. „To bude ona," zvolal šťastně. „Německá loď by měla velký světlomet."

Když později ležela Marietta na pryčně přikrytá dekou a Luc jí ošetřoval koleno, zjistila, že je vyzvedli už v sedm hodin. Zdálo se neuvěřitelné, že celá ta hrůza od chvíle, kdy opustila skrýš, aby našla děti, podřízla vojákovi hrdlo, vyplula na rozbouřené moře s kolenem roztříštěným na kousíčky a pak čekala, než je loď vyzvedne, trvala pouhé dvě hodiny.

Jen čekání na moři se zdálo podstatně delší.

„Jestli nás nezasáhne torpédo nebo německé letadlo, je tahle noční můra u konce,“ oddechla si. Nemohla ani vypovědět, jaká byla úleva spatřit blížící se loď.

„Ještě ne tak docela,“ poznamenal Luc stroze. „Musíte se nalodit na anglickou loď a to koleno je třeba dát do pořádku.“

„Jsme živí, to je hlavní,“ opáčila. Koleno ji bolelo jako ďas, ale bylo slastné svléci mokré oblečení nasáklé krví. „Co Isaakovo rameno?“

Guy stál u kormidla, Bernard s Lukem pro děti připravili na podlaze kajuty provizorní lůžko z polštářů a dek. Když Isaakovi vyčistili a zavázali ránu, vděčně se schoulil pod deku k děvčatům.

„Je to jen povrchové,“ usmál se Luc na nyní spící děti. „Podívej, jak tvrdě spí, zas tak strašně to bolet nemůže.“

Marietta se také usmála. Sabine s Celine byly půvabné holčičky s tmavými vlnitými vlasy, měkkýma očima a plnými rty. Isaac měl vlasy světle hnědé a pramínek vpředu mu věčně trčel nahoru, nos měl posetý pihami. Když se teď ve spánku uvolnil, zdálo se, že nejhorší, co se mu v životě stalo, je, že ztratil kuličky.

„A co ty, Bernarde? Jak ti je?“ zeptala se Marietta staršího chlapce, který seděl u stolku zabalený v dece.

Ohlédl se na ni a pokusil se o úsměv. „Dobře, díky vám.“ Byl to vysoký a hubený chlapec s tmavýma očima, které se k jeho tváři zdály příliš velké, měl husté vlnité tmavé vlasy, zoufale potřeboval ostříhat. Marietta se domnívala, že ho trápí vražda vojáka. I pro ni bylo šokující zjištění, že je schopna zabít, ale pro dítě to musel být mnohem horší zážitek.

„Je čas, aby ses trochu vyspal," doporučila mu.

Luc se odebral na kapitánský můstek. Jakmile zmizel, Bernard se na Mariettu ohlédl. „Zabila jste už hodně lidí?" zeptal se.

„Ne, dnes to bylo poprvé. A moc se mi to nepovedlo, jinak by po nás nestřílel."

„Já tomu nemohl uvěřit," přiznal tiše. „Skočila jste po něm jako kočka, strhla jste mu hlavu dozadu a já viděl, jak jste ho vyřídila."

„Bylo to buď on, nebo my," pokrčila rameny. „Doufám, že tím se to pro tebe aspoň trochu ospravedlňuje."

„Vím, že se ve válce zabíjí. A po tom, co dělají nacisti s lidma jako já, jsem rád viděl jednoho umřít. Ale nůž mi připadá mnohem osobnější než pistole," vysvětloval rozechvěle.

Marietta by ho nejraději objala. Na takové věci byl ještě mladý, předpokládala však, že už viděl horší věci než většina lidí za celý život.

„Zkus na to moc nemyslet, Bernarde. Samotnou mě překvapilo, že jsem toho schopná, ale jsem ráda, protože jinak bychom tu teď nebyli. Vaši rodiče by byli moc pyšní na to, jak jste se dnes chovali. Pojď si vlézt ke mně do postele. Jsi unavený a tady je dost místa pro dva."

Zalezl na lůžko a usnul téměř ve chvíli, kdy mu hlava klesla na polštář. Marietta by ráda spala stejně klidně jako on, zapomněla na bolest v koleni, zápach krve, který jako by na ní ulpěl, a smutek, že dokázala zachránit jen čtyři židovské děti, když jich do konce války zahynou desetitisíce.

Kapitola dvacátá osmá
Russell, Nový Zéland

„To je hrozné, že se jí něco takového stalo," vzlykala Belle v Etiennově náruči. „Neměli jsme ji do Anglie nikdy posílat."

„Je v nemocnici, teď už to bude dobré," uklidňoval ji manžel a doufal, že je to pravda. Sám se ještě nevzpamatoval od chvíle, kdy jim Sybil volala k Peggy do pekárny.

Dozvědět se, že jejich dceru postřelili při nějaké tajné misi ve Francii, když si mysleli, že pracuje v baru v ospalém přímořském městečku, byl skutečně šok. Etienne se vždycky domníval, že zvládne s klidem vše, co mu život nadělí, ale to se pletl. Nedokázal zůstat klidný, jedno z jeho dětí bylo zraněné.

„Proč se jen nabídla k něčemu tak nebezpečnému?" naříkala Belle. „Copak neví, že máme dost starostí i tak, když jsou kluci ve válce?"

„Spíš bychom na ni měli být pyšní, že se rozhodla pomáhat," namítl Etienne. „Ty ses snad nechala odradit tím, jak by bylo Mog, kdyby tě zabili, když ses v minulé válce nabídla jako řidička sanitky?"

„To bylo něco jiného," popotáhla Belle.

Etienne se zazubil. Belle byla zamlada zrovna tak impulzivní a smělá jako Mari, z nějakého důvodu však Mariettin temperament vnímala jako něco špatného. Hoši mohou být smělí, dívky mají být tiché a poslušné.

„Nebylo to vůbec jiné," napomenul ji. „Řídilas sanitku, protože jsi chtěla pomáhat. A i když nevíme, co přesně Mari ve Francii dělala, jistě šlo o něco podobného. Tak si osuš ty svoje krásné oči a buď ráda, že to přežila."

Belle se zamračila. „Tys byl na její straně pokaždé, když vyvedla nějakou zbrklost."

„Zrovna jako ty na Alexově a Noelově, když jsem si je vzal na paškál, že jsou moc krotcí. Právě proto mají děti dva rodiče, aby se to vyvažovalo."

Usmál se na Belle, která se kabonila. Kdyby bylo po jejím, nejraději by syny zabalila do vaty. Ale Belle byla roztomilá, i když se mračila, a Etienne dostal chuť ji políbit.

„Kdyby se do Anglie dalo nějak dostat, rozjel bych se tam," dodal, „jenže to nejde. Sybil nám nabídla, ať kdykoli zavoláme do hospody."

V tu chvíli vpadla do obchodu Peggy, tváře zardělé horkem z rozpálených pecí v pekárně a rozrušením, protože když přijala hovor z Anglie, bála se, že některé z jejich dětí zemřelo. A když viděla, jak jsou Belle s Etiennem bledí a jak se k sobě tisknou, vzala to jako potvrzení.

„Je snad někdo z nich…" Nedokázala tu strašnou věc dopovědět.

„Ne, všichni jsou živí, Peggy, jen Mari má prostřelené koleno," řekl Etienne, který pochopil, čeho se obává. „Volala nám Sybil, majitelka hostince, kde Mari pracuje a bydlí. Jsme vedle hlavně proto, že Mari plnila ve Francii nějaké tajné mise a mohla skončit mnohem hůř než s kulkou v noze."

„Takže dělala špeha?" vyzvídala Peggy.

Etienne se rozesmál. „Ne, to asi ne, spíš pracovala pro hnutí odporu. Její zranění to ale ukončilo. Vypadá to, že hned tak chodit nebude. Ale nemocnice v Southamptonu je dobrá, bude mít tu nejlepší péči."

„Díkybohu! Asi bys měl odvést Belle domů a chvíli se o ni starat," dodala Peggy, když si všimla, jak se jeho žena třese. „Kdybyste potřebovali telefonovat, víte, že můžete přijít kdykoli."

Etienne vzal Belle kolem ramen a vydali se na krátkou cestu k domovu. Etiennovi dělalo starosti, jak je manželka otřesená a bledá. Mog už na ně čekala na verandě a i na dálku bylo zřejmé její rozrušení.

Válka a neustálý strach o děti si na všech třech vybraly daň. Etienne byl ve svých čtyřiašedesáti stále štíhlý a zdravý, když se však podíval do zrcadla, překvapilo ho, kolik má ve tváři vrásek a že už nemá vlasy blond, nýbrž bílé.

Mog právě oslavila dvaasedmdesáté narozeniny a i ona měla vlasy jako padlý sníh. Trpěla artritidou v kolenou a chodila o holi, přestože však stále žertovala, že už je senilní, jelikož neustále něco zapomíná a vypráví stále stejné historky, ani zdaleka to nebyla pravda.

Belle byla i v devětačtyřiceti krásná, přestože měla vlasy šedivé a nosila brýle. Zůstala jí pěkná postava, zářivě modré oči a sladký úsměv, a Etienne se na ni téměř každé ráno po probuzení podíval a pomyslel si, jak je šťastný.

Prožili si své, před sňatkem i po něm, jejich láska však po narození dětí jen zesílila, navzdory útrapám krize a současné války. Mog, Belle i Etienne si bez dětí připadali prázdní a bezprizorní. V domě bylo příliš ticho, uklizeno a prázdno. Etiennovi scházelo plavit se s nimi na moři, povídat si u jídla, dokonce i řešit spory mezi nimi.

Mog ještě stále obstarávala veškeré šití a krejčovské úpravy v Russellu, zato Belle už se kloboukům moc nevěnovala. Pěstovala zeleninu a ovoce na zahradě a přilehlém pozemku, který koupili, a přebytky prodávala.

Vzhledem k tomu, že všichni mladší muži z Russellu museli narukovat, měl Etienne stavebních zakázek stále dost a rodině se finančně dařilo lépe než kdy dříve. Jenže to jim nemohlo nahradit postrádané děti nebo neustálý strach z telegramu s oznámením, že jeden nebo oba jejich synové v severní Africe padli.

Ironicky si právě o Mari takové starosti nikdy nedělali, snad protože už dvakrát unikla při bombardování smrti, zatímco její blízcí zemřeli. Báli se hlavně o chlapce, protože jejich pluky byly uprostřed nejhorších bojů, prozatím však žádný neutrpěl ani škrábnutí. Etienne se jen modlil, aby jim štěstí vydrželo.

Tři hoši z Russellu již padli, chlapci, kteří s jeho dětmi chodili do školy, hráli si s nimi na pláži a účastnili se oslav u nich doma. Při každém pohřbu on i Belle se zdrcenými rodiči hluboce soucítili a odcházeli domů s tím, že dnes to bylo poslední rozloučení s Tomem, Rogerem nebo Andrewem, ale příští týden nebo příští měsíc může jít o Alexe či Noela.

„Co se děje? Je nemocná? Má nějaký malér?" volala Mog, když se přiblížili.

Počkali s odpovědí, než se posadili na verandu, teprve pak Belle vylíčila vše, co vědí. Ale nestačilo to, nikomu z nich. Dokonce i Sybil říkala, že když jí volali, že je Mari v nemocnici, zdráhali se prozradit cokoli kromě toho, že je zraněná. Musela z toho člověka doslova páčit informace, než se alespoň dozvěděla, že má dívka prostřelené koleno.

„S tím kolenem to nevypadá dobře," líčila Belle. „Sybil neví, co se stalo – proč nebo kde –, ale prý se Mari zítra chystá navštívit a pak nám zavolá. Doktoři dnes umí zázraky, Mog, není to jako za minulé války."

Etienne z jejího ztrápeného výrazu poznal, že myslí na to, jak její první manžel Jimmy přišel u Yper o ruku a o nohu.

„To je celá Mari, vystoupit z řady a dobrovolně se vrhnout do nebezpečí," podotkla Mog.

Etienne se usmál, viděl na ní, jak je na Mariettinu odvahu pyšná.

„V dopisech ani nenaznačila, že něco podobného dělá," durdila se Belle. „Jak nám mohla psát o hostinci a o Edwinovi a tohle vynechat?"

„Zrovna ty máš co říkat! Jak si vzpomínám, taky ses zapomněla v dopisech zmínit, jak to ve Francii doopravdy vypadá," opáčila Mog.

„Byla to tam hrůza, o tom se prostě psát nedalo," podotkl Etienne. „Jestli Mari pracovala pro tajnou službu, stejně nic prozradit nesměla."

„A co když už nebude nikdy chodit?" vyhrkla Belle ustrašeně.

„Nech už toho!" napomenul ji Etienne. „Nemá smysl říkat si tu, co by kdyby. Musíme počkat, než nám zavolá Sybil s nějakými zprávami. Možná se ozve i Edwin – tedy jestli to ví. Chudák, asi bude stejně vedle jako my, až zjistí, co Mari podnikala."

Belle se omluvila a odešla dovnitř. Chtěla se v ložnici vyplakat. Vše, co říkal Etienne, dávalo smysl, jenže nechápal, že zjistit, že se její dcera účastnila něčeho nebezpečného, je stokrát horší, než kdyby stejnému nebezpečí čelila ona sama.

Chtěla, aby se jí Mari vrátila tak, jak před pěti lety odjížděla. Možná byla neposlušná, prohnaná a sobecká, ale aspoň zdravá.

Belle si uvědomovala, jak výrazně se její dcera za těch pět let změnila. Když přijela do Anglie a psala domů, Belle měla dojem, že se na ni snaží hrát starostlivou, rozumnou dívku, a mnoho nocí přemítala, jak dlouho potrvá, než Mari něco provede.

Teprve po smrti Noaha, Lisette a Rose se v jejích dopisech objevila skutečná vyzrálost. Žádná sebelítost, jen smutek, že přišla o rodinu, kterou si zamilovala. Nikdy nezmínila, že ji Jean-Pierre vyhnal, Belle s Etiennem však vycítili, že se k ní zachoval podle, a Belle sama moc dobře věděla, jaký sešup je přestěhovat se z St. John's Wood do East Endu. A přece si Mari na chudé podmínky slůvkem nepostěžovala. Naopak líčila svou přítelkyni Joan v tom nejlepším světle a byla vděčná za střechu nad hlavou.

Když však Joan zemřela, nezůstalo Mari vůbec nic – domov, dokonce ani oblečení. Teprve tehdy přišla skutečná proměna. Její bolest nad ztrátou Joan byla zřejmá. V jednom procítěném dopisu napsala, že není spravedlivé, když zemře žena, která má dvě děti. Pak se přestěhovala do Sidmouthu, a ačkoli nikdy nezmínila, že kvůli Joaniným dětem, Belle to poznala. A dceřina náklonnost k nim ji silně dojala. Před pěti lety by Mari nedokázala vidět dál než za své vlastní potřeby. Nejspíš by si našla bohatého muže, který by se o ni postaral, rozhodně by se nepokoušela pomáhat dvěma osiřelým dětem, které téměř nezná.

Belle zabořila obličej do polštáře a plakala.

Vyčítala si, že kdykoli měla o Mari strach, tak spíš proto, že si ji představovala, jak dělá něco ostudného. Co jen byla za matku, že jí nenaháněly hrůzu bomby nebo zbloudilé kulky a čekala jen nechtěné těhotenství, nepoctivost nebo úskok?

Proč nedokázala uvěřit, že se Mari zachová správně a čestně?

Zaslechla, jak do pokoje vešel Etienne. Neřekl nic, jen se k ní posadil na postel a vzal ji do náruče. Dlouho mu plakala na rameni, než konečně promluvil.

„Víš, už jsme měli štěstí víc než dost," řekl. „Znovu jsme se našli, máme tři krásné, chytré a zdravé děti, žijeme v ráji. Jestli je náš důvod ke smutku jen to, že naše dítě leží v nemocnici s prostřeleným kolenem, řekl bych, že se nás štěstí pořád drží."

„Ty dokážeš na všem vidět tu světlejší stránku," popotáhla. „Ale já mám výčitky, to já jsem vymyslela, že by měla odjet do Anglie."

„Byl to dobrý nápad. Kdyby zůstala tady, nakonec by se dostala do potíží. Jak se zdá, Anglie jí pomohla dospět. Jen doufám, že ji tam ten Edwin nebude držet věčně."

„To je právě ono," vzdychla Belle. „Nesvěřuje se nám se svými plány nebo názory. Nikdy otevřeně nenapsala, že Edwina miluje nebo že plánují společný život. Byla bych mnohem klidnější, kdybych u ní mohla aspoň hodinu sedět a všechno zjistit."

„Copak někdy říkají děti svým rodičům všechno?" zasmál se Etienne. „Já svému otci rozhodně nic nevykládal, byl věčně namol. A pochybuju, že ty ses Annie svěřovala."

„Ne, jenže já měla Mog, mluvila jsem s ní."

Etienne se posunul, opřel se o loket a zadíval se na ni. „Vsadím se, žes jí nevyprávěla, jak jsme se setkali ve Francii a tys se mnou byla Jimmymu nevěrná," nadhodil a povytáhl obočí.

„Jistěže ne! Jak bych mohla? Ona Jimmyho milovala."

„Jen ti připomínám, že má člověk různé důvody neříkat celou pravdu," podotkl. „Možná si Mari prostě nemyslí, že je Edwin ten pravý. Nebo ji naopak nemá rád tak jako ona jeho. Nebo je nějak znetvořený."

Belle se zmohla na chabý úsměv. „Teď říkáš hlouposti!"

Etienne jí odhrnul vlasy z tváře. „Pojď se se mnou projet na loďce. Uděláme si piknik a pomilujeme se na opuštěné pláži."

„Proč si myslíš, že je milování lék na všechno od bolavé hlavy po namožené nohy?" opáčila.

„Protože, *ma chérie*, od té doby, co se spolu milujeme, jsi výjimečně zdravá. Jiný důkaz není třeba."

Belle se zasmála. Etienne měl stále tu moc způsobit, že se cítila na osmnáct.

Jen dva dny od telefonátu o Mariettině zranění se Mog vrátila z obchodu s dopisem v ruce. Belle s Etiennem ještě seděli v kuchyni u snídaně.

Předchozího dne si dopřáli společnou plavbu a užili si krásné odpoledne. Vrátili se až za tmy a Belle si připomněla, jak je to dávno, co udělali něco spontánního a jen pro zábavu.

„Přišel ti dopis z Anglie," oznámila Mog a předala Etiennovi obálku. „Vypadá oficiálně. Nemůže jít o Mari?"

Etienne otevřel obálku nožem. Jen co se pustil do čtení, zachmuřil se.

„Špatné zprávy?" zeptala se Belle s úzkostí.

„Ne, jen překvapivé. Je to od právníka. Noah nám odkázal mou bývalou usedlost ve Francii."

Belle to tak překvapilo, že nakrátko oněměla. „Vážně?" zvolala po chvíli. „To je úžasné! Pro Noaha tak typické, že pro nás udělal něco tak hezkého."

Etienne ten pozemek koupil dávno předtím, než se poznali. Opravil zchátralé stavení, kolem vysázel citroníky a choval slepice. Vyprávěl jí o tom, když se za války potkali ve Francii. Dokonce navrhoval, aby opustila manžela Jimmyho a ukryla se tam, dokud válka neskončí. Jenže pak přišel

Jimmy o nohu a o ruku a ona ho v takové situaci opustit nedokázala.

Měla za to, že Etienne ve válce padl, když tedy nakonec podlehl Jimmy španělské chřipce, odstěhovaly se s Mog na Nový Zéland. A právě Noah posléze zjistil, že Etienne žije, našel ho na této usedlosti a přiměl ho vydat se za Belle na Zéland. Usedlost od něj koupil s tím, že si Lisette stejně přála letní sídlo v jižní Francii.

„Proč tomu právníkovi trvalo tak dlouho dát nám vědět?" podivila se Belle.

„Vypadá to, že měl trochu potíže nás vystopovat."

„Jak to? Jean-Pierre přece dobře ví, kde bydlíme."

Etienne se zazubil. „Mám dojem, že si to nechal pro sebe. Ten právník píše: ,Pan Foss napadl závěť svého otčíma s tím, že ona francouzská nemovitost byla přislíbena jemu.' Jak píše, soud však nakonec rozhodl, že přání pana Baylise musí být vyplněno."

„Přesně tak," přikývla Belle rozhořčeně. „Řekla bych, že Jean-Pierre rozhodně neodešel s prázdnou. Lisette se před lety zmínila v dopise, že její syn s Noahem nevychází. Nerozváděla to, určitě ji to ale trápilo vzhledem k tomu, jak Noah ji i jejího syna zachránil ze spárů francouzských zločinců a zajistil jim nový život."

Etienne přikývl na souhlas. „S Jean-Pierrem jsem se setkal jen jednou, už jako dítě byl zarputilý. Když jsem se s ním pokoušel mluvit, vůbec mi neodpovídal, Noah se za něj styděl. Myslel jsem, že se s léty srovná."

„Všechno zlé je pro něco dobré," usmála se Belle.

„Usedlost momentálně nemá valnou cenu, mohla by spíš představovat přítěž," poznamenal Etienne. „Třeba je poničená, zabavili ji Němci nebo dokonce vypálili. Vzpomínám na fotografii Noaha s rodinou, kterou nám odtamtud poslal, tehdy dům vypadal nádherně, protože to tam dal do pořádku. Jenže to už je tak patnáct let zpátky."

„Pokusím se tu fotku najít," navrhla Belle. „Jezdili tam každé léto, Lisette to tam měla ráda stejně jako on. V jednom dopise mi napsala, že lidi z okolí o tobě pořád mluví."

Etienne se usmál. „Než skončí válka a budeme mít dost peněz, abychom se tam zajeli podívat, většina z nich už stejně bude v pánu. Stejně ten dům budeme muset prodat, je to moc daleko."

„Noahovi muselo být jasné, že se do Evropy nevrátíme," přemítala Belle. „Tak proč nám ji přenechal?"

„Byl sentimentální a věděl, kolik pro mě ten dům kdysi znamenal. Asi to považoval za správné. Ale upřímně doufám, že navíc chtěl Jean-Pierrovi hnout žlučí," zazubil se Etienne. „Neřekl jsem ti to, protože mě o to požádal, ale když jsem s ním po telefonu probíral, že k nim pošleme Mari, přiznal mi, jaký z něj vyrostl člověk. Záštiplný a zlomyslný, navíc nesmyslně žárlil na Rose a často se jí snažil ublížit. Noah s Lisette byli rozčarovaní a oběma se ulevilo, když se oženil a odstěhoval."

„Měl jsi mi to povědět dřív," podotkla Belle poněkud dotčeně. „Zvlášť když Mari tak krátce po té tragédii odešla z Noahova domu. Nenapadlo tě, že v tom má Jean-Pierre prsty?"

„Napadlo, ale těžko jsem tam mohl zaskočit a jednu mu vrazit. Stačil zármutek, že jsme přišli o Noaha, Lisette a Rose, a stejně bychom s tím nic nenadělali."

„Co ještě píše ten právník?" chtěla vědět Belle.

„Musím doložit, že jsem Etienne Carrera, sehnat si ověřený podpis, pak mi pošlou smlouvu o nemovitosti. Možná požádám o nahlédnutí do kopie závěti, abych měl jistotu, že Jean-Pierre neupírá dědictví nikomu dalšímu."

„Jakou by ten dům mohl mít hodnotu, miláčku?"

Etienne pokrčil rameny. „Nemám tušení. Přece jen leží v okupované části Francie a těžko říct, v jakém bude stavu. Vždyť ani nevíme, jestli Noah někoho pověřil jeho správou. Ale po válce pozemek hodnotu mít bude, jen co se lidé začnou vracet do jižní Francie."

„Až na tom Mari bude líp, třeba by se tam mohla zajet podívat," navrhla Belle.

„Ano, to by asi mohla," souhlasil Etienne, nedokázal však své ženě pohlédnout do očí. Šestý smysl mu napovídal, že se Mari hned tak nezotaví.

Kapitola dvacátá devátá
Southampton

Etienne se nemýlil. Kulka Mariettě ošklivě roztříštila koleno, to odpoledne, kdy ji přivezli do southamptonské nemocnice, ji čekala bezprostřední operace, vůbec první v životě.

Plavbu z Francie si nevybavovala příliš jasně. Pamatovala si jen, že byla na palubě, připravená se všemi čtyřmi dětmi přestoupit na anglickou loď, a bolest v koleni byla tak urputná, že se na pravou nohu nedokázala postavit.

Nakonec Luc přeskočil na druhou palubu s ní v náručí, protože omdlela. To jí aspoň vyprávěl Armand cestou do Anglie, sama si nevzpomínala.

Ze zbytku cesty, zakotvení v Lyme Regisu a převozu sanitkou do nemocnice zůstaly jen nesouvislé útržky, tváře, jež nepoznávala, a spalující bolest.

Že je v bezpečí a v nemocnici, si uvědomila teprve druhý den po operaci, poté co se probrala. Přišel za ní jakýsi pan Whitlock, jehož poslala slečna Salmonová, a Marietta jej požádala, aby dal vědět Sybil, kde je. Ale Whitlock se víc zajímal o podrobnosti z celé akce a připomínal jí, že nesmí nikomu nic prozradit. Vůbec jí neslíbil, že Sybil uvědomí.

A tak Marietta osaměla, aniž by věděla, jestli Sybil dostane zprávu. Začínala přemítat, jak své zranění vysvětlí lidem, zvlášť zde, v nemocnici. Postřelení docela jistě nepřipomínalo úraz, k němuž by mohlo dojít při pádu nebo dopravní nehodě. Co až se jí bude lékař ptát, jak ji postřelili? Má mu snad říct, že na to nemůže odpovědět?

Lékař, který za ní byl, když se probrala z narkózy, jí sdělil, že jí z kolene vyjmul kulku. Poté vysvětlil, že tak za den dva bude muset podstoupit další operaci, jelikož kulka roztříštila ještě další kost. Moc se na původ zranění nevyptával, jen ji upozornil, že si v nemocnici nějaký čas pobude.

Kromě neustálé bolesti v koleni byla Marietta vděčná za postel v teplé místnosti a klid. Na malém vedlejším oddělení byla sama. Když se hodně nahnula, zahlédla proskleným panelem ve zdi velké oddělení. Tam by ležet nechtěla. Pacientky mají ve zvyku zjišťovat, co komu je, a ona potřebovala odpočívat a vymyslet si nějakou historku, než bude připravená s někým mluvit.

Kdykoli zavřela oči, znovu viděla, jak zabila toho vojáka. Slyšela jeho vlhké chroptění, cítila na rukou jeho horkou krev.

Napadlo ji, jestli vůbec někdy dokáže zapomenout. Bude v duchu ten výjev vídat do konce života? Její čin se dal ospravedlnit, mohla se uklidňovat, že život čtyř nevinných dětí má větší cenu než život jednoho vojáka. Upřímně doufala, že na její čin nedoplatí obyvatelé Portiv, zejména Celeste, Luc a Gilpin. Dostane o nich někdy zprávu, jak se jim daří?

Sestra Faircloughová, hubená žena s kobylí hlavou, za ní zašla v devět večer, aby jí dala vědět, že volala Sybil a že ji druhý den přijde navštívit. „Prý ji kontaktoval pan Whitlock. To je ten pán, co tu byl dnes ráno, viďte? Je váš příbuzný?"

„Ne, ale v podstatě jsem pro něj pracovala," odpověděla Marietta a doufala, že nebudou následovat další otázky. „Poprosila jsem ho, aby dal Sybil vědět. Bydlím u ní, dělala by si o mě starosti."

„Taky bych si je dělala, kdyby má nájemnice schytala kulku do kolene," opáčila sestra prostořece.

„Nesmím o tom mluvit, je mi líto," řekla Marietta.

Sestra se ušklíbla, zasunula Mariettě do úst teploměr a vyhrnula jí rukáv noční košile, aby jí změřila tlak.

Zdálo se, že pochopila.

Druhý den ráno, po dlouhé noci, již Marietta pro bolest vesměs probděla, jí mladá sestra přinesla toaletní mísu a lavor s vodou, aby se mohla umýt. Byla to nevýrazná dívka s tmavými vlasy a brýlemi, ale okamžitě se dovtípila, že se Marietta stydí mísu použít. Nějak se jí podařilo mísu pod ni zasunout, zmizet a vrátit se, teprve když byl čas diskrétně nádobu odnést.

„Teď vás nechám, abyste se umyla, já vám mezitím najdu kartáček na zuby a pastu," pravila vesele. „A čistou noční košili."

Mariettě se povedlo umýt poměrně obstojně – kdykoli však zvedla nohu, ukrutně to bolelo. Když se sestra vrátila, pomohla jí převléknout se do čistého a rozčesala jí vlasy.

„Máte krásné vlasy," chválila ji. „Ale zdá se mi, že v nich máte krev. Jak se vám to povedlo?"

Mariettě, která věděla, že jde o vojákovu krev, se udělalo zle. Bez odpovědi ulehla na polštář.

„Přinesu vám snídani," řekla sestra a vycouvala i s lavorem, očividně pochopila, že je pacientka rozrušená.

Marietta ležela v posteli a začínala usínat, náhle se však přede dveřmi ozval mužský hlas.

„Prý tu mám někoho vzít na rentgen," říkal a Marietta byla v tu ránu bdělá. Hlas zněl tak povědomě.

Uklidňovala se, že podobně mluví spousta Londýňanů.

Nemůže to být Morgan.

Když však vešla do pokoje drobná sestra se snídaní na podnosu, musela se jí zeptat.

„Promiňte, ale před chvíli jsem slyšela, jak někdo přišel doprovodit pacienta na rentgen. Jeho hlas mi připomněl někoho, koho jsem znávala. Jak se jmenuje?"

„To nevím," odpověděla sestra. „nejsem tu dlouho. Většina lidí mu prostě říká ‚zřízenec', nebo ‚Jizva'," dodala, vzápětí si zděšeně přitiskla ruku na ústa. „Promiňte, to ode mě bylo hrozné, on je moc hodný a k pacientům se chová hezky. Zvlášť jestli je váš přítel."

„Není," zavrtěla Marietta hlavou a vybavila si Morganovu pohlednou tvář. „Kdyby to byl on, popisovala byste ho jinak."

V jedenáct hodin dopoledne se ošetřovatelův hlas ozval znovu. A tentokrát měl na rentgen dopravit Mariettu.

Když vtlačil lehátko do jejího pokoje, zůstal stát jako solný sloup.

Kdyby nezareagoval tak výmluvně, byla by ho ani nepoznala.

Dramaticky se změnil.

Černé vlasy měl prokvetlé šedinami, zřejmě následkem šoku po popálenině, která mu znetvořila pravou stranu tváře a krku. Nepatrně mu také svraštila koutek oka a rtů, ale zdálo se, že podstoupil rozsáhlou plastickou operaci, protože tkáň jizvy byla bledá a lesklá skoro jako hadí kůže. Jedině levá strana obličeje připomínala muže, do něhož se Marietta zamilovala na lodi cestou do Anglie. Tato levá tvář byla zlatavá a hladká, přesně jak si pamatovala.

„Morgane!" zvolala. „Ráno se mi zdálo, že slyším tvůj hlas, ale říkala jsem si, že to není možné."

„Marietto! Najít tu ze všech lidí zrovna tebe!"

„Přitom jsi doufal, že už se v životě neuvidíme," dodala kousavě.

Svěsil hlavu. „Už asi chápeš, proč jsem nechtěl, abys za mnou přijela do Folkestonu. Vypadal jsem jako zrůda."

„To mě máš vážně za tak povrchní?" opáčila, ale už když to řekla, uvědomila si, že v té době taková skutečně byla. Navíc musel vypadat mnohem hůř než nyní.

„Bylas tehdy prostě mladá holka, navíc když jsme se viděli naposledy, choval jsem se k tobě hrozně," vzdychl. „Překvapilo mě, žes mi pak vůbec odepsala."

Když se k ní otočil zdravou polovinou obličeje, kupodivu pocítila ten známý horký tlak v břiše, který si tak dobře pamatovala. Zdálo se to směšné vzhledem ke všemu, čím prošla od chvíle, kdy se viděli naposledy.

„Jak jsem slyšel, máš vážně zraněné koleno. Chirurg potřebuje rentgen, aby určil další postup léčby."

Přistavil lehátko k posteli a odhrnul Mariettě přikrývku, aby ji mohl přesunout.

„Nemohli bychom si někdy promluvit?" požádala ho.

Pustil přikrývku a přejel jí prstem po tváři, jako to dělával tehdy na lodi. „A o čem? Na lodi to možná vypadalo jako něco výjimečného, ale tys žila v jiném světě než já. Nezasloužila sis, jak jsem se k tobě choval. Na svou omluvu můžu leda říct, že jsem prostě poznal, že jsem mimo svou ligu. Vůbec nevím, co mě to napadlo psát ti z nemocnice ve Folkestonu. Hned jak jsem ten dopis poslal, litoval jsem. Ale to už je dávno. Nechme to být a vzpomínejme jen na to hezké."

Kapitola třicátá

Marietta ležela na lehátku, jež Morgan tlačil k oddělení s rentgenem, dívala se do stropu a pokoušela se vymyslet, jak s ním zapříst hovor. Jeho mlčení však bylo víc než výmluvné.

Když se dostali ke dveřím na vyšetřovnu s rentgenem a museli čekat, než přijdou na řadu, okamžitě od lehátka poodešel. Tehdy si všimla, jak nepatrně věší hlavu, jako by se pokoušel skrývat jizvy, a zabolelo ji u srdce. Pro každého člověka je strašné přijít k takovému znetvoření, ale u někoho tak hezkého jí to připadalo snad ještě krutější.

Po rentgenu ji odvezl zpátky do pokoje, celou cestu absolvovali opět mlčky.

Ale když jí pomáhal z lehátka zpátky do postele, cítila Marietta, že něco musí říct. „Měl jsi mi to své zranění přiznat a dát mi šanci pomoct ti.“

Nakrátko na ni upřel odměřený pohled. „Byla bys utekla. Anebo předstírala, že ti to nevadí, přitom by ses na mě nemohla ani podívat. To by bylo ještě horší.“

„Možná. Uznávám, že jsem v té době nebyla úplně nejchápavější člověk. Ale tys taky nebyl zrovna hodný, ne? Ten večer v Green Parku mě opravdu ranil."

„Já vím, vážně jsem se za sebe styděl."

„Mezitím uteklo hodně vody, už na tom nesejde. Ale když jsi mi psal, že mě máš rád, měl jsi být upřímný a přiznat, co se ti stalo, a nechat rozhodnutí na mně. Takhle jsem si myslela, že sis našel jinou."

Odvrátil se. „Já pro tebe stejně nikdy nebyl ten pravý, Mari, to víme oba. Neuměl jsem pořádně číst ani psát, neměl jsem ti co nabídnout. Ty potřebuješ někoho, kdo tě bude brát tancovat do Ritzu a tak dál. Než jsem se měl hlásit ve výcvikovém táboře, jednou jsem byl u domu tvého strýce. Neuměl jsem psát tak dobře, abych ti mohl v dopise vysvětlit, proč jsem se ten večer, co jsme si vyrazili, choval tak nemožně. Chtěl jsem ti to vysvětlit z očí do očí. Jenže jakmile jsem viděl, kde bydlíš, došlo mi, že to nemá smysl. Stejně bys nikdy nebyla šťastná s lodním stevardem nebo s vojákem. Potřebovala jsi někoho lepšího, kdo by ti zajistil život v přepychu."

Marietta to vnímala jako výtku. Ráda by mu řekla, že ji špatně odhadl, jenže měl pravdu. Tehdy taková skutečně byla.

„Možná jsem tenkrát byla povrchní," připustila, „ale válka mě probrala. Strýček Noah, jeho žena i dcera zemřeli při bombardování Café de Paris. Byli jsme tam slavit mé jednadvacáté narozeniny. Já přežila jen proto, že jsem si právě odskočila na toalety."

Jeho výraz zjihl. „To je mi moc líto."

„Neříkám to, abys mě litoval. Jen se ti snažím vysvětlit, proč už taková nejsem. Hned po pohřbu mě syn tety Lisette vyhnal z domu. Tak jsem se nastěhovala ke kamarádce do Whitechapelu – nebylo to v době náletů ideální místo, ale já tam byla spokojená. Pamatuješ, jak jsi mi říkal, že bych se měla podívat do East Endu?"

Morgan přikývl.

„V tom případě budeš rád, protože jsem pochopila, jak jsi to myslel. Rozhodně jsem si nenašla muže, který by mě bral tancovat do Ritzu, a s tímhle kolenem už si asi nezatancuju nikde."

Morgan se viditelně uvolnil, a když se k ní otočil, ve tváři měl chápavý výraz.

„Viděl jsem v tvých záznamech, žes měla v koleni kulku. Co se stalo?"

„Je to na delší vyprávění a vlastně o tom ani mluvit nesmím," povzdechla si. „Ale jestli se chceš dozvědět, co jsem dělala, tak jako chci já vědět, jak ses měl ty, přijď mě navštívit, až budeš mít čas. Vypadá to, že si tu chvíli pobudu."

Morgan zaváhal.

Vycítila, že chce, ale neví, jestli má.

„No tak, Morgane!" zvolala. „Přece ničemu neublíží, když si budeme povídat."

Konečně se usmál. „Ne, to asi ne. Čekáš dnes večer nějakou návštěvu?"

„Ne, že jsem tady, ví jedině má bytná. A ta se tu nejspíš staví odpoledne."

„Tak za tebou zajdu, až mi skončí směna. Teď už musím, čekají na mě pacienti," rozloučil se a vytlačil prázdné lehátko z pokoje.

O pár minut později jí přišla vrchní sestra Jonesová zkontrolovat obvaz na noze. Marietta s touto nevzhlednou kyprou ošetřovatelkou prohodila předchozího dne jen pár slov, přesto jí připadala milá a sdílná. Rozhodla se zeptat na Morgana.

„Představte si, že s tím vaším zřízencem Morganem Griffith-sem jsem se seznámila, když dělal stevarda na lodi, kterou jsem připlula z Nového Zélandu," nadhodila družně. „Pamatuje si na mě, ale asi se stydí za tu svou jizvu. Nevíte o něm něco?"

„Je to hodný a obětavý člověk," odpověděla sestra Jonesová. „Oficiálně zřízenec, ale v podstatě má stejnou kvalifikaci jako zdravotní sestra a o ošetřovatelství toho ví zrovna tolik co já. Nespočítala bych, kolikrát nám pomohl z úzkých. Kdekdo říká, že by se měl stát lékařem, pořád si o všem čte."

Mariettu taková chvála zahřála u srdce a potěšilo ji, že se Morgan naučil číst. „Tenkrát vypadal jako Errol Flynn," svěřila sestře. „Nevěřila byste, jak byl hezký."

„Když se s ním zapovídáte, vlastně vám takový připadá pořád," zasmála se sestra. „Umí to s lidmi tak, že si jeho jizvy přestanou všímat. Pochopitelně už je na tom mnohem lépe než na začátku, má za sebou několik operací. Víckrát jako filmová hvězda vypadat nebude, ale podle mě s ním bude ta, které se povede ukrást jeho srdce, moc šťastná."

„Takže nikoho nemá?"

„Ne, ten hlupáček se společnosti vyhýbá. Podle mě tráví veškerý volný čas nad knihami."

„Když je člověk hodně hezký a najednou o tu krásu přijde, asi má chuť se někam schovat před celým světem," podotkla Marietta.

„Ano, stejně jako vy asi nebudete ukazovat tuhle nohu," přikývla sestra a zadívala se na jizvy na její poraněné noze. „Vypadá to, že jste nebyla ve válce poprvé."

„K těm jizvám jsem přišla v krytu, který schytal přímý zásah, a mně na nohy spadl trám," vysvětlila Marietta a kriticky se zadívala na své zjizvené nohy. Už si na ně zvykla a nepozastavovala se nad nimi, ale kvůli novému zranění a zarudlé kůži okolo teď vypadaly mnohem hůř než předtím. Musela si přiznat, že to není hezký pohled.

„Chudinko," vzdychla sestra.

„Měla jsem štěstí, podařilo se mi z trosek vyprostit. Přežily jen dvě další. Sice už nebudu moct nosit šortky nebo odhalovat nohy, ale to je malá cena za život."

„A jak jste přišla k německé kulce v noze? Všechny to tu zajímá," nadhodila sestra se spikleneckým úsměvem.

„Utíkala jsem ve Francii před Němcem," usmála se na oplátku Marietta. „Vlastně jsem musela do loďky, abych unikla."

„Hnutí odporu?" Sestra povytáhla obočí.

„Je mi líto, ale nesmím o tom mluvit. Povězte mi radši něco o sobě. Jste ze Southamptonu? Jak dlouho už děláte zdravotní sestru?"

„No vida, tím jste mi pověděla všechno, co potřebuju vědět," rozesmála se sestra. „Skromná hrdinka!"

Kapitola třicátá první

Sybil za Mariettou přišla v polovině odpoledne a přinesla velkou kytici skleníkových růží, která ji musela stát majlant. Položila kytici na postel a sevřela dívku v dojatém objetí.

Když ji konečně pustila, oči měla celé opuchlé. „Volala jsem tvojí mamince na Zéland,“ vyhrkla. „Slíbila jsem, že večer zavolám znova, abych jim řekla, jak se ti vede. Vypadalo to, že by maminka nejradši naskočila na loď a připlula sem. Samozřejmě jsem jim toho moc povědět nemohla, věděla jsem jen, že máš zraněné koleno.“ Odmlčela se a zadívala se na přikrývky. „Jak jsi na tom?“

Přestože trpěla bolestí, pokusila se Marietta o úsměv. „Musím ještě na jednu operaci, kost je roztříštěná. Řekněme, že soutěž o nejhezčí nohy už nikdy nevyhraju. Ale podařilo se mi ty děti dostat do Anglie.“

„Tys zachraňovala děti?“

Marietta si přitiskla ruku na ústa. „To neměl nikdo vědět, zapomeň to, prosím tě. Já na ty tajnosti zkrátka nejsem. Vlastně se mi dost ulevilo, že je konec. Další misi už bych asi nervově nezvládla."

„Z toho by nikdo nemohl mít větší radost než já," prohlásila Sybil. „Snad leda kromě tvý mámy. Samozřejmě nechápala, cos dělala ve Francii, když jsi měla točit pivo v hospodě. Edwin se za tebou bude chtít zastavit. Volal mi snad dvacetkrát a připadal mi opravdu rozčilený. Říkala jsem mu, že by na tebe měl být pyšný, ale vynadal mi, že jsem mu neřekla, co děláš."

Marietta vzdychla. „Zrovna on by měl nejlíp chápat, proč jsem nemohla mluvit."

„Na druhé straně je to asi šok, když se dozvíš, že někoho, koho miluješ a kdo by měl být v bezpečí doma, ve Francii postřelili."

„Víš, Sybil, Edwin asi není pro mě," přiznala Marietta opatrně. „On potřebuje někoho, koho jeho rodina schválí, mírnou a způsobnou mladou dámu, o kterou se nebude muset vůbec bát."

„Nebuď hloupá," napomenula ji Sybil. „Miluje tě takovou, jaká jsi."

„Možná ze začátku, ale vyvanulo to, jen je moc velký džentlmen, aby to přiznal. Já chci muže, jako je můj otec, silného, ušlechtilého a schopného, kterému je šumafuk, co si o něm kdo myslí."

„Teď jsi k němu nespravedlivá," napomenula ji Sybil. „Je bojový pilot, ohromně statečný. Džentlmen prostě je, vychovali ho tak. Kdybys byla moje dcera, přesně takového ženicha bych si pro tebe přála."

Marietta ji vzala za ruku a stiskla. „Jsi ta nejlepší náhradní maminka," řekla procítěně. „Ale myslím, že ta moje skutečná by řekla, že do manželství je třeba vášeň. Navíc by se jí nelíbilo, že pro něj podle jeho rodičů nejsem dost dobrá."

„To přece nevíš," namítla Sybil.

„Vím, proto mě k nim nikdy nevzal. A tahle malá eskapáda situaci asi nevylepší. Budou si myslet, že jsem nevyzpytatelná, nebezpečná a moc náruživá, což asi jsem. Možná potřebuju muže, kterému se právě proto budu líbit.“

Noha ji bolela čím dál víc a dělalo se jí špatně. Neřekla však nic, dál si povídala se Sybil, vyprávěla jí, jak se ráno setkala s Morganem. Přiznala, že spolu měli během plavby do Anglie románek. Když jí popisovala, jak je Morgan zjizvený, Sybil se zatvářila zděšeně.

„To vypadá, jako by sis s ním chtěla začít.“

„Já nevím,“ připustila Marietta. „Když jsme se poznali, byla jsem hloupá holka a on hezký, ale nevzdělaný lodní steward. Válka nás oba změnila. Ale když jsem ho dnes viděla, jako bych otevřela knížku, kterou jsem ještě nedočetla, a najednou zjistila, že je vážně dobrá. Takže kdo ví!“

„Ale Marietto,“ mračila se Sybil, „takhle to v životě nechodí. Stáhl se do ústraní kvůli zjizvení a asi toho má na talíři dost. A ty! Chytáš se stébla. Jakmile se zotavíš, abys mohla cestovat, odvezu tě domů a budu se o tebe starat. Dobrá, možná Edwin není ten pravý, ale nechce se mi věřit, že by někdo, kdo se roky schovává v nemocnicích, místo aby ti přiznal, co se mu stalo, ten pravý byl.“

Když Sybil odešla, Mariettě se značně přitížilo. Připadala si, jako by měla horečku, bylo jí do pláče, ale přičítala to rozrušení, že Sybil nesouhlasí s jejím názorem na Edwina a snižuje shledání s Morganem.

Navíc ji ranilo, že jí Edwin neposlal ani vzkaz. Uvědomovala si, že se chová iracionálně vzhledem k tomu, jak si na něj právě stěžovala. Ale kdyby ležel v nemocnici on, jistě by čekal, že bude vysedávat u jeho lůžka.

Navíc měla zlost na lékaře, protože s ní vůbec nepřišel probrat, co se našlo na rentgenu. Čekala, že ji bude koleno nějakou dobu bolet, ale ne tak zle, a nikoho nezajímalo, jestli například nepotřebuje něco silnějšího na bolest.

Z pachu dušené mrkve, která byla na večeři, se jí zvedal žaludek, aniž ochutnala. Když přišla sestra pro podnos a vyčetla jí, že nesnědla večeři, Marietta se na ni utrhla, že to nebylo dobré ani pro psa.

Pak se za to styděla. Ležela na polštáři a plakala.

Právě v té chvíli přišel Morgan. „Ahoj, co se děje?" chtěl vědět.

„Já vlastně nevím, je mi mizerně a to koleno hrozně bolí."

Morgan jí položil ruku na čelo a zatvářil se ustaraně. „Jak dlouho už jsi takhle rozpálená?"

„Nějakou dobu," odpověděla.

„A kdy ti naposledy měřili tlak a teplotu?"

„Ráno staniční sestra, při převazu."

„Od té doby ne?"

Marietta zavrtěla hlavou.

Morgan vstal a odešel z pokoje. Vzápětí se vrátil se staniční sestrou Jonesovou, jíž právě končila směna. Vzala do ruky chorobopis v nohách Mariettina lůžka, semkla rty a pohlédla na Morgana.

„Zřejmě na ni zapomněli. Měli jsme odpoledne hodně napilno, to ale není omluva. Nevadí, hned to napravím."

Změřila Mariettě tlak, pulz a vsunula jí do úst teploměr. Když zkontrolovala teplotu, zatvářila se ustaraně a řekla, že dojde pro lékaře. Požádala Morgana, aby u Marietty zůstal.

„Mám vysokou horečku? A co to znamená?" zeptala se, jakmile sestra odešla.

„Asi bude vysoká, což by znamenalo, že máš nějaký zánět. Anebo jsi něco chytila. Každopádně se o tebe postarají."

Napadlo ji, jestli ji drží za ruku rutinně, jako všechny pacienty, kterým je zle, nebo je pro něj výjimečná. Bylo jí skutečně zle a nešlo jen o rozčarování, že s ní Sybil mluvila tak příkře nebo že nepřišel lékař.

„Bylas dlouho v zimě, než tě vyzvedli?" chtěl vědět Morgan.

„Asi hodinu, ale připadalo mi to jako věčnost. Ty děti byly hrozně statečné. Doufám, že jsou teď na nějakém hezkém místě."

Tenký vlásek v hlavě jí našeptával, že o misi nemá mluvit, ale Mariettě se všechno míchalo dohromady. Zavřela oči.

„Musela jsem zabít Němce, abychom se dostali pryč," slyšela se říkat. Její hlas zněl velmi vzdáleně. „Podřízla jsem mu krk a byla celá od jeho krve. A ani jsem to neudělala pořádně, protože to on mě postřelil, když jsem nastupovala do loďky."

Když oči otevřela, zjistila, že se na ni Morgan dívá. „To jsem ti říkat neměla," hlesla unaveně.

„Možná jsi to potřebovala někomu svěřit," pohladil ji po čele. „Já to nikomu nepovím."

„Je to osud, že jsme se znovu potkali?"

Zasmál se. „Asi ano. Je legrační, že jsem se tak bál, abys neviděla, jak vypadám. A přece se na mě teď, když je ti špatně, díváš stejně jako tenkrát."

„Protože vidím stejného člověka," odpověděla. „Ale právě teď trochu rozmazaně. Hlavně nechoď pryč."

O chvíli později nahlédla do dveří sestra a oznámila, že se lékař zdrží, protože má někde naléhavý případ.

Morgan měl čím dál větší obavy, protože tou dobou už byla Marietta stěží při vědomí.

„Tohle je taky naléhavý případ," pošeptal sestře. „Celá hoří."

Namočil plátno ve studené vodě, vyždímal je a přiložil Mariettě na čelo. Doufal, že jde jen o chřipku nebo ošklivé nachlazení – něco, co se dá snadno vyléčit –, instinkt mu však napovídal, že se rána zanítila.

Viděl to již mnohokrát, zvlášť pokud mezi zraněním a přepravou pacienta do nemocnice uběhla dlouhá doba. Jednu chvíli byl takový člověk veselý a hovorný, vzápětí dostal horečku. A především, což bylo nejhorší, to často končilo amputací končetiny.

Lidé se Morgana často ptali, jestli by raději přišel o ruku nebo o nohu, nebo byl popálený. Vybral by si popáleniny, neznamenaly takové prokletí, jak si ostatní mysleli.

Právě když se vracel se svým plukem do Dunkirku, vypálilo německé letadlo na náklaďák, který řídil, a plameny mu ošlehly tvář. Spalující bolest jej téměř ochromila. V tu chvíli si myslel, že zemře.

Ale jiný voják ho vytáhl z kabiny a položil mu na obličej mokrý hadr. Jeho tělo naštěstí ochránila uniforma a popáleniny na rukou byly jen povrchové.

Zpočátku se litoval. Bolest a šok z takového znetvoření, spolu se strachem, že bude do konce života vyvržencem, v něm probouzely chuť vzít si život. V nemocnici ve Folkestonu mu řekli, že by ho mohli převézt do velké vojenské nemocnice v Netley poblíž Southamptonu, kde by se jej ujal doktor Franz Dudek, vynikající polský plastický chirurg.

Doktor sice svými schopnostmi a trpělivostí vylepšil jeho vzhled, ale život Morganovi změnil až doktor Mercer, chirurg z Netley, který mu vdechl vůli naučit se číst a psát.

„Musíte se to naučit,“ konstatoval prostě. „Před tou nehodou vám možná otevírala dveře hezká tvář, ale zjizvená vám je zabouchne před nosem, pokud lidi nepřesvědčíte, že jste chytrý.“

Pan Mercer požádal paní Lovageovou, bývalou učitelku a manželku jednoho ze svých přátel, aby Morgana učila. Třikrát týdně mu dávala hodiny v malé nepoužívané kanceláři v nemocnici. O tři měsíce později, po třech operacích obličeje, dokázal číst stejně dobře jako jeho učitelka a naučil se obstojně psát.

Protože se bál, že bude muset odejít z nemocnice, kde se cítil v bezpečí a přijímaný, začal se činit na odděleních, převážel pacienty, krmil je a pomáhal jim s hygienou. Když pomáhal koupat a krmit vojáka, který přišel o obě nohy, protože ho přejel těžký stroj, nebo jiného, který byl střelen do hlavy a utrpěl vážné poškození mozku, uvědomoval si, jaké má štěstí, že to odnesl jen jeho obličej.

Pracoval v Netley jako dobrovolník téměř rok jen za byt a stravu. Po nocích četl všechny knihy o ošetřovatelství, které se mu dostaly do rukou.

Právě doktor Mercer jej přesvědčil, aby přijal místo zřízence v southamptonské nemocnici v Borough, kde také operoval a mohl se za Morgana přimluvit. Poukázal, že se ve vojenské nemocnici nemůže ukrývat věčně, musí se znovu sžít s civilisty.

V Borough se Morganovi dařilo mnohem lépe než v Netley. Tuto nemocnici neřídili vojáci a nebyla tak rozlehlá a neosobní. Lidé na něj civěli a sem tam zaslechl i nějakou poznámku, ale časem to v podstatě přestal vnímat. Většina personálu se k němu chovala mile a přátelsky.

Vedení mu udělilo výjimku a umožnilo mu nastoupit ošetřovatelský výcvik, dostával volno, aby mohl chodit na přednášky. Morgan zjistil, že práce v nemocnici se od marodky na lodi moc neliší – každý měl svůj úkol a všichni táhli za jeden provaz. Našel si ubytování blízko nemocnice a dokonce i pár přátel.

Za tři měsíce jej čekaly závěrečné ošetřovatelské zkoušky. Netušil, jestli budou v nějaké jiné nemocnici stát o ošetřovatele-muže, možná bude muset zůstat v Borough, ale to mu vyhovovalo, byl tu spokojený.

Poté co byl zraněn, neustále myslel na Mariettu. Z Folkestonu jí napsal, aby za ním nejezdila, přitom napůl doufal, že neposlechne. Mučil se také představami jí s jiným mužem. Poté co ho později převezli do Netley, byl v pokušení napsat jí znovu a prosit o setkání, jen aby si dokázal, že by od něj skutečně utekla.

Postupně však Marietta sklouzla na stejné místo jako všechno „před nehodou". Nechtěl nikoho z té doby vidět ani na něj myslet, aby si nepřipomínal, oč přišel.

Ženy mu nahradily knihy. Díky nim se dostal na místa, kde nikdy nebyl, naučil se spoustu věcí, smál se. Utěšovaly jej. Namlouval si, že to by žádná žena nedokázala.

A najednou se objevila v nemocničním pokoji s těmi svými rusými vlasy, velkýma modrýma očima a měkkými rty, o nichž se mu v noci často zdálo. Zaslechl, že k nim přivezli hrdinku francouzského odporu s kulkou v koleni. Bral to s rezervou jako drby, které nemocnicí kolují dennodenně, a pravda bývá podstatně nudnější.

Jenže když onu údajnou hrdinku spatřil, přestal pochybovat. Marietta byla smělá – dokonce výjimečná – a měla jiskru, díky níž bylo zřejmé, že obyčejný život není nic pro ni.

Chirurg, který Mariettě vytahoval kulku z kolene, byl v Londýně a nebylo možné jej sehnat. Když jí teplota ještě stoupla a dívka začala blouznit, uprosil Morgan sestru, aby zavolala doktora Mercera.

Souhlasila, ten však nemohl přijít ihned, protože právě operoval. A když se konečně dostavil a prohlédl zranění, jeho výraz a zápach z rány jasně vypovídaly o závažnosti situace. Doktor však neřekl nic, jen rozhodl o okamžité operaci.

Požádal Morgana, aby dívku dopravil rovnou na sál.

Morgan to udělal, pak se posadil na chodbě, rozhodnutý počkat jakkoli dlouho.

Operace skončila poměrně brzy, po pouhé půlhodině vyšel lékař ze sálu a stáhl si roušku.

„Chápu to dobře, že se znáte?" zeptal se.

„Ano," přikývl Morgan. „Špatné zprávy, že?"

George Mercer si Morgana velmi vážil. Obdivoval ho za to, jak se vypořádal se svým postižením, nikdy si nestěžoval a nevinil ze svého neštěstí druhé. Vytrvale se učil číst a pak to využil k dosažení vzdělání. Proto také předložil jeho případ nemocniční radě, aby se Morgan mohl vzdělávat v ošetřovatelství a zároveň zde pracovat jako zřízenec. Pro všechny to bylo něco nového, ale brzy se v celé nemocnici nenašel jediný člověk, který by Morgana nepovažoval za přínos.

Bylo zřejmé, že pro něj ta dívka hodně znamená, a George litoval oba dva.

„Musel jsem jí nohu amputovat těsně nad kolenem. Infekce se příliš rozšířila, nemohl jsem dělat nic jiného. U někoho tak mladého a krásného je to tragické, zvlášť protože se jí to stalo, když pomáhala druhým. Život někdy zkrátka není spravedlivý."

Morgan měl pocit, jako by schytal ránu pěstí. Vybavil si Mari na palubě v šortkách, její dlouhé a půvabné nohy, po nichž se otočil každý muž. Všechny její záliby se točily kolem sportu – plavání, jízda na kole, plavba. Tohle nebylo jen nespravedlivé, nýbrž kruté.

„Z chorobopisu jsem vyčetl, že je z Nového Zélandu. Její rodiče jsou tady? Můžeme někoho kontaktovat?"

Morganovi chvilku trvalo, než se vzpamatoval, pak mu vysvětlil, že je tu jedině Mariettina bytná, která ji byla odpoledne navštívit.

„Ona bude vědět, jak její rodiče uvědomit," dodal. „Jestli to nebude vadit, zůstanu tady a odvezu Mari zpátky do pokoje, až bude připravená, a zůstanu u ní."

Když se Marietta probrala a spatřila Morgana na židli u svého lůžka, pokusila se o úsměv.

Nadzvedl ji a přidržel jí u úst sklenici s vodou, aby se mohla napít.

„Amputovali mi nohu, je to tak?" zeptala se, jakmile ji zase uložil.

Morgan neměl v úmyslu povědět jí to hned a bez obalu, ale když se zeptala, nemohl jí lhát.

„Ano, Mari, neměli jinou možnost. Moc mě to mrzí."

„Těsně předtím, než mě uspali, jsem slyšela, jak sestra říká něco o tom, že ta rána páchne. Došlo mi to."

Mluvila ploše a bezvýrazně, ať už to byla rezignací, nebo přetrvávajícími následky narkózy.

„Dnes vyrábějí výborné protézy," ujistil ji. „V Netley je měla spousta lidí. Jakmile si na ni zvykneš, budeš moct dělat všechno co předtím."

Marietta zavřela oči.

Na mluvení byla příliš ospalá. A stejně nebylo o čem mluvit.

Kapitola třicátá druhá

Sybil se musela posadit, když jí Morgan zavolal a pověděl jí, co se Mariettě stalo. Prý se toho úkolu ujal dobrovolně, myslel si, že bude lepší, když tu strašnou zprávu bude tlumočit někdo, kdo Mariettu zná.

Sybil to skutečně pomohlo, protože z toho, jak mu přeskakoval hlas, bylo zřejmé, že má Mariettu rád a je stejně zdrcený jako ona.

Prý má s pacienty po amputacích zkušenosti z vojenské nemocnice v Netley a ví, jak jim ulehčit život. Sybil nepochybovala, že za pár týdnů to s ním Belle s Etiennem rádi proberou, nyní však nedokázala myslet na nic jiného, než co to bude pro Mariettu obnášet a jak to povědět její rodině.

Když zavěsila, rozplakala se. Všechno to bylo příliš strašné, přesto nezbývalo než ihned zavolat Belle, protože na Novém Zélandu bylo tou dobou ráno. A pak bude muset zavolat na letiště a pokusit se sehnat Edwina. Zdálo se trochu zvláštní, že za Mariettou nepřispěchal, jakmile se dozvěděl, že je zraněná, ale možná ho nepustili. Oznámit mu, že jeho dívka přišla o nohu, bude těžké.

Ale povědět pravdu Belle ještě mnohem horší. Jak můžete sdělit matce, že je z její krásné a statečné dcery mrzák?

Morgan tvrdil, že podle něj se s tím Marietta smíří. Takoví jako ona, kteří se nebojí riskovat, prý obvykle bývají stoičtí.

Sybil jen doufala, že má pravdu. Marietta byla sice krásná, ale marnivostí netrpěla. Se smíchem přiznávala, že doma v Russellu se považovala za neodolatelnou.

Jenže i když si myslíte, že někoho dobře znáte, může se v krizové situaci zachovat zcela nečekaně. Sybil si vůbec nebyla jistá, jak se Marietta se svou ztrátou vypořádá.

Belle Sybilinu zprávu nepřijala klidně. Hystericky se rozplakala a její přítelkyně Peggy z pekárny musela převzít sluchátko a slíbit, že se ozvou později, až se Belle vzchopí.

Nakonec zavolal Etienne, Belle se zhroutila.

„Její první manžel přišel ve válce o nohu a o ruku," vysvětloval s roztomilým francouzským přízvukem. „Hodně se kvůli tomu změnil a Belle má strach, že se Mari stane totéž."

„Chápu," přitakala Sybil. „Sama to stěží pobírám, vždyť jsem u ní dnes byla a zdála se v pořádku. Povězte Belle, že Mari nemá sklony k sebelítosti a nenechá si tím pokazit život. Samozřejmě je ještě brzy odhadovat, co udělá nebo neudělá, ale je tam s ní jeden starý přítel, podle mě jí pomůže. To on mi tu špatnou zprávu zavolal."

Vyprávěla, jak se Marietta s Morganem seznámila cestou do Anglie, vypustila však, že spolu něco měli. Dodala, že ztratili kontakt kvůli popáleninám, které Morgan utrpěl u Dunkirku, a setkali se právě až v nemocnici.

„Než jsem odešla, poptala jsem se na něj," podotkla. „Všichni o něm mluví moc hezky, navíc to byl on, kdo staniční sestru upozornil, že je na tom Marietta zle."

„Rozumím," řekl Etienne stroze. „A co Edwin? Už za ní byl?"

„Ještě ne, ale určitě si co nejdřív vyžádá dovolenou. Bohužel se sama do nemocnice pár dnů nedostanu, ujistěte ale svou ženu, prosím vás, že to udělám, jakmile budu moct. Doufám, že se nebudete zlobit, dala jsem Morganovi vaše číslo a doporučila mu zavolat vám. Protože v nemocnici pracuje a bude Mari vídat několikrát denně, bude vám umět povědět, jak se jí daří, líp než já."

Když Sybil zavěsila, Etienne se opřel čelem o zeď a rozplakal se. Stačilo, že jeho dceru postřelili, ani ve snu ho nenapadlo, že by mohla přijít o nohu. Myslel si, že takové hrůzy skončily s poslední válkou. Chvíli si poplakal, nakonec si otřel oči a šel za Peggy do obývacího pokoje.

Belle dosud vzlykala v kamarádčině náruči. „Nikdy jsem ji neměla do Anglie pouštět," naříkala. „Byla jsem sobecká, protože už jsem měla po krk věčných starostí o ni. Co jsem to jenom za matku?"

„Takový nesmysl! Nebylo to sobecké. Chtěli jsme, aby měla víc příležitostí než tady," prohlásil Etienne neochvějně a přitáhl si manželku do náruče. „Poslyš, jen si představ, o kolik horší to mohlo být. Mohla umřít – v porovnání s tím není amputovaná noha tak zlá. A nezapomínej, Belle, že tohle je naše Mari. Ke zranění přišla, protože je statečná a má pevnou vůli, zachránila děti. Ona nezůstane ležet v posteli a nevzdá se života. Popere se s tím, však uvidíš."

Pak jí pověděl, co mu Sybil řekla o Morganovi. Sice měl ohledně motivů toho muže jisté podezření, chtěl ale Belle utěšit alespoň tím, že má Marietta v nemocnici přítele.

„V jednom dopise, co nám poslala z lodi, nějakého Morgana zmiňovala. Pracoval na ošetřovně a prý vypadal jako Errol

Flynn." Belle si utřela oči a pokusila se o úsměv. „Mog tehdy říkala, že jen doufá, že není taky takový proutník."

„Jestli má popálený obličej, už asi jako herec nevypadá," poznamenal Etienne. „Osud je někdy krutý, ale někdy taky laskavý. Jen si vezmi, že Mari skončila právě v nemocnici, kde on pracuje."

„Jen jestli bude Edwin rád, že se na scéně objevil muž z její minulosti," zapochybovala Belle.

„Nevypadalo to, že by se Edwin přetrhl, aby se k Mari dostal," zamračil se Etienne. „Možná to mezi nimi tak vážné přece jen nebylo. Jak se asi zachová, až se dozví, že přišla o nohu?"

„Bude mít strach," vzdychla Belle. „Já byla hrůzou bez sebe, když jsem se dozvěděla o Jimmyho zraněních. Není to právě hezké, já vím, ale tak to chodí. S Mari to tak nemám, je mi jí jen strašně líto."

Etiennovi se po tváři skutálela osamělá slza. „Nedovedu si naši krásnou a dokonalou holčičku představit bez nohy. Mám v sobě hroznou bolest a nemyslím, že by ji někdy něco zahnalo."

Marietta si nechtěla představovat, jaký bude život jen s jednou nohou. Zjistila, že po utišujících prostředcích dokáže zavřít oči a duševně vypnout, takže většinu dnů a nocí prospala. Pochopitelně ji neustále budili na převazování, měření teploty a tlaku a také na jídlo, ale z větší části čas plynul bez povšimnutí.

Když za ní dva dny po amputaci přišla Sybil, nepřetržitě plakala.

Marietta jí řekla, ať už za ní nechodí, protože to má daleko, navíc ji návštěvy rozrušují. „Nechci teď připomínky toho, jaká jsem byla," vysvětlovala. „Samota mi nevadí, nechávám tělo a duši zahojit, dokud nebudu mít dost síly, abych se začala učit o berlích. Vím, že mě máte s Tedem rádi, já vás taky, a moc. Ale musíte se starat o hospodu."

Jestli bylo setkání se Sybil těžké, když přijel třetího dne Edwin s velkou kyticí, bylo to ještě mnohem horší. V uniformě mu to moc slušelo, nepochybně se za ním nejedna sestřička ohlédla, ale jinak tonul v rozpacích. Políbil Mariettu a přitiskl ji k sobě, jako by se nic nestalo, jí však neušlo, jak je strnulý a jak neustále sklouzává očima k drátěné konstrukci pod přikrývkami. Poznala, že se děsí, aby se na její pahýl nemusel podívat. To bylo směšné, protože neměla v úmyslu jej někomu ukazovat, zvlášť pak jemu.

„Pověz mi, co cítíš doopravdy," vybídla jej. „Je mnohem lepší mluvit o tom upřímně."

„Mám tě rád pořád stejně, s nohou nebo bez nohy," vyhrkl příliš rychle.

„To není pravda," namítla. „Máš strach z toho, jak vypadá, a co tomu všichni řeknou, až tě uvidí s holkou o berlích. Ale to je v pořádku, já bych asi myslela na totéž, kdybys o nohu přišel ty."

Jenže to nebyl jediný problém, který Edwin měl.

„Proč musíš věčně všechno řešit hned?" vytkl jí. „Pro Australany a Novozélanďany je to dost typické. Potkal jsem pár pilotů tam od vás, jsou úplně stejní. Všechno věčně ventilují a je jim jedno, jestli se tím někoho dotknou."

Marietta by jindy souhlasila, že obecně jsou lidé z kolonií otevřenější než pánové z britské střední třídy. Ale vadilo jí, že se tak brání, když chce porozumět jeho citům.

„Dobře, tak když jsme u toho, rovnou přidám další věc," odsekla. „Už nějakou dobu víš, že mě tvá rodina nebude schvalovat. Ale jestli by byli proti hostinské z kolonie, co řeknou na jednonohou přítelkyni? Uvědomuješ si moc dobře, že to bude zásadní problém, ale nevíš, jak mi to říct, abys nevypadal jako naprostá sketa."

Zatvářil se zděšeně a snažil se ji přesvědčit, že je to omyl.

„Nech toho, Edwine, nejsem hloupá. Ze začátku jsi byl ze mě nadšený, ale jak se tě vaši začali vyptávat, pomalu ses mi odcizoval. Nikdy jsi mě jim nepředstavil, protože jsi přesně věděl, jak by to dopadlo."

„To není pravda," bránil se. „Naši jsou staromódní snobi, ale nevzal jsem tě za nimi, protože jsem věděl, že by ti připadali nemožní."

„To je totéž. Ale především z tebe necítím žádnou vášeň."

„Jak to můžeš říct?" zvolal a tvářil se pobouřeně. „Že jsem se tě nepokusil přemluvit k nemravným víkendům nebo tě nepovalil na trávu v lese, ještě neznamená, že to nechci. Ale vychovali mě tak, džentlmen má počkat do svatby."

„Poznám rozdíl mezi úctou a absencí vášně," opáčila Marietta. „A jestli jsi ji necítil předtím, docela určitě to nepřijde, až se dotkneš pahýlu, co mi zůstal místo nohy."

„Někdy jsi tak neomalená," prskl znechuceně.

„A ty jsi zase, Edwine, trochu zženštilý," podotkla.

„Chceš říct, že jsem homosexuál nebo co?" vypravil ze sebe šokovaně.

„Ne, jsem si jistá, že ti to půjde dobře s někým, kdo bude podle představ tvé rodiny. Buď chlap a uznej, že to nejsem já, a můžeme jít každý svou cestou."

Přimhouřil oči. „Ty taky nejsi dvakrát upřímná," vyrukoval na ni. „Muselas cvičit pro tajnou službu kolik měsíců a nenamáhala ses ani zmínit. A pak jsi odjela do Francie a já zase nic nevěděl. Jak si mám asi vzít někoho, kdo přede mnou všechno tají?"

„Je válka! V celé Anglii lidé tají věci před svými rodinami," ohradila se Marietta. „Ty bys mi taky neřekl, které město máte bombardovat dnes večer, nebo ano? Ale jen pro tvou informaci, já se k té práci nenabídla sama. Přišli za mnou, protože umím plynně francouzsky. Kde vůbec bereš odvahu být rozčilený? Zachránila jsem lidské životy, měl bys na mě být pyšný. Leda by sis myslel, že je tu místo jen pro jednoho hrdinu. Je to tak? Nelíbí se ti konkurence v podobě obyčejné ženské?"

„Nebuď směšná. Jistěže jsem na tebe pyšný, prostě je to celé hrozný šok." Pokusil se o úsměv, pohladil ji po tváři jako projev citů.

Marietta mu chtěla věřit, ale všimla si jeho chladného pohledu, cítila v doteku absenci něhy.

„Běž, Edwine," řekla a hlas se jí chvěl, protože od něj čekala mnohem víc. „Vrať se ke své rotě a rodině. Nic ve zlém, prostě jsme si nebyli souzeni."

„To nemyslíš vážně. Jen ses ještě nevzpamatovala z šoku," namítl.

Nevzpamatovala – a nepochybovala, že bude litovat většiny toho, co mu vzápětí pověděla –, ale v hloubi duše cítila, že Edwin chce odejít, jen má obavy, jak to bude vypadat. Snad přímo doufal, že mu řekne něco ošklivého, protože pak získá záminku. Nehodlala mu to usnadňovat.

„Pouštím tě z háčku, protože mi nejsi k ničemu, stejně jako já tobě," řekla a snažila se neplakat. „Běž a najdi si takovou, která se bude líbit tvým rodičům. Buď s ní šťastný."

Udělal krok ke dveřím, pak se zastavil. „Milovalas mě vůbec někdy?"

Kdyby neměla bolesti a nebylo jí do pláče, byla by se snad rozesmála. „Milovala, dokud jsem nezjistila, že jsi studený jako psí čumák a necháš se ovládat rodiči. Běž už, prosím tě, ničemu nepomůže, když to budeme protahovat. Sbohem."

A Edwin schlíple odešel.

Krátce poté ji přišel navštívit Morgan a zastihl ji celou uplakanou.

„Co se stalo? Bolí tě noha?"

„Bolí, ale o nic hůř než jindy," vzdychla.

„Tak proč ty slzy?"

„Asi kvůli zklamání," pronesla hořce. „Byl za mnou Edwin. Poznala jsem na něm, že chce vycouvat, tak jsem mu otevřela vrátka. Ale bylo by hezké, kdyby aspoň trochu zabojoval."

Morgan ji vzal chápavě za ruku. „Je lepší, že se předvedl v pravém světle teď."

„Já vím, nemám zlomené srdce, poznala jsem, že není ten pravý. Jenže…" Nedokázala dopovědět, nač myslí.

„Bojíš se, že tě už nikdo nikdy nebude chtít?"

Vzhlédla a oči jí přetékaly slzami. „Ano, asi ano."

„Já se cítil podobně. Je to hrozné, viď?"

„My jsme ale pár k pohledání," vzlykla a pokusila se o smích.

Jak se Mariettino tělo zotavovalo, už nepotřebovala tolik spát a čas se nyní skutečně vlekl. Často se utápěla v obavách, jaký bude život s jednou nohou, strachovala se, že se nikdy nevdá a nebude mít děti, a vzpomínala, jak ráda běhala stezkou na útesy v Sidmouthu. Kdyby tušila, že se její běžecké dny chýlí ke konci, byla by si je víc užila.

Osm dnů po amputaci už nudou přicházela o rozum. Nepomohlo ani, že se stále zaobírala rozchodem s Edwinem. Neměla se zkusit krotit a stát se ženou, s jakou se žení takoví jako on? Bylo příliš pošetilé souhlasit s misemi ve Francii? Neměla o nich dvou vůbec začínat, dokud se nezotaví?

Ale ať na vztah s Edwinem nahlížela jakkoli, pokaždé došla ke stejnému závěru. Nemiluje ji tolik, aby překonal jakýkoli problém, který se vyskytne. A když se nad tím zamyslela důkladněji, uvědomila si, že se možná zamilovala do obrázku bojového pilota z dobré rodiny, ne do Edwina jako takového.

Vyrovnat se s novou situací bylo bolestné. Vždycky si představovala, jak se bude vracet na Nový Zéland ruku v ruce s hezkým a zámožným manželem, bude vypadat vytříbeně, krásně oblečená a na kontě bude mít spousty zkušeností, jimiž oslní své staré přátele.

Přitom se bude vracet sama, chudá, v hadrech a o zkušenostech, které má za sebou, nebude nikdo chtít slyšet. Navíc bez nohy. Víckrát nenaskočí do loďky jen v plavkách, muži z Russellu se za ní nebudou otáčet.

„Nebudu se litovat," napomenula se, kdykoli ji přepadly podobné myšlenky. „Naučím se vystačit s tím, co mám."

Trvala na tom, že vyzkouší invalidní vozík, a jakmile se v něm zvládla pohybovat, chtěla zkusit berle. Fyzioterapeut ji nabádal, aby na to šla pomalu, Marietta však neposlouchala. Chůze o berlích byla náročnější, než čekala, a tak za sebou měla už několik pádů.

„Jestli mě nebudete poslouchat, slečno Carrerová, vážně si ublížíte," upozornil ji fyzioterapeut unaveně. „Chvíli trvá, než si zvyknete, že je teď váha vašeho těla rozložena nerovnoměrně. Musíte se naučit balancovat, zrovna jako když jste byla malá a zkoušela skákat na jedné noze. Prozatím bude stačit deset minut denně."

Marietta věděla, že se pahýl musí nejprve úplně zahojit, než jej změří k výrobě protézy, a pak potrvá celé týdny, než se s ní naučí chodit. Ale trpělivost k jejím silným stránkám nepatřila. Chtěla se vrátit k práci do Sidmouthu, scházelo jí rušno ve výčepu. A kdyby to nešlo, našla by si práci zde, v Southamptonu, aby to měla blízko do nemocnice.

Jenže kdo by chtěl zaměstnat jednonohou ženu?

Když ji byla navštívit Sybil, dokonce vtipkovala, že výčepní o berlích by byla asi tak užitečná jako čokoládový hasič. Chtěla Mariettu zpátky, realisticky však podotýkala, že už může leda sedět za pultem a bavit se se zákazníky.

Paní Hardingová za ní jednou vzala Iana a Sandru. Marietta se před nimi sice chovala, jako by se měla dobře a v nemocnici se jí líbilo, obávala se však, že je docela neošálila.

Když děti odcházely, Sandra ji objala a pošeptala jí: „Líbíš se nám pořád stejně i s jednou nohou. Jako všem ostatním."

Bylo zvláštní, že to dítě poznalo její skutečný strach – že se nikomu nebude líbit, lidé ji budou ignorovat nebo se k ní chovat jinak. Vzpomínala, jak měli ve škole chromou spolužačku, nikdo s ní nechtěl kamarádit. Její rodina se nakonec odstěhovala do Aucklandu, mimo jiné protože jejich dcera neměla v Russellu žádné přátele.

Marietta si musela připomenout, že ona přítele má – Morgana. Chodil za ní každý den, i když vyšetřil třeba jen pár minut.

„Musíš ten čas využít produktivně," nabádal ji, když naříkala, že se nudí. „Nečekej, až tě někdo bude bavit, stejně tak nemůžeš čekat, že až odsud odejdeš, budou tě všichni obsluhovat. Daleko spíš si najdou čas na někoho, kdo se snaží být soběstačný. Já to dobře vím, věř mi."

Marietta si vzala jeho slova k srdci a skutečně se snažila. Psala dopisy domů, hodně četla, pustila se do tapiserie křížkovou výšivkou, kterou si do nemocnice přinesla jiná pacientka a po propuštění ji tu nechala. Dokonce požádala ošetřovatelky, aby jí svěřovaly drobné úkoly.

Ale někdy bylo skutečně těžké udržet si dobrou náladu a optimismus a nestěžovat si na osud. Připadalo jí nespravedlivé, že lidé jako slečna Salmonová, která ji k výcviku přemluvila, si celý den sedí v bezpečí kanceláře. Nepřišla se za ní ani podívat do nemocnice nebo se zeptat, jestli něco nepotřebuje!

Ne že by ji Marietta toužila vidět, ale chtěla se dozvědět, co je s dětmi, které zachránila, a snad i získat jejich adresu, aby jim mohla napsat. Strachovala se také o Celeste a další spolupracovníky z Francie, mrtvý voják jistě nezůstal bez povšimnutí. Nejvíc ji však dopalovalo, že se slečna Salmonová a její kolegové tak často oháněli potřebou lidskosti v této válce, jenže když teď byla zraněná a neměli pro ni další využití, to slovo pro ně nic neznamenalo.

Alespoň že dopisy domů a z domova v poslední době putovaly rychleji. Pokud se napsaly na tenký papír a vložily do tenké obálky, byly přepravovány letecky a často dorazily do cíle během deseti dnů. Když jí matka napsala, že jim strýček Noah přenechal usedlost v Marseille, na chvíli zapomněla na bolest a strasti a se zadostiučiněním si představovala, jak musel Jean-Pierre zuřit.

Otec prý napsal nějakému svému známému z Marseille a požádal jej, aby zjistil, v jakém je usedlost stavu a zda nebyla zkonfiskována. Měl v úmyslu najít někoho, kdo by stavení do konce války spravoval, po válce se chystal nemovitost prodat.

Marietta doufala, že Jean-Pierra brzy dostihne něco ještě horšího. Například by mu mohla utéct žena s někým jiným nebo by na jeho dům mohla spadnout bomba, takže by přišel o všechno. Nebyly to právě hezké myšlenky, ale zachoval se k ní opravdu hrozně.

Po téměř čtyřech týdnech v nemocnici se na Mariettu přišel podívat doktor Mercer a doporučil jí přesun do sanatoria v Bournemouthu. Prý se tam specializují na kvalitní protézy a pomáhají pacientům zvyknout si na ně.

„Do Bournemouthu!" zvolala. Chtěla namítnout, že tam nikoho nezná. Proč by nemohla zůstat v Southamptonu nebo se vrátit do Sidmouthu? Vzápětí si však uvědomila, že doktor Mercer dělá, co pro ni považuje za nejlepší. „Ano, to bude hezké," řekla tedy a doufala, že to zní upřímně.

„Asi byste raději zpátky k vašim přátelům v Sidmouthu," poznamenal, „ale ze zkušenosti vám mohu říct, že přátelé a příbuzní dělají pro pacienty po amputaci příliš mnoho. Musíte být nezávislá. Navíc je v Bournemouthu moc hezky. Jaro je za rohem, bude se vám tam líbit. Slyšel jsem, že se schyluje k invazi do Francie. Snad bude do roka po válce."

Mariettě se lékař zamlouval, měl laskavé šedé oči a velmi jemné vystupování. Snad každý by chtěl mít takového dědečka. Morgan jí vyprávěl, jak mu pomohl, podporoval ho, aby se naučil číst, a zařídil mu ošetřovatelský výcvik. „To doufám." Marietta vzdychla. „Všichni už vytrpěli víc než dost."

„Musíte ten rok využít a naučit se zvládat život s protézou, abyste byla připravená na nový život v míru. Vsadím se, že vaše rodina na Novém Zélandu se na vás už těší."

„Ano, i na mé bratry, až se vrátí z války. Teď jsou s plukem v Itálii. Podle toho, co jsem četla v novinách, Spojenci Italy pořádně prohánějí."

„Také myslím," usmál se. „Bůh ví, že už toho bylo dost."

Do Stanford House v Bournemouthu převezl Mariettu dobrovolník svým vozem. Morgan jel s ní.

Oním dobrovolníkem byla srdečná dáma středního věku v tvídovém kostýmku. Morgan se rozplýval nad tím, že jedou ve voze značky Riley. „Nejenže jsem v nemocnici dostal placené volno, ještě se svezu ve svém nejoblíbenějším autě!" pochvaloval si.

„Máte dobrý vkus, mladíku," zahlaholila paní Dykes-Colmanová za volantem. „Jestli se budete chovat slušně, možná vás cestou zpátky nechám řídit."

Paní Dykes-Colmanová jim vyprávěla, že má čtyři syny. Jednoho, pilota, sestřelili nad Francií a skončil v zajateckém táboře v Německu, další byl poručíkem u námořnictva – momentálně někde v okolí Gdaňsku –, třetí sloužil u RAF, ale jako letecký inženýr, a nejmladší se dal ke královskému námořnictvu a byl s plukem někde na Dálném východě.

„Jejich otec zemřel v roce 1922 na selhání plic, za války prodělal plynový útok," vykládala. „Taková škoda, byl to skvělý člověk. Hoši jsou naštěstí po něm a já se modlím, aby se mi vrátili celí." Ohlédla se na Mariettu s Morganem a nakrátko se zasmušila. „To ode mě bylo poněkud netaktní, omlouvám se."

„Přežili jsme, máme štěstí," řekl na to Morgan. „Znali jsme se ještě před válkou a pak jsme na sebe znovu narazili v Borough, to bylo taky štěstí. Nevíte něco o tom sanatoriu?"

„Vím, často tam chodím vypomáhat. Je tam velmi ochotný personál, samí odborníci na svém místě. Buďte ráda, slečno Carrerová, že vás posílají právě tam. Rozchodí vás, než bys řekl švec. A vy, mladíku, kdybyste chtěl slečnu Carrerovou přijet navštívit a neměl kde přespat, můžete se ubytovat u mě. Bydlím kousek od sanatoria a je vždycky příjemné mít nějakou návštěvu."

Morgan se otočil na Mariettu a povytáhl obočí. „Chceš, abych tě navštívil?" zeptal se jí.

„Přece víš, že ano," ujistila jej. Vlastně se bála, že se přestanou stýkat, to by ji mrzelo. „Ale jen když budeš mít čas, vím, že tě brzy čekají zkoušky."

Stiskl jí ruku. „Na tebe si čas najdu vždycky. Ale ve Stanfordu poznáš spoustu dobrých lidí, uvidíš, určitě mě postrádat nebudeš."

O týden později si Marietta vzpomněla na to, co jí Morgan říkal cestou. Měl pravdu. Ostatních sedmnáct pacientů a osm zaměstnanců byli samí sympatičtí lidé. Upřímní, vděční, úctyhodní, optimističtí, oddaní a nadšeně se vrhali do práce. Bylo to příjemné – ale podobně jako dieta sestávající výhradně z čokolády se jí to po chvíli přejedlo.

Chtěla být s někým jako ona, kdo na ztrátě nohy nevidí nic dobrého, kdo kvůli tomu bude reptat, proklínat svět, ale dokáže na všem vidět i veselou stránku. Jenže to v sanatoriu nikdo nedělal, dokonce ani ti, kdo přišli o obě nohy. Všichni stále opakovali, jak jsou vděční za pomoc, které se jim dostává, jak zázračné jsou protézy a jak se těší, až se za pár týdnů vrátí domů a budou žít jako dřív.

Jen osm z přítomných mužů byli vojáci, všichni přišli o končetinu při nějakém výbuchu. Nepřivezli je do Netley, ale sem, protože se mělo za to, že jim zvláštní péče ve Stanfordu prospěje.

Zbylých deset – šest žen včetně Marietty a čtyři muži – byli civilisté, z toho dva policisté, jeden farmář, jemuž utrhla ruku drtička, a jeden, kterého srazil vlak, když chtěl přejít přes trať. Ženy kromě Marietty utrpěly úraz během náletů a amputaci zapříčinila následná infekce.

Marietta si nevyčítala, že není vděčná jako oni všichni, protože jim nevěřila, že jsou tak šťastní a spokojení, jak se tváří. Jak by mohli? Byla to obyčejná báchorka, představovat si, že se vrátí ke svému starému životu, jako by se nic nestalo. Policisté budou jen stěží moct pokračovat ve své práci a farmáři se bude s umělou paží těžko řídit traktor. Pokud šlo o toho, který údajně přecházel trať, měla Marietta dojem, že se ve skutečnosti chtěl zabít, když ale přežil, styděl se za to a vymyslel si jinou historku.

Všechny přítomné ženy byly vdané za vojáky. Marietta záhy pochopila, že ty působí tak klidně a vděčně, protože mají malé děti, které musely nechat u příbuzných nebo v pečovatelském domě, a aby se k nim mohly vrátit, potřebovaly se naučit co nejrychleji chodit. Brblání by mohlo způsobit, že je pošlou zpátky do nějaké nemocnice, kde nebude žádný odborník, který by jim pomohl. Přesto nechápala, proč si alespoň v soukromí tu a tam neuleví. Jistě by jim to prospělo.

Nenamlouvala si, že bude moct plavat a plachtit jako dřív – to zkrátka není fyzicky možné. Prozatím stačilo, že se zvládá pohybovat na vozíku a o berlích dokáže vystoupat po schodech.

Vedla si deník o svých pokrocích.

Ačkoli možná se to nedalo nazývat přímo deníkem, spíš si do sešitu ulevovala a ventilovala všechny své nářky, rozčílení nad těmi nezničitelně veselými, nad těmi, kdo ji poučovali, aby se začala učit nové řemeslo, i nad těmi, kteří byli vděční, že jsou zkrátka naživu. Zesměšňovala je na papíře, nemilosrdně je popisovala a smála se tomu. Její deník představoval časovanou bombu, stačilo, aby jej někdo našel. Proto ho většinu času nosila u sebe.

Naštěstí byla v pokoji ubytovaná s Fredou, která nebyla žádná čtenářka ani zvědavá všudybylka. Šlo o tichou, poměrně křehce vyhlížející osmadvacetiletou ženu s bledě modrýma očima a vlasy barvy staré slámy. Věčně pletla pro některé ze svých dvou dětí, a pokud právě necvičila chůzi s protézou, často zírala na fotografii svých potomků.

„Myslíš, že se všechny děti stydí za lidi s umělou nohou?" zeptala se nečekaně jednou odpoledne.

Marietta se právě vrátila z předběžné zkoušky umělé končetiny. „Jestli ano, potřebovaly by pár pohlavků," odpověděla Marietta. „Proč se ptáš?"

Frediny děti Alice a Edward byly prozatím u její starší sestry v Salisbury. Freda prve letmo zmínila, že ji kvůli špatnému počasí navštívily jen jednou.

„Sestra mi napsala, že bych dětem neměla dělat ostudu," vzdychla Freda. „Prý pro ně bude lepší, když zůstanou u ní."

„Pro děti je vždycky nejlepší být se svou mámou," prohlásila Marietta neochvějně a vzpomněla si na Sandru s Ianem a na to, jak láskyplně mluvili o Joan. „Děláš s tou nohou pokroky, můžeš vařit, prát, vykonávat všechno, co matka potřebuje zvládat. Nechápu, co to tvou sestru vůbec napadlo."

„Moje děti si zamilovala a sama žádné nemá," pípla Freda. „Navíc si prý zvykly žít v mnohem větším domě na hezkém a bezpečném místě, odkud je to kousek do přírody. My bydleli ve dvoupokojovém bytečku v Southamptonu dole u doků. A od toho bombardování nemáme ani ten."

„Tak proč ti nenabídne, aby ses nastěhovala k ní?" nechápala Marietta. „To by přece bylo správné řešení. Mohla by mít děti u sebe a zároveň se postarat o tebe."

Freda chvíli mlčela. Kousala se do rtu, jako by si myslela, že se nesluší mluvit s cizím člověkem o rodině.

„Tak co?" pobídla ji Marietta.

„Nechce mě tam. Dělala bych jí ostudu."

Mariettu taková podlost rozhořčila. „Jestli pro ni nejsi dost dobrá, tak ani tvoje děti," zlobila se. „Je vidět, že nemá srdce, takový člověk by žádné děti vychovávat neměl. Jsi s tou nohou moc statečná, a teď musíš být ještě statečnější a postavit se za sebe. A já ti pomůžu!"

Kapitola třicátá třetí

„Jak jsem slyšel, přesvědčovala jste některé pacienty, aby se za sebe postavili," konstatoval doktor Hambling, když Mariettě prohlížel pahýl, jestli na něm nejsou puchýře a otlačeniny.

Před třemi týdny konečně dostala protézu. Ale místo aby na to šla pomalu dle instrukcí a cvičila v krátkých intervalech, pustila se do toho plnou parou. Doktor Hambling věděl, že ji překvapilo, jak je těžké naučit se s protézou chodit. Marietta však byla přesvědčená, že pokud bude chůzi zkoušet stále dokola, nakonec se to naučí. Tím pádem se jí udělaly otlačeniny. Naštěstí se mu ji podařilo zpomalit dřív, než si stačila vážně ublížit.

„Kdopak se vám svěřoval?" zeptala se obezřetně.

Poprvé si doktor Hambling všiml Mariettiných zásahů, když za ním přišla Freda a pověděla mu, že ji chce sestra připravit o děti. Najednou už nevypadala jako vylekaná myška, prohlásila, že jí Marietta pomohla pochopit, že o své děti musí bojovat. Požádala o pomoc při shánění vlastního bydlení, aby měla kam se s rodinou přestěhovat.

Brzy si lékař i další zaměstnanci začali všímat, že Marietta často vede velmi upřímné rozhovory s ostatními pacienty a původně krotcí a mírní lidé se začínají prosazovat, žádat o spojení s organizacemi, které by jim mohly pomoci s řešením problémů, nebo se alespoň tváří pozitivněji ohledně budoucnosti.

„Tady se ví o všem, co se kde šustne," podotkl lékař. „Ale je výborné, že umíte pacienty přimět mluvit. Po amputaci bývají psychické problémy často horší než ty fyzické. Nejspíš víte, že za mnou přišla Freda požádat o pomoc při shánění nového bydlení, to by sama od sebe nikdy nedokázala. Podle mě ji vlastní sestra přesvědčila, že svým dětem nebude k ničemu a nejvíc jim prospěje, když se jich vzdá."

Marietta se rozzářila, napůl čekala, že jí doktor Hambling doporučí, aby se starala o sebe a nestrkala nos do problémů druhých. Zjistila, že skutečně dokáže přimět lidi, aby se otevřeli a svěřili se svými obavami. Pomáhalo jim to vymyslet řešení. A jí to zase pomáhalo zapomenout na vlastní smutek a strach.

„A dokážete Fredě pomoct? Zoufale si přeje dostat děti zpátky."

„Už se na tom pracuje. Ale teď si promluvme o vás, mladá dámo! Nemohla byste zpomalit a cvičit tu nohu tempem, jaké vám doporučujeme? Přece jen o tom pár věcí víme."

Marietta se rozesmála. Doktora Hamblinga s rozcuchanou bílou kšticí a hustým plnovousem si oblíbila. Byl starší, operoval raněné už během první světové války, a právě po těchto zkušenostech se rozhodl pracovat na vývoji protéz a pomáhat lidem po amputacích žít normální život. Morgan jí říkal, že je považován za nejlepšího ve svém oboru.

„Dobře, poučila jsem se," připustila. „A nemohla bych si nasadit protézu a ukázat vám, jak teď chodím?"

Když svou „nohu" spatřila poprvé, málem se rozplakala. Vídala protézy u jiných, ale na svou připravená nebyla. Odporně růžovo-béžový bakelitový povrch, masivní popruhy a váha té strašné věci ji přiměly uvažovat o tom, že bude navěky chodit o berlích.

Nemohla nezavzpomínat, jak jí na lodi Morgan hladil nohy od konečků prstů po stehna. Podle něj měla nejhezčí nohy, jaké kdy viděl. To už se jednonohé dívce nepoštěstí. Nedovedla si ani představit, že by ji ještě někdo sevřel v náručí a políbil. Možná jí zůstala hezká tvářička, ale umělá noha každého odradí.

Doktor Hambling sledoval, jak si Marietta protézu připíná. Z jejího výrazu poznal, že ji odpuzuje, ale rozhodla se s tím smířit. Protože ať se jí to líbí nebo ne, bude ji potřebovat.

Lékaři připadala Marietta jako fascinující kuriozita: vzdorná, netrpělivá, smělá, zábavná, často tvrdohlavá a velmi statečná. Ale měla i jemnou stránku a starala se o druhé, zvlášť o ty méně schopné. Kdyby se narodila jako muž, byl by z ní skvělý důstojník.

Navíc byla nepopiratelně krásná.

Doktor Mercer k tomu poznamenal: „Kdykoli vstoupí, rozzáří se celá místnost." A v tom měl pravdu.

Někdo by mohl říci, že si krásná žena na umělou nohu zvykne snáze než ošklivá, protože jí budou všichni pomáhat. Doktor Hambling se přesvědčil, že je to právě naopak: lidé se odvracejí, když vidí pokaženou krásu. Nabyl však dojmu, že dokud bude Marietta dýchat, nepřestane se snažit dělat všechno jako předtím, než o nohu přišla. Skutečný muž v ní uvidí skutečnou ženu a na její postižení si ani nevzpomene.

„Ještě tak dva týdny a budete moct domů," řekl jí, když před ním přešla sem a tam. Rád by ji ujistil, že chodí úplně stejně jako normální zdravý člověk, to však nemohl. Musela umělou končetinou máchat, aby udělala krok, a stále to na pohled bylo velmi zjevné. S cvikem nebude kulhání tak zřetelné, ale nikdy nebude chodit jako dřív.

„Ráda bych, aby to bylo skutečné domů," usmála se na něj Marietta. „Ale asi není šance, že by mě nějaká loď vzala na Nový Zéland."

„Snad byste si nechtěla nechat ujít zdejší oslavy ukončení války," dobíral si ji lékař. „Nebo nevidět, co se stane, až vtrhneme do Francie."

„Dejme tomu." Ztěžka vzdychla, pak se rozesmála. „Bylo by trochu nezdvořilé sbalit kufry, když se teď pobřeží hemží Američany. Jsou na každém rohu. Škoda že si nezatančím, prý je to o sobotních tanečních zábavách hodně bujaré. Ale jak vypadá ta chůze? Lepší než posledně?"

„Mnohem lepší," přitakal lékař. „Stále se moc kymácíte, ale to s cvikem vymizí. Hlavní je, že neváháte, to je dobře. Ale zpátky k tancovačkám – nedovedu si představit, že byste se zamilovala do nějakého amerického mladíčka. Přestože to dělá půlka děvčat z Anglie. Já bych si vsadil na vás a na Morgana."

Lékař si musel všimnout, že je mezi nimi něco víc, to Mariettu ohromilo. Všichni ostatní jejich vztah považovali za pouhé přátelství. Přesto se jí z Morgana stále dokázalo rozbušit srdce a byla si jistá, že na něj působí stejně. Ale ačkoli sem za ní celou dobu jezdil téměř každý týden, nikdy ani nenaznačil, že k ní chová nějaké city, nepokusil se ji políbit.

Doktor Hambling odhadl, nač Marietta myslí, a soucítil s ní, přál by jí vztah s Morganem trochu postrčit.

„Bohužel má Morgan stejný problém jako většina pacientů, kterým se tu snažíme pomoct," poznamenal. „Viděl jsem na fotografii, jak vypadal, a plně chápu, proč si kdysi tak pohledný muž myslí, že když přišel o svou pěknou tvář, nemá už ženě co nabídnout. Samozřejmě se plete, to víme oba. Vy, Marietto, taky nejste jiný člověk jen proto, že jste přišla o nohu, stejně tak není jiný on, protože má popálený obličej. Je ale dost těžké tohle pacientům vysvětlit."

„Jenže jde taky o to, jak nás vnímají ostatní," namítla Marietta. „Když jsem dřív šla po ulici, muži se za mnou otáčeli. Když si teď všimnou, jak kulhám, jejich výraz se změní, odvracejí oči. Morgan to má určitě podobně. Ženy při pohledu na něj omdlévaly, teď mu žádná ani nepohlédne do očí."

„Ale vy před ním pohledem neuhýbáte," zdůraznil lékař. „Viděl jsem vás spolu, bez potíží se mu díváte do tváře. A když vy odcházíte, dívá se za vámi, jako by vás už neměl nikdy vidět. Řekl bych, že se máte čeho chytit."

„Jenže my nebudeme mít příležitost se něčeho chytat, jakmile se vrátím do Sidmouthu," namítla. „A jestli skutečně dojde k invazi, v Borough budou mít blázinec a Morgan na mě nebude mít čas."

„Tak co kdybyste se vrátila do Borough?" Lékař se potutelně usmál. „Nemáte náhodou sekretářský diplom? V Borough by jistě využili nějakou výpomoc s administrativou."

Mariettě se rozzářily oči. „Myslíte, že by mě vzali?" zvolala. „Jsem v tomhle stavu schopná takovou práci dělat?"

„Ano, myslím, že by vás vzali, když promluvím se správným člověkem. A pokud jde o to, jestli na tu práci máte, to je jen na vás. Fyzicky jste zdatná – víte sama, jak dlouho vydržíte s protézou chodit a co je pro vás obtížné – a práce sekretářky je vesměs sedavé zaměstnání. Mnohem lepší než práce za výčepem. Nevidím důvod, proč byste měla mít těžkosti."

„A nebude si Morgan myslet, že ho pronásleduji?"

Doktor Hambling zvrátil hlavu a rozesmál se. „Ale, Marietto, žádnému mužskému na světě by nevadilo, kdyby ho pronásledoval někdo jako vy! Podle mě bude Morgan šťastný jako blecha. Pronásledujte ho, a až ho dohoníte, polibte ho a bude váš na celý život."

Marietta si vzpomněla, jak jej bezostyšně vyhledávala na lodi. „Bývala jsem si sebou tak jistá," pronesla napjatě. „Nikdy jsem vlastně o ničem nepochybovala, zato teď pochybuji v podstatě o všem."

„To patří k dospívání," ujistil ji lékař. „Nesouvisí to s vaší nohou, s válkou ani s ničím jiným okolo. Čím jsme starší, tím jsme opatrnější. To ale neznamená, že bychom nemohli riskovat, zvlášť když pravděpodobnost hraje v náš prospěch. Teď už běžte, a až vás příště Morgan navštíví, povězte mu, že mu chcete zůstat nablízku."

Marietta se usmála a zamířila ke dveřím. „Až odsud odejdu, budete mi chybět," otočila se ještě k němu. „Ale dám vám vědět, jak se věci vyvinou."

„Však se nevidíme naposledy, má milá. A než odsud odejdete, ještě se setkáme. I pak ke mně budete chodit jednou za dva měsíce na kontrolu."

„Chceš v Borough pracovat?" zeptal se nevěřícně Morgan. „Myslel jsem, že až odsud odejdeš, nasedneš do prvního vlaku do Sidmouthu. Proč zrovna Borough?"

Marietta se zhluboka nadechla. „Protože tam jsi ty."

Byl teplý květnový den, a tak, když ji Morgan přijel navštívit, vyšli si do zahrady sanatoria, aby si užili slunce. Ráno Mariettě přišel balík z domova s krémovými lněnými kalhotami a krásnou světle zelenou blůzkou s krejzlíkem vpředu. Pochopitelně práce Mog. Jako by přesně věděla, co Marietta potřebuje, jako obvykle. Nezaváhala a oblékla se do nových věcí. Se zakrytýma nohama se cítila připravená na cokoli.

„Už přece musíš vědět, že bez tebe nemůžu být," pokračovala. „Ale stačí říct, že mě jen lituješ a nic víc, a zmizím do Sidmouthu."

Morgan svěsil hlavu. „Tak to přece není," řekl tiše. „I já s tebou chci být, ale nejsem chlap, kterého potřebuješ."

„Nechej na mně, abych rozhodla, co potřebuju. Jsi to ty," prohlásila neochvějně.

Morgan zvedl tmavé oči, v nichž se zrcadlil hluboký smutek. „Ty to nechápeš…" Nedokázal však dopovědět. „Ani ti to nedokážu říct," dodal nakonec.

„Co? Vím, že ke mně cítíš totéž. No tak máš zjizvený obličej, já zase nemám nohu. Jsme trochu divná dvojice, ale aspoň se budeme mít o čem bavit, i kdyby o tom, kdo si z nás ten den utahoval." Popošla vpřed, položila mu ruce na tváře, vytáhla se na špičky a políbila ho na rty.

Okamžitě zareagoval. Objal ji a mezi rty ucítila jeho jazyk. Přitiskla se k němu a už jen z blízkosti jeho pevného těla jí ztvrdly bradavky.

Morgan se odvrátil jako první.

„Musím ti to říct," hlesl a čišela z toho bolest. „Já už nemůžu. Ztratilo se to po tom popálení."

Marietta poznala, jak těžké pro něj bylo to přiznat. Zaváhala, nechtěla, aby se cítil ještě hůř. „Dobře, tím myslíš, že už se ti nepostaví?"

Přikývl a zahanbeně se odvrátil.

Vzala jej za ruku a dovedla k lavičce u záhonu tulipánů. „A mluvil jsi o tom s doktorem?" zeptala se po chvíli.

„Jednou ano. Tvrdil, že se to za čas srovná. Nesrovnalo."

Zdálo se nekonečně ironické, že právě muž, který jí předvedl, jaká rozkoš se dá při sexu prožít, jí říká, že už z něj nemá nic.

„Když jsme se líbali, jak jsi to cítil?" zeptala se.

„Bylo to krásné, protože to bylo s tebou. Ale nic to nespustilo."

„Na druhé straně to byl jen polibek v zahradě. Nemyslíš, že to by bylo lepší vyzkoušet, až budeme sami na nějakém útulném místě?"

„Snad."

Marietta se k němu otočila. „Ty mě věčně pobízíš, abych dělala tohle nebo tamto. Je až neuvěřitelné, co všechno jsi ty od svého zranění dokázal, proto mi připadá nesmírně smutné, že jsi sám sebe přesvědčil, že se tenhle problém nedá překonat."

„Zapomeň na to," ohradil se. „Už o tom nechci mluvit."

Marietta vstala. „Nemůžu tě nutit, abys o tom mluvil, se mnou ani s doktorem. Ale víš stejně jako já, že popálený obličej nemůže v člověku zničit schopnost milovat se. To je jen v hlavě a tam sis to zasadil ty, protože sis myslel, že by žádná žena nemohla chtít zjizveného muže. V tom případě to ale z té hlavy můžeš taky dostat."

„Nedokážu to," vzdychl. „Bůh ví, že jsem se snažil."

„Tak to zkusíme spolu," vzdorovala tvrdohlavě. „Jestli se já dokážu pozvednout nad strach odhalit před tebou svůj pahýl, nevidím důvod, proč ty by ses nemohl pozvednout taky."

Vzápětí se rozesmála a zakryla si ústa dlaní.

I Morgan vyprskl smíchy a brzy už se objímali a smáli, především úlevou, že to nepříjemné téma mají za sebou, než že by to bylo tak zábavné.

„Takže jsi rád, že půjdu do Borough?" ujišťovala se o chvíli později Marietta.

„Ještě jsi mi neřekla, co tam budeš dělat," zazubil se. „Jestli mě chceš jenom kontrolovat, možná se mi to až tak líbit nebude."

„Administrativní práci," odpověděla. „Psát žádanky, dopisy a tak dál. Ale doktor Hambling jim řekl, že umím dobře naslouchat trápení druhých a pomáhat jim najít řešení, a tak budu navíc spolupracovat s kaplankou."

„Tak to hodně štěstí!" Morgan povytáhl obočí. „Slečna Wainwrightová je skutečná dračice. Mám dojem, že doopravdy ničí stesky neposlouchá, jen všechny sjede."

„Třeba ji zkrotím," usmála se Marietta.

„Jestli to někdo dokáže, tak jedině ty. Našli ti ubytování?"

Marietta přikývla. „Dostanu pokoj v ubytovně pro zdravotní sestry. Prý to navrhl doktor Mercer. Mám opravdu štěstí, že se za mě on a doktor Hambling postavili."

„A co Sybil s Tedem? Nejsou zklamaní, že se k nim nevrátíš?"

Marietta se ušklíbla. „Podle mě to Sybil vůbec neschvaluje. Ona by mě nejradši opečovávala jako děcko a vystavovala jako svou soukromou válečnou trofej. Jenže o to já nestojím, navíc chci být u tebe."

„Až začne invaze, moc se neuvidíme," upozornil ji Morgan. „Jen doufám, že nebude tolik raněných jako u Dunkirku. Jenže ono to možná bude ještě horší."

Kapitola třicátá čtvrtá

Obecně se mělo za to, že Spojenci vpadnou do Francie na přelomu jara a léta roku 1944, to kvůli velkému počtu vojáků přítomných podél celého jižního pobřeží, zejména pak v Portsmouthu a Southamptonu. Marietta do centra Southamptonu nikdy nechodila, často však slýchala ošetřovatelky nadšeně mluvit o neuvěřitelném množství přítomných amerických vojáků, s nimiž se seznamovaly na tancovačkách.

Jak se jaro přehouplo v léto, bylo všude patrné napjaté očekávání, invaze se zdála nevyhnutelná. Jenže nikdo nic nevěděl jistě – kdy k ní dojde ani na kterou část Francie bude útok namířen. Na začátku června se šuškalo, že dojde k vylodění u Pas-de-Calais. Tato informace se však ukázala jako falešná, vypuštěná, aby němečtí generálové poslali svá vojska právě na toto místo.

Přesto bylo zřejmé, že se začátek blíží, lidé hlásili, že v průlivu čekají dva tisíce námořních lodí a nad nimi se vznášejí vzducholodě, které mají lodě chránit před nepřátelskými letadly, bezpočet minolovek likviduje nepřátelské miny. Pátého června se nebe zatmělo stovkami spojeneckých bombardérů a od pobřežních francouzských měst se neslo dunění těžkého bombardování.

Každý měl nějakou teorii a mnozí tvrdili, že jsou zasvěcení, všichni se však shodovali na tom, že k invazi musí dojít šestého června. Té noci měl být úplněk a silný odliv měl pomoci odhalit německé miny nakladené podél normandských pláží.

Ve všech nemocnicích podél jižního pobřeží se sestry, lékaři i ostatní personál připravovali na nevyhnutelné oběti. V Borough vyprázdnili co nejvíce míst na odděleních, ačkoli největší část zraněných měla být směřována do vojenské nemocnice v Netley, kterou si zabrali Američané.

Morgan zdolal závěrečné ošetřovatelské zkoušky se ctí a lékaři v Netley si ho vyžádali, aby jim vypomohl s blížící se kalamitou. Shledávali ho velmi přínosným – sám byl voják, těžce zraněný, navíc se vědělo, že má neobyčejné vědomosti o válečných úrazech. Marietta byla sice ráda, že se jeho schopnosti dočkaly uznání, přesto se jí zdálo ironické, že ji o něj mají připravit, právě když se k němu dostala blíž a vídají se každý den.

Ale sama měla práce víc než dost, přepisovala diktáty od zaměstnanců, psala dopisy a zprávy. Slečna Wainwrightová jí zatím nedovolila mluvit s žádným z pacientů, kteří přicházeli se svými problémy či otázkami do kanceláře kaplanky. Marietta jen sepisovala hlášení o těchto návštěvách. Morgan měl pravdu: byla to dračice, k pacientům se chovala nezdvořile, necitlivě a velmi povýšeně. Jenže jí táhlo na šedesát a v Borough pracovala osmnáct let, nehrozilo, že by ji měli v brzké době nahradit někým jiným.

Přesto si Marietta novou práci oblíbila. Po tak dlouhé době bylo milé cítit se znovu vytížená a potřebná. Už se stačila seznámit s několika ošetřovatelkami, které o ni pečovaly, dokud byla sama pacientkou, a brzy si našla i další přátele. A nepřipadala si jako podivín. Snad protože zaměstnanci nemocnice byli zvyklí vídat různá zranění a zmrzačení, každopádně na ni necivěli ani před ní neuhýbali pohledem. Často se jí vyptávali, jak přišla o nohu a jak si zvykla na protézu, a ona zjistila, že otevřenost je mnohem lepší než rozpačité mlčení.

Pokojík v ubytovně, budově na pozemcích nemocnice, byl maličký, některé z ošetřovatelek mu přezdívaly „skříňka". Ale Marietta měla tak málo věcí, že na tom nesešlo. Stejně tam jen přespávala, protože dole se nacházela společenská obývací místnost, kde se po večerech scházela se sestrami, které neměly službu.

Večer šestého června všichni všeho nechali a sesedli se u rozhlasových přijímačů. Dozvěděli se, že před svítáním došlo k výsadku parašutistů do Francie, ti následně přestříhali telefonní a elektrické dráty. V šest ráno se vylodily tisíce vojáků na čtyřech různých plážích v Normandii. Námořnictvo celou hodinu po přistání ostřelovalo pobřežní oblast.

Ze zpravodajova hlasu čišelo nadšení. Zdálo se, že všechny plány ke zmatení nepřítele, aby čekal invazi v Calais, zabraly a německá vojska v Normandii zaspala. Všichni žasli nad neuvěřitelným měřítkem celé operace, velkolepou ukázkou geniální strategie, moci a odvahy.

Ale ačkoli ošetřovatelky jásaly a navzájem se objímaly – protože tato invaze už musí Němce dostat na kolena a ukončit válku –, všichni věděli, že do čtyřiadvaceti hodin budou ošetřovat první vlnu stovek, možná tisíců raněných. Mrazilo z představy, že mnozí z těch, kdo tak statečně vyskákali z lodí a stanuli na pobřeží, připravení bojovat, na těchto normandských plážích zemřou.

Pokud Marietta věděla, její bratři byli i nadále v Itálii, ačkoli i ve Francii bojovali novozélandští, australští a kanadští vojáci po boku amerických a britských. Marietta si mohla jen představovat, jaký budou mít rodiče strach, až doputují zprávy o invazi na Zéland. Připomenou si hrůzy, jimiž ve Francii sami prošli během první světové války, navíc nebudou vědět, jestli nejsou Alex s Noelem v místě nejhorších bojů.

Někdy Marietta plakala steskem po domově. Toužila se stulit matce do náruče, slyšet její hlasitý spontánní smích. Ale ještě více si s ní chtěla sednout a mluvit, ne planě tlachat o tom, co dělají sousedé a co se nosí, nýbrž o všem, co v Anglii prožila a co Belle potkalo v jejím věku. Chtěla poznat skutečnou Belle, ne matku, ale dívku, pochopit, co ji zformovalo v ženu, jíž se stala.

A totéž platilo pro otce. Byl houževnatý a silný muž – někdy až trochu děsivý – a naučil ji plachtit, plavat a rybařit, přitom dokázal utěšit malé děcko i dospělou ženu. Už jako malá poznala, že je víc než jen otec, rybář a námořník. Noah naznačil nějaké záležitosti z minulosti a Marietta se o nich chtěla dozvědět co nejvíc.

A pak Mog. Nikdo jí nikdy nevysvětlil, proč Belle dělala matku. Pocházela z Walesu, ale nikdy nemluvila o tom, co se stalo s její rodinou nebo jestli je s ní nějak ve styku. Pro Mariettu byla vždycky báječnou a milující babičkou, vynikající švadlenou a důvěrnicí, jíž se svěřovala.

Odloučení trvalo již téměř šest let a Marietta tesknila po rodinných večeřích u kuchyňského stolu, večerech nad společenskými hrami a v zimě posezení u krbu. Připadalo jí komické, že musela na druhý konec světa, aby pochopila, jaký má doma poklad. Zároveň si byla jistá, že až se na Zéland vrátí, víckrát jej neopustí.

Jenže jakkoli si přála být doma, chtěla také být s Morganem. Když jej teď přeřadili do Netley, neměla ho jak zpracovat. A ani dokud pracoval v Borough, neměli šanci být spolu někde sami. Marieta nebyla schopná jít někam daleko nebo po nerovném povrchu v přírodě, a Morgan zase nechtěl chodit do hospod a restaurací, kde by na něj lidé civěli.

Bude to takové vždycky? A jestli se věčných omezení nezbaví, jak má vůbec zjistit, jestli chce s Morganem skutečně strávit zbytek života?

Večer devátého června dopravili do Borough první oběti dne D, jak invazi všichni přezdívali. V polní nemocnici a na lodi se jim dostalo základního ošetření, ale mnozí vojáci měli skutečně vážná zranění.

Když Marietta procházela kolem ošetřovny na příjmu, zahlédla muže, který přišel o polovinu obličeje. Julia, sestra, s níž se spřátelila, jí později vyprávěla o všech možných zraněních páteře, očí, o utrhaných nohách a rukách a vojácích, kteří už nikdy nebudou chodit.

Následujícího rána poslala slečna Wainwrightová Mariettu shromáždit a zapsat osobní údaje o nových pacientech. Bylo třeba sestavit seznam a kontaktovat příbuzné, pokud toho pacient nebyl schopen sám.

Slečna Wainwrightová byla tyranka s kovově šedými vlasy a kyselým výrazem, která si své místo udržela jedině díky tomu, že ačkoli s pacienty nedovedla soucítit, vyřizovala jejich záležitosti poměrně výkonně. Marietta se málem rozesmála, když našla slabinu v její zbroji. Ta žena má slabý žaludek! Proto poslala Mariettu udělat práci, kterou měla vykonávat sama.

„A ať vám to netrvá celý den,“ štěkla kaplanka. „Formuláře, které používáme, najdete na sesterně ve skříni. A ne abyste nějaké údaje vynechala.“

„A co když je pacient v bezvědomí?" otázala se Marietta.

„Tak opíšete údaje z jeho psí známky," odpověděla slečna Wainwrightová podrážděně. „Prozatím stačí znát alespoň jejich jméno a zařazení."

Marietta zamířila na první oddělení, kde leželo čtyřiadvacet mužů, někteří s ovázanou hlavou a hrudníkem, jiní s drátěnou konstrukcí pod přikrývkou nebo s již amputovanými končetinami. Vzpomněla si na matku. Belle kdysi popisovala svůj první den ve válečné nemocnici v Londýně, kam nastoupila jako dobrovolnice. Prý tu hrůzu téměř nedokázala pobrat, pohled na zakrvácené obvazy, bledé tváře zrůzněné bolestí, zápach a sténání.

To vše nyní Marietta prožívala. Zejména si všímala, jak jsou někteří z vojáků mladí. Srdce jí přetékalo soucitem, když na ni upírali oči a mlčky prosili o pomoc.

V East Endu viděla mnoho zraněných civilistů a bylo to srdceryvné, ale tito muži jí připomínali její bratry, kteří by docela dobře mohli právě teď ležet v nějaké jiné nemocnici, vyděšení, v bolestech a osamělí.

Na tomto oddělení byli samí Angličané. Američany odvezli do Netley. Marietta udělala, co měla, vyplnila formuláře, ale tím neskončila. Každého muže se zeptala, jak mu je. A pokud nebyl ženatý, chtěla vědět, jestli kromě rodičů neexistuje ještě někdo výjimečný, komu chtějí poslat zprávu. Všechny ujistila, že na ně rodiny i celá Anglie budou hrdé.

Někteří plakali, drželi ji za ruku a vzlykali, jak to bylo na plážích Normandie děsivé. Jeden vyprávěl, že poté, co ho zranili, běžel podél pláže a pokoušel se najít svou četu, bál se však, že bude obviněn z dezerce. Další líčil, jak přímo před ním střelili do hlavy jeho nejlepšího přítele. Potřebovali o tom mluvit a Mariettě bylo jedno, jestli jí slečna Wainwrightová vynadá, že jí to trvalo moc dlouho.

Pozdě odpoledne se vrátila do kanceláře kaplanky s vyplněnými formuláři. Slečna Wainwrightová se tvářila, jako by celý den jedla citrony.

„Kde jste byla?" otázala se.

„Sháněla jsem informace," odpověděla Marietta.

„A proč vám to trvalo tak dlouho?"

„Protože někteří vojáci potřebovali s někým promluvit, naslouchala jsem jim," opáčila.

„Nejste jejich příbuzný ani psychiatr. Máte čistě úřednické povinnosti. Teď tu budete muset zůstat déle a psát dopisy za ty, kteří to sami nezvládnou."

„To jsem stejně měla v úmyslu," prohlásila Marietta. „A se vší úctou, myslím, že povinností každého je pomáhat těm, kdo bojovali za naši zemi. Jestli jim pomůže naslouchání, budu to dělat."

„Vy jedna drzá holko!" zvolala slečna Wainwrightová. „Tohle je mé oddělení a vést je budu já."

Marietta byla unavená, bolela ji noha a měla za sebou dlouhý a skličující den. Udělala, co považovala za správné, a nehodlala se stáhnout do koutka a nechat se od té ženy komandovat.

„Vy, slečno Wainwrightová, nejste ani za mák lidská. Měla byste dělat spíš dozorkyni ve vězení než kaplanku."

Žena se zvedla a chvíli to vypadalo, že snad Mariettu uhodí. „Jak se opovažujete takhle se mnou mluvit!" prskla. „Dojdu za vrchní sestrou a nechám vás vyhodit."

„Hodně štěstí." Marietta pokrčila rameny. „A teď mě omluvte, mám práci."

Slečna Wainwrightová popadla kabelku a svetr a vyřítila se z kanceláře. Marietta se posadila ke svému stolu a pustila se do nadepisování obálek. K informování příbuzných o přijetí raněných vojáků se používal předtištěný dopis. Marietta neměla v úmyslu porušovat pravidla, ale chtěla poslat dopis také na adresy dvou přítelkyň mužů, kterým záleželo na tom, aby byly dívky uvědomeny.

Někteří z vojáků pocházeli ze severní Anglie a Marietta musela myslet na to, jestli za nimi vůbec někdo přijede. Sama se v nemocnici cítila na dně a byla by dala cokoli, kdyby mohla vidět někoho z rodiny. Ještěže tu měla aspoň Morgana.

Když se vracela k ubytovně pro ošetřovatelky, bylo už po deváté a byl krásný teplý večer. Marietta měla hlad, dobu výdeje večeří však zmeškala a nezbývalo jí, než si připravit sendvič. Nechtěla se zaobírat roztržkou se slečnou Wainwrightovou ani možnými následky.

Na to bude čas zítra.

Po několika dnech bez oficiálního napomenutí usoudila, že se její nadřízená nakonec rozhodla od stížnosti upustit. Chovala se k ní sice stejně mrazivě jako předtím, ale poslala ji zpátky na oddělení zjistit, jestli vojáci něco nepotřebují nebo nechtějí s něčím poradit.

„Pochopitelně je povinností armády postarat se o ně. Kdyby byli v Netley, obešel by je důstojník," prohlásila škrobeně. „Ale dokud sem někdo nepřijde, můžete to dělat vy."

Marietta netušila, jestli jí slečna Wainwrightová jen svěřila úkol, do něhož se jí nechtělo, nebo jestli ji doporučila některá ze sester na oddělení. V každém případě ji to potěšilo. Bylo mnohem uspokojivější psát dopis domů za vojáka, který neudrží pero, než vyplňovat hlášení. Mnozí z pacientů se ptali, co s nimi bude dál, když jsou teď vážně zraněni, a ačkoli jim na všechny otázky odpovědět nedokázala, mohla alespoň zařídit, aby za nimi zašel správný člověk.

Vojáci byli především rádi, že mají s kým promluvit. A těm, kteří za sebou měli amputaci, pomohlo slyšet, jak dlouho trvá zvyknout si na protézu a jaké to s ní je.

Dvanáctého června se roznesly zprávy o novém typu létajících bomb, které byly vystřelovány z Francie. Lidé první z nich považovali za letadlo, protože měla křídla. Brzy se však začaly objevovat další, ve dne, v noci, přilétaly z jihu a mířily na Londýn. Vydávaly přitom bzučení připomínající motocykl, proto jim lidé přezdívali „bzučící bomby". Pak motor náhle utichl, bomba spadla a explodovala. Jejich účelem bylo šířit paniku, což se dařilo.

Do nemocnice přijali dvě staré paní, které žily spolu. Bzučící bomba jim vybuchla na zahradě. Spadl na ně celý domek. Kromě mnoha šrámů a podlitin – navíc si jedna zlomila ruku – nebyly vážně zraněné, ale šok oběma přivodil infarkt.

„Během letecké bitvy jsme věděly, co máme čekat," vyprávěla jedna roztřeseně Mariettě. „Ale teď uslyšíte to bzučení, najednou utichne, a když se to stane zrovna nad vámi, nemáte šanci. Co si jenom počneme? Nemáme kde bydlet."

Pro každého bylo těžké přijít o střechu nad hlavou, pro staré lidi ovšem nejhorší, protože ztratili všechno, co nastřádali za celý život. Marietta slíbila sehnat někoho, kdo jim pomůže, věděla však, že rodiny mají přednost a tyto dvě paní nedostanou víc než jeden pokoj v činžovním domě.

Když za ní do Borough přijel Morgan, všechno mu vyprávěla. Byl teplý večer a oni seděli na lavičce před ubytovnou.

„Je mi všech tak líto," vzdychla. „Potrvá tak dlouho, než se zničené domy opraví a místo těch, které už zachránit nejde, postaví nové. Nedovedu si představit, jak se tu bude žít po válce. Nic už nebude stejné. Ještěže pojedu domů."

Morgan na to neřekl nic.

Marietta na něm viděla, že je z její poslední poznámky nesvůj. „Šel bys se mnou?" zeptala se a vzala ho za ruku. „Nechci tam bez tebe."

„A čím bych se živil?" namítl. „Říkalas, že je Russell malý, tam nemocnice nebude."

„Jedna je v Zátoce ostrovů v Kawakawě, to není zas tak daleko. Vozili tam zraněné vojáky z první světové války a i teď mají napilno. Navíc se tam léčí tuberkulóza."

„Pochybuju, že by stáli o chlapa ošetřovatele."

„Morgane, ty jsi někdy hrozně negativní," vytkla mu mírně. „Chceš zůstat tady beze mě?"

Rozhodil rukama. Marietta chápala, co tím myslí, že chce být s ní, ale nechce se k ničemu zavazovat, ne ve svém současném stavu.

„Co by řekli vaši, kdyby sis domů přivedla někoho jako já?" dodal.

„Mluvil jsi s nimi po telefonu, když jsem přišla o nohu, určitě víš, jak byli vděční, že mi pomáháš. Vědí, že jsi popálený, pro ně v tom nebude žádný rozdíl."

„Jenže si pro tebe určitě představovali někoho jiného."

Mariettu to začínalo dopalovat. „Už toho mám dost! Mí rodiče lidi nesoudí podle vzhledu. Nebudu tě znovu prosit, prostě se vrátím sama."

Vstala, chtěla odejít, ale Morgan ji chytil za ruku a stáhl si ji zpátky na klín.

„Mám strach," přiznal.

„Z čeho?" zeptala se nešťastně.

„Když jsme se poznali, byli jsme oba dokonalí. Mysleli jsme, že je to láska, ale nebyli jsme spolu tak dlouho, abychom si byli jistí. Po pěti letech jsme se dali znovu dohromady, jenže jsme oba poznamenaní. Jak můžeme vědět, že nejsme jeden pro druhého pouhá náhražka, protože nikdo jiný by nás nechtěl?"

„Jsem pro tebe náhražka?" vybuchla Marietta. „To tys mě opustil. Věděl jsi, že tě mám ráda."

Morgan sklopil oči. „Já vím, tenkrát v Londýně jsem se choval hrozně. Lepší holku než ty bych si nemohl přát, bylas chytrá, krásná, sexy, ale zároveň jsem viděl, že tě ztrácím. Vždyť jsem ani neuměl pořádně číst a psát! Tak jsem se choval hrubě, jak to cikáni často dělají, když si připadají méněcenní. Kdybych uměl pořádně psát, byl bych ti aspoň v dopise vysvětlil, co se stalo. Pokoušel jsem se na tebe zapomenout, ale nešlo to. Zachoval jsem se vážně jako pitomec, viď?"

„Jestli tě to utěší, ani já tenkrát nebyla úplně milá a hodná," přiznala. „Líbilo se mi, jak žije rodina strýčka Noaha, chtěla jsem taky takový život. Než jsme se tenkrát sešli na Trafalgarském náměstí, dost jsem váhala, protože jsi nezapadal do mých plánů. Ale nakonec jsem tě nedokázala nechat jít."

„Když jsem přestal psát, myslelas na mě někdy?"

Marietta přikývla. „Dost často. Dokonce i když jsem chodila s jinými. S nikým z nich jsem necítila to co s tebou a od té doby, kdy jsme byli spolu, jsem s nikým nespala."

Ani sama netušila, proč mu to říká.

„Já už od té doby taky žádnou neměl," řekl Morgan. „Ve Francii k tomu nebyla příležitost a moje zranění všechno ukončilo."

Marietta mu vzala tvář do dlaní a dlouze jej políbila. „Já už ty tvé jizvy vůbec nevidím," řekla, když se odtáhla. „Pro mě jsi prostě Morgan, miluju tě."

A vtom zaslechli blížící se obávané bzučení. Morgan popadl Mariettu do náruče a rozběhl se s ní k protileteckému krytu. Z ubytovny začaly vybíhat zdravotní sestry a běžely se také schovat. Právě když Morgan doběhl ke dveřím krytu, zvuk motoru utichl.

„*Honem!*" křikl, strčil Mariettu a ošetřovatelky dovnitř a skočil za nimi.

Když bomba dopadla, ozvala se rána tak strašná, až se země otřásla. „Ubytovna!" zvolala jedna ze sester. „Dostaly se všechny ven?"

Morgan škrtl sirkou, našel u dveří svíčku a zapálil ji. V krytu bylo sedm sester. Když se jich ptal na ty, které schází, ukázalo se, že šly všechny buď do města, nebo slouží.

„Teď už asi můžeme otevřít," rozhodl Morgan a opatrně pootevřel dveře.

Všichni čekali mrak cihelného prachu a výjev naprosté zkázy. K všeobecnému překvapení se však Morgan rozesmál.

„Ubytovna je v pořádku. Bomba přistála na prázdném placu vedle zahrady. Je tam teď obrovský kráter."

Všichni se úlevou dali do smíchu. Marietta si uvědomila, že od chvíle, kdy bombu uslyšeli, tají dech. Šli se podívat ven a skutečně, bomba ležela na dně hluboké jámy a stoupal z ní kouř.

„Kdyby tak spadla na nemocnici!" hrozila se jedna ze sester.

„Na to nemá cenu myslet," namítla jiná.

„Ještě nepřišel náš čas," pošeptal Morgan Mariettě. „Jsem moc rád, protože tu mám jednu nevyřešenou záležitost."

„Jakou?" zeptala se.

„Pojď se mnou," řekl místo odpovědi, vzal ji za ruku a táhl pryč od skupinky sester, které stále zíraly na kráter po bombě.

Vedl ji kolem nemocnice a mezerou v plotě do malého lesíka.

Stmívalo se a Marietta byla z chůze po nerovném povrchu potmě nervózní, bála se, aby neupadla. „Kam mě vedeš?"

„Sem," odpověděl, „kde nejsou žádné zvědavé oči a snad ani další bomby."

Marietta se zasmála, protože pochopila.

Vzápětí ji Morgan sevřel v náručí a políbil. Polibek se táhl, jejich těla se tiskla k sobě, ruce se svíraly. Marietta nepoznala, jestli je Morgan vzrušený, ale ona rozhodně byla. Kdyby se rozhodl povalit ji v tu chvíli na zem a užít si, nebránila by mu.

„Miláčku," zašeptal. „Miluju tě víc, než jsem považoval za možné. A vypadá to, že se můj problém přece jen dává do pořádku."

„To ráda slyším," vydechla tiše a jemně se otřela špičkou nosu o jeho nos. „Co s tím podnikneme?"

„Naplánujeme si společný víkend," navrhl. „V hotelu. Zamluvíme si pokoj na nějaké typické jméno, třeba jako manželé Smithovi. Nebo Griffithsovi, jestli tě to láká."

„Láká," odpověděla. „Znamená to, že se mnou na Nový Zéland pojedeš?"

„Nemůžu tě přece pustit samotnou, ne?" rozesmál se. „Ale teď musím zpátky do Netley. Všechno si naplánujeme, až se příště uvidíme."

„Až se příště uvidíme…," šeptala si Marietta slova, která jí Morgan řekl v lese, a hádala, kdy to asi bude.

Neviděla ho celé týdny. Psal jí dopisy a dvakrát se mu podařilo sehnat ji k telefonu na ubytovně sester. Ale nemocnice v Netley byla zavalená úrazy z Francie a Morgan neměl ani chvilku volna.

„Mysli na těch šest týdnů, které spolu strávíme na lodi cestou na Nový Zéland," napsal jí v jednom dopise. „Budeš se mnou od rána do večera a po dvou týdnech budeš prosit, aby ses mě zbavila."

Marietta měla v Borough také spoustu práce, ošetřovali nejen raněné vojáky, ale i každodenní pacienty, probíhaly tu operace slepého střeva, porody, infarkty. Téměř každý z pacientů potřeboval s něčím pomoct. Život šel dál, válce navzdory.

Byl začátek září a Spojenci nepopiratelně vítězili. Němečtí generálové se pokusili spáchat na Hitlera atentát, ale k všeobecnému zklamání neuspěli. Spojenci dobyli Cherbourg, osvobodili Paříž a Belgii. V Itálii padla Florencie a povstali také Poláci ve Varšavě.

Mariettě se ulevilo, když se dozvěděla, že její bratři jsou stále v Itálii a oba nezranění. Přišel od nich dopis, psali, jak se těší, až se po válce celá rodina sejde.

Konečně byly důvody k optimismu, avšak Hitler se postaral o další ošklivé překvapení. Tentokrát šlo o balistické rakety V2. Nedaly se zachytit a létaly nadzvukovou rychlostí. Způsobovaly enormní škody a deprimovaly morálku obyvatel.

Přídělový systém byl s každým měsícem přísnější a počet lidí, kteří zůstali bez domova nebo živořili v hrozných podmínkách, stále narůstal, stejně tak počet obětí. Nastaly další neveselé časy. Když Marietta slyšela, že tyto nové rakety zabijí při jediném výbuchu až padesát lidí, říkala si, kolik toho Anglie ještě snese.

Ale při myšlenkách na Morgana ji hřálo u srdce. Vždyť možná už příští Vánoce oslaví doma v Russellu!

Kapitola třicátá pátá

„Je to krása," zalhala Marietta, když se rozhlédla po chatičce, kterou se Morganovi podařilo na víkend vypůjčit od někoho z Netley. „Má atmosféru."

„Jsem ráda, žes neřekla, že je romantická, jinak bych tě za takové vymýšlení snad musel plácnout," poznamenal Morgan. „Mně připadá spíš děsivá, nevím, jestli si ze mě Jim nevystřelil."

Stavení leželo jen kilometr a půl od Southamptonu. Jim je Morganovi popisoval jako něco pohádkového a malebného v malém lesíku. Autobus prý je vysadí na začátku cesty, která k domku vede.

Nezmínil, že chatička je z pohádky o ježibabě, že tu už léta nikdo nic neopravoval a že cesta je přes kilometr dlouhá a po nedávných deštích rozblácená. Pro Mariettu byla chůze v takových podmínkách opravdu náročná a teď už vypadala velmi unaveně.

Byl první listopadový týden, chladný a nevlídný. Vítr bouchal brankou, která visela nakřivo, stromy kolem domku zlověstně vrzaly.

„Uvnitř bude určitě hezky, jen co rozděláme oheň," snažila se Marietta. „Vzala jsem s sebou pro jistotu zapalovač, kdyby tu žádný nebyl."

„Mám dojem, že za všechna tvá ‚pro jistotu' budeme ještě vděční." Morgan se usmál a zadíval se na velkou tašku, kterou Mariettě nesl. Stačila mu prozradit, že vzala čisté povlečení, hrnec guláše – uplatila kuchařku v ubytovně pro zdravotní sestry, aby jí ho uvařila –, svíčky, různé potraviny včetně mléka a chleba a půl láhve brandy, kterou vyhrála v tombole.

„Pojďme dovnitř," navrhla Marietta s obavami. „Je to trochu napínavé, viď?"

Morgan odemkl a v duchu si dal záhlavec, že nezamluvil pokoj v hotelu. Jenže Jim ho přesvědčoval, že je chaloupka v lese romantická a Mariettě se tam bude líbit.

Asi by se jim mohla líbit oběma, kdyby ovšem přijeli v létě. Během letních měsíců však Morgan vzhledem k tomu, jak to vypadalo v Netley, kam proudily každý den nové přívaly raněných z Francie, nikdy nevyšetřil víc než pár hodin volna.

Do dveří bylo třeba se pořádně opřít, a když otevřeli, uvítal je zápach vlhkosti. „Stačí tu jenom vyvětrat," prohlásila Marietta. „Nejdřív ale rozděláme oheň."

Nebylo to tak zlé, jak se zvenčí zdálo. V hlavním pokoji se nacházel velký krb, za ním kuchyně a na konci ložnice. Nábytek byl prostý, takový, jaký by měl farmář někdy na začátku století, na holých prknech ležel roztřepený starý koberec.

„Bydlela tu Jimova babička," řekl Morgan. „Domek mu nechala. Prý tu jako kluk trávil prázdniny."

„Možná proto si nevšímá, že by bylo potřeba dát to tu trochu do pořádku," poznamenala Marietta, vyskládala zásoby z tašky na stůl a hledala mezi nimi zapalovač. „Ale podívej, kolik je tu dřeva," dodala a ukázala na hromadu polínek srovnaných u komína. Sahala téměř ke stropu. „Zima nám naštěstí nebude."

Morgan si sundal kabát a pustil se do zatápění. Když se otočil, zjistil, že Marietta prohlíží petrolejku.

„Naštěstí je plná," usmála se. „Jen zastřihnu knot a zapálím ji. Bude to úplně jako u nás v Russellu."

Morgan rozdělal oheň téměř bleskově, protože všechno dříví bylo pěkně suché. Když viděl, jak Marietta hnízdí, musel se usmát – zapálila petrolejku, přišla na to, jak v kuchyni obsluhovat pumpu na vodu, jak zapnout plyn v plynovém sporáku, a postavila na čaj.

Připadalo mu neuvěřitelně uklidňující pozorovat ji, jak skládá potraviny na police v kuchyni, obhlíží hrnce a pánve a zabydluje se. Celý týden si dělal obavy, co bude, až spolu ulehnou do postele. Tak nějak si představoval, že vejdou a okamžitě se pohrnou do ložnice, ale takhle to bylo mnohem lepší – přestal mít pocit, že jde o zkoušku, při níž musí obstát.

„Postel je trochu vlhká," zavolala Marietta z ložnice. „Mají tu péřovou matraci, ale až ji protřeseme a opřeme na chvíli před krbem, bude to dobré."

„Když jsem byl malý, měli jsme matrace z koňských žíní," vyprávěl Morgan, když matraci natřásli a dotáhli do obývacího pokoje. „Tvrdé jako hřebíky a většinou plné štěnic. Matrace na postelích v Netley jsou taky žíněné, jenom bez štěnic. Ale když si jdu lehnout, jsem tak utahaný, že vůbec nevnímám, jak jsou tvrdé."

„Člověk si zvykne na všechno," pronesla Marietta. „U strýčka Noaha byly postele krásné, s pružinovými matracemi. Tu první noc u Joan v East Endu jsem měla pocit, že asi už na té její strašné boulovaté matraci nikdy neusnu. Ale zvykla jsem si. Dokázala jsem spát i v krytech."

„A myslíš, že se ti bude dobře spát se mnou?" zeptal se.

Natáhla se a pocuchala mu vlasy. „Pokud nechrápeš. Ale mám trochu strach," vyhrkla náhle.

„Proč?"

Pokrčila rameny. „Samozřejmě kvůli noze. Bojím se, aby tě neodradila."

Morgan se rozesmál. „Jestli tebe neodrazuje můj obličej, proč by se mnou měla něco dělat tvoje noha?"

Pohladila ho po obou tvářích. „Tvůj obličej je zjizvený a trochu lesklý, ale já ho vidím přesně takový, jaký býval. Máš stejný hlas i oči a i tvůj dotek je stejný. Ale řeknu ti ještě něco. Jsem na tebe hrozně pyšná, Morgane, protože ses nelitoval a neutápěl v mizérii, místo toho ses stal skvělým ošetřovatelem. Když jsem tě poznala, viděla jsem hezkou tvář a přitažlivost. Zato teď máš spoustu soucitu, síly, vytrvalosti a vědomostí. Jsi muž hodný lásky, Morgane."

Viděla, jak se mu zarosily oči, otřela mu slzy. „I kdyby se nám dnes nepovedlo, že se země zachvěje, nezáleží na tom," dodala tiše. „Jsem tady, s tebou, víc nechci."

„I ty ses hodně změnila, a k lepšímu," usmál se dojatě. „Tehdy jsi mi připadala vypočítavá a sebestředná, jenže jsi taky byla hrozně mladá a tak hezká, že mi to vyrazilo dech. Teď už nejsi hezká, jsi krásná, uvnitř i navenek. Tolik se mi líbí, jak se staráš o vojáky, na prvním místě myslíš na druhé. Tvoje chybějící noha je jako vyznamenání za statečnost, protože jsi o ni přišla, když sis zachraňovala děti. Miluju tě víc, než jsem myslel, že je možné někoho milovat."

Objali se, položili jeden druhému hlavu na rameno, jejich srdce tloukla jako jedno. Nebylo třeba nic říkat. Byli spolu, na ničem jiném nezáleželo.

A tak to i zůstalo. Pojedli guláš, schoulili se k sobě na pohovce a dokonce nakrátko usnuli, protože uvnitř bylo příjemně teplo. Ve čtyři hodiny už byla venku tma, za okny kvílel vítr. Marietta se bála jít sama ven na záchod, Morgan šel tedy první a zapálil svíčku, kterou dal do zavařovací sklenice, zkontroloval, jestli uvnitř nejsou pavouci.

„Jestli se bojíš, že si pro tebe přijde strašidlo, počkám přede dveřmi," dobíral si ji.

„Zas tak špatně na tom nejsem," zavolala na něj.

Když se vracela do kuchyně, Morgan na ni vybafl zpoza dveří.

Marietta málem vyskočila z kůže. „Ty mizero!" zvolala, ale smála se s ním, připomnělo jí to, jak se navzájem lekali doma s bratry. Připadalo jí legrační, že je vystrašená a zároveň se cítí v bezpečí.

Později vrátili matraci do postele a hodně se nasmáli, když ji čistě povlékali. Ale ačkoli Morgana mnohokrát políbila, za celou dobu se o nic nepokusil.

Pili brandy a hráli karty, smáli se, že se opili. Náhle Morgan vstal, zapálil svíčku, vzal Mariettu za ruku a oznámil, že je čas jít do postele.

„Původně jsem myslel, že si lehneme tady před krbem," řekl a přitáhl ji těsně k sobě. „Ale v posteli to bude příjemnější."

Poznala, že tím myslí spíš „ve tmě to bude snazší", ale líbilo se jí, že použil slovo „příjemnější". Znělo to bezpečně, vůbec ne děsivě.

Morgan zmizel, snad zkontrolovat, jestli je zamčeno a petrolejka uhašená. Marietta si odepnula protézu, oblékla si noční košili a rychle si vlezla do postele. Ve světle jediné svíčky vypadala místnost hezky. Vybledlé růžičky na tapetách a vzorník výšivek, vyšitý snad Jimovou babičkou, Mariettě připomínaly domov.

„Jaká je postel?" zeptal se Morgan, když se vrátil. Byl do půli těla, zřejmě se myl. Marietta viděla, že je stejně opálený a svalnatý, jak si pamatovala z cesty do Anglie.

„Je jako hnízdečko," usmála se. „Tak měkká, že se v ní dá utopit, a krásně vyhřátá. Ale kde ses tak opálil? Myslela jsem, že v Netley nemáš ani chvilku pro sebe."

„Přidal jsem se k technickému personálu a zotavujícím se pacientům, sekali jsme trávu a stříhali stromy, když přišlo v září to horko. Dostat raněné ven na slunce a umožnit jim výhled do přírody, to kolikrát pomůže víc než léky."

Marietta málem pronesla, že ve světle svíčky vypadá Morgan v podstatě úplně stejně, jako když se seznámili. A že v teplé a pohodlné posteli se ani ona necítí jiná. Neřekla však nic, jen poplácala místo vedle sebe, aby se k ní položil.

„Konečně jsme tady," pošeptal jí, jakmile sfoukl svíčku a zůstali ve tmě ležet tváří v tvář. „A sny se můžou vyplnit."

Vítr nabíral na síle, dešťové kapky bubnovaly o střechu, ale Morganův dech byl teplý a sladký a jeho ruka na jejím boku se zdála obtěžkaná příslibem.

„Snil jsi o tomhle?" zeptala se tiše.

„Pořád, když jsem ležel v nemocnici s popáleninami. Nebyly to tak docela sny, myslel jsem na tebe, abych zapomněl na bolest. Fungovalo to. Po několika operacích jsem si představoval, že mě přijdeš navštívit, položíš mi dlaně na tváře a jizvy zmizí. Říkal jsem to vojenskému psychologovi a on to považoval za dobré znamení. Ale taky se ptal, proč jsem ti nenapsal, když to tak cítím."

„A cos mu odpověděl?"

„Že jsem byl velký zbabělec. Myslel jsem, že mě odmítneš."

Byl tak upřímný, Marietta měla pocit, že musí udělat totéž. „Ráda bych si myslela, že to by se nestalo," připustila. „Ale možná stalo. Já byla tenkrát tak pohroužená do sebe. Naučila jsem se doopravdy cítit s druhými, teprve když začaly nálety a já viděla domy rozmetané na hromádku suti a lidi, kteří se v troskách přehrabovali holýma rukama a hledali své milované. Když jsem pak na své narozeniny přišla o Noaha, Lisette a Rose, zdrtilo mě to. Do té doby jako bych kolem sebe měla nějaký tvrdý krunýř a s každou hroznou ranou se ho kousek uštípnul. Poslední kousek odpadl tu noc, kdy jsem měla v loďce ty francouzské děti a schytala kulku do kolene. Měla jsem hrozný strach, že je nedokážu dostat do bezpečí. Na sebe jsem ani nepomyslela."

„Miluju tě," řekl Morgan tiše a přitáhl ji k sobě. „Tady v téhle chaloupce na ničem nezáleží, na minulosti ani na budoucnosti, jen na nás."

Byl tak jemný a váhavý, téměř jako by čekal, že ho každou chvíli zastaví. Ale když jí jeho dlaně vklouzly pod noční košili a dotkly se ňader, Marietta byla náhle tak vzrušená, že to chtěla rychle a divoce. Tempo udával Morgan, jeho dlaně laskaly každičký kousek jejího těla něžně a velmi důkladně. V jediném mžiku jí svlékl noční košili a sklonil ústa k jejím bradavkám, zároveň do ní zasunul prsty, až sténala a svíjela se rozkoší.

Cítila vedle sebe jeho ztopořený penis, ale když jej chtěla uchopit, Morgan jí ruku odstrčil. Poddala se tedy cele slasti, nechala ho zkoumat, hníst a hladit, dokud ji nezachvátilo vyvrcholení, při němž vykřikla jeho jméno.

Teprve pak ji přetáhl na sebe a penis měl tak tvrdý a velký, až dostala strach, že jej ani nepojme, ale to se spletla, a i přes dozvuky orgasmu jí dělalo dobře dávat rozkoš jemu. Morgan se položil a uchopil ji za ňadra, zasténal slastí.

Pohyboval se pod ní stále rychleji, nakonec se posadil a sevřel jí hýždě, pronikal do ní a líbal ji s takovou vášní, že to snad nemohlo být lepší. Jenže bylo. Další vyvrcholení přišlo jako mohutná přílivová vlna. A tentokrát se ocitli na vrcholu společně.

Mariettě dopadl do tváře paprsek bledého podzimního slunce. Otevřela oči a zjistila, že se na ni Morgan dívá.

„Dobré ráno, krásko," řekl. „Už jsem si myslel, že se neprobudíš."

Dokázala se jen usmát. Milovali se celé hodiny a usnuli, teprve když obloha venku za oknem začínala blednout.

„Chci tu zůstat celý den, je tu tak teplo a příjemně," pronesla toužebně.

„To mi vyhovuje," rozesmál se Morgan. „Ale přišel by vhod hrnek čaje a vajíčka. Všiml jsem si, žes je vzala s sebou, viď?"

„Vzala. Tak prosím, klidně udělej snídani," usmála se. „Taky je potřeba vyčistit krb a zatopit. A mohl bys ohřát vodu na mytí."

„Takže teď jsem dostal úlohu služebníka?" nadhodil, posadil se na kraj postele a natáhl si kalhoty. „Mám dojem, že ještě v noci jsem byl bůh."

„A to jsi pořád," řekla a pohladila ho po rameni. „Ale žena podrobená tak důkladnému a dlouhému milování potřebuje chvíli jen ležet v tmavé místnosti."

Morgan odešel se smíchem do obývacího pokoje a začal prohrabovat včerejší popel. Marietta zřejmě znovu usnula, protože najednou byl zpátky s podnosem se dvěma hrnky čaje a talířem krajíců chleba obalovaných ve vajíčku.

„Jsi taky snídaňový bůh," usmála se, posadila se a přitáhla si přikrývku přes obnažená ňadra.

Morgan ji jemně sňal. „Neschovávej je, chci je vidět."

„Teď? Je mi trochu chladno. Ale když už mluvíme o zakrývání, tys v noci nic nepoužil, viď?"

Morgan se zatvářil trochu zaskočeně. „Chtěl jsem, ale nějak se mi to vykouřilo z hlavy."

„Co když otěhotním?" zeptala se Marietta, ukousla si krajíce a slastně vzdychla.

„Vezmeme se," prohlásil Morgan. „Pokud o mě samozřejmě budeš stát."

Marietta spolkla sousto. „Třeba hned," odpověděla, „ale příště si radši dáme pozor. Chci, aby naši věděli, že si tě beru z lásky, ne protože musím."

„Možná by bylo lepší vzít se tady," zvážněl náhle Morgan. „Aby mě na Nový Zéland vůbec pustili. A i kdyby, mohli by nás ubytovat v oddělených kajutách – s někým jiným, jako když jsi plula sem."

„Naši i Mog by byli smutní, kdyby se svatba odehrála bez nich," zamyslela se nad tím Marietta.

„Můžeme dojít jen na úřad a pořádný obřad v kostele pak uspořádat v Russellu. Jeden kluk z lodi, kterého jsem znal, se oženil v Kapském městě a obřad měl taky až doma, nevěsta v bílých šatech, družičky a tak dál. Počítám, že to tak udělá i spousta Američanů, protože kdyby se neoženili, jejich zdejší slečny by s nimi možná ani nepustili."

„Za jak dlouho myslíš, že válka skončí?" zeptala se ho Marietta.

„Mluvil jsem tuhle v Netley s jedním důstojníkem a ten tvrdil, že v Evropě nepotrvá víc jak šest nebo sedm měsíců. Spojenci jsou teď v Německu, Rommel mrtvý. Nikdo nevěří, že podlehl starým válečným zraněním. Hitler ho zřejmě přinutil spáchat sebevraždu, protože ho podezíral z účasti na spiknutí. A že je Hitler tak paranoidní a nechá zabít jednoho ze svých nejuznávanějších důstojníků, leccos naznačuje. Vidí, že je válka prohraná."

„Ale lodě na Nový Zéland nevyplují, dokud budeme čelit Japoncům, ne?"

„Přesně tak," potvrdil Morgan. „Pokud nebudeme mít štěstí, budeme muset počkat, až se všechny novozélandské jednotky vrátí domů."

„Ale chceš tam se mnou?"

Morgan se na ni usmál. „Jako nic jiného."

Kapitola třicátá šestá
Sidmouth, květen 1945

„Marietto! Telefon!" křikla Sybil. „Volají ti rodiče."

Marietta zdolala schody tak rychle, jak svedla, oblečená jen ve spodničce, s vlasy ještě mokrými po mytí.

„Jen ti chceme popřát krásný den," ozvala se ze sluchátka Belle. „Jsi nervózní?"

„Trochu," připustila Marietta. „Ale spíš jestli tam bude dost jídla a pití, než že bych si nebyla jistá tím, co dělám."

„Mně se zdá, že je to správný chlap," ozval se otec. „A cením si, že zavolal a požádal nás o tvou ruku. Doufám, že se brzy vrátíte domů."

„V porovnání s dnem osvobození Evropy všechno bledne," poznamenala Marietta. „To bylo divoké, spousta nadšení, pijatik a všeho, co člověk o takovém dni čeká. Ale od té doby se všechno vrátilo do starých kolejí. Každý den se v tisku objevují další strašné zprávy o koncentračních táborech. My s Morganem ani nedokázali ustát některé týdeníky v kinech, byla to hrůza."

„Tady všichni čekají, až se jejich muži vrátí domů. Budeme odškrtávat dny, než vás a kluky uvidíme. Mog ti chce taky něco říct a Peggy vzkazuje, že až se sem dostaneš, upeče ti pořádný svatební dort."

Mog převzala sluchátko, a když Marietta uslyšela její hlas, vyhrkly jí slzy. Mog jí ušila překrásné svatební šaty z bělostného saténu, s živůtkem pošitým stovkami perliček. Připomínaly jí ty, které kdysi šily spolu, když se scházela se Samem, jen byly bez vlečky. Další připomínka toho, jak jí Mog vždycky naslouchala, nikdy ji neodsuzovala, nekřičela, nabízela jen nevtíravou moudrost a laskavost.

„Padnou ti ty šaty dobře?" starala se. „Bála jsem se, aby přišly včas."

„Přišly před třemi dny – myslela jsem, že si nějaké budu muset půjčit. Padnou mi jako ulité a připadám si v nich jako princezna," rozplývala se Marietta. „Jedna ze zdravotních sester v nemocnici mi dala bílé saténové střevíčky, které měla na své svatbě. Když půjdu pomalu, nikdo nepozná, že mám umělou nohu."

„Miluj ho, jako by nebylo žádné zítra," nabádala ji Mog a hlas se jí chvěl. „A jestli nebude stejně milovat on tebe, dám mu pořádně za uši, až sem přijedete."

Všichni tři jí ještě popřáli štěstí a lásku. A pak už byl čas jít.

Udělalo se krásné teplé počasí, nebe bez mráčku. Svatba měla proběhnout ve dvě hodiny v kostele svatého Jiljí a svatého Mikuláše. Belle proti svatbě na úřadě protestovala. Kategoricky prohlásila: „Ke kroku tak velkému, jako je uzavření manželství, potřebujete Boží požehnání." Právě do tohoto kostela Marietta vklouzla před každou misí ve Francii, proto brala situování obřadu sem jako dobré znamení.

K oltáři ji měl přivést Ted, malá Sandra měla být jedinou družičkou, Ian družbou. Za svědka šel doktor Mercer,

Morgan jej o to požádal, protože bez něj by se nikdy nestal ošetřovatelem.

Sybil měla nahradit matku nevěsty. Našla si krásné růžové šaty a kabátek s ladícím květovaným kloboukem, který měla na sobě jen jedenkrát, v roce 1936, na svatbě svého synovce. Vzhledem k přídělovému systému a nedostatku téměř všeho, co bylo na svatbu třeba, nechali Sandře ušít světle modré šaty pro družičku ze starých večerních šatů paní Hardingové. Dort byla jen ozdobená maketa z lepenky – pod níž se skrýval mnohem skromnější piškot –, zato svatební hostina vypadala slibně, lecčíms přispěli i pravidelní zákazníci hostince. Čekala tu velká šunka, několik desítek plechovek lososa, jeden místní farmář přinesl pytel nových brambor.

Sybil vyrobila s Mariettinou pomocí ovocné dezerty a spoustu houstiček. Čerstvé bílé pečivo nejedl nikdo z nich celou věčnost – to, co prodávali v obchodech, chutnalo jako piliny.

Sybil s Tedem trvali na tom, aby měli Marietta s Morganem hostinu u nich v hostinci, ačkoli si s nimi Marietta od té doby, co začala pracovat v Borough, jen jednou týdně telefonovala. Sybil opakovala, že ji budou vždycky považovat za adoptivní dceru, a radovali se, že si bere právě Morgana.

Marietta zůstala pracovat v nemocnici a po krátkých líbánkách v Lyme Regisu se měla vrátit do Borough. Slečna Wainwrightová konečně odešla do penze, leckdo byl přesvědčen, že právě včas, jinak by ji stejně brzy propustili. Úlohu nemocniční kaplanky nyní zastávala Marietta.

Morgan měl zůstat v Netley nejméně do konce roku, ale nesloužil tak úmorně dlouhé směny. Do Anglie i nadále přiváželi raněné a někteří z pacientů nebyli v takovém stavu, aby je bylo možné přemístit blíž k domovu. Morgan s Mariettou si našli dvoupokojový byt v půli cesty mezi nemocnicemi, aby mohli žít společně. Snažili se našetřit co nejvíce peněz s sebou na Zéland.

Sybil vešla do Mariettina pokoje a zůstala stát ve dveřích, prohlížela si nevěstu sedící u toaletního stolku.

Vždycky Mariettu považovala za krásnou, ale vidět ji v nádherných svatebních šatech, celou rozzářenou, s oslnivě rusými vlnitými vlasy na ramenou, ji upřímně dojalo.

„Už budeš připravená?" vypravila ze sebe. „Je půl druhé. Musím ti ještě nasadit závoj, než vyrazím do kostela."

„Kéž by tu mohli být mí rodiče, Mog a bratři," vzdychla Marietta a vzala Sybil za ruku. „Ale vy s Tedem jste ke mně tak hodní. Nejen ohledně svatby, byli jste takoví od chvíle, kdy jsem k vám přišla. Děkuju za všechnu tu vlídnost a podporu, nevím, co bych si bez vás počala."

„Všechno bys zvládla i tak," řekla Sybil a otřela si oči. „Ty, děvče moje, máš větší sílu než všichni, které znám. Jsme na tebe s Tedem pyšní. Ale teď nasadíme ten závoj, vůz tu bude každou chvíli. Doufám, že ho ozdobili, jak jsem jim řekla."

Marietta si nechala připevnit závoj. Při pomyšlení na vůz jí bylo do smíchu. Doma v Russellu se na svatbu chodilo do kostela pěšky. Chápala však, že v Anglii vládnou jiné společenské normy. Vzhledem k nedostatku benzínu bylo těžké sehnat automobil, tak Sybil vymyslela vůz. Marietta jen doufala, že nebude vypadat jako kára, kterou vozili odsouzence na popravu.

Sešly dolů zkontrolovat, jestli je na hostinu všechno připraveno. Stoly byly prostřeny sněhobílými ubrusy, stály tu křišťálové sklenice a vázičky s růžovými kvítky. Janice a Molly, Sybiliny kamarádky, měly hostinu na povel a nešly do kostela, aby bylo vše připravené, až se svatebčané vrátí.

„Jen počkejte, až uvidíte ten vůz," zavolala Janice z kuchyně. „Budete žasnout."

Marietta se Sybil vyšly ven a skutečně. Vozka v odřeném klobouku s růží po straně se ostýchavě zazubil.

„No jen se na to koukni!" zvolala Sybil a spráskla nadšeně ruce.

Vůz vypadal skutečně krásně, byl z hrubě otesaného dřeva, vystlaný bílými prostěradly včetně sedátka vzadu, které podezřele připomínalo lavičku jindy stojící venku za hostincem. Postranice vozu zdobily girlandy z břečťanu a lučního kvítí, svázané růžovými stužkami vlajícími ve větru. Sedátko vypadalo trochu jako dvojitý trůn, pokryté tmavě zeleným sametovým ubrusem, područky obalené květinami.

Dokonce i starý kůň, který vůz táhl, měl zapletenou hřívu a kolem šíje květinovou girlandu.

„Musím běžet, abych to do kostela stačila," řekla Sybil. Otočila se k Tedovi, který se k nim právě připojil, a zahrozila na něj prstem. „Pomoz Mari nastoupit a vystoupit, a až půjdete uličkou, ne abys ji hnal jako o závod. Pěkně pomalu, na hudbu."

„Ano, drahoušku," přisvědčil poněkud ironicky. Pak se otočil k Mariettě, vzal ji do náruče a posadil na sedátko. Vzápětí už seděl vedle ní. Mnozí sousedé vyšli z domů, aby je vyprovodili, mávali a volali srdečná blahopřání. Vozka uchopil otěže a kůň vyrazil krokem vpřed. Marietta všem mávala.

„V tomhle městě sis získala hodně srdcí, i moje a mý ženy. Počítám, že právě proto se na tebe konečně taky usmálo štěstí."

Teď udělal, co dostal za úkol, pomalu kráčel uličkou až k Morganovi, který čekal u oltáře.

Měl na sobě nový tmavě modrý oblek, který mu padl, jako by byl šitý na míru. Vybavila si, že si chtěl nějaký koupit, ale nečekala, že k tomu sežene potřebné kupony. Když se otočil a spatřil ji, vykvetl mu na rtech šťastný úsměv. Ve světle z vysokých oken, které jej zalévalo, nebylo vidět jizvy a Morgan vypadal právě tak krásně, jako když se poznali.

„Už to bude, ty moje překrásná," pošeptal jí, když se postavila vedle něj.

V tu chvíli, před Bohem a v jeho svatostánku, si byla Marietta stoprocentně jistá, že tohle manželství domluvili v nebi.

Teprve když je po obřadu prohlásili mužem a ženou a oni spolu kráčeli uličkou od oltáře, všimla se Marietta čtyř dětí.

Nevěřila svým očím.

Zastavila se u lavice, v níž seděli Bernard, Isaac, Sabine a Celine. Židovské děti, které zachránila z Francie.

Byly svátečně oblečené, holčičky v hezkých dětských šatech, chlapci v elegantních blejzrech, bílých košilích a šedých kalhotách. Nejvíce však Mariettu dojímaly jejich velké tmavé oči. Už nebyly plné strachu jako tehdy, nýbrž radosti. Jejich úsměvy prozrazovaly, že mají ze shledání stejnou radost jako ona.

„To je ale báječné překvapení!" zvolala a rychle Morganovi pověděla, o koho jde.

Bernard se zasmál, všiml si, jak jsou ostatní svatebčané nedočkaví. „Tak běžte už, ať na vás všichni nečekají," pronesl lámanou angličtinou. „Uvidíme se na hostině."

„Kde se tu vzali?" zeptala se Morgana, když nasedli na vůz a vraceli se s hosty v závěsu k hostinci. Lidé na ulici se po nich zvědavě otáčeli. „Mám z toho vážně radost, ale nechápu to."

„Netuším," pokrčil rameny. „Je to vážně milé. Vsadím se, že v tom má prsty Sybil."

V hostinci usedli ke stolům a dostali sherry k přípitku. Sybil Mariettě řekla, že na vysvětlení, kde se děti vzaly na svatbě, si musí ještě chvíli počkat. Hostiny se účastnilo pětatřicet svatebčanů, mimo jiné Mariettini a Morganovi přátelé ze Southamptonu. Přišli také Hardingovi, Henry a Doreen Fortesqueovi a několik štamgastů, které si Marietta oblíbila. Děti usadili k největšímu stolu spolu s Mariettou, Morganem, doktorem Mercerem, Sybil, Tedem, Ianem a Sandrou.

Svědek, Georg Mercer – trval na tom, aby mu Marietta říkala křestním jménem –, měl před jídlem pronést řeč. Začal tím, že popsal, jak poznal Morgana, a vyjádřil obdiv muži odhodlanému i přes svůj hendikep pomáhat lidem, kteří byli zmrzačeni nebo zjizveni ve válce. Poté vyprávěl, jak viděl Mariettu poprvé, když jí musel amputovat nohu.

„Pochopitelně jsem byl zvědavý, jak taková mladá žena přišla k německé kulce v koleni," vyprávěl.

Odmlčel se pro větší efekt.

„Když se po nemocnici roznáslo, že z Francie převezla na loďce čtyři děti, ke všemu pod palbou, zaujalo mě to. Nebylo snadné dozvědět se víc, protože Marietta o ničem nesměla mluvit. Mezitím se v nemocnici setkala s Morganem, kterého poznala během plavby do Anglie, tenkrát dělal lodního stewardda. Zeptal jsem se Morgana, co ví o té záchraně dětí, ale nebyl o moc moudřejší než já. Zato mi prozradil, že by Marietta moc ráda věděla, co se s dětmi stalo.

Zkoušel jsem všechno možné, nedařilo se mi nic zjistit. A najednou před několika měsíci přišel zčistajasna oficiální dotaz od vládní organizace, jak se Mariettě vede. Tak jsem odepsal a zdůraznil, že projevili zájem dost opožděně. Dodal jsem, že by Marietta ráda věděla, jak se děti mají a kde jsou."

Mercer se odmlčel, rozhlédl se po napjatých tvářích hostů, načež se zazubil.

„Se Sybilinou pomocí jsme je obtěžovali tak dlouho, až jsme získali adresu. A nakonec se nám podařilo děti sehnat a pozvat na svatbu. Chtěli jsme Mariettě vynahradit, že tu nemůže mít svou rodinu."

Pozvedl sklenku.

„Takže nyní, dámy a pánové, připijte prosím Bernardovi, Isaakovi, Sabine a Celine!"

Děti na Sybilino pobídnutí vstaly. Bernard vypadal velmi vyrovnaně, v patnácti už byl dost starý, aby plně chápal, proč je Marietta tak výjimečná. Isaac s Celine se tvářili ostýchavě, v sedmi letech si na onu noc ve Francii stále dobře pamatovali, zejména Isaac, který byl rovněž zraněn. Jen pětiletá Sabine se tvářila užasle. Ale Mariettu očividně poznala a usmála se na ni.

„Nebýt Mariettiny odvahy, vůle a vytrvalosti," pokračoval George Mercer, „by tyto děti dnes nežily, nemohly by ji obejmout a vyprávět, jak se jim žije v Brightonu u příbuzných. Marietta jim dala život. A teď to nejlepší: děti se jen před pár dny dozvěděly, že jejich rodiče žijí, a během následujících týdnů se s nimi znovu shledají."

Ozval se všeobecný potlesk, kdekdo si otíral oči.

„A teď k našemu milostnému příběhu," navázal George Mercer, když se všichni utišili. „Morgan byl pohledný steward na lodi, která vezla krásnou Mariettu do Anglie. Zamilovali se do sebe, ale když vypukla válka, Morgan narukoval. U Dunkirku byl těžce popálen a myslel si, že Marietta jeho znetvoření neunese, proto se jí rozhodl už nikdy neozvat.

A zatímco se Morgan pomalu stával nepostradatelným pomocníkem personálu southamptonské nemocnice, kde prodělal několik transplantací kůže, a podstoupil také ošetřovatelský výcvik, Marietta pomáhala obětem náletů v Londýně. Na své jednadvacáté narozeniny při bombardování v Café de Paris přišla o všechny členy rodiny, u nichž v Londýně přebývala. Přestěhovala se do East Endu k Joan, jejíž dvě děti – Sandra, naše družička, a Ian, náš družba –, jsou tu dnes s námi."

„Mari se pokusila zachránit mámu z krytu, na který spadla bomba," zvolala Sandra. „Vyšplhala z trosek ven a sehnala záchranáře, ale maminka umřela v nemocnici."

„Přesně tak," přikývl doktor Mercer. „A Marietta se přestěhovala do Sidmouthu, aby mohla být nablízku Ianovi a Sandře, evakuovaným sem, k manželům Hardingovým. Když začala pracovat tady v hostinci, kontaktovali ji lidé z tajné služby a přemluvili ji k účasti na misích, jejichž cílem bylo zachraňovat osoby z Francie. Vybrali si ji, protože umí plynně francouzsky, ale podle mě v ní museli vidět mnohem víc než jen hezké děvče, které ovládá cizí jazyk."

Lékař se odmlčel a zadíval se na Mariettu, která se celá červenala.

„Ted se Sybil se mohli jen dohadovat, kam Marietta čas od času mizí. Sybil se o ni neustále bála. Jakkoli je však tragické, že když zachraňovala tyto děti, postřelili ji do kolene, jedinč proto se ocitla v southamptonské nemocnici, kde se opět shledala s Morganem…"

Ozval se hlasitý potlesk, lékař musel vyčkat, než všichni utichnou.

„Abych ten dlouhý příběh zkrátil a mohli jsme se najíst, dodám jen, že mezi nimi zahořela láska. A výsledkem je tato krásná svatba. Neznám dva lidi, kteří by se k sobě hodili víc nebo si víc zasloužili štěstí. Připíjím na Mariettu a Morgana!"

V šest hodin vyklouzla Marietta nahoru a převlékla se do kalhot, které jí ušila Mog, a nového kostkovaného kabátku. Hardingovým se podařilo sehnat trochu benzínu a slíbili novomanžele odvézt do hotelu v Lyme Regisu, pokud jim nebude vadit mít cestou děti na klíně.

Když se vrátila dolů do výčepu, George Mercer právě hovořil s Morganem.

George se otočil k Mariettě. „Než odejdete, mám tu pro vás vzkaz od slečny Salmonové."

„Vážně?" podivila se. „Takže se s vámi spojila ona?"

„Přesně tak. Ta ženská je studený čumák, omlouvám se za ten výraz. Na začátku říkala, že není možné, abyste se s dětmi setkala, ale najednou otočila a nabídla se, že je sem dnes nechá dopravit. S tajnou službou jsou tyhle věci zřejmě složitější. Ona vám nesměla ani nic napsat! Ale řekla mi, abych vyřídil, že Celeste je v pořádku a dál vede svůj podnik, navíc ji očistili od obvinění z kolaborace, rozneslo se, jak pomáhala lidem k útěku."

„Díkybohu!" zvolala Marietta. „Měla jsem strach, že ji zatklo gestapo. Za to, co dělala, by zasloužila medaili."

„To říkala i slečna Salmonová, ale víte, jak to chodí. Vlastně byl docela zázrak, že sem dnes děti dostala."

„Jsem vděčná, udělalo mi to ohromnou radost," usmála se zářivě Marietta. „Vidět je zdravé a spokojené dodá člověku pocit, že to všechno mělo smysl. Navíc ta skvělá zpráva, že jejich rodiče zůstali naživu!"

George přikývl. „Hotový zázrak vzhledem k tomu, že všichni byli Židé a pracovali pro hnutí odporu. Gestapo takové většinou na místě zastřelilo. Ale zpátky k vám, Mari, zdá se, že oddělení slečny Salmonové vůči vám cítí jistý dluh. Když jsem jí řekl, že se chcete co nejdříve po svatbě vrátit na Nový Zéland, pověděla mi, že v tom s radostí vypomůže."

„Panebože!" vyjekla Marietta a s nadějí v očích se zadívala na Morgana. „Myslí tím finančně, nebo nás dostane na nějakou loď?"

„Podle mě dost možná obojí. Máte ji kontaktovat na adrese, kterou znáte."

„No to by bylo skvělé," zaradoval se Morgan. „Dovedu si představit, že lodní lístky půjdou na dračku, bez pomoci bychom mohli čekat třeba i měsíce."

„Hardingovi už chtějí jet a taky se musím rozloučit s dětmi," omluvila se Marietta. Kývla hlavou k podsaditému muži u dveří. „Tohle je, myslím, jejich řidič."

Tři menší děti se nahrnuly k Mariettě, chtěly ji obejmout. Krátce s každým z nich promluvila, nabádala je, aby se pilně učily a vyvarovaly se lumpáren.

Pak se otočila k Bernardovi. „Jsem moc ráda, že jste dnes přišli. Vím, že ti malí všemu tak úplně nerozumí, a je to dobře. Doufám, že za čas dokážeme zapomenout i ty a já." Vtiskla mu do ruky papírek s adresou hostince. „Až se shledáte s rodiči, napiš mi. Kdybych už byla na Zélandu, paní hostinská mi dopis přepošle. Ráda bych věděla, jak se máte."

Bernard ji kupodivu objal. „Byla jste tak statečná," řekl jí tiše francouzsky do ucha. „Vděčíme vám za život. Je mi moc líto, že jste přišla o nohu, ale jsem rád, že máte dobrého manžela, který se o vás postará."

Mariettě se zarosily oči. „Bez tvé pomoci bych to nedokázala, Bernarde, i tys byl moc statečný a silný." Vyprostila se z jeho náruče a usmála se na všechny děti. „Už je tu řidič, který vás odveze domů. Jsem opravdu ráda, že jste přijeli. Mějte se hezky."

„Před časem jsem četl v jednom časopisu," nadhodil Morgan, když už seděli s Hardingovými v autě na cestě do Lyme Regisu, „že když se člověk ohlédne zpátky, uvědomí si, že se v jeho životě objevil někdo, kdo úplně změnil jeho cestu."

„Ano, nám například změnili život tihle dva," řekla paní Hardingová a ohlédla se na něj a na děti na zadním sedadle. „Už jsme se vzdali naděje na vlastní děti a nechali jsme se přemluvit, že přijmeme dvě evakuované. Byli jsme jediní, kdo byl ochotný vzít si bratra a sestru, všichni ostatní, kteří si vzali dvě děti, chtěli, aby byly stejného pohlaví."

Pan Harding dodal, že jeho navíc inspiroval člověk, u kterého se jako mladík učil.

„Mě pan Dudek, ten plastický chirurg, a doktor Mercer," řekl Morgan. „Ale teď jsem myslel hlavně na toho francouzského mladíka Bernarda. Nemyslíte, že právě takovou inspirací pro něj bude Marietta?"

Pan Harding se usmál do zrcátka. „Vás dva bude podle mě považovat za inspirativní každý, kdo byl dnes na svatbě. Jestli se od vás děti něčemu přiučí, budeme jen rádi."

„Jsi šťastná?" zeptal se Morgan později, když už leželi v posteli. Hotel se nacházel přímo u kamenného mola v Lyme Regisu a otevřeným oknem se dovnitř neslo šplouchání vln.

„Byl to nádherný den," vzdychla Marietta spokojeně. „Kdyby si tak člověk mohl takové dny zavařit do sklenic na horší časy a pak jen otevřít víčko a prožít je znovu."

„Doufám, že nám slečna Salmonová s cestou na Zéland opravdu pomůže," podotkl Morgan. „Nemocnice v Netley už dlouho nevydrží. Je moc velká a špatně organizovaná. Jako muž bych jinde sháněl místo ošetřovatele dost těžko. A nemůžeme ani věčně bydlet v tom malém bytě. Rád bych věřil proslovům politiků o státním zdravotnickém systému a práci a domovu pro všechny, ale netuším, kde na to chtějí vzít peníze."

„To já taky nevím," řekla Marietta ospale. „Vím jenom, že tak šťastná jako teď jsem nebyla nikdy v životě. Nebo tak ráda, že jsme spolu. Takže je mi celkem jedno, jak dlouho potrvá, než se dostaneme na Zéland, nebo kde chtějí vzít politici peníze."

Kapitola třicátá sedmá
Srpen 1945

„Copak neexistuje jiný způsob, jak ukončit válku, než shodit atomovou bombu?" Marietta zvedla oči od novin, po tvářích jí kanuly slzy. „Prý to v Hirošimě a v Nagasaki zabilo na místě sedmdesát tisíc lidí a další spousty ještě zemřou. Nezabíjeli přitom vojáky, byli to obyčejní lidé – muži, ženy a děti."

Zpráva z patnáctého srpna, že se Japonsko vzdalo a válka definitivně skončila, byla báječná. Všude se konaly večírky, vybuchovaly ohňostroje a obecně se oslavovalo v celé Anglii. Ale když se Marietta nyní dozvěděla, jak bylo vítězství dosaženo, styděla se za to, že slavila. A desetitisíce lidí to musely cítit stejně.

„Já vím, je to hrozné," souhlasil Morgan, „ale abych Američanům nekřivdil, podle mě sami tak úplně nevěděli, čeho je ta bomba schopná."

„Jaký člověk stvoří zbraň a použije ji, aniž by předem znal výsledek?" ohradila se Marietta rozčileně. „Nevěřím, že nevěděli. A přesto ty bomby vypustili."

Byla neděle ráno a Morgan měl den volna, který chtěl strávit se svou ženou. Naplánovali si zajet autobusem do Brockenhurstu a udělat si piknik v lese.

„Přestaň se dívat na ty fotky," řekl a noviny jí sebral. „V poslední době máš pořád na krajíčku. Co se děje?"

„Já nevím," vzdychla a vzhlédla. „Tuhle jsem se rozbrečela v práci, když mi pacientka vyprávěla, že zatímco byla v nemocnici, umřel jí pes. Musela mě utěšovat, že ten pes už byl starý a odešel bez bolestí."

„Nejsi náhodou těhotná?" zarazil se Morgan. „Máš nějak růžovější a plnější tváře."

Marietta zůstala zírat. „Já nevím! To mě vůbec nenapadlo." Vyskočila a vylovila z kabelky diář. „Měla jsem měsíčky hned po líbánkách, udělala jsem si křížek pátého června. Pak další třetího července…" Zalistovala diářem, podívala se na Morgana. „Na začátku srpna nic, ale možná jsem si to jen zapomněla poznačit."

„Anebo ti vynechaly. Skončila válka a ve všem tom rozruchu sis možná prostě nevšimla."

„No propáníčka!" zvolala. „Nevím, jestli se mám zase rozbrečet, nebo se smát. Je to dobře, nebo špatně? Co to melu? Jistěže dobře. Ale načasování není úplně nejlepší vzhledem k tomu, že se chystáme na cestu domů."

Morganovi se ve tváři rozlil úsměv, který se postupně roztáhl od ucha k uchu. „Je to skvělá zpráva. Možná bychom měli slečnu Salmonovou popohnat. Nebylo by zrovna nejlepší, kdyby se dítě narodilo na moři."

Marietta vstala a objala jej. „Tak pane ošetřovateli, za jak dlouho budeme mít jistotu?"

„Vezmi si s sebou zítra do práce vzorek moči a nechej ho zkontrolovat," navrhl jí. „Možná je na to brzy, ale za pokus nic nedáš. Taky pomáhá prohlédnout prsa, bradavky v těhotenství hnědnou. Můžu se podívat?"

„To sis vymyslel," rozesmála se. „Nebudeš je prohlížet, víš, kam by to vedlo."

„Přesně tak, miláčku," zazubil se. „Jsem tvůj manžel, mám plné právo prozkoumávat každou část tvého těla, která to podle mě potřebuje."

Marietta uprchla do ložnice, ale Morgan ji chytil a zatlačil na postel.

„Podrobíš se prohlídce?" zeptal se, přidržel jí levačkou ruce nad hlavou a pravou jí začal rozepínat knoflíčky na halence a vyhrnovat podprsenku.

„Podvolím," smála se.

„Hm, jak jsem čekal, bradavky hnědé. Jestli se moc nepletu, pacientčina ňadra jsou o něco plnější než obvykle. Odteď je bude třeba pravidelně líbat každý den."

„Takže jsem těhotná?" zeptala se, ale Morgan se místo odpovědi přisál k jejím bradavkám.

Marietta se pro sebe usmála. Sice ještě na dítě nepomýšlela, ale zřejmě se stalo. Zaplavil ji slastný pocit tepla.

Nemohla by být šťastnější.

V pondělí ráno zavolala Marietta slečně Salmonové. Doktor Mercer jí dal její londýnské číslo a doporučil, aby se jí ozvala a připomněla se s nabídkou zařízení cesty domů.

Marietta to neudělala. Vymlouvala se na rozruch kolem svatby a stěhování do nově získaného malého bytu, ve skutečnosti se jí hlavně moc nechtělo mluvit s tou chladnou ženou. Když však nyní zjistila, že je zřejmě těhotná, byla s to postavit se komukoli.

Slečna Salmonová skutečně v kanceláři byla a kupodivu se zdála dokonce potěšená, že se Marietta ozvala. Vyptávala se, jak se povedla svatba, a jestli měla radost, že se shledala s francouzskými dětmi.

„To byl ten nejkrásnější svatební dárek," ujistila ji Marietta. „Navíc jsem měla opravdu radost, že se vrátí ke svým rodičům. Ale pan doktor Mercer mi říkal, že byste mně a manželovi mohla pomoct s návratem domů na Nový Zéland. Ocenili bychom, kdybyste to mohla udělat teď. Právě jsem zjistila, že jsem těhotná, a pochopitelně bych ráda byla před porodem doma."

„Nevím, jestli se nám povede zajistit něco tak rychle." Hlas slečny Salmonové náhle nabral obvyklý chladný tón. „Jak jistě chápete, je tu mnoho významných lidí, kteří se potřebují dostat co nejdříve do vaší země, a je třeba stanovit priority."

„A nepatří mezi priority někdo, kdo riskoval život, aby zachraňoval vojáky a členy hnutí odporu? Kdo při zachraňování druhých přišel o nohu?" zaútočila Marietta.

„No jistě, Marietto," odpověděla slečna hladce. „Uvidíme, co se dá dělat, ale nemohu vám nic slíbit."

Marietta měla pocit, že je třeba zatlačit, jinak se pomoci nedočká. „Děkuji, slečno Salmonová. Protože jediný další způsob, jak si zajistit místo na lodi, je někoho podplatit, a to si nemůžeme dovolit – leda bychom prodali můj příběh tisku."

„To nemůžete!" zvolala slečna Salmonová téměř zděšeně.

„Já samozřejmě nechci, ale potřebuji do měsíce odplout, abych byla do Vánoc doma."

Nastalo krátké ticho.

„Nechte to na mně," pronesla slečna Salmonová nakonec. „Určitě to nějak dokážeme zařídit."

Když Marietta zavěsila, připadala si vítězoslavně. Téměř viděla, jak se slečna chápe telefonu a vyžaduje pro ně lístky.

Jistě si nepřála, aby se veřejnost dozvěděla, jak málo jejímu oddělení záleží na lidech, kteří na jejich popud riskují životy při tajných misích.

Následující týden prožívala Marietta úzkost. Doopravdy by se na tisk neobrátila a netušila, jestli to slečna Salmonová poznala.

Ale na konci týdne se potvrdilo, že je těhotná. Dítě se mělo narodit na sklonku dubna a nic se nezdálo tak důležité jako právě tato zpráva. Lákalo ji zavolat domů a povědět to rodičům, Morgan však chtěl chvíli počkat, aby nepokoušeli osud.

Tři dny poté, co bylo těhotenství potvrzeno, přišla poštou napěchovaná hnědá obálka. K nezměrné radosti obou obsahovala palubní lístky na loď *Ruahine*, která měla ze Southamptonu do Aucklandu vyplout pětadvacátého září.

„No nazdar!" zvolal Morgan. „To je stará loď, měli ji zlikvidovat, nejspíš se zachránila jedině díky válce. Podle mě převážela vojáky a náklad."

„Mně je jedno, jak je stará a opotřebovaná – klidně bych tam dopádlovala třeba v neckách, kdyby nebyla jiná možnost. Ach, Morgane, konečně pojedeme domů!"

Vrhla se mu kolem krku, štěstím bez sebe. Morgan ji chytil v pase, nadzvedl a zatočil se s ní. V posledním dopise z domova rodiče psali, že Alex s Noahem jsou ještě v Itálii, ale snad by se do Vánoc měli vrátit.

„A navíc budeme doma na Vánoce," vyjekla Marietta nadšeně, když si to uvědomila. „To už nemůže být lepší!"

Na začátku prosince se Morgan na palubě *Ruahine* otočil k Mariettě. Usnula na lehátku na palubě jako většinu odpolední, když bylo teplo a nefoukal vítr.

Připadalo mu, že snad žádné ženě nikdy těhotenství tak ne-slušelo. Vlasy jí zářily, stejně tak pleť, a kulaté bříško mu při-padalo neodolatelné.

Za týden zakotví v Aucklandu a odtamtud budou do Russellu pokračovat parníkem. Dorazit měli dvacátého prosince, čili s dostatečným předstihem před Štědrým dnem. Ale přestože se Morgan těšil na Mariettinu rodinu a rodné město, o němž tak často mluvila, trochu litoval, že se plavba chýlí ke konci.

Doma v Anglii jim práce věčně bránila trávit čas společně, proto si užíval, že se každé ráno na lodi budí vedle sebe, nemají jiné starosti než dojít si na jídlo, procházet se po palubě a být spolu. *Ruahine* upravili v roce 1933 tak, aby v turistické třídě dokázala přepravit dvě stě dvacet pasažérů, v roce 1938 se však změnila ve výhradně nákladní loď. Později kajuty pro cestující obnovili kvůli přepravování vojsk.

Naštěstí dostali Morgan s Mariettou kajutu zřejmě určenou pro důstojníky. Byla prostorná, pohodlná, na horní palubě hned vedle koupelny, navíc disponovala postelí pro dva. Podle toho, co říkali ostatní cestující, vesměs bývalí vojáci vracející se domů, byly ostatní kajuty těsné a dusné.

Hráli karty, deskové hry, četli si v posteli a často se milovali. Jako jedni z mála na palubě nepodlehli mořské nemoci. Cestující, kteří měli kajuty dole v útrobách lodi, na rozbouřeném moři skutečně trpěli. A ačkoli si Morgan umiňoval, že nikomu neprozradí, že je ošetřovatel, aby ho nevyrušovali, nakonec stejně pomáhal a Marietta zrovna tak. Nepřipadalo jim správné ležet a užívat si, když je tolika lidem kolem špatně.

Kromě toho, že mohli být s Mariettou spolu, bylo na plavbě pro Morgana nejlepší, že měl čas popřemýšlet o své minulosti i budoucnosti. Z negramotného Janka, který dostal do postele každé děvče, jež během plaveb poznal, se stal vojákem. Pak přišlo zranění a on si přál umřít.

První měsíce bolesti a totálního zdrcení byly strašné, ale nakonec také pro něco dobré. Zjistil, že vzhled není jediná jeho přednost, že je chytrý, citlivý vůči pacientům a je schopen učit se nové věci.

Mrzelo ho, když se loučil s mnoha přáteli, které si našel v Netley a v Borough. Tyto dvě nemocnice tvořily po pět let celý jeho svět – dokud se zčistajasna neobjevila Marietta, měl za to, že to tak zůstane napořád.

Díky Mariettě však přestal myslet na své znetvoření. Dnes už se dokázal podívat do zrcadla a vidět sám sebe, ne spáleninu.

Právě vstupoval do úplně nové životní etapy. Neměl obavy z role otce a manžela, ale trochu se bál, jak najde práci a jak si zvykne na život, který se netočí kolem nemocnice. Podle všeho byl Mariettin otec drsný chlap, Morgan upřímně doufal, že s ním i s její matkou bude vycházet.

Ze všeho nejvíc by si přál pracovat někde na oddělení popálenin. Předpokládal však, že nejbližší takové bude v Aucklandu a Marietta možná nebude chtít bydlet ve městě.

Prozatím s ní o tom nemluvil, rozhodl se počkat, než se narodí dítě. To už by jí snad mohl Russell připadat malý a jednotvárný. Rodičovství člověku změní pohled na svět v mnoha směrech.

„Už jsme skoro tam!" Marietta vzala Morgana za ruku a pevně ji stiskla v přívalu nadšení. Stáli u zábradlí parníku. Během tohoto posledního úseku cesty byla dojatá pohledem na čisté modré moře, svěží zelené stromy podél skalnatého pobřeží a delfíny. Předváděli své kousky kousek od lodi a Marietta to brala jako přivítání doma.

Na Severní ostrov již nevyplouvala pravidelná linka – lidé teď jezdili po silnici –, tato měla výjimečně posloužit lidem cestujícím na svátky do Zátoky ostrovů a dál za příbuznými. Na palubě bylo i několik mužů, které Marietta považovala za vracející se vojáky, ale žádného z nich neznala.

„Tamhle!" zvolala, když vpluli do zátoky a v dálce se objevily domy. „Myslíš, že nás přijdou přivítat všichni? Mně snad radostí pukne srdce. Snad nikdy jsem se na nic tak netěšila, mám ale taky strach."

„Z čeho?" zasmál se a vzal ji kolem ramen.

„Že se budou trápit kvůli tomu, jak chodím, nebo už nebudou takoví, jak si pamatuju. Když jsem odcházela, bylo Alexovi patnáct a Noelovi čtrnáct. Uplynulo sedm let, teď z nich budou dospělí chlapi. Já jim věčně něco prováděla, možná se na mě zas tak netěší."

„Ty hloupoučká," řekl láskyplně a políbil ji na čelo. „Sedm let a světová válka změní všechno. Ty už nejsi ta holka, co odsud odjela, a ani oni už nejsou stejní malí kluci."

Belle, Etienne a Mog čekali v přístavu, natěšení stejně jako Marietta a zrovna tak nejistí. Báli se, jestli bude Marietta schvalovat změny, které provedli v jejím pokoji. Co když nebudou vycházet s Morganem? Nebo co když byla Marietta pryč tak dlouho, že už nezapadne? Navrhli Alexovi s Noelem počkat doma, aby toho na Mariettu nebylo moc najednou.

„Už jen tak deset minut," řekl Etienne a vzal Belle i Mog kolem pasu, aniž spustil oči z lodi, která se k nim blížila. Těšil se, až poprvé zahlédne dceřiny krásné vlasy.

Čekání mu připomnělo, jak kdysi připlul na parníku *Clansman*. Tehdy lilo, přesto stál připravený na palubě a srdce mu bušilo strachy, že si Belle stačila najít novou lásku.

Nenašla a jako zázrakem čekala v přístavu, právě jako zde čekali dnes. Pochopitelně ne na něj – nevěděla, že připluje –, ale na balík. Vybavil si její ohromený výraz, když ho spatřila, jak se na něj dívala, jako by měla vidiny. A pak se mu najednou vrhla do náruče. Dívka, kterou tak dlouho nosil v srdci, o něj stále stála.

Sehnul se a pošeptal jí: „Pamatuješ na den, kdy jsem připlul?"

Usmála se. Přestože byla mnohem starší, o něco zakulacenější a vlasy jí šedivěly, byla to stále jeho krásná dívka.

„Ano. A nic se nezměnilo," pošeptala mu. „Pořád dovedeš rozezpívat moje srdce."

„O čem si to vy dva šuškáte?" chtěla vědět Mog.

„To se neříká." Etienne se ohlédl na loď. „Podívejte! To je ona, nahoře na přídi. Má něco zeleného."

Všichni přimhouřili oči.

„Snad ano," přikývla Belle. „Podle těch vlasů."

Na loď čekali v přístavu i další lidé a volali na pozdrav. Za dnů, kdy *Clansman* připlouval každý týden, vozil poštu, zboží a sem tam i nějaké piano, chodívali do přístavu všichni.

Tato tradice vymizela zároveň s ukončením pravidelné linky, Belle však věděla, že je tu dnes mnoho těch, kdo jsou zvědaví na Mariettu a jejího manžela. Nepochybně budou tvrdit, že je jen chtějí přivítat doma, ale protože se rozneslo, že Mari přišla o nohu a Morgan je zjizvený po popálení, poháněla je spíš zvědavost.

Belle sice ten morbidní zájem dráždil, ale považovala za lepší, když její dceru s manželem uvidí zde a uspokojí svou zvědavost, než aby se k nim hrnuli pod falešnými záminkami na návštěvu.

„Heeeej!"

Belle se otočila a uviděla Peggy, jak se belhá k nim. V poslední době ji zlobily nohy, bylo pro ni těžké zdolat třeba i jen malou vzdálenost.

„Nemohla jsem zavřít krám," vykládala Peggy zadýchaně a utírala si zpocený obličej do zástěry. „Pořád někdo chodil. Je tu spousta lidí na svátky, pánbu ví, kde se všichni ubytovali."

„Myslíme si, že na přídi vidíme Mari," oznamovala Mog a ukazovala.

„Vsadím se, že tam stojí celou cestu, vždycky měla ráda vítr ve vlasech. Jen doufám, že má moře rád i Morgan," řekla Belle.

„Určitě, pracoval přece na lodi," soudil Etienne.

„Pojďme všichni mávat, ať je to ona, nebo ne," navrhla Mog. „Uvidí nás. Jestli zamává, budeme mít jistotu."

Začali tedy mávat jako o život. A postava na přídi s mužem po boku skutečně zamávala.

Ve skutečnosti netrvalo lodi doplout do přístavu, zakotvit a spustit lávku ani deset minut. Avšak těm, kteří v přístavu čekali, se čas vlekl jako celé hodiny.

Když Marietta udělala první váhavý krok na lávku, Belle se odtrhla od Etienna a rozběhla se vpřed, dostala se k dceři, jakmile Marietta stanula na souši.

„Moje milovaná holčičko," zvolala Belle a sevřela dceru v náručí. „Vítej doma! Už jsem si myslela, že tě víckrát neuvidím."

„Nechte ostatní vystoupit," ozval se za nimi Etienne a odtáhl manželku i dceru stranou.

„Tati!" zvolala Marietta, náhle se rozplakala a snažila se obejmout oba rodiče najednou.

Mog se otočila k Morganovi a s úsměvem k němu napřáhla obě ruce. „Vítej, Morgane. Já jsem Mog. Všichni jsme se moc těšili, až tě poznáme. Oni ti to řeknou za chvíli sami. A čím dřív budeme doma, tím líp."

Pro Mariettu bylo opravdu zvláštní ocitnout se znovu doma. Všechno – pohledy, zvuky, vůně – bylo tak známé, jako by odjela teprve včera. Ale zároveň si připadala ve snu, z něhož by se mohla probudit a ocitnout se zpátky v Anglii.

Každý měl tolik co vyprávět a tolik otázek, Marietta byla navíc nesvá z toho, že z jejích bratrů už jsou dospělí muži s hlubokým hlasem a širokými rameny. V jejich kobaltově modrých očích jako by se odráželo veškeré nebezpečí a útrapy, jež museli prožít.

Všichni mluvili jeden přes druhého, proto Belle nakonec řekla Etiennovi a Mog, ať vezmou Morgana a chlapce do kuchyně a ona že odvede Mariettu do jejího starého pokoje.

„Tak je to lepší," řekla, když za nimi zavřela dveře. „Mám tě aspoň na chvilku pro sebe."

Marietta se posadila na novou postel pro dva, která nahradila její starou, a rozhlédla se. Plakáty filmových hvězd ze stěn zmizely, místo nich se skvěla hezká modro-bílá tapeta. Jinak byl nábytek stejný, jen čerstvě natřený. Na zdi visela Mariettina zvětšená fotografie – stála na ní na jachtě v nepromokavém overalu, moře bylo silně rozbouřené.

„Odkud ta fotka je?" podivila se. Těžko mohl být autorem někdo místní, na to byla příliš dobrá.

„Pořídil ji jeden fotograf, který tu byl na dovolené na rybách. Musel to být ten rok, než jsi odplula do Anglie. No a před pár lety přijel zase a donesl nám ji. Dovedeš si představit, jak byl tvůj táta nadšený. Vyrobil k ní rámeček a pak jsme ji pověsili sem, když jsme ti zařizovali pokoj."

„Je to tu moc hezké," pochvalovala si Marietta. „Ani nevíš, jak ráda jsem zase doma."

„Mog si myslí, že než skončí vánoční svátky, budete nás mít s Morganem po krk a budete chtít bydlet někde sami," poznamenala Belle a zasmála se, jako by si nebyla jistá, jestli k tomu skutečně nemůže dojít.

„To sotva," opáčila Marietta. „Pojď si ke mně sednout, ať se k tobě můžu přitulit." Poplácala postel. „Nebo si myslíš, že už jsem na mazlení moc stará?"

Belle byla v mžiku u ní a pevně dceru objala. „Kolikrát jsem se jenom strachovala, že už tě víckrát neobejmu," hlesla dojatě. „A teď už tě chci jenom objímat a víckrát nepustit."

„Brzy budeš babičkou," připomněla Marietta. „Jen co se narodí miminko, už se na mě ani nepodíváš."

„Ty budeš vždycky moje děťátko," pronesla Belle láskyplně a pohladila dceru po tváři. „Proto se tě musím zeptat na tu nohu. Potřebuju ji vidět. Je to ode mě hloupé?"

Marietta se zasmála. „Ne, já ti asi rozumím. Slyšela jsem, že všechny novopečené matky kontrolují, jestli má jejich dítě všechny prsty na nohou a na rukou. Tohle asi bude stejný instinkt."

„Takže ti nevadí ukázat mi ji?"

„Ne, ale jen pro jednou. Abys měla klid."

Marietta vstala, rozepnula si kalhoty a nechala je spadnout na zem. Belle se zajíkla, neřekla však nic, jen se dívala na protézu a zkoumala, jak se připíná. Marietta chápala, že je pro jakoukoli matku nejhorší na světě vidět své dítě zmrzačené.

„Nebolí to, mami," řekla, když se posadila a začala si nohu odepínat. „Už jsem si zvykla, nevadí mi. Chtěla bych, aby sis zvykla i ty. Zvládám v podstatě všechno co dřív, i když nemůžu běhat ani skákat. Tak, a je to!" Odhalila pahýl, vzala matku za ruku a položila si ji na stehno. „Jsem pořád stejná, mami, jen mě kousek chybí, to je všechno."

Sledovala, jak se matka váhavě dotýká jizev na pahýlu, viděla, jak se jí po tvářích kutálejí slzy.

„Neplač, mami, vážně o nic nejde."

„Když jsi byla malinká, líbala jsem tě na bříško, na zadeček a na tahle baculatá stehýnka," šeptala Belle. „Nikdy mě ani nenapadlo, že by něco tvé dokonalé tělo mohlo pokazit. Ale děkuju ti, že jsem se směla podívat. Není to tak ošklivé, jak jsem se bála."

„Máme spolu hodně o čem mluvit," řekla Marietta, připnula si protézu a natáhla kalhoty. „Myslím věci, o kterých jsme spolu ještě nikdy nemluvily. Chtěla bych slyšet, jak jste se ty, táta a Mog dali dohromady a co jste prožili před válkou i během ní. Ráda bych věděla všechno."

Belle se zasmála. „A já se zas budu vyptávat na tvá dobrodružství."

Marietta vstala a vzala matku za ruku. „Ale dnes ne. Máme na to čas do konce života. Pojďme dolů, těším se na bratry, určitě mají taky o čem vyprávět."

Později, po slavnostní večeři sestávající z pečeného jehněčího, které Marietta s Morganem nejedli už roky, navrhla Belle, aby si šli všichni sednout ven, protože byl příjemně teplý večer.

Cestou zpátky na Zéland si Marietta v duchu představovala, o čem bude s rodinou mluvit, zejména s bratry, uvědomovala si, že se s nimi nikdy dřív doopravdy nebavila.

Přesto, jakmile se všichni sesedli u stolu, plynul hovor stejně hladce jako jindy. Marietta s Morganem popisovali cestu domů, Alex s Noelem vyprávěli o několika incidentech, k nimž došlo v Aucklandu, kde museli asi týden čekat, než bude oficiálně vyhlášena demobilizace.

Cestou ven chytil Alex Mariettu a chvíli ji jen mlčky objímal. Když ji konečně pustil, jemně ji pohladil po tváři.

„Jsem rád, že jsme všichni doma, sestřičko, a s Noelem se radujeme, že z nás budou strejdové. Dnes večer se o válce bavit nebudeme, je čas radovat se ze setkání. A přivítat Morgana do rodiny a těšit se na Vánoce."

Noel ji pohladil po rameni, jako by chtěl říct, že s bratrem plně souhlasí.

„Jen počkej, až uvidíš, do čeho se táta pustil, zatímco jsme tu nebyli," sliboval a spiklenecky se zubil.

„Musel jsem se nějak zabavit, když byly všechny moje děti pryč a manželka chodila pěstovat ovoce a zeleninu."

Etienne vzal Mariettu za ruku a vedl ji ven. Spatřila tu proměnu a nestačila žasnout.

Když byla malá, rostla na svahu od zadních dveří k výběhu pro slepice jen pichlavá nerovná tráva. V zimě byl pozemek jako bažina a v létě zely v trávníku lysiny tam, kde si děti hrály s míčem.

Zato nyní spatřila Marietta překrásně vydlážděnou a vyvýšenou terasu lemovanou stěnami s květinovými truhlíky. Vypadalo to nádherně, po zdech přepadával vodopád oranžových a žlutých květů. Po dvou schůdcích se dalo sejít do zbytku zahrady, kde byl nyní skutečný trávník, svěží a zelený, a krásné květinové záhony. Za dřevěnou ozdobnou mříží zahlédla Marietta záhony se zeleninou.

„Je to krása," zvolala a vzápětí se rozplakala. Změna v zahradě jí náhle připomněla, že ona i bratři už jsou dospělí. Všichni odsud odešli a rodiče s Mog museli svůj život zaplnit něčím jiným. Teď jsou sice všichni doma pohromadě, ale Noel, Alex i ona si budou brzy muset najít vlastní cestu, která je možná zavede pryč z Russellu.

Morgan se posadil, přitáhl si Mariettu na klín a nechal ji vyplakat se mu na rameni.

„Nedivte se, že je naměkko," řekl ostatním, protože se Mariettinými slzami zdáli zmatení. „Sedm let nosila v srdci obrázek tohohle domu, Russellu a vás všech. Jenže mezitím už je všechno jinak. Všichni máme co vyprávět a Marietta by o vás nejraději věděla všechno hned. Zapomíná, že není kam spěchat, protože na to máme čas do konce života."

Etienne mu položil ruku na rameno. „Dobře řečeno, Morgane. Jsem moc rád, že se moje dcera provdala za muže, kterého bych jí sám vybral. Nevím, co se ti honilo během té dlouhé plavby hlavou, když jsi nevěděl, co tě čeká na konci. I já se kdysi vypravil do neznáma. Ale vím, že ty a Mari spolu budete šťastní jako já s Belle. Odteď patříš k nám do rodiny."

Posadil se vedle Morgana a vzal Mariettu za ruku. Ta se po jeho slovech rozplakala ještě usedavěji.

„Zítra si vyrazíme na moře," slíbil. „Zjistíš, že tam se v podstatě nic nezměnilo."

Belle se k nim přitočila a políbila Morgana i svou dceru na tvář. „Jaká nás čeká budoucnost! Všichni jsme starší a moudřejší, ale brzy se narodí miminko. A děti udělají všechno skutečnější, ukážou nám, co je důležité a co ne."

„Než ses narodila, Mari, tvoje máma byla chvíli úplně vedle," vyprávěla Mog. „Naříkala, že o dětech nic neví a že se o tebe nezvládne postarat. Já se jenom smála, věděla jsem, že ať jí život postaví do cesty cokoli, ona si poradí. Navíc měla mě a tvýho tátu. A ty jsi zrovna jako Belle, zvládneš všechno a máš nás. Armádu pomocníků."

Marietta se napřímila a popotáhla.

„Návrat domů mi připomněl, jak jsem byla zahleděná do sebe, když jsem odjížděla. Chci vám říct, že teprve když jsem odjela, pochopila jsem, jak moc pro mě znamenáte," řekla a rozhlédla se po nich všech. „Mám na vás milion otázek a taky vám toho chci spoustu vyprávět, ale můj milovaný Morgan má pravdu, na to bude ještě dost času."

„Čekají nás tisíce zítřků," přikývla Belle a jemně dceru štípla do tváře. „Samé nepopsané stránky, které čekají, až je zaplníme smíchem, láskou a štěstím. Popovídáme si o věcech, o kterých jsme dřív mluvit nechtěli nebo nestačili. Ale dnes večer budeme oslavovat, že jsme konečně zase všichni spolu."

Poděkování

Jsem moc vděčná Olive Bedfordové ze Severního ostrova na Novém Zélandu. Nejenže je přes dvacet let mou neochvějnou příznivkyní, velmi mi pomohla a kvůli této knize pro mě zjišťovala hodně věcí o Novém Zélandu.

Poprvé jsme se osobně setkaly v roce 2011 – do té doby jsme si jen psaly –, ale na její osmdesáté narozeniny, krátce poté, co přišla o manžela, jsem ji během cesty na Nový Zéland navštívila. Od té doby se přestěhovala, naučila se pracovat na počítači, sama procestovala Anglii, stále si udržuje přehled o dění ve světě, plete svetry mé vnučce a je mi drahou přítelkyní a důvěrnicí. Nazývá se mou čestnou matkou, ale já bych byla pyšná, kdyby byla tou skutečnou, protože neznám statečnější, chytřejší a laskavější ženu. Mám tě ráda, Olive!

Velké díky patří i malému muzeu v Russellu v Zátoce ostrovů, kde jsem strávila spoustu času nad starými fotografiemi a informacemi, abych zjistila, jak se tam ve třicátých a čtyřicátých letech žilo. Pokud jsem se dopustila jakýchkoli nepřesností, omlouvám se. Děkuji také vynikajícímu Imperiálnímu válečnému muzeu v Londýně, je to nejlepší místo, kde se člověk může dozvědět vše o obou světových válkách a o jejich dopadu na obyvatelstvo.